HEYNE‹

Das Buch

Die USA in der nahen Zukunft: Terroristische Aktionen zermürben das Land. Doch es sind nicht nur islamische Attentäter, die Angst und Misstrauen unter den Menschen säen. Nach einer Serie kleinerer Explosionen setzt sich FBI-Sonderagent Griffin auf die Spur des »Patriarchen«, eines Schwerverbrechers, der sich einer christlich-militanten Sekte angeschlossen hat. In einem waghalsigen Unternehmen dringt Griffin getarnt in das Haus des Patriarchen ein. Doch die Situation entgleitet ihm, es kommt zum Schusswechsel, der Patriarch wird tödlich getroffen. Als das Sonderkommando die Gebäude untersucht, in denen biologische Kampfstoffe vermutet werden, sieht Griffins Sohn William, ebenfalls für das FBI tätig, per Videoschaltung zu und wird Zeuge, wie sein Vater das Opfer einer Explosion wird. Kurz darauf erschüttern dramatische Vorkommnisse das Land: Ganze Städte versinken in Demenz, der Bioterror greift um sich. Die Attentäter verfolgen einen teuflischen Plan: Rom, Jerusalem und Mekka sollen ausgelöscht werden. Eine verzweifelte Suche nach den Drahtziehern beginnt …

»Einmal in die Handlung eingetaucht, werden Sie dieses Buch nicht wieder freiwillig aus der Hand legen!«

Hannoversche Allgemeine Zeitung

»Ein atemberaubender Zukunftsthriller! Wem Lee Child, Douglas Preston und Michael Crichton nichts mehr Neues bieten, der muss zu Greg Bear greifen.«

San Francisco Chronicle

Der Autor

Greg Bear wurde 1951 in San Diego geboren und studierte dort englische Literatur. Seit 1975 als freier Schriftsteller tätig, gilt er heute als einer der ideenreichsten wissenschaftlich orientierten Autoren der Gegenwart. Seine zuletzt veröffentlichten Romane »Das Darwin-Virus«, »Die Darwin-Kinder«, »Jäger« sowie »Stimmen« wurden zu internationalen Bestsellererfolgen.

Mehr zu Greg Bear unter: www.gregbear.com

GREG BEAR

QUANTICO

Roman

Deutsche Erstausgabe

WILHELM HEYNE VERLAG
MÜNCHEN

Titel der amerikanischen Originalausgabe
QUANTICO
Deutsche Übersetzung von Usch Kiausch

Umwelthinweis:
Dieses Buch wurde auf chlor- und
säurefreiem Papier gedruckt.

Deutsche Erstausgabe 12/06
Redaktion: Angela Kuepper
Copyright © 2005 by Greg Bear
Copyright © 2006 der deutschen Ausgabe
und der Übersetzung
by Wilhelm Heyne Verlag, München
in der Verlagsgruppe Random House GmbH
www.heyne.de
Printed in Germany 2006
Umschlaggestaltung: Nele Schütz Design, München
Satz: C. Schaber Datentechnik, Wels
Druck und Bindung: GGP Media GmbH, Pößneck

ISBN-10: 3-453-43037-9
ISBN-13: 978-3-453-43037-2

Jenen gewidmet,
die sich der Gefahr aussetzen,
um uns vor Wahnsinn,
Habgier und Torheit zu bewahren

Erster Teil

Brauer, Bäcker, Kerzenzieher

> *Sie haben mich gereizt durch einen Nicht-Gott,*
> *durch ihre Abgötterei haben sie mich erzürnt.*
> *Ich aber will sie wieder reizen durch ein Nicht-Volk,*
> *durch ein gottloses Volk will ich sie erzürnen.*

Das Fünfte Buch Moses 32,21 nach der Übersetzung
Martin Luthers; vergleiche auch *Brief des Paulus an die
Römer 10,19*

> *... führt der Stadt vor Augen, dass er ein Feind*
> *des Volkes war und die Partisanen ihn deshalb*
> *erschossen haben, weil sie den Schutz der Bürger*
> *als ihre wichtigste Aufgabe betrachteten.*

Psychologische Vorgehensweisen in Guerillakriegen, Lehrbuch
der Central Intelligence Agency

Kapitel 1

Guatemala, an der Grenze zu Mexiko
Jahr minus zwei

Von der vorderen Sitzbank des Range Rover aus griff der kleine dicke Mann, der mit einer abgesägten Schrotflinte bewaffnet war, nach hinten und zog seinem Beifahrer die Kapuze vom Kopf. »Zu heiß, Señor?«, fragte der Dicke. Sein Atem roch nach TicTacs, doch das konnte den Gestank fauler Zähne nicht überdecken.

Das kurze sandfarbene Haar des *Norteamericano* starrte vor Schweiß. Er holte tief Luft und blickte auf den mit roten Ziegelsteinen gepflasterten Hof und die saftig grünen Bäume ringsum. Nach und nach kam sein gehetzter Blick zur Ruhe. »Ein wenig zu heiß, ja.«

»Tut mir leid, heute ist es auch noch schwül dazu. Drinnen wird es angenehm kühl sein. Señor Guerrero ist sehr gastfreundlich, sobald er sicher ist, dass ihm keine Gefahr droht.«

»Verstehe.«

»Ohne diese Gewissheit«, fuhr der Dicke fort, »kann er durchaus launisch sein.«

Zwei Indianer rannten von der Hacienda aus auf den Wagen zu. Beide waren jung, wirkten wie ausgehungert nach Taten und hatten AK-47-Kalaschnikows um die Brust geschnallt. Einer öffnete die Tür des Range Rover und forderte den *Norteamericano* mit heftigem Zerren zum Aussteigen auf. Bedächtig ließ sich der Blonde, der schlaksiger und größer als der Dicke war, auf das Pflaster hinunter. Miteinander sprachen die Indianer Mam, während sie sich mit dem Fahrer des Range Rover in gebrochenem Spanisch verständigten. Als der Chauffeur lächelte, wurden Lücken in seinen vom Tabak gelb gefärbten Zähnen sichtbar. Er

9

lehnte sich gegen die Motorhaube und zündete sich eine Marlboro an. Sein Gesicht leuchtete im Schein der Streichholzflamme auf.

Die Indianer klopften den Großen so ab, als trauten sie weder dem Dicken noch dem Chauffeur oder den anderen Männern, die von Pajapita aus mitgefahren waren. Als sie Anstalten machten, auch den Chauffeur abzutasten, fluchte er und stieß sie weg. Es war ein heikler Moment, doch als der Dicke einige Worte in der Sprache der Ureinwohner bellte, zogen sich die Indianer mit saurer Miene zurück. Während sie davonstolzierten und an den Gewehrläufen ruckten, wandte sich der Chauffeur mit nachsichtigem Blick ab und rauchte weiter.

Der Große rieb sich mit dem Taschentuch übers Gesicht. Irgendwo brummte ein Generator. Auf dem letzten Wegstück waren die Straßen brutal gewesen, voller Furchen und infolge des jüngsten Hurrikans mit abgebrochenen Ästen übersät. Offenbar hatte die Hacienda keinen Schaden erlitten, denn die elektrischen Lampen leuchteten in der Dämmerung. Die Mitte des Hofes nahm ein kleiner Brunnen ein, aus dem ein einziger grünlicher Wasserstrahl zwei Meter in die Luft schoss, mitten durch eine Wolke von Mücken. Kleine Fledermäuse segelten wie Schwalben durch die blaue Abenddämmerung, flogen hin und her. Am Brunnen spielte ein einsames kleines Mädchen mit langem schwarzem Haar, bekleidet mit Shorts, einem rückenfreien Oberteil und rosafarbenen Sandaletten. Die Kleine hielt einen Augenblick inne, um den großen Mann und den Range Rover zu mustern, dann schwang ihr Haar herum und nahm ihr Spiel wieder auf.

Der Dicke ging zum Heck des Kleinlasters, öffnete die Klappe und zerrte einen zwei Zentner schweren Kaffeesack heraus, der rasselte, als die Bohnen durcheinander gerieten.

»Mr. Guerrero nimmt keine Drogen, bis auf Kaffee, aber den trinkt er in Mengen«, bemerkte der Dicke und kniff ein Auge zu. »Wir werden hier auf Sie warten.« Er klopfte auf seine Platinuhr. »Am besten, Sie fassen sich kurz.«

Von der Hacienda kam eine kleine alte Frau in einem langen gelb-roten Baumwollkleid auf sie zu und fasste den Großen bei der Hand. Während das kleine Mädchen beide mit düsterer Miene beobachtete, lächelte sie ihm zu und führte ihn über den Hof. Unterhalb ihres zarten, dunklen Damenbarts war auf der Oberlippe schwach die rosafarbene Narbe einer fachmännisch behobenen Hasenscharte zu erkennen.

Die Bronzetore vor dem Innenhof der Hacienda waren mit gusseisernen Putti verziert, die geschäftig so wichtige Aufgaben wie das Befördern von Früchten erledigten. Die traurigen, aber in ihr Schicksal ergebenen Augen ähnelten denen der alten Frau, und der Bronzeanstrich der Figuren entsprach fast ihrer Hautfarbe. Nachdem sie eine schwere Eisentür und danach eine Glastür passiert hatten, traf der kühle Luftzug der zentralen Klimaanlage das Gesicht des Großen. Durch die weitläufigen, weiß getünchten Räume der Hacienda drang Musik – leichter Jazz, Kenny G. Die Alte geleitete ihn zu einer weiß bezogenen Couch und drängte ihn, Platz zu nehmen. Danach kniete sie sich hin, zog ihm die Schuhe aus und streifte ihm stattdessen Sandalen über, die sie aus einer in den tiefen Falten ihres Kleides verborgenen Tasche holte.

Im Eingang zum Esszimmer tauchte Mr. Guerrero auf, ohne Begleitung. Er war klein, aber gut gebaut, hatte dichtes dunkles Haar und trug ein gelb-schwarz gemustertes Hawaiihemd, das er in die weiße Leinenhose gesteckt hatte. Um die Taille war ein Hanfgürtel geschlungen. Er wirkte wie ein wohlhabender Mann, der sich den Anstrich süßen Nichtstuns gibt.

»Willkommen, Mr. Santerra«, sagte Guerrero. »Ihre Fahrt hierher war bestimmt eine grässliche Strapaze.«

Der Große, er hieß nicht Santerra, hielt einen kleinen Stoffbeutel hoch, in dem ganz leise Glasphiolen klirrten. »Wenigstens ist nichts zerbrochen.«

Guerreros Wangen zuckten. »Es ist also geschafft?«

»Es funktioniert, hier ist der Beweis«, erwiderte der Große. »Rein und tödlich. Probieren Sie's an jemandem aus, auf dessen Dienste Sie verzichten können.«

Guerrero streckte abwehrend die Hände hoch. »Ein solcher Mann bin ich nicht. Wir werden es in einem Labor testen, an Tieren. Falls es das ist, was Sie behaupten, erhalten Sie die nächste Zahlung an einem Ort Ihrer Wahl. Geldtransaktionen sind hier und auf den Inseln riskant. Der Terrorismus hat Ihre Nation dazu gezwungen, dem globalen Bankenwesen allzu viel Aufmerksamkeit zu widmen.«

Aus der Küche kam ein schwergewichtiger schwarzhäutiger Mann in einem schwarzen Anzug herein, dessen Haar sich lichtete. Er ging um Guerrero herum, blieb vor dem Großen stehen und streckte auffordernd die Hand aus. Nachdem er den Beutel entgegengenommen hatte, machte er ihn vorsichtig auf und entnahm ihm drei mit feinem Pulver gefüllte Phiolen, die in seiner rosafarbenen Handfläche klimperten. »Ihnen ist hoffentlich klar, dass das hier noch nicht das endgültige Produkt ist«, sagte der Schwarze zu Guerrero. In der quäkenden Stimme schwang ein österreichischer Akzent mit. »Das beweist noch gar nichts.«

Guerrero tat die Vorbehalte mit einer Handbewegung ab. »Sie werden mir vor der nächsten Zahlung mitteilen, ob das Vertrauen in diese Sache gerechtfertigt ist, stimmt's, Señor Santerra?«

Der Große nickte.

»Vielleicht werde ich das Ende all dieser Probleme nicht mehr erleben«, sagte Guerrero. Seit der Große den Stoffbeutel hochgehalten hatte, war er keinen Schritt näher gekommen. »Aber ich hoffe, meine Kinder werden es an meiner Stelle tun. Haben Sie den Film *M* gesehen, Señor Santerra?«

Der Große schüttelte den Kopf.

»In dem Film sucht die deutsche Unterwelt nach einem Kinderschänder und macht ihm den Prozess, weil er so viel Bullen auf den Plan gerufen und damit die eigenen Operationen der Unterwelt gestört hat. Genauso ist es hier. Wenn Sie Ihr Versprechen halten, werden wir diesen rücksichtslosen Monstern das verpassen, was sie verdienen.« Er hielt kurz inne, um dem schwarzen Österreicher Gelegenheit zu geben, mit dem Beutel aus dem Zimmer zu verschwinden. Danach nahm er auf einem schweren Holzstuhl Platz. Die tiefen Falten in seinem Gesicht verrieten jahrelange Sorgen. »Sie haben gefährliche Fähigkeiten, deshalb würde ich Ihnen gern vertrauen.«

Der Große nahm das Kompliment, wenn es denn eines war, ungerührt entgegen.

»Ich weiß es zu schätzen, dass Sie persönlich gekommen sind. Wann kann ich mit Neuigkeiten rechnen?«

»Innerhalb von drei Monaten, höchstens könnten es sechs werden.« Der Große streckte die Hand vor, um die Abmachung mit Handschlag zu besiegeln.

Während Guerrero auf die Hand heruntersah, zuckte seine Wange erneut. Er war zwar erst vierzig, sah aber Jahrzehnte älter aus. »Und jetzt gehen Sie am besten.«

Die Alte mit der bronzefarbenen Haut huschte wieder ins Zimmer und kniete nieder, um dem Großen die Schuhe zu wechseln. Gleich darauf machte er sich auf den Weg zur Tür.

Im Hof hatten sie den Motor des Wagens laufen lassen. Das kleine Mädchen war mittlerweile ins Haus gegangen. Der Chauffeur drückte die Zigarette aus und verstaute den Stummel in einer Blechdose, die er aus der Hosentasche zog. Während er die Kapuze mit einer Hand herumschlenkerte, riss der Dicke die Tür des Range Rover auf. Er lächelte. »In dieser Gegend gibt es zu viele Fledermäuse. Schätze, das liegt daran, dass hier so viele Insekten herumschwirren.«

Kapitel 2

Irak · Jahr minus eins

Die rubinroten Plastikperlen des Vorhangs rasselten wie Finger-knöchelchen in einem Becher.

Der Mann, der ins Kaffeehaus hinunterging, hatte flachsblondes Haar. Wie fast jeder in Bagdad, einer Stadt der Diebe, Mörder und Kaufleute, trug er eine Sonnenbrille. Als er die Schuhe an einem in den Boden eingelassenen Fußabtreter abstreifte, wirbelte feiner Staub auf. Er rümpfte die Nase und runzelte die Stirn, als hege er gewisse arrogante Vorbehalte gegen diesen Ort. Im Glanz der falschen Rubine leuchteten seine Wangen und die Schläfe kurz auf. Augenscheinlich war er ein Halbgott – vielleicht ein englischer Halbgott –, groß, schlank und möglicherweise auch stark, allerdings war das aufgrund des legeren Schnitts seines Leinenjacketts nicht genau auszumachen.

Ibrahim Al-Hitti beobachtete ihn von einem kleinen runden Tisch aus und zog seine auf Hochglanz polierten schwarzen Schuhe ein, weil er nicht wollte, dass darauf herumgetrampelt wurde. In diesem Keller war es eng, es gab nur wenige Tische und noch weniger Kunden. Das Etablissement gehörte dem einäugigen Cousin eines Cousins, der sich nach einiger Überredung damit einverstanden erklärt hatte, dass das Café hin und wieder für Privatgeschäfte genutzt wurde. Und dass keine Fragen gestellt wurden. Bei solchen Treffen drückte er buchstäblich ein Auge zu, nämlich das gesunde.

Dieser dickliche, schlecht gekleidete Verwandte stand jetzt hinter der kleinen schwarzen Theke, mitten in der Dampfwolke, die von einer alten Espressomaschine aufstieg. Er prahlte gern damit, dass die Maschine direkt aus Italien importiert sei. Der

Dampf schreckte zwei Pferdebremsen hoch, die vor der Hitze da draußen Schutz gesucht hatten. Aufgeregt summend ließen sie sich schließlich auf der verputzten Wand neben einem kleinen beschlagenen Spiegel nieder. Obwohl das Café im Souterrain lag, war die Luft hier genauso feucht-schwül wie zu dieser Jahreszeit überall im Irak. Es war das ideale Klima für anrüchige Gespräche und schmutzige Geschäfte.

Al-Hitti war im Jemen geboren, hatte aber den größten Teil seiner Jugend in Ägypten und England verbracht. Er mochte weder den Irak noch die Iraker, ganz allgemein gesagt. In diesem Teil der Stadt, der nahe am Firdos-Platz lag und angeblich durch Brisen vom Tiger her gekühlt wurde, verkehrten vor allem Geschäftsleute sowie die Sekretäre und Büroangestellten der schiitischen Geistlichkeit. Geschäftsleute konnte Al-Hitti nicht ausstehen, während sein Verhältnis zur Geistlichkeit eher neutral war.

Zwar war Al-Hitti sunnitischer Muslim, doch gehörte er einer pragmatischen Richtung an, die sich im vergangenen Jahrhundert im Nahen Osten stark ausgebreitet hatte – einer unabhängigen Bruderschaft, deren Interessen vor allem darin lagen, die Ströme der Macht umzulenken. Nach Auffassung dieser Gemeinschaft hatten die religiösen Leidenschaften die Muslime allzu lange, über viele Jahrhunderte hinweg, in verschiedene Fraktionen gespalten und geschwächt. Eine erneute Annäherung und die Wiederherstellung des verlorenen Glanzes erwartete sich diese Gruppierung von nüchternen Leuten und kühlen Köpfen. Köpfen, die angestrengt daran arbeiteten, *schwierige Unternehmungen* zu realisieren; manch einer hätte diese Vorhaben wohl auch als *schmutzige Geschäfte* bezeichnet.

Der Große setzte die Sonnenbrille ab; er hatte keine Angst, sein Gesicht zu zeigen.

Sofort merkte Al-Hitti, dass er kein Engländer, sondern Amerikaner war; für sein geschultes Auge waren Amerikaner und Engländer in ihrem Auftreten und Verhalten genauso verschieden wie Äthiopier und Somalis. Das also war der Mann, mit dem er verabredet war. Es war ein *appointment*, auf das er sich keineswegs gefreut hatte. Eher schon ein *disappointment*. Englische Wortspiele machten ihm Spaß.

Noch weniger als das Treffen an sich gefiel ihm die plötzliche Erkenntnis, dass der Mann, den er umlegen musste, eigentlich ganz anständig aussah. Er hatte stark ausgeprägte Gesichtszüge und sogar eine durchaus ansehnliche, sonnengebräunte Haut. Der Gedanke an Sonnenbräune und das englische Wort *tan* löste in seinem Kopf Assoziationen an halb nackte Frauen aus, was ihn ärgerte.

Mit Blick auf Al-Hitti trat der Amerikaner ein, ging mit lässigen Schritten um die Tische herum und steuerte auf den hinteren Teil des Cafés zu. Er bot Al-Hitti die rechte Hand und stellte sich mit leiser, weicher Stimme als John Brown aus Massachusetts vor (*was für eine blöde, verachtenswerte Ortsbezeichnung*, dachte Al-Hitti). Sein Arabisch klang so, wie es in Kairo gesprochen wurde, und war erstaunlich gut.

»Sie sind genauso, wie ich Sie mir vorgestellt habe«, gestand Al-Hitti dem Amerikaner. Was glatt gelogen war, denn in Wirklichkeit hatte er mit einem kleinen, heimlichtuerischen Mann in weiter Kleidung gerechnet.

»Ach ja?« Der Amerikaner zog sich einen wackeligen schmiedeeisernen Stuhl heran, um Platz zu nehmen. Beide schätzten einander mit angedeutetem Lächeln ab.

Als der Cousin auftauchte, um ihre Bestellungen entgegenzunehmen, schenkte er dem Amerikaner bewusst keine Beachtung und wandte das gesunde Auge von diesem Teil des Raumes ab. John Brown schien das nichts auszumachen.

Während Al-Hitti auf ein Glas dickflüssigen süßen Tees wartete, musterte er den Amerikaner eingehend. Ihr Schweigen zog sich in die Länge. Sein erster Eindruck war der von verborgener Stärke gewesen – sicher war ›John Brown‹ ein Mann, der Frauen anzog. Doch Al-Hittis tiefere Instinkte meldeten Zweifel daran an. In das Gesicht des Amerikaners hatten sich verräterische Falten und der Ausdruck grundlegender Resignation gegraben, sodass Al-Hitti an einen alten Krieger denken musste. Nicht an einen Soldaten, der gelegentlich grausam sein konnte und anderen die Schuld daran gab, sondern an einen Gebirgspartisanen, daran gewöhnt, monatelang auf eigene Faust zu handeln und allein zu leben, ohne jemand anderen als sich selbst zur Rechenschaft ziehen zu können.

Noch mehr fiel John Browns Äußeres dadurch auf, dass er ein blaues und ein grünes Auge hatte. So etwas hatte Al-Hitti noch nie gesehen.

Der Amerikaner legte die Hand an die Brust. »Ehe Sie entscheiden, ob Sie mich umbringen wollen oder nicht …« Geschmeidig ließ er die Hand in die Tasche seines Jacketts gleiten und zog ein verschweißtes Plastikpäckchen voll beigefarbenen Pulvers heraus.

Al-Hitti reagierte so, als hätte ihn eine der Pferdebremsen gestochen. Mit weit aufgerissenen Augen fuhr er zurück, sodass sein Stuhl auf einen anderen krachte. »Was ist das?«

»Eine Probe.«

»Eine fertige Probe?«, fragte Al-Hitti mit schriller Stimme.

Der Amerikaner hob das Kinn. »Noch nicht ganz fertig, aber bald.«

Al-Hitti weigerte sich, das Päckchen in die Hand zu nehmen, bis er merkte, dass sein Mut in Frage gestellt wurde und der Amerikaner rapide das Vertrauen verlor. Wahrscheinlich war die Probe sowieso eine Fälschung. Etwas anderes zu erwarten wäre übertriebener Optimismus gewesen. Er griff danach. Die Hände des Amerikaners hatten Schweiß auf der Plastikfolie hinterlassen, doch das Pulver da drinnen war erstaunlich fein und leicht, haftete zusammen und war trocken.

Eine Hand voll davon würde hunderttausend Schicksale besiegeln.

»Tragen Sie Ihren Wissenschaftlern oder Doktoranden an der Universität auf, das sehr vorsichtig zu untersuchen«, instruierte ihn der Amerikaner. »Es wird sich wie ein Gas verhalten und sich überall ausbreiten, wenn man nicht angemessen damit umgeht.

Man wird Ihnen mitteilen, dass die Qualität rein ist und es genetisch modifiziert wurde, aber noch nicht bis zur Reife entwickelt ist. Noch nicht. Probieren Sie es an einer Person aus, der Sie den Tod wünschen. Lassen Sie die Versuchsperson einige Körnchen einatmen oder schlucken oder bestreichen Sie deren Haut damit. Mit der Zeit werden sich krankhafte Veränderungen abzeichnen, die zunächst grünlich und später rötlich leuchten, wenn man sie im Dunkeln untersucht. Die eingeschleusten Gene sind der Beweis dafür, dass wir tun können, was wir behaupten.«

Al-Hitti wich dem Blick des großen Amerikaners aus, er konnte nicht anders. Etwas an dem blauen Auge erinnerte ihn an den Himmel über wüstem Ödland. Er beugte sich vor. »Was für ein Beweis ist das schon? Nur ein Päckchen Pulver. Womöglich eine Bodenprobe aus Texas, dem Ort entnommen, wo ein Stier gestorben ist? Warum sollten wir Ihnen die ganze Geschichte überhaupt abkaufen?« Er nahm das Päckchen zwischen zwei Finger und streckte es hoch. »Wie ich höre, ist das hier leicht herzustellen. Hat man mir jedenfalls gesagt.«

»Wer sich von Dummköpfen zum Narren halten lässt, steht am Ende selbst als der Dumme da«, erwiderte der Amerikaner, holte ein kleines Messer heraus, ließ die Schneide herausklappen und legte es zwischen sie auf den Tisch. »Streichen Sie's wie Babypuder auf Ihre Haut, dann können wir es gemeinsam einatmen.«

Al-Hitti beeilte sich allzu sehr, die Achseln zu zucken, um damit einen Angstschauer zu überspielen. »Wir sind nicht hier, um zu sehen, wer am weitesten pinkeln kann.«

»Nein.«

»Wann ist das endgültige Produkt fertig?«

»Sobald Geld flüssig wird. Ich werde meine Tests durchführen und Sie die Ihrigen. Und dann, nächstes Jahr … Jerusalem.«

»Es gibt nur noch sehr wenig Juden im Irak. Ist ja kein Saddam mehr da, der sie beschützen könnte, und der Klerus …« Er senkte den Blick. *Ich presche zu schnell vor – das sind ja alles noch ungelegte Eier.*

»Bis die genetischen Lücken, wie festgelegt, gestopft sind, müssen die Juden das hier genauso wenig fürchten wie Sie oder ich«, sagte der Amerikaner. »Oder genauso sehr.«

»Wer bezahlt Sie für das, was Sie bislang getan haben?«, fragte Al-Hitti mit stiller Wut. »Ein Wahhabit? Möge er im Bett eines zügellosen Schweins verrecken.« Al-Hitti mochte keine Wahhabiten. Was sie unternommen hatten, um sich an der Macht zu halten, hatte viele seiner besten Männer das Leben gekostet. Mittlerweile war ganz Saudi-Arabien in Aufruhr. Die gerechte Strafe hatte das Land schließlich ereilt.

Lautlos schob der Amerikaner seinen Stuhl zurück und blickte auf Al-Hitti herunter.

»Und wenn ich zustimme, Leute zur Verfügung stelle und das Geld flüssig ist?«

»Dann treffen wir uns nächstes Jahr.«

Dem Cousin des Cousins reichte es jetzt: Durch das winzige Café drang ein Knall, als wäre eine kleine Pistole losgegangen. Als Al-Hitti sich danach umsah, streckte der Inhaber des Cafés eine Fliegenklatsche hoch, an der tote Bremsen klebten.

Al-Hitti wandte sich wieder um, aber der Amerikaner war schon an der Tür und teilte den Perlenvorhang. Während eine neue Pferdebremse hereinflog und summend eine Schleife drehte, verschwand er.

Der Inhaber kehrte an den Tisch zurück, um das Glas des Amerikaners abzuräumen, und starrte Al-Hitti mit dem gesunden Auge an. »Also trinkst du deinen Tee heute allein?«

Bis auf Al-Hitti konnte sich später niemand, der im Irak irgendwie wichtig war, daran erinnern, einen flachsblonden Amerikaner mit dem Gesicht eines Kriegers und verschiedenfarbigen Augen gesehen zu haben. Allerdings war ja immer noch der Plastikbeutel da, der von diesem Besuch zeugte. Und dessen Inhalt war echt. Sogar sehr echt.

Al-Hitti ließ das Pulver untersuchen und danach an fünf entführten irakischen Geschäftsleuten und zwei Sekretären der

Geistlichkeit testen, die daraufhin jämmerlich erkrankten. Im Dunkeln leuchteten ihre Wunden, zuerst grünlich, dann rötlich, wie die Ärzte Bekannten von Al-Hitti berichteten.

Und dann starben sie, ohne Ausnahme.

Im Laufe der Monate gelangte Al-Hitti zu der Überzeugung, dass die Sache tatsächlich machbar war. Wenn er all seine Hoffnung darauf setzte, zeigte das nur, in welch schlimmer Lage sich seine Leute mittlerweile befanden.

Vor drei Jahren hatte ein jüdischer Terrorist den Felsendom in die Luft gesprengt, um Platz für den Wiederaufbau des jüdischen Tempels zu schaffen. Als Reaktion darauf hatte ein paar Wochen danach, am 4. Oktober (später als *10/4* bekannt), ein weiterer Schlag die USA, den Finanzier alles Bösen in der Welt, getroffen. Tausende von Menschen waren dabei gestorben. Al-Hitti hatte den Anschlag zwar insgeheim gebilligt und sogar Schadenfreude dabei empfunden, doch letztendlich war seine Arbeit dadurch nur schwerer geworden.

Inzwischen töteten die Israelis die engsten Familienangehörigen der arabischen Selbstmordattentäter und der Führer von Hamas und Hisbollah. Ihrerseits machten sich muslimische Jugendliche eilig daran, Israelis zu vernichten. Offenbar war es ihnen egal, dass sie damit auch die eigenen Brüder und Schwestern, Mütter und Väter und später auch Onkel und Vettern zum Tode verurteilten. Hier wie dort verwandelte das Gemetzel alle in Ungeheuer.

Im Spätsommer oder Frühherbst war Al-Hitti klar, dass Zehntausende von Gegnern der Wahhabiten, die von Sudan, Oman und Irak aus operierten, in Saudi-Arabien einfallen würden. Die größte Ironie dabei war, dass es angeblich die Amerikaner waren, die zahlreiche Aufständische finanzierten, einschließlich der Rebellen aus dem Irak – offenbar in der Hoffnung, das saudische Königshaus durch ein stabileres Regime ersetzen zu können. *Der Feind meines Feindes ist mein Freund – jedenfalls bis auf Weiteres …*

Wieder einmal engagierten sich Muslime in der *Al Takfir wal-Hijra*, taten sich durch Beschlagnahmungen und Vertreibungen hervor, töteten Ungläubige und Verräter unabhängig davon, ob ihre Opfer der westlichen Kultur oder dem Islam anhingen. Und das alles mit dem Ziel, die Heiligen Länder zurückzuerobern.

Der nächste heiße Wind würde von der Wüste aus wehen und die Welt wie eine Feuersäule reinigen.

Kapitel 3

Das Jahr null · Arizona

Durch das Fenster des FBI-Van, eines Ford Econoline, starrte Special Agent Rebecca Rose auf die dunkle Wüste rechts und links des Highways. Brian Botnik von der Außenstelle Phoenix sah Rose, die neben ihm auf dem vorderen Beifahrersitz saß, von der Seite an. Nervös strich sie sich mit der Hand übers Knie. Sein Blick fiel auf die grauen Hosen, die Manschette der roséfarbenen Baumwollbluse, die mehr als einen Zentimeter unter dem Jackenärmel hervorlugte, die schlanken, starken Finger, deren rot lackierte Nägel kurz und abgenagt waren. Fünf Uhr früh. Beinahe meinte sie zu sehen, wie die Hitze des vergangenen Tages in den Himmel aufstieg. Genau das geschah nachts nämlich: Wie ein abkühlender Leichnam verströmte die Erde ihre Wärme. Die Sonne hatte sich versteckt und war nirgendwo zu entdecken; vielleicht würde sie niemals zurückkehren.

»Gerber ist ein guter Mann«, bemerkte Botnik. »Er mag es nur nicht, wenn man ihn im Ungewissen lässt. Können Sie mir verraten, warum das nötig ist?« Botnik war ein großer, stämmiger Mann mit tiefer Stimme, straffem Bauch, grobschlächtigen rauen Händen und rotblondem Haar – durchaus attraktiv, hätte sie noch die Kraft gehabt, über solche Dinge nachzudenken. Ihrer Schätzung nach war er zehn Jahre jünger als sie, aber weder unerfahren noch naiv.

Rose lächelte. »Weil er uns für Idioten halten wird, wenn ich ihm sage, warum wir an der Sache interessiert sind.«

»Eine Möglichkeit, für die ich durchaus offen bin«, erwiderte Botnik mit plötzlichem Grinsen.

»Still doch«, mahnte Rose.

Zwei Untersuchungsbeamte des FBI saßen auf der mittleren Sitzbank hinter ihnen, beide junge gepflegte Weiße, beide respektvoll und ernst. Aber kleine Jungs haben große Ohren. Und je jünger, weißhäutiger und gepflegter der männliche Agent, desto wahrscheinlicher war, dass er hinter ihrem Rücken über sie klatschen würde.

Nach den Flügen und der Autofahrt von Tucson aus hierher spürte sie die Müdigkeit bis in die Knochen und war knapp davor zu halluzinieren. Der größte Teil ihres Verstandes mitsamt den analytischen Fähigkeiten war abgeschaltet. Aber sie musste sich weiterhin taktisch verhalten. Diese Sache würde nicht leicht werden. Jeder Polizist schien FBI-Agenten, insbesondere die Ranghöheren, als Leute zu betrachten, deren Tage eh gezählt waren. Bereits zum dritten Mal in Folge entzog ihnen eine wahre Flut politischer Intrigen jede Handlungsgrundlage. Manche Polizisten empfanden Mitleid mit ihnen, andere mit Froschperspektive bekundeten nichts als Schadenfreude. Selbst wenn Rose nicht so erschöpft war wie jetzt, fiel es ihr von Tag zu Tag schwerer, sich auf die Arbeit zu konzentrieren.

Die obere Schlagzeile der in der Mitte gefalteten Zeitung lautete:

ANGEBLICH SIND SIE »STAATSVERRÄTER«:
FBI legte »patriotische« Dossiers über sechs Senatoren der Demokraten und den Vizepräsidenten an

Rose kannte die Agenten, die diese Dossiers vorbereitet hatten. Zwei waren Tölpel, aber die anderen sechs hatte sie für gute Leute gehalten. Jetzt waren sie entweder im Hauptbüro in der Versenkung abgetaucht oder machten ihre Zeugenaussagen vor einem staatlichen Untersuchungsausschuss. Alle miteinander hatten sich nicht gerade mit Ruhm bekleckert.

Scheiß drauf, erledige einfach deinen Job.

Das erste Zeichen des Schlamassels auf dem Highway waren die ausscherenden Spuren eines einzelnen Fahrzeugs. Rund fünfzig Meter weiter hatten die Räder eines Lastwagens tiefe Rillen in den rechten Seitenstreifen gegraben. Gleich danach war ein zweites Paar Schmierspuren zu erkennen, das sich wie in der Kohlezeichnung eines Künstlers über die nächsten neun oder zehn Meter erstreckte. Rund achthundert Meter weiter schlängelten sich vielfach geschwungene Linien – Spuren abgeschürften Gummis, die teilweise parallel verliefen, sich aber auch überschnitten – über eine Strecke von hundert Metern kreuz und quer über den Mittelstreifen. Sie endeten an einem schwer beschädigten großen Sattelschlepper, der sich überschlagen hatte.

An der Unfallstelle waren Streifenbeamte postiert, um vorbeikommende Autofahrer durch die einzige offene Spur zu winken. Allerdings herrschte zu dieser frühen Morgenstunde kaum Verkehr.

Botnik lenkte den Econoline zum Straßenrand und hielt hinter einem grauen Chevrolet Suburban, der mit der aufgehenden Sonne Arizonas gekennzeichnet war. Während Rose ausstieg und sich streckte, holten die jungen Agenten Aluminiumkoffer aus dem Heck des Van. Botnik machte sie mit drei Beamten der Landespolizei bekannt. Oberstleutnant Jack Gerber, stellvertretender Leiter der Landeskriminalpolizei, war zusammen mit zwei Ermittlungsbeamten von Phoenix aus hierher abkommandiert worden. Sie warteten bereits seit drei Stunden am Schauplatz der Katastrophe. Es war schon bemerkenswert, dass sie es sich nicht anmerken ließen, wie sehr dieser Aufschub der Ermittlungen sie geärgert haben musste.

Gerber war ein großer schlanker Mann Ende vierzig mit glattem schwarzem Haar und einem braunen, jungenhaften Gesicht, in dem jegliche Spuren eines Bartes fehlten. Rose hielt ihn für ein Kind verschiedener Rassen, ein Mix aus indianischen, angloamerikanischen und schwarzen Vorfahren. Amerikas Zukunft. Er hatte braune Augen und große abgerundete, sorgfältig manikürte Fingernägel, die sich an der oberen Hälfte der Fingerspitzen wölbten.

Gemeinsam mit Gerber und Botnik ging Rose auf dem Highway ein Stück zurück und musterte den Schauplatz von der Stelle aus, an der die Schleuderspuren begannen. Gerber teilte ihnen das Wenige mit, das mittlerweile bekannt war. »Die Verfolgungsjagd muss vor knapp zwanzig Kilometern begonnen haben. Der Streifenbeamte Porter hat die *Radio Frequency Licence* und den *Manifest Transponder* überprüft, das Gerät, mit dem man auf elektronischem Weg Art und Route der Fracht und den Führerschein des Fernfahrers identifizieren kann. Dabei hat er festgestellt, dass alles Fälschungen waren. Als der Lkw-Fahrer Porters Blinkzeichen und die Sirene ignorierte und nicht auf den *Cop Block* reagierte, dämmerte es Porter, dass die Situation kritisch werden könnte. Drogentransporte sind hier an der Tagesordnung. Porter war ein ausgezeichneter Streifenpolizist, sehr engagiert, was den Job betraf.«

Alle Pkw und Lastwagen in den USA mussten inzwischen mit *Cop Block* ausgerüstet sein, einer Blockadevorrichtung für den Motor, die die Polizei aktivieren konnte. Jeder Streifenwagen der Polizei konnte solchen Geräten ein verschlüsseltes Signal übermitteln, das den Motor zum Abbremsen und schließlich zum völligen Stopp zwang. Daran herumzupfuschen war verboten und wurde nicht nur mit hohen Geldbußen, sondern auch mit regelrechten Haftstrafen geahndet.

Der Sattelzug war ausgeschert. Dabei war der Anhänger ins Schleudern geraten und hatte den Zugwagen mit sich gezerrt, bis das hintere Fahrgestell und die Reifen eine Drehung von neunzig Grad beschrieben hatten. Danach hatte sich die Zugmaschine, ein International 9200, vom Anhänger gelöst, war rund fünfzig Meter auf der Seite weitergerutscht und hatte dabei eine breite Schleifspur aus Farbe und dem Gummi der Seitenverkleidungen sowie frische graue Kerben im Asphalt hinterlassen. Die Hecktüren des Anhängers waren aufgesprungen, sodass ein rundes Drittel der Ladung herausgestürzt war. Weiße

Kartons, die meisten unversehrt, markierten die Spur des Anhängers auf der Straße.

Und alle enthielten Tintenstrahldrucker.

Am liebsten hätte Rose sofort die Beschlagnahmung des Anhängers und der Kartons veranlasst, bis Spezialisten für Gefahrenstoffe sie untersucht hatten, doch sie unterdrückte den Drang. Ein solcher Fingerzeig von ihr wäre voreilig und allzu auffällig gewesen. Sie musste erst noch ihren *Wright Assay Germ Detector*, kurz *WAGD* oder auch *Wag-Di*, ins Spiel bringen. Das Analysegerät für biologisch gefährliche Substanzen ähnelte vom Umfang und der Form her einem großen Leuchtmarkierungsstift. Sie schleppte zwei mit sich herum, in der Jackentasche. Manche Leute im Außenbüro bezeichneten das Ding als *Todesstab*. Andere interpretierten die Abkürzung WAGD böswillig als *We're All Gonna Die* – wir alle werden dabei draufgehen.

Einer der weißen Kartons war aufgeplatzt. Sie zog eine Lasche zurück, um ins Innere zu spähen. Der Drucker war aus seiner Schaumstoffverpackung herausgefallen und der obere Teil des Geräts abgebrochen, sodass die Laufschienen aus Metall und die Farbbänder zu sehen waren. Der Patronenhalter war leer.

»Wir wissen noch immer nicht genau, was später passiert ist«, sagte Gerber. »Porter muss vor dem Zugwagen gefahren sein, als der umkippte – üblicherweise parken wir hinter einer Unfallstelle und schalten alle Blinklichter ein, um andere Verkehrsteilnehmer zu warnen. Gegen acht Uhr abends trafen den Beamten drei Schüsse. Er hatte das, was wie ein Unfall aussah, noch nicht gemeldet und der Dienststelle auch keinen Bericht über die kritische Situation gegeben. Jemand muss ihn überrascht haben. Wir nehmen an, dass ein weiterer Mann am Tatort war; möglicherweise hatte er sich im Anhänger versteckt. Dem Beamten gelang es noch, selbst zwei Schüsse abzugeben. Keiner davon traf den Zugwagen.«

»Was ist mit Porters Infodeck? Wann hat es die letzte Funkverbindung über Satellit hergestellt?«

»Um neunzehn Uhr einundvierzig. Nichts Ungewöhnliches.

Er befand sich am Bluebird Tall Stalk, einer Raststätte für Fernfahrer. Sie sind auf dem Weg hierher daran vorbeigekommen.«

»Stimmt«, warf Rose ein.

Das reflektierende Band zwischen den beleuchteten mobilen Absperrungsschranken flatterte in der frühmorgendlichen Brise. Ein Streifenpolizist winkte einen kleinen silberfarbenen Toyota durch, der in beträchtlichem Abstand zu dem flatternden Band langsam um die Unfallstelle herumfuhr. Die Fahrerin, eine Frau mittleren Alters, glotzte neugierig.

Oberst Gerber ging zielstrebig und professionell vor, und dafür war Rose dankbar. Sie griff in ihre Jackentasche und zog einen WAGD heraus, den sie größtenteils in der Handfläche und im Ärmel verbarg. Danach schraubte sie hastig die Verschlusskappe auf, beugte sich über den offenen Karton mit dem Drucker und fuhr mit der feuchten, mit Gel bestrichenen Spitze an den Innenseiten entlang und über das Druckergehäuse. Nachdem sie das Gerät wieder verschraubt und in der Jackentasche verstaut hatte, ging sie mit Gerber weiter.

Rund zwanzig Meter entfernt standen die Reste des Streifenwagens – ein schwärzliches Gehäuse, das auf dem rechten Seitenstreifen zusammengesunken war und in die falsche Richtung, nach Osten, wies. Mit Hilfe von Treibstoff, der aus dem Tank des Wagens abgezapft worden war, hatte ihn jemand in Brand gesetzt. Die Wagenräder waren bis zu den Stahlgürteln verschmort. Geschmolzenes Aluminium war in glänzenden Strömen in den Schotter des Seitenstreifens gesickert. Das Feuer hatte alle Unterlagen vernichtet, die im Streifenwagen gewesen und nicht via Satellitenlink vom Infodeck übertragen worden waren: Video- und Audioaufzeichnungen, die *Orange-Box*, die einen Content-Filter mit Zugang zu einer umfassenden Datenbank enthielt.

Ein kurzer Nieselregen hatte den kleinen Schwelbrand, der sich auf dem Grasstreifen entwickelt hatte, binnen Minuten gelöscht.

Den Leichnam des Beamten hatte man am nördlichen Seitenstreifen der Straße gefunden, knapp zehn Meter vom ausgebrannten Polizeiwagen entfernt. Der Gerichtsmediziner von Pima County hatte den Körper geborgen, aber eine silberne Markierungslinie zeigte noch dessen Umrisse. Eine vom Regen verwässerte Schmierspur aus Blut wies in die Richtung des Polizeiwagens.

Im Zentrum des markierten Umrisses war auf einem Stativ ein kugelförmiger Projektor aufgebaut, der körnige rote und blaue Lichtmuster ausstrahlte.

»Brille?«, fragte Rose.

Gerber bot ihr eine an, die er aus seiner Hosentasche zog. Rose klappte die Bügel auf und schob sie sich über die Augen. Im Licht mehrerer Stroboskoplampen war der erstarrte Körperumriss des Beamten deutlich auszumachen. Die Beine waren ausgestreckt, die schlaffen Arme abgewinkelt.

»Der Leichnam wurde entfernt, ehe wir hier ankamen«, erklärte Gerber.

Rose ging um den Projektor herum und bückte sich. Vor dem Hintergrund des schwarzen Pflasters wirkte der Körper des Streifenpolizisten Porter völlig massiv. *Er wäre verbrannt, hätte er näher beim Streifenwagen gelegen. Jemand hat ihn quer über den Highway geschleppt. Ein Zuschauer? Der Mörder?*

Warum hätte der Mörder Mitgefühl mit einem toten oder sterbenden Polizisten haben sollen?

Projektoren waren zwar eine gute Sache, doch der emotionale Sturm, der vom wirklichen Anblick eines Leichnams ausgelöst wurde, schärfte stets ihre Sinne. Der Tod so nah, die Ungerechtigkeit überall präsent. Allerdings hatte der Fotograf gute Arbeit geleistet. Die 3-D-Projektion war sauber und scharf. Bestimmt würden Gerichtsmedizin und Kriminalpolizei ihre Ermittlungsergebnisse in wenigen Stunden abgleichen. Dann würden sie beim Abruf derselben Projektion eine Rekonstruktion der Haltung des Beamten sehen können, die Flugbahnen der Geschosse, seine Reaktion auf die tonnenschwere Kraft der beschleunigten Masse, die in seine Schulter, den Brustkorb und den Hals eingeschlagen war.

Die beiden technischen Ermittlungsbeamten des FBI hatten sich am Highway aufgeteilt und waren damit beschäftigt, Fotos zu machen, das Innere der Fahrerkabine zu untersuchen, Farbe und Gummi von der Straße zu kratzen, Vermessungslatten und Laserstrahler aufzustellen und wiederholten dabei vieles von dem, was Gerbers Leute bereits getan hatten.

»Sie haben mir noch immer nicht gesagt, warum das FBI an ein paar hundert unregistrierten Computerdruckern interessiert ist«, bemerkte Gerber. »Dazu sind es auch noch altmodische Modelle.«

»Wir würden gern wissen, wohin der Lastwagen unterwegs war. Und ob er einen Geleitschutz hatte.«

Gerber deutete mit der Hand auf die Zugmaschine. »Es gibt kein Fahrtenbuch, keine gültige Zulassung, keine Frachtunterlagen oder sonstige Dokumente, die beim Transport über die Grenzen von Bundesstaaten hinweg vorgeschrieben sind. Offenbar wurde der Lastwagen vor etwa zwei Monaten in Mexiko umgerüstet und über die Staatsgrenze gebracht. Wir sind im Besitz eines Videos, das einen Sattelschlepper mit demselben amerikanischen Nummernschild dabei zeigt, wie er die Grenze überquert. Alle Papiere waren in Ordnung. Aber der letzte registrierte Besitzer behauptet, er habe den Schlepper vor sechs Jahren in Mexiko verkauft. Trotzdem hatte der Laster den vorgeschriebenen Steinschlagschutz und versuchte offenbar, die derzeit geltenden Vorschriften für den Transport auf Highways zu erfüllen – bis auf den Cop Block natürlich. Und es deutet auch nichts darauf hin, dass diese Drucker nur eine Attrappe darstellen, mit der andere Dinge getarnt werden sollen. Unsere Polizeihunde haben nur gelangweilt geguckt. Wir gehen der Spur immer noch nach … Allerdings verfolgen wir sie zurück und nicht nach vorn. Ich habe keine Ahnung, wohin der Sattelschlepper wollte. Und wenn wir den zweiten Mann oder die zweite Frau nicht schnappen, werden wir's wahrscheinlich nie erfahren.«

»Es war ein Zweiter daran beteiligt?«

»Das ist lediglich eine Möglichkeit. Jemand hat unseren Täter oder die Täter mit dem Auto mitgenommen. Zwischen hier und dem nächsten Ort liegen rund neunzig Kilometer Niemandsland. Ist ein langer Spaziergang. Wir haben Nachforschungen angestellt, aber weder bei uns noch jenseits beider Landesgrenzen meldet ein Krankenhaus jemanden mit Schussverletzungen.« Er rieb sich über die Stoppel am Kinn. »Wir sind hier fertig. Geben Sie uns Bescheid, wenn wir unseren Highway wieder freigeben können.«

»Danke für Ihre Geduld. Ich brauche noch eine Stunde.«

»Porter war ein tüchtiger Streifenpolizist. Niemand hätte ihm beim Ziehen der Waffe so einfach zuvorkommen können«, bemerkte Gerber. »Diese ganze Sache ist ein grässlicher Schlamassel.«

»Amen«, sagte Rose und rappelte sich auf. Sie klappte die Brille zusammen und gab sie Gerber zurück. »War Porter verheiratet?«

»Ich glaube nicht. – Earl, war Porter verheiratet?«, rief er einem seiner Ermittlungsbeamten zu, einem kleinen korpulenten Mann mit adrettem Schnauzer.

»Nein, Sir«, erwiderte Earl, froh, auch mal etwas sagen zu dürfen. Er hatte Rose gründlich inspiziert. »Der war nie verheiratet. Sein ganzes Leben war der Streifendienst. Na ja, und einmal im Jahr fuhr er gern nach Vegas.«

»Ein Übereifriger?«, fragte Rose.

»Das sind die Besten immer.« Gerber schnaubte und sah angelegentlich zum Highway und den Hügeln hinüber. Er war drauf und dran, seinem Ärger Luft zu machen. »Solange Sie noch hier sind, würde ich sehr gern hören, was Sie von dieser Sache halten. Sicher haben Sie jede Menge ungewöhnliche Aspekte aus Sicht des FBI beizusteuern.«

Manchmal locken Polizisten ihre Kollegen aus der Reserve. Denn derjenige, der zuerst etwas herauslässt, möchte in der Regel gern schnelle Schlüsse ziehen, die oft voreilig sind.

Earl trat zurück und schloss sich wieder seiner Gruppe an.

»Ich würde gern wissen, wie es dazu kam, dass der Streifenwagen sich vor einem umgekippten Zugwagen gedreht hat.«

»Ist schon seltsam«, pflichtete Gerber ihr bei.

»Bestimmt sind bei Ihnen schon mal Probleme mit Geleit-fahrzeugen aufgetreten, die den Funkverkehr stören können. Su-chen Sie jetzt nach einem Störsender?« Rose sah zu Botnik hin-über, der rund zehn Meter entfernt stand und ihr Gespräch mithören konnte. Er nickte ihr kurz zu, so, dass Gerber es nicht sehen konnte.

»Sollten wir das?«, fragte Gerber unschuldig.

»Gut möglich, dass es zwei Fahrzeuge waren«, fuhr Rose fort, »und eines hinter dem anderen herfuhr, mit ein paar Minuten Verzögerung. Das erste Fahrzeug, unser International 9200 und sein Anhänger, muss Porters Aufmerksamkeit erregt haben. Er beschloss, den Sattelschlepper zu verfolgen und ihn unter einem Vorwand zum Anhalten zu zwingen.«

»Okay.« Gerber schob die Hände in die Taschen, während sie Seite an Seite weitergingen, als wären sie die besten Kumpel.

Der WAGD blieb weiterhin stumm.

»Könnte sein, dass das zweite Fahrzeug dem anderen in dis-kretem Abstand gefolgt ist«, fuhr Rose fort. »Porter schaltete das Blaulicht ein und zwang den Sattelschlepper, zur Überprüfung rechts ranzufahren. Vielleicht konnte der Fahrer die verlangten Papiere nicht vorweisen. Und Porter hat in der Dienststelle Ver-stärkung angefordert, aber keine Antwort erhalten.«

»Bei uns ist keine Bitte um Verstärkung eingegangen«, er-widerte Gerber, ohne ihr grundsätzlich zu widersprechen.

»Porters Infodeck verriet ihm, dass er keine Verbindung zum Netz hatte und keinen direkten Funkkontakt herstellen konnte. Sein Display zeigte, dass eine elektronische Störung vorlag.«

»Möglich.«

»Als der Sattelschlepper rechts ranfuhr, beschloss der Fahrer im zweiten Wagen – vielleicht waren es auch mehrere Personen –, sich aus dem Staub zu machen. Porter hatte den Verdacht, dieser Wagen könne die Störquelle sein, befürchtete, er werde ihm ent-wischen, befahl seinem ersten Delinquenten, sich nicht von der Stelle zu rühren, und fuhr dem zweiten Fahrzeug nach.«

Gerber wirkte nachdenklich. »Beweise?«, fragte er freundlich.

»Eigentlich gibt's keine. Es sei denn, wir beziehen die Reifenspuren ein paar Kilometer weiter hinten mit ein, die auf zwei ausscherende Fahrzeuge hindeuten. Nicht weit von der Stelle entfernt, an der die lange Reifenspur eines Lasters im Schotter beginnt.«

»Mhm.« Gerbers Grinsen wurde breiter. Sie war noch nicht weiter als er. Von diesen Spuren wusste er. »Störer erledigen Auftragsjobs und schleppen keine Schmuggelware mit sich herum. Porter kannte die Vorschriften. Er hätte den kleineren Fisch ziehen lassen.«

»Aber es wurde erwähnt, dass er ein Spieler war, stimmt's? Unverheiratet, übereifrig, jemand, der gern auf Risiko spielte. Der Streifendienst war sein Leben. Vielleicht hat er ein paar Sekunden nur daran gedacht, welchen Ruhm er ernten würde, wenn er zwei Fliegen mit einer Klappe erwischte – bei der Fracht fündig wurde und dazu noch einen Störer schnappte.«

»Wollen wir einen Beamten mit Dreck bewerfen, der sich nicht mehr verteidigen kann?«, fragte Gerber. Wie es sein Beruf verlangte, zeigte sein Gesicht keine Regung, aber die Pupillen hatten sich geweitet.

»Keineswegs. Das passiert auch den Besten von uns.«

Gerber sah Rose argwöhnisch an. »Dann verraten Sie mir mal, warum irgendein Fahrer für eine Ladung veralteter Drucker eine Verfolgungsjagd und den Knast riskieren sollte.« Schließlich hatte sich Gerber sein Leben lang mit der Frage beschäftigt, was die Menschen wirklich umtrieb.

Rose ging zu dem ausgebrannten Streifenwagen zurück. »Nach einem kurzen Blick in den Rückspiegel wusste Porter wieder, wo die Prioritäten lagen. Er sah nämlich, dass der Sattelschlepper losfuhr, und beschloss sofort, die Verfolgung des Störers aufzugeben. Und dann lieferte er sich mit dem Sattelschlepper ein kleines Mutprobenspiel. Riskant, aber vielleicht passte das zu Porter. Er setzte sich vor den Sattelschlepper und versuchte ihn durch Abbremsen zum Halten zu zwingen, wurde von ihm aber so gestreift, dass er ins Schleudern geriet und sich drehte … Und der Sattelschlepper scherte seinerseits aus und kippte um. Porter landete auf dem Randstreifen, in Gegenrichtung.«

Rose blieb neben der völlig verformten angekohlten Fahrertür des Streifenwagens stehen. »Porter duckte sich hinter die Tür und nahm das Führerhaus des Lasters aufs Korn. Er konnte davon ausgehen, dass sein Infodeck aufgrund des Verfolgungsmanövers und des Herumschleuderns automatisch versuchen würde, die Zentrale zu kontaktieren, um eiligst Verstärkung anzufordern. Vermutlich nahm er an, dass die Störquelle bald außerhalb des Senderadius sein würde.«

»Also gut«, sagte Gerber. »Dann erklären Sie mir, wie es dazu kam, dass Porter erschossen wurde. Ist der Störer zurückgekommen? Oder ist Porter in ein Kreuzfeuer geraten?«

Botnik und Earl kamen auf sie zu. »Keine Fingerabdrücke oder Blutspuren im Führerhaus des Schleppers«, teilte Botnik Rose mit. »Auch keine Essensreste, Becher oder Uringläser. So gut wie gar keine Spuren. Derzeit bestäuben wir das Äußere, um nach Möglichkeit Abdrücke zu isolieren, aber ich wette, der Fahrer hat Handschuhe getragen.«

Rose blieb hinter der ausgebrannten Fahrertür stehen, sah zum Sattelschlepper hinüber und zog geistig Verbindungslinien. Gleich darauf überquerte sie gemeinsam mit Botnik den Highway und ging am südlichen Randstreifen weiter. Gerber und Earl hielten auf beiden Seiten nach Verkehr Ausschau – die Straße war kaum befahren – und folgten kurz darauf. »Haben Sie den Straßengraben neben der Standspur durchgekämmt?«, fragte sie.

Gerber drehte sich zu seinem jüngeren Kollegen um, der den Kopf schüttelte, unsicher, ob er damit einen Fehler zugab.

Botnik kapierte sofort, worauf Rose hinauswollte. »Mein Gott, klingt ja ganz nach einem kampferprobten Täter.«

Jetzt war es Gerber, der um Worte verlegen war. Als er den Graben der Länge nach musterte, ging ihm auf, dass ein Mann durchaus aus dem Führerhaus des Sattelschleppers ausgestiegen und den Graben entlanggekrochen sein konnte, ohne gesehen zu werden. Er zog eine Grimasse. »Scheiße.«

»Vielleicht hat Porter den Fahrer nach dem Unfall zum Aussteigen aufgefordert«, überlegte Rose, »oder etwas hinübergerufen, falls der Fahrer dem Befehl nicht Folge leisten konnte.« Sie machte zwei Schritte in den Graben hinein, stemmte eine Hand in die Hüfte, hob den rechten Arm und richtete Auge und Zeigefinger auf die Stelle, wo Porter neben seinem Streifenwagen gekauert haben musste. »Möglich, dass der Schütze ihn von hier aus beobachtet und abgewartet hat, bis Porter die Geduld verlor und aufstand. Der erste Schuss ging über die Motorhaube hinweg, zwischen Tür und Fensterrahmen hindurch und traf Porter in die linke Schulter. Vielleicht riss der Schuss ihn halb herum, sodass er vorwärtstaumelte und sich an die Tür klammerte. Kann sein, dass der zweite Schuss seinen Hals durchschlug, ihn erneut herumwarf und die dritte Kugel seinen Brustkorb traf. Kam der Einschlag im Hals von der Seite oder von hinten?«

Gerber deutete auf die rechte Seite seines Halses.

Vorsichtig stieg Rose über die Steine hinweg. »Mühsam, hier entlangzukriechen. Aber jemand, der gut trainiert ist, hätte es in dreißig Sekunden oder weniger schaffen können. Hier … und dort hat sich der Schütze nach oben gestemmt.« Sie deutete auf zwei vom Regen verwässerte Furchen. Eine war flach, die andere hatte sich tief in Schotter und Lehm gegraben. »Abdruck von einem Knie. Außerdem hat sich hier die Spitze eines Schuhs oder Stiefels eingegraben. Kein Abdruck der Sohle. Er hat dreimal auf Ihren Streifenpolizisten geschossen, danach den Highway überquert und sich vergewissert, dass Porter tot war oder im Sterben lag. Und dann hat der Täter ihn vom Wagen weggeschleppt.

Unser Schütze riss das Infodeck aus der Fassung, zog dem Beamten die Einsatzweste aus, warf sie ins Auto, steckte es in Brand und sorgte dafür, dass alle Datenspeicher verschmorten und sämtliche Aufzeichnungen vernichtet wurden. – Aber aus irgendeinem Grund hatte der Täter Skrupel, einen Polizeibeamten, selbst einen toten, einfach so verschmoren zu lassen«, beendete Rose ihre Ausführungen.

Gerbers Kiefer mahlten. »Und all das wegen veralteter Drucker?« Botnik sah Rose eindringlich an.

»Das verstehe ich nicht«, sagte Gerber. »Zu viele Lücken. Ich glaube, wir haben es mit Drogenkurieren zu tun, die sich neue Methoden ausgedacht haben. Vielleicht hat das Begleitfahrzeug diesmal sowohl Schmuggelware als auch Störsender an Bord gehabt und der Sattelschlepper mit einer Frachtattrappe nur als Köder gedient. Teufel noch mal, man könnte Stoff im Wert von zehn Millionen Dollar in einem einzigen Koffer verstauen. Vielleicht hat Porter die Drucker gesehen, angenommen, dass der Sattelschlepper keinen Stoff transportierte, und deshalb den Störer verfolgt. Das würde die Reifenspuren erklären.«

»Warum hätte der Fahrer des Sattelschleppers dann versuchen sollen zu verduften?«, fragte Rose. »Warum ist er nicht einfach an Ort und Stelle geblieben, hat das Unschuldslamm gespielt, sich zu einem geringfügigen Verstoß bekannt und eine Verwarnung entgegengenommen?«

Weil er nicht wollte, dass jemand von den Druckern erfährt.

Der Mistkerl weiß, dass ich nach ihm fahnde.

»Ich halte unsere Streifenbeamten für sehr tüchtig«, erklärte Gerber, dessen Gesicht rot angelaufen war. »Wir sind hier fertig, Agentin Rose.«

»Mhm.« Rose kniete sich in den Schotter, zwischen die Steine, und prüfte sorgfältig den Boden im Umkreis des Knieabdrucks und der Zehenspuren. *Kam ihm nicht richtig vor, einen Polizeibeamten einfach so abzufackeln. Welche Sorte von Schmuggler …*

Ein ehemaliger Polizist?

Rose stellte sich vor, wie der Fahrer des Sattelschleppers auf den Fingern seines Handschuhs herumgebissen hatte, um ihn abzustreifen. Vielleicht war der Handschuh von seinen Zähnen heruntergebaumelt, als er auf Porter geschossen hatte. Sie ließ sich auf alle viere nieder. Städtische Polizisten neigten dazu, feste Schutzhandschuhe zu tragen, um beim Abtasten von Tatverdächtigen

Risse oder Nadelstiche nach Möglichkeit zu vermeiden. Viele trugen Handschuhe der Marke Turtleskin, Rose zog die von Friskmaster vor. »Hat jemand einen Handschuh gefunden?«, fragte sie.

»Nein, Ma'am«, sagte Gerber.

Rose maß den Abstand zwischen den Abdrücken der Zehen. Jemand hatte einen glatten Stein, der genau richtig lag, heruntergedrückt und umgedreht, sodass sich der Lehm in seinem Umkreis nach oben quetschte. Sie hob ihn auf. Ein winziger vom Regen ausgewaschener Blutfleck war auf die glatte, umgedrehte Oberfläche getropft. Sie umfasste den Stein und bemerkte gleich darauf auf einem im Sand eingegrabenen Kieselstein einen weiteren Flecken, der eindeutig Blut war. »Hier ist etwas«, sagte sie. Die jungen Ermittlungsbeamten stiegen zu ihr in den Graben. Während sie das Umfeld weiter durchkämmten, verstaute sie den größeren Stein unauffällig in ihrer Jackentasche.

»Könnte auch von einem Erdhörnchen oder Kojoten stammen«, bemerkte Gerber mit verächtlichem Schnauben.

»Ich möchte gern eine Kopie von allen Analyseergebnissen, die eindeutig auf eine menschliche DNA hinweisen.«

»Selbstverständlich.« Gerber kniete sich neben sie. »Schließlich befinden wir uns im goldenen Zeitalter der Kooperation.«

Botnik begleitete Rose zurück zum Suburban. »Gerber ist ein guter Mann. Er wird uns keine Knüppel zwischen die Beine werfen, wenn wir irgendetwas benötigen. Verstehen Sie mich bitte nicht falsch: Falls Hiram Newsome wirklich irgendein Interesse an Tintenstrahldruckern zeigen sollte, stehe ich Ihnen mit allem Drum und Dran zur Verfügung.«

»Danke. Wurde Ihr Minitest in jüngster Zeit erneuert und Unbedenklichkeit bescheinigt?«

»Im letzten Monat nicht«, erwiderte Botnik.

»Kann ich einen Plastikbeutel ausleihen?«

Einer der jungen Agenten reichte ihr einen Beutel. Sie zog den Stein aus der Jackentasche, ließ ihn in den kleinen Beutel gleiten und inspizierte ihn, um sich zu vergewissern, dass der Blutfleck noch da war.

»Du meine Güte«, sagte Botnik und schlug mit der Hand gegen das Lenkrad. »Das ist genau die Art von FBI-Arroganz, die uns noch zugrunde richten wird.«

»*Die* haben Blut als Beweismittel, *wir* haben Blut als Beweismittel«, gab Rose trocken zurück. »Die gerichtsmedizinische Abteilung von Pima County hat letztes Jahr erneut die behördliche Zulassung verloren, und Arizonas Strafverfolgungsbehörde ist auf Tage oder sogar Wochen hinaus überlastet. Und Sie haben noch nicht einmal Ihren Minitest in die Wege geleitet. Was soll ein armes Mädchen da tun?«

Botnik wurde ein bisschen rot. »Also gut. Sie haben das Rätsel gelöst, aber trotzdem gibt es ein Problem: Sie müssen immer noch herausfinden, wohin der Tatverdächtige unterwegs war. Vielleicht kann irgendjemand hier uns helfen. Und deshalb hoffe ich, dass Sie wenigstens ein paar aufklärende Informationen herauslassen.«

»Vielen Dank auch, aber wir haben unsere Gründe, die Sache unter Verschluss zu halten.«

»Unter Verschluss?« Botnik kicherte. »Das ist doch das am schlechtesten gehütete Geheimnis innerhalb des FBI. Es hat was mit Amerithrax zu tun. Ich frage mich lediglich, worin, zum Teufel, die Verbindung mit dem Fall hier besteht.«

Rose holte Luft. »Ich löse gern Kreuzworträtsel. Manchmal lege ich eines zur Seite, wenn ich es nicht sofort lösen kann. Einige meiner Rätsel warten schon seit Jahren auf ihre Lösung.«

»Die Geheimhaltung ist ein Hauptgrund dafür, dass wir knöcheltief in der Scheiße stecken«, sagte Botnik. »Was, wenn ein weiterer Anthrax-Anschlag erfolgt und Sie ihn hätten verhindern können, sofern Sie Ihr Wissen mit anderen geteilt hätten?«

Rose starrte stur geradeaus.

»*Wird es* einen weiteren Anschlag geben?«, fragte Botnik.

Während sie in den Wagen stieg, meldete sich der WAGD in ihrer Jackentasche. Kein schriller Alarm, nur ein kleines Warnsignal: *Alles erledigt.* »Lassen Sie die übrigen Kartons versiegeln und sorgen Sie dafür, dass niemand in den offenen herumstöbert. Nehmen Sie ein Spezialistenteam für gefährliche Stoffe mit. Ich möchte, dass alle Kartons gründlich auf Fingerabdrücke und DNA-Spuren überprüft werden. Sobald das Expertenteam die Kartons freigibt, möchte ich, dass sie stillschweigend aus dem juristischen Zuständigkeitsbereich dieses Bundesstaats entfernt und vom FBI als Beweismaterial für terroristische Aktivitäten beschlagnahmt werden. Überstellen Sie die Kartons an Frank Chao in Quantico.«

Botnik zuckte die Achseln. »Ihre Entscheidung.« Die beiden Ermittlungsbeamten nahmen hinter ihnen im Wagen Platz.

»Sie ermitteln doch gegen Störsender, stimmt's?«, fragte Rose.

»Richtig«, erwiderte Botnik.

»Mit welcher Dringlichkeitsstufe?«

»Keiner hohen.«

»Dann sorgen Sie dafür, dass die Sache höhere Priorität bekommt. Am besten, wir verbreiten, dass Porter möglicherweise von Leuten mit Störsendern umgebracht worden ist. Und geben Sie mir Bescheid, wenn Sie auf unseren speziellen Störer stoßen.«

»Wird alles erledigt, wenn es Ihnen weiterhilft.«

Die Sonne ging auf. »Können wir ein paar Kilometer Richtung Westen fahren?«, fragte sie. »Langsam. Ehe wir nach Tucson zurückkehren.«

»Ihr Wunsch ist mein Befehl.« Botnik, der am Lenkrad saß, verbeugte sich leicht. »Halten Sie nach etwas Bestimmtem Ausschau?«

»Will nur gründlich vorgehen.« Sie lehnte den Kopf zurück, riss den Mund auf, zog ein Augenlid mit dem Finger herunter und träufelte einen Tropfen Visin hinein. Danach verarztete sie auch das andere Auge, steckte das Visin wieder in die Jackentasche und holte das Analysegerät heraus, das nicht größer als ein Leuchtstift war. Kleingedrucktes zu lesen fiel ihr täglich schwerer. Die aufblinkende winzige LCD-Anzeige gab glücklicherweise nur Nullen an. Laut Analyse enthielten weder Drucker noch Karton irgendwelche biologischen Gefahrenstoffe. Kein Anthrax. Eigentlich hatte sie das auch gar nicht erwartet.

Die würden keine Drucker damit ausrüsten, danach verpacken und irgendwohin befördern. So dumm war niemand, jedenfalls kein Mensch, der noch unter den Lebenden weilte.

Knapp einen Kilometer weiter machte sie auf dem Schotterstreifen einen zusammengeknüllten schwarzen Gegenstand aus. Botnik hielt an, damit sie das Objekt bergen konnte.

»Handschuh der Marke Friskmaster, rechte Hand«, sagte sie, während sie zurück in den Wagen stieg. Botnik zog einen weiteren kleinen Beutel hervor. Nachdem sie den Handschuh darin verstaut hatte, versiegelte er ihn.

Der ernsthafte Agent, der unmittelbar hinter ihr saß, wirkte beeindruckt. Er streckte eine Thermoskanne hoch. »Kaffee?«

»Um Himmels willen, nein danke«, wehrte sie energisch ab, während ihr das Blut in die Wangen schoss. »Dann würde ich völlig ausrasten.«

Als sich das Handy in ihrer Jackentasche meldete, fuhr sie so schnell hoch, dass Botnik leicht grinsen musste. »Genau so«, erklärte sie, ehe sie den Anruf entgegennahm.

»Rebecca, hier ist News.« Hiram Newsome – oder kurz *News* für Freunde oder Leute, mit denen er eng zusammenarbeitete – war der stellvertretende Leiter der Ausbildungsabteilung in Quantico. Fast alles, was Rebecca wusste, hatte sie von ihm gelernt. Und er half ihr auch schon seit langem bei der Arbeit, dieses ungelöste Rätsel aufzuklären. »Sag Botnik, er soll deinen Hintern sofort zurück nach Tucson schaffen. Ich habe für dich einen Flieger nach Seattle gechartert. Irgendjemand hat mehrfach medizinische Ausrüstungen bestellt, die keinen ehrlichen Zwecken dienen dürften. Ich hab Griff mitgeteilt, dass du kommst, was ihn selbstverständlich ärgert.«

»Erwin Griffin?«

»Genau der. Mach's auf die nette Tour, Rebecca.«

»Mach ich doch immer.«

Kapitel 4

FBI-Akademie, Quantico, Virginia

> *Quantico ist die Walhalla der Polizisten.*
> *Angeblich landen gute Polizisten dort, wenn sie*
> *sterben. In Quantico löst man Tag für Tag*
> *Verbrechen, führt Festnahmen durch, lernt intensiv,*
> *treibt Sport, macht Schießübungen. Und am Ende*
> *des Tages trifft man sich mit seinen Kollegen im*
> *Gemeinschaftsraum, kippt ein paar Biere und*
> *lacht miteinander. Kaum einer wird jemals verletzt,*
> *niemand verriegelt seine Tür, jeder kennt die Vor-*
> *schriften. Und die Bösen sind stets die Verlierer.*
>
> Notizzettel am Schwarzen Brett des Jefferson-Wohnheims,
> Teil der FBI-Akademie Quantico in Virginia

> **Ich bin vom FBI.**
> **Hauen Sie mehr Fleisch drauf!**
>
> Wortwechsel zwischen einem FBI-Agenten und einem
> Sandwich-Maker in New York, Quelle unbekannt

Auf dem weitläufigen Campus der FBI-Akademie erstreckte sich
Hogantown über knapp fünf Hektar, eingebettet in Wäldchen
voller Kiefern, Ahornbäume und Hartriegelbüsche. Hogantown
war zwar der Ort in Amerika, vielleicht auch auf der ganzen Erde,
der sich am meisten mit Verbrechen herumschlug, dennoch hatte
er in früheren Zeiten winzig, ja sogar malerisch gewirkt. Hogan's
Alley erinnerte an ein Studiogelände, das bei Filmproduktionen

die Kulisse für Außenaufnahmen abgibt. Doch mit den Jahren hatte sich der Ort zu einer richtigen kleinen Stadt entwickelt. Zu einer Stadt mit echten Wohnungen für Rollenspieler und Regisseure und mit echter polizeilicher Überwachung (die in Echtzeit erfolgte). Das ganze Jahr über galt es Verbrechen aufzuklären, was einen Monat oder länger dauern konnte und viele Auszubildende der FBI-Akademie in ihren Kursen beschäftigte. Die Stadt besaß einen funktionierenden Drugstore – *AllMed* – und ein recht großes Einkaufszentrum – *Giga-Mart* –, wo die Angehörigen der Marinebasis Quantico vorzugsweise herumhingen.

Hogantown beschäftigte vierzehn Produzenten von Verbrechensszenarios, die das Geschehen gemeinsam mit Dozenten und Regisseuren von verborgenen Laufgängen aus überwachten. Es war das größte Ausbildungszentrum für Strafverfolgung in der ganzen Welt – größer noch als der Gasforth-Komplex im englischen Bram's Hill.

Verbrechen und Terror hatten Hogantown gut getan.

Unsichtbare Flammen schossen an seinen Armen und Beinen hoch und den Hals hinauf, bis zum Kiefer. Um nicht loszubrüllen, knirschte William Griffin mit den Zähnen. Er umklammerte die Pistole mit beiden Händen so heftig, dass sie sich verkrampften. Der Projektor vor ihm, der sich als eckiger schwarzer Kasten von den grauen Betonmauern abhob, wackelte auf dem herunterfahrenden Laufwagen. Er erinnerte an die Röntgenapparate, die Zahnärzte vor ewigen Zeiten verwendet hatten. Das hier war das letzte Wort des Instrukteurs Pete Farrow, wenn die Agenten, die er ausbildete, bei Schießübungen versagten: ein kurzer scharfer Stoß des Mikrowellenprojektors, der Schmerz erzeugte.

Farrow hatte gerade das letzte Quäntchen seiner nur schwach ausgeprägten Geduld verloren und seinem Zorn Luft gemacht.

William riss sich den Helm herunter und trat von der Simulationsanlage zurück. Immer noch zitternd, senkte er die Waffe und schaltete seinen Lynx ab. Er spürte Blut im Mund: Soeben hatte er sich die Zunge halb durchgebissen.

Hogantowns *Rough-and-Tough*-Anlage hatte ihn gerade umgebracht – zum dritten Mal.

»Mr. Griffin, Sie sind eine *Nullnummer*.« Farrow bog um die Ecke der Aussichtsplattform und stieg mit präzisem Schnellschritt die Stahltreppe zur Schussanlage hinunter. Er war gut einen Meter fünfundneunzig groß und wog um die hundertfünf Kilo. Mit den kurz geschorenen blonden Haaren, dem skeptischen Blick aus den zusammengekniffenen onyxfarbenen Augen und einem Gesicht, das stets zu brutalem Grinsen aufgelegt schien, ähnelte er eher irgendeinem Schurken in einem James-Bond-Film als einem FBI-Agenten.

»Tut mir leid, Sir.« William war der Zweite in einer Vierergruppe gewesen, die eine Wohnung gestürmt hatte. All seine Partner waren virtuelle Personen gewesen. Genau nach Vorschrift hatten sie die Räume durchkämmt, und plötzlich waren da Schüsse, Rauch und allgemeine Verwirrung gewesen. Rote Buchstaben, die über sein Sichtfeld tropften, meldeten, dass er zwei Schüsse in den Brustkorb und einen in den Kopf bekommen hatte. Und um der Sache Nachdruck zu verleihen, hatte Farrow den »Vorschlaghammer«, den Schmerzprojektor ausgelöst.

Selbst vor dem Schmerz hatte die Simulation so real gewirkt, dass William immer noch seinen übersäuerten Magen und den Schweiß unter seinem Körperpanzer spüren konnte.

Farrow griff nach Williams Glock-Pistole und koppelte sie von der Suchspur und Steuerung des virtuellen Szenarios ab, indem er einen verborgenen Schalter mit Sperrvorrichtung drückte. »Sie hörten Schüsse, sahen den Agenten Smith und gleich darauf den Agenten Wesson umfallen. Danach sahen Sie, wie hinter dem Kühlschrank ein Gangster auftauchte.«

»Es war ein Kind im Raum.«

»Das mordgeile Arschloch befand sich direkt vor Ihnen. Das Kind war gar nicht in Ihrer Schusslinie.«

»Ich suche auch nicht nach Ausflüchten, Sir.« William konnte kaum sprechen.

Farrow zog die Hose hoch. Mit seinem riesigen Brustkorb und

den schmalen Hüften war er so gebaut, dass Konfektionsware bei ihm nie richtig saß. »Sie ziehen und schießen in der Regel ausgezeichnet, stets in die gleiche Höhe, alle Einschüsse in einer Reihe, wunderbar – solange Sie auf Zielscheiben feuern. Ansonsten sind Sie eine echte Memme, eine komplette Nullnummer. Sind Sie jemals auf die Jagd gegangen, Mr. Griffin?«

»Ja, Sir.« William ließ die Schultern so tief hängen, wie das anatomisch überhaupt möglich war. »Nein, Sir, wollte ich sagen.«

»Ihr Vater hat Sie nie mit auf die Jagd genommen? Ist ja wirklich eine Schande.«

»Sir, ich verstehe nicht, was genau Sie mit *Nullnummer* meinen.«

»Dann schlagen Sie's nach. Damit meine ich ein nutzloses, unbedeutendes Geschöpf. Nullnummer bedeutet, dass Sie nicht mal den Lehm wert sind, aus dem Sie geschaffen sind. Es bedeutet, dass Sie in einer Situation der Selbstverteidigung mit klar definierten Gegnern, deren einziger Lebenszweck darin besteht, Sie wie einen räudigen Hund abzuknallen, schlichtweg zurückschrecken. Und speziell meine ich damit, dass Sie Jagdangst haben. Wenn Ihre Neunmillimeter auf irgendetwas Lebendiges zielt, schüttelt es Sie so, als wären Sie ein Würfelbecher. Und Ihre Zähne klappern wie Kastagnetten, Mister.«

»Ja, Sir. Ich würde es gern noch einmal probieren, Sir.«

Farrows Gesicht nahm eine derart Unheil verkündende Röte an, als stünde er kurz vor einem Herzinfarkt. »Diese Simulationsanlage, mein Sohn, verbraucht fünfundzwanzigtausend Watt. Und ich werde nicht zulassen, dass weitere wertvolle Energie unseres Volkes vergeudet wird. Ich habe Sie deshalb zu dieser späten Stunde hier einbestellt, weil ich prüfen wollte, ob Sie unter bestimmten Bedingungen lernen können, auf lebende Ziele zu schießen. Unter Bedingungen, bei denen Sie nicht so sehr der Beurteilung Ihrer Kollegen ausgesetzt sind. Aber Sie haben mir keine Ehre gemacht. Niemand kommt an dieser Hochschule durch, wenn er den Härtetest nicht besteht.«

»Ich brauche nur eine einzige weitere Chance, Sir.«

Die Hände in die Hüften gestemmt, blieb Farrow stehen – eine perfekte Verkörperung von Fitness und Kraft. »Jagdangst, Griffin. Manche Menschen können einfach nicht töten. Ihr Vater war doch bei der Marine, stimmt's?«

»Navy Seal, Sir.«

»Hat er je davon gesprochen, dass er Menschen getötet hat?«

»Nein, Sir.«

»Hat er im Rahmen seines Dienstes je Menschen getötet?«

»Darüber hat er nicht gesprochen, Sir.«

»Ich weiß mit Sicherheit, dass er als FBI-Agent drei Menschen getötet hat. Was empfinden Sie dabei?«

William schluckte. Hin und wieder war Griff für seine Familie nur schwer zu ertragen gewesen. Er hatte irrationale Wutausbrüche gehabt, stillschweigend vor sich hin gesoffen und in einer schrecklichen Nacht bis in die frühen Morgenstunden hinein geheult und geschrieen. Die Mutter hatte William bei den Schultern gepackt und ihn zurückgezerrt, um ihn vom Arbeitszimmer fern zu halten. Er hätte seinen Vater so gern getröstet.

Damals war William neun Jahre alt gewesen.

Vor zwanzig Jahren hatte Griff im Arbeitszimmer ein grässliches Lied gesungen, den Text aber nur genuschelt herausgebracht, weil er mehr als einen halben Liter Johnny Walker intus hatte. *Bullet to the thorax, cried the Lorax. Bullet to the brain, what a pain. Bullet to the gut, then you'll know what's what, and mister, you'll never be the same, all the dead are in your head, not the same.**

---

* *Kugel in den Thorax, schrie der Lorax.*
Welche Pein, schlägt die Kugel ins Gehirn ein.
Kugel in den Bauch, und du weißt auch,
was die Stunde geschlagen hat.
Wirst nie mehr der Alte sein,
denn die Toten gehen in deinen Schädel ein.
Nie mehr der Alte, Mister.
Persiflage auf die Kinderreime des berühmten amerikanischen Kinderbuchautors Theodor »Doktor« Seuss. *Lorax* ist eine von Seuss erfundene Figur, die ständig Bäume rettet. – *Anm. d. Übers.*

Hatte der Sonderagent Erwin Griffin an diesem Tag einen Mann getötet?

William hatte fünf Jahre im New Yorker Polizeidienst verbracht und dabei nicht ein einziges Mal seine Waffe ziehen müssen, wofür er dankbar war. Er schloss die Augen und rief sich ins Gedächtnis, wie Griffs Gesicht am Morgen nach diesem Besäufnis ausgesehen hatte: aufgedunsen und dennoch hart. Das Gesicht eins Mannes, der wieder einmal gelernt hatte, sein Inneres zu verbergen. Und die Hoffnung darauf, dass es schlimmer nicht werden könne, zu begraben.

Nachdem Williams Eltern die Scheidung hinter sich gebracht hatten, war der Vater in den Bundesstaat Washington umgezogen. Derzeit operierte er vom FBI-Außenbüro Seattle aus.

William hätte am liebsten gekotzt. »Nur eine einzige weitere Chance. Meinem Vater zuliebe, Sir.«

Farrow wirkte keineswegs begeistert. »Die letzte Chance, Griffin. Eine weitere Attacke von Jagdangst, und Ihre Zukunft hier ist besiegelt.«

Kapitel 5

Bundesstaat Washington

Sonderagent Erwin Griffin, den praktisch jeder nur als *Griff* kannte, zog die Sonnenbrille mit den Drahtbügeln von den blassblauen Augen und steckte sie in die Tasche. Die schneebedeckten Berge im Osten fingen das letzte Tageslicht ein, sodass es so aussah, als streckten grobe Steinfinger ihre glühenden Spitzen aus. Im Innern der Aussichtskanzel auf dem Brandschutzturm war es still; es war nur das sanfte, aber hartnäckige Säuseln des Windes zu hören, der durch die Holzbalken fuhr. Und gelegentlich ein Ächzen und Stöhnen, wie bei einem Boot, das in seichtem Gewässer auf Grund gelaufen ist. Die Aussichtskanzel befand sich rund zwölf Meter oberhalb des Hügelkamms und wurde von einem schmalen Gitterwerk aus Eisenträgern und Balken aus Zedernholz gestützt. Sie bot Aussicht auf die matten Kronen der aufgeforsteten Schierlingstannen und zum Osten hin einen guten Überblick über das Tal.

Seit zwei Tagen wohnte Griff in diesem Turm und beschäftigte sich mit einem Teleskop, zwei Ferngläsern, die mit jedem erdenklichen elektronischen Schnickschnack ausgestattet waren, Digitalkameras und einem kleinen Computer. Er trug Jeans und einen marineblauen Anorak mit gelbem FBI-Aufdruck auf dem Rücken, dessen Reißverschluss er hochgezogen hatte. Rechts von dem I, unmittelbar unter dem Schulterblatt, hatte der Anorak ein Loch, durch das ein kleiner Finger gepasst hätte.

Bis jetzt war hier alles friedlich gewesen. Ausgerüstet mit einer mobilen Toilette und einer Kühlbox voller Sandwiches und Konservendosen mit Eistee, hatte er den größten Teil der Zeit allein verbracht. Hier hatte er Zeit zum Nachdenken, Zeit genug, um sich zu fragen, warum er nicht in den Forstdienst gegangen oder Einsiedler geworden war. Es kam ihm so vor, als hätte er sich sein ganzes Leben lang nur mit Verfolgungsjagden und Festnahmen herumgeschlagen. Wenigstens konnte er sich zugute halten, dass er Hunderte von Schwerverbrechern festgenommen und ihrer Strafe zugeführt hatte. Er hatte dazu beigetragen, schlechte Menschen hinter Schloss und Riegel zu bringen, und manches Mal hatten die Richter und Geschworenen die Schlüssel gar weggeworfen. Dennoch schien es niemals auch nur ein bisschen zu nützen, verdammt noch mal. Stets tauchten neue Verbrechen auf. Wellen von Verbrechen, die einen überrollten und sich danach wieder zurückzogen und jedes Mal Tote hinterließen. So viele Tote.

Griff rieb sich die Augen und machte sich daran, gewisse Dinge umzuräumen, da es bald dunkel werden würde. Abends stand ihm nur eine einzige rote Laterne zur Verfügung, die unterhalb des Nordfensters des Ausgucks baumelte; Griff kam sich dann vor wie der Kapitän eines U-Boots.

»Einen Penny für deine Gedanken«, rief Cap Benson und schob sich keuchend durch die Luke, sodass sein Atem Dampfwölkchen bildete. Benson war im Polizeidienst des Bundesstaates Washington beschäftigt, siebenunddreißig Jahre alt und gehörte schon seit zwölf Jahren zu dessen SWAT-Team, der Sondereinsatztruppe. Griff kannte Benson nun seit zehn Jahren. Benson besaß einen Trailer, ein mobiles Haus, das auf einem knapp ein Hektar großen Grundstück an der Straße stand, rund fünfunddreißig Kilometer entfernt. Er war mit einer schlanken, hübschen Frau verheiratet, die gern Schürzen trug und selbst Brot backte. Über Bensons Hals zog sich eine Narbe, die, wie Griff wusste, in einem unnatürlichen Knötchen am Schlüsselbein endete. Er war besser in Form als Griff, der dennoch recht fit für sein Alter war; das Keuchen vorhin war nur irgendeine Äußerung gewesen. Zuletzt hatten sie sich im Vormonat bei einer großen Razzia in einem Drogenlabor in Thurston County gesehen.

»Ich werde hier oben noch verrückt«, bemerkte Griff trocken. Er zuckte mit einer Augenbraue, steckte sich einen Streifen Kaugummi zwischen die Vorderzähne, zog die Lippen zurück und wackelte mit dem Gummi. »He, guck mal«, sagte er, »ich bin Franklin D. Roosevelt.«

»Dann brauchst du aber eine lange schwarze Zigarettenspitze«, erwiderte Benson ungerührt.

»Für Kaugummi?« Griff fixierte Benson mit zusammengekniffenen Augen. »Das wäre ja blöde.« Er zog das Kaugummi in den Mund und begann darauf herumzukauen.

»Bist du irgendwie fündig geworden?«, fragte Benson und ging zu dem Fenster, das Ausblick auf das Tal bot.

»Heute habe ich zwei Frauen gesehen. Und ein paar Kinder. Keine Tiere. Alles ruhig dort. Sie haben Abfall in Fässern verbrannt.«

»Und was ist mit dem Patriarchen?«

»Keine Spur von ihm zu sehen.«

»Dein jüdischer Kumpel vom Rechtshilfe-Zentrum müsste eigentlich in wenigen Minuten hier sein. Er trägt Skihosen. Sieht wie ein Cheechako aus.«

»Mag ja sein, aber über Chambers weiß er alles, was man überhaupt wissen kann.«

»Bist du sicher, dass du diese Sache nicht einfach uns überlassen willst?«

»Danke, Cap, aber ich kann dir garantieren, dass ihr keinen Spaß damit hättet.«

»Unser Arbeitseifer ist beängstigend, Griff.«

»Stimmt.« Er rief das Dauerbild auf dem Computerdisplay auf und zeigte Benson, was er sich den ganzen Tag lang angesehen hatte. Fünf Kilometer entfernt stand ein großes graues, verwittertes Bauernhaus auf einem Grundstück von rund fünfundzwanzig Hektar, das dicht mit Fichten, Weihrauchkiefern und jungen Zedern bewachsen war. Fünfzig Meter östlich vom Haus befand sich eine große Scheune. Im Augenblick sah der Hof verlassen aus. Es waren weder Kühe noch anderes Vieh zu sehen. Auch keine Hunde.

»Nett«, bemerkte Benson. »Ein Ort, wo ich als Rentner vielleicht ganz gern leben würde. Allerdings würde ich das Haus anstreichen lassen.«

Es war tatsächlich ein hübscher abgelegener Ort, eine Meile von der nächsten Straße entfernt. An diesem kühlen, aber klaren Aprilabend wirkte er heiter und friedlich. Nichts erinnerte an die Wüste des Alten Testaments, in der langbärtige Patriarchen mit leichtem Sonnenstich ihre Frauen wegsperren und ihre Stammesgemeinschaften mit strenger Hand regieren. Allerdings gab es auch hier ein Feuer auf dem Berg, wenn auch nicht aus einem Dornenbusch: Der Schnee hoch oben sah aus, als brenne er.

Die Flamme des göttlichen Strafgerichts.

»Bist du sicher, dass er es wirklich ist?«, fragte Benson.

»Wir werden schon bald über eine eindeutige Identifizierung verfügen«, erwiderte Griff. »Reichst du mir mal die Aktendeckel?«

Benson langte über den kleinen Tisch und reichte Griff drei dicke weiße Mappen voller Fotos. Griff breitete sie unterhalb der Ferngläser aus und schlug jede Mappe so auf, dass ein scharfes Foto oder Porträt fürs Verbrecheralbum zu sehen war. Gleich würde sein nächster Gast sich die Fotos vornehmen können, sie hörten bereits seine Schritte auf der schmalen Treppe.

Ein kahl rasierter, gebräunter Kopf, der von einer schlichten schwarzen Jarmulke gekrönt wurde, tauchte in der Luke auf. Gleich darauf schlug ein grüner Matchbeutel der Army auf dem Holzboden auf. »Ahoi da drüben. Jemand zu Hause?«

»Kommen Sie herein, Jacob«, sagte Griff. »Schön, Sie zu sehen.«

Der kleine schmächtige Mann reckte sich, stieg durch die Luke auf den rauen Holzfußboden der Aussichtskanzel und klopfte sich die ausgebeulte schwarze Skihose ab. Über einem makellos sauberen und gebügelten weißen Oberhemd trug er eine violette ärmellose Daunenweste. »Ist jedes Mal schön, von Ihnen zu hören, Agent Griffin«, sagte er. »Sie zeigen mir immer so interessante Sachen.« Er grinste Benson an, der ihm höflich, aber unverbindlich zunickte, ganz der erfahrene Polizist, der einen Außenseiter begrüßt, einen Menschen, der nicht im Polizeidienst steht.

Als die Luke erneut knarrte, schreckten alle hoch. Griff passte es gar nicht, dass eine weitere Person durch die Luke kriechen wollte – wer sie auch sein mochte. Ausgerechnet jetzt! Drei waren hier schon zu viel. Noch schlimmer fand er, dass sich die Person als Frau entpuppte. Als eine Frau mit schlanken, aber kräftigen Händen, kurzen Fingernägeln, haselnussbraunen Augen, verwuscheltem kastanienbraunem Haar, hohen Backenknochen und einem gottverdammten grauen Schutzanzug.

»Entschuldigen Sie, meine Herren.« Die drahtige Frau stellte sich auf den zugigen Holzboden und streifte die Jacke ab. Sie trug schwarze Laufschuhe und weiße Socken, ihr einziges Zugeständnis an den Wald und die Kletterei.

Griff warf Levine einen finsteren Blick zu, worauf er die Augenbrauen hochzog.

»Entschuldigen Sie die Störung«, sagte sie.

Griff hatte die Frau seit mehr als zehn Jahren nicht gesehen, sodass er einen Augenblick brauchte, bis er das jetzt ältere Gesicht und den Namen richtig einordnen konnte. Dann machte er sie alle miteinander bekannt. »Cap Benson vom SWAT-Team des Bundesstaats Washington. Das hier ist Jacob Levine vom Southern Poverty Law Center. Und das hier Sonderagentin Rebecca Rose. Sie ermittelt in Fällen von Bioterror, jedenfalls war das so, als wir uns das letzte Mal getroffen haben.«

»Das hat sich nicht geändert«, erwiderte Rebecca.

»Ist mir ein Vergnügen«, sagte Benson. Alle tauschten einen festen Händedruck, und dennoch sahen die drei Männer wie kleine Jungs aus, denen man das Clubtreffen im Baumhaus vermasselt hat.

»Was führt Sie hierher, Rebecca?«, fragte Griff.

»Irgendjemand im Tal hat eine Sendung nicht genehmigter biotechnischer Ausrüstungen erhalten. Fermentieranlagen, Inkubatoren und ein paar Trockenapparate.«

»Was Sie nicht sagen. Und weiter?«, fragte Griff.

»Lassen Sie sich von mir nicht stören«, sagte Rebecca. »Ich bin nur als Beobachterin hier.« Angesichts der Phalanx aus Ferngläsern und Teleskop pfiff sie leise durch die Zähne. »Wir gehen davon aus, dass rund zwei Dutzend Leute als Drahtzieher mit drinhängen. – Was haben Sie da unten entdeckt?«

»Eine Ameisenfarm«, erwiderte Griff.

»Dieser Mistkerl. Darf ich mal sehen?«

»Klar doch.«

Rebecca hob das größte Fernglas an die Augen. »Auf Ihrer Ameisenfarm gibt es ja gar keine Ameisen«, murmelte sie.

»Abwarten und Tee trinken«, meinte Griff.

Die Operation hatte vor einer Woche begonnen, aufgrund einer Beschwerde über illegales Zünden von Feuerwerk. Über den Hügeln im Umfeld der Farm waren mitten in der Nacht grellweiße Feuerkugeln wie riesige Rankengewächse aufgeblüht und hatten ein donnerndes Echo ausgelöst. Zweimal hintereinander, in drei aufeinander folgenden Nächten. Das Feuerwerk war so grell und laut gewesen, dass der nächste Nachbar davon aufgewacht war – ein alter Kauz, der mit seinem Airdale rund sechs Kilometer weiter wohnte und sowieso schlecht schlief.

Zwei Tage nach Eingang der Beschwerde fuhr ein Deputy Sheriff, Exekutivbeamter in Snohomish County, die lange unbefestigte Straße zur Farm hinunter, um den Anschuldigungen nachzugehen. Er stieß auf ein verborgenes Gehöft, das aus einem großen alten Haus, einer Scheune aus Fachwerk und Beton und einem neueren kleinen Haus im hinteren Teil des Anwesens bestand, das fast von Bäumen verdeckt wurde. Als der Deputy höflich an die Tür des Hauptgebäudes klopfte, machte ihm ein alter Mann auf. Der Alte hatte einen grauen Bart, breite Schultern, eine stolze Körperhaltung und strahlend grüne Augen. Zwei Frauen mittleren Alters, die mager und erschöpft aussahen, lebten mit ihm im großen Haus. Vom hinteren Teil des Grundstücks näherten sich sechs Kinder im Alter zwischen drei und siebzehn Jahren, blieben jedoch im Hof stehen. Alle Kinder waren gut genährt, konservativ gekleidet und gut erzogen. Respektvoll.

Auf die Fragen nach dem Feuerwerk reagierten die Leute so, als wüssten sie von nichts. Sie stritten jede Beteiligung ab, boten dem Beamten eine Tasse heißen Kaffee und frisch gebackene Sauerteigbrötchen an und luden ihn ins Haus ein. Dort setzte der Beamte den Sheriffhut ab, nahm ihn in die linke Hand und achtete darauf, die Schusshand frei zu lassen. Jede Einzelheit der Szenerie prägte er sich genauestens ein.

Der bärtige Alte bat eine der Frauen, Kaffee zu machen, während sie im Wohnzimmer warteten: der Deputy Sheriff in seiner faltenlosen braunen Uniform mit dem glänzenden schwarzen Pistolenhalfter (allerdings spannte das Hemd am Bauch, denn als junger Streifenbeamter saß er viel zu viel im Dienstwagen) – ein guter, vernünftiger Verteidiger des sozialen Friedens, der aufrecht und ein wenig linkisch auf dem Wohnzimmerteppich stand. Und der große alte Mann, der sich sehr gerade hielt und in seinem lockeren weißen Hemd und den Jeans würdevoll und entspannt wirkte.

Innen war das Haus sauber und ordentlich und nur spärlich möbliert. Selbstgebaute Regale, ein großer antiker Eichentisch. Rote Vorhänge vor den Fenstern. Osterglocken in einer großen Vase auf dem Sims über dem steinernen Kamin.

Die Vorstellung, er könne ein Feuerwerk entzündet haben, amüsierte den Alten offensichtlich. Die Leute in dieser Gegend, erzählte er dem Deputy Sheriff, neigten ein wenig zur Verschrobenheit. »Das liegt an der Luft. Für manche ist sie zu rein, für andere nicht rein genug.«

Der Deputy trank eine Tasse guten starken Kaffee, den eine der müden Frauen ihm aus einer eisernen Kanne einschenkte. Im großen Schaukelstuhl am Kamin saßen zwei Kinder, ein Junge und ein Mädchen, beide etwa neun, ohne ein Wort zu sagen. Aus Höflichkeit nahm der Deputy ein Sauerteigbrötchen, das mit frischer süßer Butter und selbst gemachter Marmelade bestrichen war und sehr gut schmeckte.

Das Reden überließen die Frauen und Kinder ganz dem Alten. Der Deputy sei hier jederzeit willkommen, sagte er, denn er gebe ihnen das Gefühl von Sicherheit und Schutz. »Der Herrgott sorgt für diejenigen, die an den starken Arm des Gesetzes glauben.«

Nachdem er sich bedankt hatte, ging der Deputy zum Wagen zurück. Er konnte sich keinen Reim darauf machen, warum ein

strenger, aber gastfreundlicher Greis, der das Leben seiner Großfamilie nach der Bibel ausrichtete, Lust haben sollte, in den frühen
Morgenstunden Sternschnuppen vom Himmel regnen zu lassen.

Doch irgendetwas stach aus seinen Erinnerungen so heraus
wie ein Baumstamm, der in einem stillen Gewässer treibt. Als er
wieder im Büro war, nahm er sich die Unterlagen des NCIS und
des NCIC über einen gewissen Robert Cavitt Chambers vor,
auch bekannt als Bob Cavitt und Charles Roberts. Zuletzt war
Chambers 1995 in Texas gesehen worden. Ein Computerkünst-
ler im Hauptbüro des FBI verfremdete die Aufnahme einer
Überwachungskamera, die aus jenem Jahr stammte, sodass sie
Chambers als munteren Greis in den Achtzigern zeigte.

Der Trick, ihn altern zu lassen, funktionierte.

Der Deputy erkannte in dem Mann den bibeltreuen Alten aus
dem Bauernhaus wieder.

»Wir haben Chambers' Spur schon vor Jahren verloren«, erklärte Levine. Im Brandwachenturm gab es nur einen einzigen
Klappstuhl, und den wollte er nicht in Beschlag nehmen, solange Cap Benson ihn mit Argusaugen beobachtete. Als Levine
lächelte, zeigte er große ebenmäßige, aber leicht gefleckte Zähne.
Die Kindheit und Jugend hatte er in Texas verbracht, wo er mit
natürlichem, durch Fluor angereichertem Wasser aufgewachsen
war, sodass seine Zähne wie Puteneier gesprenkelt, aber kräftig
waren. »Sind Sie sicher, dass er's ist?«

»Der Deputy hat ihn eindeutig identifiziert«, erwiderte Benson.

»Zu schön, um wahr zu sein. Aber wenn es stimmt, könnten
riesige Probleme auf uns zukommen.«

»Wieso das?«, fragte Benson.

»Mit wem haben wir's Ihrer Meinung nach zu tun?«, fragte
Levine. Jetzt nahm er seinerseits Benson ins Visier, bis er den
Blick langsam Griff und danach Rebecca zuwandte. In diesem
Augenblick war er eindeutig derjenige, der im Turm das Sagen
hatte.

»Mit einem Bankräuber. Einem Mann, der Bombenanschläge auf Abtreibungskliniken verübt hat«, erwiderte Benson.

»Aha.« Levine presste die Lippen zusammen. »Und das ist alles?«

»Mir reicht das jedenfalls«, sagte Benson. Griff ließ Levine seinen Spaß.

»Nun ja, ich möchte nicht, dass Sie ihn unterschätzen. Wenn er's wirklich ist. Denn der Patriarch hat sein Leben seit 1962 fast ununterbrochen damit verbracht, Verbrechen zu begehen. Davor war er Ministrant der St.-Jude-Kirche in Philadelphia, in einer vorwiegend irischen Gemeinde. Mindestens fünfmal hat er in den Siebzigerjahren Bankraub begangen, von Oklahoma bis Arizona. Eine seiner Festnahmen mündete in einen Prozess, bei dem die Geschworenen sich auf kein Urteil einigen konnten. Die Anklagevertretung von Oklahoma County weigerte sich jedoch, Chambers nochmals vor Gericht zu stellen. Ich zitiere den Staatsanwalt des Bezirks: *Unter den Geschworenen werden wir immer irgendeine Nutte mit feuchtem Höschen haben. Sorgt dafür, dass er schleunigst aus meinem Zuständigkeitsbereich verschwindet.*«

Alle blickten zu Rebecca hinüber, weil sie sehen wollten, ob Levines Worte sie beleidigt hatten, aber sie nahm's ihm nicht krumm, sodass er fortfuhr: »1979 zog Chambers nach Irland. Dort entwickelte er sich zum Experten für Sprengstoffvorrichtungen. Seine Spezialität waren schmutzige versteckte Bomben. Nageln Sie mich nicht darauf fest, aber er könnte durchaus der Kerl gewesen sein, der 1986 in einem Hotel in Brighton die Sprengladung in Margaret Thatchers Toilette angebracht hat. Später im selben Jahr kehrte er in die USA zurück, als der Boden in Großbritannien ihm zu heiß unter den Füßen wurde. Doch er schaffte es nicht, sich aus dem Ärger mit der Polizei herauszuhalten. 1988 erwischte ihn die Landespolizei in Nevada bei einer Kneipenschlägerei. Er war völlig betrunken und hatte einen zerbrochenen Billardstock in der Hand, während sein Kumpel, den er damit durchbohrt hatte, auf dem Fußboden verblutete. 1989 wurde Chambers wegen Totschlags verurteilt und landete im Gefängnis. Irgendwann im Folgejahr brach er mit seinen irischen Wurzeln, schwor dem Alkohol ab und konvertierte vom Katholizismus zur *Aryan Church of Christ Militant*. Das sind Leute, die die Überlegenheit der weißen Rasse hochhalten.«

»Ist mir bekannt«, warf Benson ein.

»1992 wurde das Urteil in der Revision aufgehoben. Es hatte sich nämlich herausgestellt, dass ein Techniker des FBI gewisse Tests, anders als behauptet, gar nicht durchgeführt hatte. Chambers wurde 1993 aus dem Gefängnis entlassen. Danach, zwischen 1995 und 1999, raubte er von Oklahoma bis Alabama Banken aus. Sein Spitzname war *stolzer Papa*, denn seine Gehilfen waren zwei kleine Jungen, noch keine dreizehn, die er als ›meine starken und rechtschaffenen Söhne‹ bezeichnete.

1999 organisierte er Bombenanschläge auf drei Abtreibungskliniken in Boston und Baltimore, bei denen zwei Menschen ums Leben kamen und sechs schwer verletzt wurden. Er steht schon seit zwanzig Jahren auf der Fahndungsliste, die in den Postämtern aushängt.«

»Und all das, weil das FBI was vermasselt hat?«, fragte Benson.

»Ähä«, bestätigte Griff.

»Wenn das da unten tatsächlich seine Familie ist«, sagte Levine, »und er annimmt, dass wir ihm auf den Pelz rücken, wird er wie eine in die Enge getriebene Wildkatze kämpfen. Auf keinen Fall will er zurück ins Gefängnis. Wie wollen Sie denn vorgehen?«

»Daran arbeiten wir noch«, sagte Griff.

Levine, der skeptisch wirkte, nutzte die Chance, auch einmal einen Blick durch das große Fernglas zu werfen. »Sieh mal einer an. Ameisen.«

Einen Tag, nachdem das Büro des Sheriffs von Snohomish County die Informationen des Deputy ans FBI weitergeleitet hatte, fuhr Griff von der Außenstelle Seattle aus hierher und nahm einen selten benutzten Brandschutzturm des Forstdienstes in Beschlag. Der Turm bot eine recht gute Aussicht auf das

Gehöft. Ohne eine Genehmigung einzuholen, befahl Griff zwei Agenten, den einzigen Baum, der die Sicht verstellte, mit einer Kettensäge zu fällen. Danach baute er seine Überwachungsgeräte auf. Der Sonderagent John Keller, Chef vom Dienst des Außenbüros Seattle, hatte Griff mit der Leitung der Operation betraut, allerdings nur vorläufig – für den Fall, dass ein Schlamassel wie seinerzeit bei der Belagerung der Sekte in Waco drohte, behielt er sich weitere Entscheidungen vor.

Das FBI-Hauptbüro wollte auf Nummer Sicher gehen, ehe es zuschlug.

Andere Agenten durchkämmten den nächsten Ort namens Prince, in dem es eine Tankstelle, einen Laden für Haushaltswaren und Lebensmittel, drei Kirchen und eine Imbissstube gab. Dabei brachten sie in Erfahrung, dass drei Frauen und mindestens sieben Kinder hier regelmäßig Lebensmittel einkauften und manchmal auch ihre Post abholten. Nicht ganz so häufig hatten die Einwohner im Ort auch vier Männer im Alter zwischen siebzehn und fünfunddreißig Jahren gesehen. Darüber hinaus fuhr die Großfamilie auch zum Gottesdienst nach Prince. Chambers selbst wagte sich nie in den Ort vor. Schätzungsweise lebten rund zwanzig Männer, Frauen und Kinder auf seinem Gehöft.

Ihre Kirche, bekannt als *The Empty Tomb of God Risen*, war eine militante Abspaltung von den *Adventisten des Siebten Tages*. Nach Unterlagen des FBI zeigten deren Anhänger starke antisemitische Tendenzen, wie man sie oft bei Verfechtern der *Christian Identity* findet. In einigen nordwestlichen Bundesstaaten der USA hatten sie sich mit Gruppierungen der *Aryan Nations* verbündet. Mittlerweile war ihren Geistlichen der Besuch von Bundesgefängnissen untersagt.

Kaum hatte Griff diese Informationen erhalten, hatte er sich mit Jacob Levine in Verbindung gesetzt.

Während der Computer das Gesicht via Satellitenverbindung mit den Unterlagen des Nationalen Sicherheitsdienstes in Virginia abglich, lösten sie einander am Fernglas ab.

»Wozu dienen all diese Pfosten und Wäscheleinen?«, fragte Rebecca.

Griff zuckte die Achseln. »Sagen Sie's mir.«

»Sieht nach Antennen aus. Vielleicht Fernsehen?«

»Selbst Jed Clampett würde hier draußen eine Satellitenschüssel benutzen«, entgegnete Benson.

Auf der vorderen Veranda standen zwei Frauen. Eine strickte, während die andere auf den langen, von Unkraut überwucherten Rasenstreifen vor dem Hauptgebäude starrte. Sie unterhielten sich miteinander, nur gab es keine Möglichkeit zu erfahren, was sie sagten. Aus diesem Abstand und diesem Winkel heraus nutzte die Software zum Lippenlesen nicht viel.

»Die wirken nervös«, bemerkte Benson.

»Am Anfang ist Chambers immer charmant, aber letztendlich regiert er mit strenger Hand«, sagte Levine. »Er sucht sich Frauen, die sich nichts anderes als sein Kommando und die tägliche Routine wünschen, aber das heißt nicht, dass er sie glücklich macht. Obwohl er auf seine Weise für sie sorgt und seine Kinder liebt. Auf seine Weise.«

»Das sind alles seine Frauen und Kinder?«, fragte Rebecca.

»Chambers hat seinen Harem noch nie mit anderen geteilt. Er bildet seine Söhne zu Meisterschützen aus, aber seinen Frauen und Töchtern verbietet er, jemals eine Waffe in die Hand zu nehmen. Für welchen Tag haben Sie den Überfall geplant?«

Griff zuckte bei dem Ausdruck *Überfall* zusammen, wehrte jedoch nicht ab. Etwas musste geschehen, und wahrscheinlich würde er beim Einfall in das Gehöft die Speerspitze bilden müssen. »Erst dann, wenn wir alles Nötige wissen.«

»Es könnte sich eine günstige Gelegenheit bieten«, sagte Levine. »Falls das, was die Leute vor Ort herausgefunden haben, auch zutrifft – falls Chambers und seine Familie tatsächlich *Tomber* sind, Anhänger der Sekte, für die das leere Grab und die Wiederauferstehung Christi den Kern ihrer Religion bilden.«

»Verraten Sie's mir.«

»Wahrscheinlich werden die Frauen und Kinder alle den

Ostergottesdienst ihrer Kirche besuchen. Das könnte eine günstige Gelegenheit sein, Chambers allein zu Hause zu erwischen. Höchstens wird sein ältester Sohn Wache schieben. Chambers verlangt Frömmigkeit von den Seinen, aber ich hab noch nie gehört, dass er selbst eine Kirche betreten hätte, jedenfalls nicht seit seiner Kindheit. Er muss überall der Anführer des Rudels sein, und das schließt auch sein Verhältnis zu Gott ein.«

»Auf keinen Fall greifen wir dort erst Ostern ein«, entgegnete Griff. »Außerdem sind die Leute im Ort jetzt vorgewarnt. Abwarten können wir uns nicht leisten.«

Levine lächelte. »Sie haben Glück. *Tomber* richten sich nach dem Julianischen Kalender. Sie glauben, dass Ostern früher liegt, als ihr *Goyim* das gemeinhin annehmt. Sie feiern Ostern elf Tage früher, denn den Gregorianischen Kalender halten sie für Teufelswerk.«

»Pfadfinderehrenwort?«, fragte Griff, der gerade durch das Teleskop blickte. Jemand hatte eine Grubenlampe an einem Balken unter dem Vordach der Veranda aufgehängt. Die beiden Frauen waren gerade dabei, Klappstühle aufzustellen.

»Bei denen ist morgen Karfreitag.«

Und dann kam unten im Tal endlich der alte Mann heraus, blieb stehen und blickte forschend ins Zwielicht. Im hellen weißen Licht der Grubenlampe war sein Kopf deutlich zu erkennen. Das schroffe Profil erinnerte an einen Raubvogel. Der Alte wirkte so nachdenklich, dass Griff kurz dachte, er könne sie beobachten.

Rebecca verschränkte die Arme. »Genau der Typ, der einen Inkubator für Mikroben brauchen könnte.«

Griff ließ die Digitalkameras summen und trat einen Schritt zurück. »Ist er das?«, fragte er Levine.

Levine blickte durch das Fernglas. »Hoffe, ich sehe in dem Alter auch noch so gut aus.«

»Sagen Sie's mir, wenn Sie so weit sind, Jacob.«

Levine verbrachte noch einige weitere Sekunden am Fernglas. »Er ist es«, sagte er schließlich.

William Griffin rannte über den Rasen, um sich der Gruppe von bislang acht Studenten anzuschließen, die vor dem Vorführraum stand. Sie hatten sich am Rand von Hogantown versammelt. Nur die Hoover Road trennte sie von den mehrstöckigen Wohnheimen, Spazierwegen und unförmigen gelbbraunen Kästen der Akademie.

»Also gut, hören Sie zu«, rief Pete Farrow. Die Neulinge – zwei Frauen und sieben Männer in allen Hautfarben: zwei Schwarze, ein Asiat, ein Mann aus dem Nahen Osten, fünf mit unterschiedlichen Schattierungen weißer Haut – brachen ihre Gespräche ab und nahmen militärische Haltung an. Verglichen mit dem Ausbilder waren sie ein bunt zusammengewürfelter Haufen und von der Statur her völlig unterschiedlich: Unter ihnen gab es Dicke und Dünne, Große und Kleine, Dunkelhaarige und Blonde.

Farrow ging an der lockeren Reihe entlang. »Also gut, Agenten, es geht um Folgendes: Heute werden Sie Ausrüstungen benutzen, die etwa zweihunderttausend Dollar wert sind. Machen Sie nach Möglichkeit nichts kaputt. Nur rund zwanzig Prozent unserer Außenstellen verfügen über all das Zeug. Es ist Mangelware. Und es ist teuer. Aber in solchen Ausrüstungen liegt die Zukunft – und Sie werden sich daran gewöhnen. Falls Sie Sadisten sind, haben Sie Pech gehabt. Denn leider neigen diese neuen Gerätschaften dazu, euch Sturköpfe und Saukerle in nettere, freundlichere Sicherheitsbeamte zu verwandeln.«

Farrow zwinkerte in die Richtung von William Griffin. »Wenn Sie diese Dinge draußen auf der Straße richtig anwenden, muss niemand sterben. Obwohl ich ein paar verstauchte

Knöchel und verrenkte Hälse nicht ausschließen möchte. Und erfahrungsgemäß kann man damit auch Arme und sogar Beine brechen. Kapiert?«

Die Gruppe nickte einmütig.

Hinter den Studenten gingen drei Männer in grauen Anzügen vorbei, die Sandwich-Tüten des Pastime Deli-Ladens in den Händen hielten, und betraten die Bank von Hogantown. Einer drehte sich um und sagte: »Farrows Haufen, der Müllhaufen. Was meinst du, wird Blut durch die Gosse rinnen?« Die beiden anderen grinsten gemein und schoben sich durch die gläsernen Schwingtüren.

William bemerkte, dass sich Jane Rowland unter ihrer Kostümjacke und dem weißen Golfhemd mit Aufdruck der FBI-Akademie den Brustkorb kratzte. Auch seine Unterwäsche juckte ihn. Musste irgendwie mit den Diagnostik-Sensoren zu tun haben, die ins kugelsichere Gewebe eingebettet waren. Oder mit dem hydraulischen Röhrennetz, das sich sanft an den Oberkörper schmiegte.

Zu ihren Füßen stapelten sich Ausrüstungsgegenstände. Bald würden sie Masken und spezielle, mit dem Netzwerk verbundene Jacken anlegen. Weiteres Gewicht, weitere Verkabelungen. In ihren Halftern steckten Revolver mit blauen Griffen und farbigen Platzpatronen. Die Wagen der Akademie waren mit blauschäftigen Pump-Gewehren ausgerüstet, die ein grässlich riechendes rosafarbenes Spray abfeuern konnten; außerdem mit nachgeahmten MP 5-Neunmillimeterkarabinern der Marke Heckler & Koch, die nichts abfeuern konnten, aber einen fürchterlichen Krach machten. Das ganze Arsenal von Übungswaffen war mit dem Netz verbunden. Alles, was sie mit diesen Waffen anstellten, tauchte in irgendwelchen Ecken von Hogantown auf Monitoren auf.

»Es gibt triftige Gründe für Ihr Eingreifen«, fuhr Farrow fort. »Jetzt bereiten Sie sich darauf vor, vier Tatverdächtige festzunehmen. Es sind Dealer, die einen illegalen Stoff irgendwohin befördern wollen, um ihn zu verkaufen. Und es sind nicht mehr die guten alten Zeiten von Heroin oder Kokain. Neuraminolin-

Tartrat, auf der Straße als *Törtchen* bekannt, ist farblos, geruchlos und geschmacklos. Aber es ist die gefährlichste, destruktivste genmodifizierte Droge, die derzeit auf dem Markt ist. Die armen Schweine, die das Zeug nehmen, reden sich ein, es sei ein harmloses organisches Aufputschmittel. Es erzeugt nämlich eine lang anhaltende Euphorie, ein himmlisches Wohlgefühl. Aber bei fünf Prozent der Abhängigen führt es zu einer degenerativen neuromuskulären Krankheit namens *Kepler-Syndrom*. Irgendwann landet man sabbernd im Rollstuhl, kann seine Schließmuskeln nicht mehr kontrollieren und leidet ständig unter Schmerzen. Und dieses Törtchen hat noch andere reizende Wirkungen: Schätzungsweise bei sieben Prozent der Konsumenten bindet es sich an Chromosomen in den Stammzellen – es setzt sich in den Eierstöcken und im Sperma fest. Das führt zu krankhaften Veränderungen, die sich auch auf den Nachwuchs vererben können. Falls betroffene Kinder überhaupt älter als zwei Jahre werden, leiden sie unter höllischen Qualen. Das Törtchen verwandelt Babys in Monster.«

Farrow setzte seine mit dem Netz verbundene Datenbrille auf, die eigentlich eher wie eine normale Sehbrille mit verstärktem Rahmen aussah. »Wenn *das* Ihre Psyche nicht auf die Razzia einstimmt, ist bei Ihnen Hopfen und Malz verloren. Denken Sie daran: Wenn Sie's vermasseln, riskieren Sie, dass Ihre Kommilitonen verletzt werden. Ich mag es nicht, wenn ich Herzflattern bekomme. Und ich möchte auch nicht um verlorene Entchen trauern müssen. Verhalten Sie sich stets taktisch. Nutzen Sie alle Kenntnisse und Fertigkeiten, die wir Ihnen beigebracht haben. Sind Sie bereit?«

»Bereit!«, riefen sie.

»Legen Sie Ihre Schutzkleidung an und verbinden Sie Ihren Lynx mit dem Netz. Heute haben wir höchste Geheimhaltungsstufe, damit die bösen Buben nicht erfahren, wer und wo Sie sind. Also, stellen Sie sich jetzt zu einer Schlange auf, um Ihre Zahlen entgegenzunehmen.« Er begann damit, Papierstreifen auszuteilen.

William Griffin setzte seine Datenbrille auf und legte die Schutzjacke an, auf der ein silberner Streifen mit seinem Namen klebte. Danach ließ er den Zeigefinger über die Erhöhungen und Vertiefungen der Lynx-Tastatur gleiten, die an seinem Unterarm befestigt war, loggte sich in den gemeinsamen Server der Gruppe ein und gab seinen Zahlencode und fünf Tarnziffern sowie falsche Ortsangaben ein, die sein Interface in Windeseile verbreiten würde, falls ein Hacker eindrang.

Nachdem alle mit der Prozedur durch waren, stellten sie sich auf und hielten dabei die Farbschutzmasken an sich gedrückt: transparente Visiere, die an Stirnbändern aus Plastik befestigt waren. Wangen, Schläfen und Ohren blieben ungeschützt – das war hier schon seit Jahren so. Auch der Schmerz war ein guter Lehrer, ein Hilfsmittel, damit sie ihre Lektion lernten.

Gleich darauf klemmten sie Boxen zur Überwachung ihrer körperlichen Verfassung an den Gürteln fest und legten ihre Schulterhalfter an. Fürsorglich wie eine Glucke überprüfte Farrow jedes seiner Küken.

»Halten Sie sperriges Zeug von der mittleren Rückenpartie fern. Befestigen Sie alles an der Seite. Andernfalls könnten Sie Ihre Wirbelsäule verletzen, wenn Sie rückwärts auf eine harte Oberfläche fallen.«

Lammfromm kamen sie seiner Aufforderung nach. Das hier waren grundlegende Dinge – und jetzt schon waren sie dabei, die Sache zu vermasseln.

Farrow checkte seinen Monitor. »Mr. Al-Husam, Sie sind nicht im Netz. Geben Sie Ihre Zahlen ein.«

Fouad Al-Husam, ein kleiner Mann mit schönen dunklen Augen und einem runden, fast femininen Gesicht, strich über seine Tastatur und versuchte, die Erhöhungen und Vertiefungen zu finden. Farrow ging zu ihm hinüber und strich ihm über den Arm. »Hier«, sagte er und rückte Al-Husams Arm in die richtige Position. »Folgen Sie den Führungsrillen.« Al-Husam lächelte, aber sein Gesicht lief vor Verlegenheit dunkelrot an.

»Hat noch immer nicht geklappt«, sagte Farrow nach einigen

Sekunden. »Fahren Sie das Ding herunter und nochmals hoch. Ich habe acht Lynxes auf dem Schirm, alle gesund und munter. Die Verschlüsselung funktioniert und ist gut verteilt. Ms. Lee, sind Sie glücklich und zufrieden?«

Lee war die kleinste und zierlichste Person der Gruppe, doch das ließ Farrow kalt. Er nahm sie stets hart ran. »Ja, Sir, ich bin glücklich und zufrieden«, rief sie.

»Glücklich und zufrieden, hier in Quantico zu sein?«

»Ich bin sehr glücklich und zufrieden, hier in Quantico zu sein, Sir.«

»Wir sind hier keine Papageien von der Marine, Ms. Lee. Die Akademie verlangt fixe, schlagfertige Antworten. Zeigen Sie mir, dass Sie aus echtem FBI-Stoff gemacht sind.«

»Glücklich und zufrieden wie ein Erdferkel bei Vollmond, Sir.«

Farrows Grinsen war halbherzig. »Ist der wahre Esprit wirklich tot?« Er ließ den Blick über die Gruppe schweifen und hob die Schultern zu einem gedehnten, traurigen Achselzucken, worauf alle lachten.

»*Konzentrieren Sie sich jetzt*«, brüllte Farrow. »Auf diesen Moment haben Sie drei Wochen lang hingearbeitet. Sie haben die Mistkerle im Visier. Denken Sie an Ihr Training. Sie sind jetzt wirklich bereit.«

William holte leise Luft. Er war da keineswegs so sicher. Jane Rowland neben ihm wirkte zuversichtlich – hart wie Glas und ähnlich spröde.

»Okay – Al-Husam, jetzt sind Sie im Netz. Sie können aufhören, mit der Tastatur herumzuspielen.«

»Ja, Sir.«

»Sie sind Ritter in einer Hightech-Rüstung«, fuhr Farrow fort. »Erfüllen Sie die von Flammen gepeinigte Seele Mr. Hoovers mit Stolz. Los geht's.«

»In Ordnung, Einpauker«, sagte William Griffin unhörbar, während sie ausschwärmten.

In vier Gruppen verteilten sie sich auf vier Fahrzeuge. William und Jane Rowland hatten Zettel gezogen, die sie zu Einsatzpartnern machten. Sie stiegen in einen nicht gekennzeichneten gelb-braunen Chevrolet Caprice aus dem vergangenen Jahrhundert. Rowland setzte sich ans Steuer. »Fertig?«, fragte sie William, das Gesicht nach vorne gerichtet.

»Völlig fertig.« Er grinste.

Rowland drehte sich zu ihm um und drohte ihm mit dem Zeigefinger. »Vermassele bloß nichts. Unsere Unterlagen haben wir dabei, oder?«

William streckte seinen Stenoblock und eine Plastikhülle mit fotokopierten Steckbriefen und Porträts aus dem Verbrecheralbum hoch. Die Schauspieler auf den Fotos hatten brutale, gelangweilte Mienen.

»Wir werden's schon packen«, sagte er. »Du wirst es sicher prima hinbekommen.«

Rowland bedachte ihn mit einem finsteren Blick, der besagte: *Behandle mich bloß nicht gönnerhaft,* und schloss ihren Sicherheitsgurt. Als ein Hubschrauber über sie hinwegdröhnte, zuckte sie kurz zusammen. Angehörige eines Geiselbefreiungsteams, schwarz gekleidet und bis zu den Zähnen bewaffnet, hingen wie ein Sturmkommando aus den Luken des Hubschraubers heraus und warteten darauf, sich zu einem Dach abzuseilen. Es gab Zeiten, in denen es in Hogantown vor Menschen nur so wimmelte und richtig laut wurde. An jedem beliebigen Tag konnte es vorkommen, dass zehn bis zwölf praktische Übungen gleichzeitig stattfanden.

»Tja, gut«, sagte Rowland. Sie ließ den Caprice an, lenkte ihn auf den Hogan Boulevard, bog um die Ecke und fuhr zum Einsatzort, direkt gegenüber der zweispurigen Straße, die zum Parkplatz des Giga-Mart führte. Ein aufmerksamer Polizeibeamter hatte die beiden Tatverdächtigen an diesem Morgen dort einkaufen sehen und festgestellt, dass einer der Männer im Dogwood-Motel abgestiegen war, während der andere im Tolson-Arms-Apartmenthaus wohnte. Das Dogwood-Motel lag dem Giga-Mart direkt gegenüber, auf der anderen Straßenseite. Das Einkaufszentrum war zwar klein, aber zweckmäßig ausgestattet.

Die Regale waren mit Waren gefüllt, die die Agenten und Marineangehörigen tatsächlich kaufen konnten. Allerdings agierten die Verkäufer auch als Schauspieler, wenn sie für die Szenarios der Akademie gebraucht wurden.

William setzte die Brille auf und wartete, dass das Display hochfuhr. Bei Tageslicht blinkten die Daten und Grafiken grünblau, abends rot. In seiner Hörmuschel schlug eine kleine Glocke an: Er konnte die Verstärkung des eigenen Pulsschlages hören, der auf Nervosität hindeutete. Als er den Geruchssensor checkte, der aufgrund chemischer Analyse Stress bei Menschen feststellen konnte, sah er, dass auf der Anzeige drei grüne Lämpchen und ein gelbes aufblinkten. Tja, er war wirklich nervös, und das war auch Rowland.

William blickte zu den »Augen« am Himmel empor – Kameras, die von einem Strommast an der Ecke aus die Kreuzung überwachten. Ein rotes Lämpchen zeigte, dass sie eingeschaltet waren. Die *Masters of the Universe*, die Ausbilder, die in der Kommandozentrale im zweiten Stock des Bankgebäudes saßen, warteten, um später ihre Beurteilungen abzugeben. Überall in der Luft schwirrten winzige, mit Kameras ausgerüstete Flugobjekte herum.

William und Rowland sollten ihre Stellung beziehen, sobald die Tatverdächtigen geortet waren. Team zwei und drei würden als Verstärkung und Sicherung bei den Festnahmen agieren. Team vier sollte sich bereithalten, um, falls nötig, Fluchtfahrzeuge zu stoppen.

»Team eins an alle«, sagte William, während die Netzanzeigen der Kollegen in seiner Brille aufblinkten. »Sind wir so weit?«

»Team zwei ist direkt hinter euch«, drang die Antwort durch ihre Kopfhörer. Das war Matty mit seiner weichen, schleppenden Sprache. George Matty und Al-Husam waren heute Einsatzpartner, was Matty bestimmt nicht gefiel. Er war ein Junge aus dem tiefsten Mississippi und sagte im Allgemeinen nichts, wenn Al-Husam in der Nähe war, hatte sich bislang jedoch so verhalten, wie es die gemeinsamen Aufgaben verlangten. Und das war auch gut so. Al-Husam war etwas Besonderes, das wussten alle. Und in diesem Jahr hatten mächtigere Richter als die *Masters of the Universe* Quantico im Visier.

»Hier ist Team drei. Wir sind beim Tolson Arms.« Team drei bestand aus Errol Henson, Nicky Di Martinez und Carla Lee. Die drei saßen in dem dunkelblauen Technikwagen, der die Gerätschaften zur Überwachung und den Lynx-Server an Bord hatte.

»Team vier baut sich an der State Street auf.« Team vier waren Finch und Greavy, schwergewichtige Burschen mit Gesichtern wie Bulldoggen, die wenig Worte machten, aber sehr tüchtig waren. »Wir würden gern so schnell wie möglich Videoaufnahmen machen. Sagt uns, aus welcher Richtung sie kommen, Leute.«

»Es tut sich was im Apartment zwölf des Tolson«, meldete Lee. »Die Lampen sind jetzt an.«

»Wie viele Wagen parken vor dem Gebäude, Team drei?«, fragte William.

»Fünf Personenwagen und ein Pick-up«, erwiderte Errol Henson mit zitteriger Stimme. Vor Erregung waren sie alle wie auf Dope, ähnelten einem Rudel junger Hunde, das zum ersten Mal auf Entenjagd geht.

William sah zu Rowland hinüber, die die Lippen zusammenkniff.

»Unser Tatverdächtiger, Geronimo del Torres, fährt einen Chevy Impala, Baujahr 1959, graue Grundierung, überstrichen mit unterschiedlichen Farben, getönte Fenster. Nach den Unterlagen ein unvollendetes Kunstwerk«, sagte Lee.

»Wir sehen ihn nicht«, sagte Henson. »Ich mag Impalas.«

»Ich fange Impalas, um sie zu essen«, warf jemand ein.

»Identifizieren Sie sich, Witzbold«, knurrte Farrow in alle Ohren. Seine Stimme klang wie die eines erzürnten Gottes.

»Team zwei. Ich bin's, Matty, Sir.«

»Halten Sie die Zunge im Zaum, Team zwei.«

»Ja, Sir. War nur ein Witz, Sir.«

»Hier Team drei. Ein Mann und eine Frau, sehen beide wie Latinos aus, verlassen gerade Apartment zwölf. Sie steigen jetzt in einen blauen Camaro, jüngeres Modell, Kennzeichen WONKA MF8905. Keiner von beiden ähnelt del Torres.«

Hogantowns polizeiliche Aktivitäten basierten auf dem Szenario, dass es hier Einwohner aus fünf fiktiven Staaten gab: aus Graceland, Ozeanien, Sylvanien, Wonka und Numbutt. Die Täter mit den weißen Kragen stammten meistens aus Sylvanien, die trickreichen Betrüger und Schmuggler jeder Sorte aus Graceland, die Gewaltverbrecher aus Wonka, Drogendealer und dumme Arschlöcher aus Numbutt. Allerdings wurde davon abgeraten, auf dieser Grundlage Täterprofile zu erstellen.

Matty lehnte den Kopf gegen die Nackenstütze. »Ich hab dich beim *Rough-and-Tough*-Test beobachtet. Bin sehr beeindruckt.«

»Danke«, erwiderte Fouad Al-Husam.

»Du hast einen natürlichen Killerinstinkt.«

»Killer trifft's nicht ganz. Das sind ja nur Projektionen und Ausschnitte, keine wirklichen Menschen.«

»Mir kam's sehr real vor. Hätte am liebsten gekotzt.«

»Ich vielleicht auch.«

»Töten Araber denn nicht von Natur aus gern? Wär' mir neu, wenn's anders wäre.«

»Ich bin kein Araber.« Al-Husam blickte aus dem Seitenfenster des Wagens, um seine Verärgerung nicht zu zeigen.

Matty sah ihn an. »Ich möchte immer am liebsten beten, ehe ich in die praktischen Übungen einsteige. Wie steht's mit dir?«

Al-Husam nickte. »Ja, ein kleines Gebet.«

»Du betest fünfmal am Tag, stimmt's?«

»Klar.«

»Ich hoffe, du musst nicht gerade hier niederknien und beten. Das wäre ungünstig.«

Al-Husam holte Luft.

»Fünfmal am Tag. Das ist öfter, als meine Großmutter früher gebetet hat. Sie und meine Mutter haben mich vom Beten abgebracht. Sie baten jedes Mal um kleine Dinge: *Lieber Gott, mach meinen Garten grün. Lieber Gott, lass bei mir die schönsten Rosen*

und die dicksten Tomaten wachsen. Lieber Gott, lass das Schmor-
fleisch nicht anbrennen. Verstehst du, was ich damit sagen will?
Aber durch das, was ich hier in Quantico durchmache, kapier
ich das endlich. *Lieber Gott, lass mich's nicht vermasseln.* Wo
betest du, wenn du beten musst?«

»Überall, wo Raum dazu ist. Sollen wir uns jetzt wieder konzentrieren?«

»Ich konzentrier mich ja. Hab's im Visier – huah!«, brüllte
Matty und fasste sich an die Brille.

Al-Husam fuhr zusammen. Er war verblüfft, dass ausgerech-
net dieser Mann *Huwa* rief, den Namen des höheren Wesens.
*Qul Huwa Llahu Ahad – Bekundet, dass er der einzige, wahre
Gott ist.*

»Das Nummernschild war am Schwarzen Brett aufgeführt«,
sagte Matty triumphierend. »Komm, wir überprüfen das, ehe
die anderen darauf kommen.«

»Klar doch«, erwiderte Al-Husam.

William drehte sich in dem verschlissenen Schalensitz herum.
»Es gab eine Meldung, dieses Fahrzeug betreffend«, sagte er zu
Rowland. »Hab sie im Aufenthaltsraum gesehen.« Er zog sein
Notebook heraus, ging schnell die Seiten durch und griff danach
zum Mousepad, das in seinem Ärmel verborgen war, um den
Fall auf seine Brille zu projizieren. Doch ehe er das Gesuchte finden konnte, hörte er Matty in seinem Ohr sagen: »Wir haben die
Besitzerin des Wagens ausfindig gemacht, eine gewisse Cons-
tanza Valenzuela, gemeldet als Gastarbeiterin aus Honduras, keine Vorstrafen. In der FBI-Datenbank zu Gewaltverbrechen ist sie
nicht aufgeführt.«

Mit finsterem, eindringlichem Blick sah William zu Rowland
hinüber. »Bin mir sicher, dass es noch weitere Informationen
gibt.« Beide bedienten ihre Tastaturen. Gleich darauf hellte sich
Williams Gesicht auf, und er verzog die Lippen.

Ehe er etwas sagen konnte, fuhr ihm Al-Husam dazwischen.
»Uns liegen Informationen darüber vor, dass Ms. Valenzuela in

Wonka vermisst wird und ihr Wagen nicht lokalisiert werden konnte.«

»Was macht ein gestohlener Wagen aus Wonka hier in Virginia?«, fragte William bei ausgeschaltetem Kopfmikro. »Höchst verdächtig.«

»Bestätigen Sie das mit dem Zahlencode des Falles, Al-Husam«, wies Farrow ihn an. »Geben Sie den anderen Teams alle Infos, die Sie haben, damit die sich einloggen und ihr eigenes Urteil bilden können.«

Jetzt nahm sich Al-Husam Zeit.

Rowland schaltete sich ein und las eine Fallnummer aus dem Verbrechensverzeichnis des FBI vor, die dem Ministerium für Innere Sicherheit in Wonka übermittelt worden war. »Ist in der allgemeinen Datenbank des FBI für Gewaltverbrechen noch nicht aufgeführt«, fügte sie hinzu.

»Warum nicht, Ms. Rowland?«, fragte Farrow.

»Die Frau wurde gerade erst als vermisst gemeldet«, erwiderte Rowland forsch. »Die Behörden in Wonka wissen noch nicht, ob überhaupt ein Gewaltverbrechen vorliegt, Sir. In dem Wagen könnten Käufer oder Partner sitzen. Oder es ist der Wagen eines Helfers. Könnte uns zum Impala führen.«

»Wir übernehmen, Team drei«, sagte Matty. »Werden folgen.«

»Team drei kann die Sicherung übernehmen«, bot Henson an.

»Nein«, widersprach William. »Team zwei reicht zur Verstärkung aus. Am besten, wir fahren zum Dogwood und sehen selbst nach, ob wir den Impala finden können.«

»Verstanden, Team eins«, sagte Henson.

Rowland nickte, wendete den alten Caprice mitten auf der Straße und fuhr auf das Dogwood zu.

Team vier meldete, das *Kaugummi* sei einsatzbereit.

»Sachte, sachte«, sagte William. »Wir kommen schon klar.«

Rowland kniff die Augen zusammen.

Falls der Impala argwöhnte, dass man ihm auf der Spur war, ihnen dann entkam und Hogantown verließ (das zwangsläufig nur wenige reale Fluchtwege bot), würde Farrow sehr enttäuscht sein.

Auf Williams Display tauchte eine Karte auf, die das Umfeld des Motels zeigte. Da das in die Brille projizierte Bild so grell war, fingen seine Augen zu tränen an und die Karte verschwamm. Bei keinem der Auszubildenden war die Brille auf eine spezielle Sehstärke oder Kopfgröße eingestellt. Es waren Standardbrillen, und seine drohte William ständig auf die Nase zu rutschen. Er zwinkerte, verdrehte die Augen ganz nach links und wandte den Blick dann wieder der Karte zu, die jetzt deutlicher zu sehen war. Er bemerkte zwei rote Punkte, die sich Richtung Süden auf der Rosa Parks Street bewegten – Team zwei und drei. Ein kleines Videofeld in der rechten oberen Ecke zeigte ihm, was der Van, der die Technik an Bord hatte, im Blick hatte: den Ford Crown Victoria, in dem Team zwei saß, und den verdächtigen blauen Camaro mit den Nummernschildern Wonkas.

Heute herrschte in Hogantown nur leichter Verkehr, doch er würde bestimmt dichter werden, sobald sie hielten. Farrow gefiel es, möglichst viel Druck zu machen, und dieser Druck würde gewiss gegeben sein, wenn sich zu viele Zivilisten in der Schusslinie befanden.

William stellte das Display der Brille dunkler ein und konzentrierte sich auf die Straße. »Da drüben.« Rund anderthalb Straßenzüge entfernt parkte der Impala vor dem Motel. Zwei Männer waren dabei, Kartons im offenen Kofferraum zu verstauen. Während Rowland bremste, berührte William seine Pistole, die noch im Halfter steckte. Mit leisem Summen kam die Bestätigung: Unverzüglich hatte sie den Schlüsselcode seines Lynx erkannt. Manche Agenten im Außendienst ließen sich sogar operieren, um ihre kleinen zylindrischen Schlüsselcode-Aggregate im Fleisch zu verbergen.

Eine Hand am Steuer, griff Rowland nach unten, um die elektronische Verbindung zu ihrer Waffe herzustellen.

Als die Männer am Impala über die Schulter blickten, bemerkten sie den Caprice. Sofort knallten sie den Kofferraumdeckel zu und eilten zu den offenen Wagentüren. William zog die Steckbrief-Porträts heran: Einer sah wie Geronimo del Torres aus. Der Mann war stämmig gebaut, dunkelhaarig, trug ein Jeans-Jackett im Latino-Stil und lässige weite Hosen. Der andere war jünger und ihnen nicht bekannt.

»Hier Team eins. Wir haben den Impala und den Tatverdächtigen del Torres im Blickfeld«, sagte William. »Vorne im Auto sitzen zwei Männer, einer davon möglicherweise ein Jugendlicher. Ich sehe niemanden auf dem Rücksitz.«

Die Türen des Impala schlugen zu, die Reifen quietschten.

»Sie wollen sich aus dem Staub machen!«

Der breite, schwere Wagen vor dem Motel scherte aus und bog scharf links in die Ness Avenue ein, die längste Straße in Hogantown.

»Da hat er Platz zum Beschleunigen«, sagte Rowland, schlug das Lenkrad ein und bog links ab, während sie gleichzeitig das Stroboskoplicht einschaltete. »Er versucht es auf den Freedom Highway zu schaffen.«

Falls der Impala bis dorthin kam, würden sie ihre Pläne ändern müssen, keine gute Sache. Eine Verfolgungsjagd auf dem Highway war nicht wünschenswert, denn hier herrschte stets Stoßverkehr und die nächste Abfahrt führte direkt zu Gangsta City, wie man ihnen mitgeteilt hatte. In Wirklichkeit führte die Abfahrt nirgendwohin und der nicht existente Ort Gangsta City war gleichbedeutend mit ihrem Versagen.

Rowland brachte den Caprice auf Touren. Einige vorsichtige Fußgänger sprangen auf den Bürgersteig und winkten sie vorbei. In zweistöckigen Gebäuden streckten sich Köpfe aus den Fenstern.

»Macht Spaß«, bemerkte Rowland. »Erinnert mich daran, wie ich als Kind *Vice City* gespielt habe.«

»Mein Vater hat mir das nie erlaubt«, sagte William.

»Hat deine Intelligenz sicher gehoben.«

Gleich darauf dröhnte der Van, in dem Team drei saß, auf die Kreuzung vor ihnen. Mit bebendem Heck und schwelenden Reifen kam der Impala schleudernd zum Stehen, einen Straßenzug von der Ausfahrt entfernt. Lee stieg aus und nahm die Flüchtlinge aufs Korn.

Der blaue Camaro hielt an der Querstraße vor ihnen an. Zwei Leute, ein Mann und eine Frau, stiegen aus und streckten die Hände hoch. Von Williams Standort aus befanden sich beide Wagen in einer Schusslinie – und der Technikwagen bewegte sich langsam auf diese Linie zu, eine ungünstige Situation, denn dadurch gerieten die Kollegen in Gefahr.

Team zwei kam vom Melvin Purvis Boulevard herangefahren und hielt hinter ihnen. Zwei unbekannte Fahrzeuge bildeten hupend das Schlusslicht des Wagen-Korsos. Nachdem Rowland und William ihre Halfter entsichert hatten, hielt Rowland rund sechs Meter hinter dem Impala am Straßenrand und parkte den Wagen so, dass der Motorblock ihnen maximalen Schutz bot. Die Kamera im Visier blinkte rot auf. »Die schneiden unsere Aktionen jetzt mit«, sagte sie. »Also los.«

William stieg als Erster aus, kauerte sich hinter die Tür und hob die Waffe, um den Schusswinkel einzuschätzen. Von den Händen der beiden Insassen, die nach vorn blickten, war nichts zu sehen.

»Steigen Sie aus dem Wagen aus!«, brüllte Rowland.

»FBI«, soufflierte William. »Sag's Ihnen.«

Scheiße. »Hier ist das FBI!«, rief Rowland. »Steigen Sie aus und halten Sie die Hände so, dass wir sie sehen können.«

William wiederholte den Befehl auf Spanisch.

Keine Reaktion.

Aus dem Auspuff drang Rauch. Der Fahrer, vermutlich del Torres, streckte den Arm aus und winkte so, als wolle er ihnen die Erlaubnis erteilen, um das Fahrzeug herumzugehen. »Witzbold«, sagte William.

Team zwei drehte den Wagen und blockierte die Straße hinter ihnen. Matty stieg mit einem Pump-Gewehr aus und baute sich rechts hinter der rückwärtigen Stoßstange des Caprice auf.

William versuchte sich auf das Videobild in der Ecke seiner Brille zu konzentrieren, aber ihm tropfte Schweiß ins Auge, sodass er kaum etwas erkennen konnte.

»Team drei an Ort und Stelle«, meldete Henson in seinem

Ohr. »Befinden uns an der Ecke Hoover und Grand. Wir blockieren denen den Fluchtweg.«

»Wendet und kästelt sie ein, Team zwei«, wies William seine Kollegen an.

»Verstanden«, sagte Matty. »Fred, bleib bei Team eins. Ich blockiere.«

Al-Husam stieg mit gezückter Pistole aus dem Wagen, die Finger am Abzug. Die Glock hatte keine spezielle Sicherung, nur einen kleinen Schnappschalter am Abzug selbst, der sich allzu schnell und allzu leicht nach unten drücken ließ. Matty lenkte den Crown Victoria um den Impala herum und verkeilte das rechte Vorderrad so am Rinnstein, dass die Stoßstange fast einen blauen Postkasten gerammt hätte.

»Die glotzen und grinsen«, sagte Matty. Al-Husam trat hinter William.

»Ich nehme sie fest«, erklärte Rowland.

»Ist schon merkwürdig«, bemerkte Al-Husam.

»Haltet einfach auf sie drauf«, sagte Rowland, deren Gesicht vor Schweiß triefte. Trotz der kühlen Morgenluft klebte auch Williams Hemd wie ein nasser Waschlappen an ihm fest.

Rowland näherte sich der linken Stoßstange des Impala, der im großzügigen Abstand von neunzig Zentimetern am Rinnstein parkte. Sie nahm die klassische Weaver-Position ein und richtete die SIG-Attrappe auf die Köpfe, die sich im Heckfenster abzeichneten. William, der immer noch hinter der Tür kauerte, zielte ebenfalls auf die Heckscheibe des Impala.

Al-Husam bezog hinter der Fahrertür des Caprice Stellung.

»Jau, Lady«, drang eine jugendliche Stimme aus dem Impala. Das Fenster wurde ruckweise heruntergekurbelt.

Rowland blieb stehen. »Sofort raus aus dem Wagen!«, rief sie. »So, dass Ihre Hände zu sehen sind.« Es würde nur Sekunden dauern, bis die Männer draußen waren und flach auf der Straße lagen.

»Lady, wir hängen hier doch bloß rum«, sagte der junge Mann. »Fahren nur so zur Entspannung durch die Gegend. Ist doch nicht verboten, oder?« Seine Arme waren mit primitiven Banden-Symbolen übersät. Mit diesen Tätowierungen, dem Ziegenbärtchen und den blöde grinsenden hennaroten Lippen sah er überaus echt aus, wirkte tatsächlich wie blutrünstiger Abschaum.

In Hogantown ist er ja auch real, dachte William. *Er kann einem die ganze berufliche Zukunft kaputtmachen.*

Während William auf die hintere Stoßstange zuging und noch einen weiteren Schritt vorwärts tat, streckte der junge Mann den Kopf und die leeren Hände aus dem Fenster. Er grinste überaus auffällig, wie eine Nutte auf Anmache. Der Fahrer starrte geradeaus, die Hände nach wie vor am Lenkrad. William fragte sich, ob all diese Hände echt waren. In der Vergangenheit waren auch schon Gummihände benutzt worden. Man geht auf ein Fenster zu – und *bäng*.

»Steigen Sie aus dem Wagen aus. Sofort! Legen Sie sich mit dem Gesicht nach unten auf den Boden, strecken Sie Arme und Beine aus!«, befahl Rowland. »Alle beide!«

»Sagen Sie uns, was Sie wollen, Schlampe«, erwiderte der junge Mann. »Wir tun ja gar nichts. Und wir haben auch gar nichts dabei.«

Sie wollten nicht kooperieren. Sie hatten vor, es auf eine Machtprobe ankommen zu lassen. William schlängelte sich um die Stoßstange herum. Dieses Fahrzeug war schon neunmal durch die Hölle gegangen, in wechselnden Szenarios, war ein Flickwerk aus Farbe und Grundierung, tuckerte aber immer noch, wurde immer noch von naiven Neulingen aufs Korn genommen. *Womit würden sie dich in der realen Situation angreifen? Denke eiskalt nach. Verhalte dich weiterhin taktisch.*

William blickte nach links, um nachzusehen, wo sich Rowland befand. Plötzlich fuhr ihm ein heftiger Schmerz durch beide Schienbeine. Seine Beine flogen nach hinten und gaben unter ihm nach. Er fiel auf das Heck des Impala und von dort aus auf die Straße, konnte den Sturz mit der rechten Hand kaum abfangen. Aus der Pistole, die ihm entglitt, löste sich eine Farbkugel.

Als er sich zur Seite rollte, sah er, dass aus einem Sprungfeder-scharnier unterhalb der Heckklappe des Impala ein Gummi-schlauch herausgeschnellt war und wackelte.

In den Lehrbüchern nannten sie es *Cop Blade*, eine Bullen-klinge. Bei *Cholos* – wie man die Latino-Gangster nannte – ein beliebter Trick. Im wirklichen Leben wäre das Ding aus Stahl ge-wesen und so scharf wie ein Schwert. Es hätte ihm glatt die Füße abgetrennt.

Während Rowland sah, wie William zu Boden ging, duckten sich im Impala beide Köpfe. Ihr Partner wand sich auf dem As-phalt und versuchte sich auf den Bürgersteig zu rollen. Im wirk-lichen Leben hätten die Gangster zurücksetzen und ihn überfah-ren können – und das hätten sie mit Sicherheit auch getan.

Al-Husam und Rowland zielten und ballerten los: Rote und violette Farbkugeln explodierten und ergossen sich über die Heckscheibe des Impala. Der Motor des Wagens heulte auf, und die Räder drehten so durch, dass der Rauch der Gummireifen William völlig einhüllte. Der Impala streifte leicht die Stoßstange des Crown Victoria von Team zwei, die ins Wackeln geriet, und raste die Straße hinunter. Jetzt schossen auch Matty und Lee und erzielten mit den Farbkugeln weitere Treffer auf den Seiten-fenstern und Türblenden. Während der Impala, grauen Rauch spuckend, der Freiheit entgegenfuhr, hinterließ er violette und rote Wölkchen. Er hatte bereits auf eine Geschwindigkeit von mehr als fünfzig Stundenkilometern beschleunigt, als von den Steingebäuden lautes Knallen und ohrenbetäubende Schreie widerhallten. Lange rosafarbene Nebelstreifen schossen von bei-den Seiten über die Straße. Team vier hatte schnell und effizient Lichtsignale postiert, um den Verkehr auf den Nebenstraßen an-zuhalten, und am Ende des Straßenzugs Gummimasten aufge-stellt. Zischend und knallend zog sich das Gumminetz um den Impala zusammen. Die lose herunterbaumelnden Enden ver-banden sich mit dem Asphalt, blieben daran kleben und wirbel-ten den Wagen herum, während das Netz mit seiner ganzen Spannweite über die Windschutzscheibe klatschte und sich zur

Konsistenz von Reifengummi verhärtete. Der Wagen wackelte auf den Stoßdämpfern hin und her und rollte noch fünfzehn Meter weiter, wobei er beide Masten, die Funken sprühten und schepperten, hinter sich her zog.

Der Motor des Impala erstarb.

Matty und Al-Husam setzten zu Fuß hinterher und bauten sich auf beiden Seiten des von Gummi eingeschlossenen Fahrzeugs auf. Mit gezogenen Pistolen befahlen sie den Insassen, sich nicht von der Stelle zu rühren und die Hände in Sichtweite zu halten, andernfalls würden sie schießen. Finch und Greavy kamen zur Verstärkung hinzu, überglücklich darüber, dass sie kostbare FBI-Mittel hatten benutzen dürfen, dazu noch solche, die so schön knallten.

Die Schauspieler, die durch die rosafarbenen Gummistränge und die Farbspritzer hindurch kaum zu erkennen waren, streckten die Hände hoch. Man würde sie mit Kartonmessern herausschneiden müssen. Im Augenblick konnten sie nirgendwohin entkommen. Al-Husam hielt die Waffe weiterhin auf sie gerichtet.

Rowland gesellte sich zu William und sah zu, wie die Teams drei und vier zu Al-Husam und Matty stießen und sich vor und hinter dem Wagen postierten.

»Gottverdammte Scheiße«, sagte William wieder und wieder, während er sich, beide Schienbeine umklammernd, hin und her wälzte.

»Bist du verletzt?«

»Ich hätte es vorhersehen müssen. Hätte wissen müssen, was passiert. Dieser verdammte Cholo-Wagen.«

»Brauchst du einen Sanitäter?«

»Nein, Herrgott noch mal, war ja nur ein Gummischlauch. Es geht mir gut.« Mit finsterem Blick sah er zu ihr auf. »Lach mich bloß nicht aus, verdammt noch mal. Es tut weh.« An seinen Wangen liefen Tränen herunter.

»Niemand lacht hier«, erwiderte Rowland ernst und setzte sich neben ihn auf den Randstein.

»Ich bin geliefert«, sagte William.

Farrow tauchte plötzlich auf, offenbar aus dem Nirgendwo. Zwar bemühte er sich sehr, eine grimmige Miene zu bewahren, doch es war ihm deutlich anzumerken, dass er sich amüsierte. »Alles in Ordnung mit Ihnen?«

»Es geht mir *gut*.« Als William sich aufrappelte, war das Weiße in seinen Augen zu erkennen, wie bei einem scheuenden Pferd.

»Es ist erst vorbei, wenn alles erledigt ist«, knurrte Farrow leise. Er streckte ein Kartonmesser hoch und maß eine Schnittlänge ab. »Holen Sie die Mistkerle aus diesem Fahrzeug und nehmen Sie die Leute fest. Sammeln Sie Ihre Einzelteile auf und bringen Sie Ihre Arbeit zu Ende. Wir treffen uns heute Abend in der Garage des Fuhrparks. Sie werden meinen Wagen scheuern und wienern, bis er *glänzt*.«

Kapitel 7

Bundesstaat Washington

Griff musterte die Karte, die er gezeichnet hatte. Sie zeigte die Orte auf dem Grundstück, wo ihren Beobachtungen nach Kinder spielten oder Menschen spazieren gingen. Das Blatt war mit kleinen X-Markierungen übersät: sichere Stellen und Wege zu den Häusern und der Scheune, nur für alle Fälle. Er zog Linien, Grenzen.

Meistens hielten sich die Kinder von der Scheune fern.

Jeder hielt sich von der Scheune fern.

Nur ein Wahnsinniger würde im Garten, wo die eigenen Kinder und Enkel spielten, Minen oder Bomben verstecken, oder?

Nach all den Jahren, in denen Griff nach dem Patriarchen gefahndet hatte, konnte er noch immer nicht mit Sicherheit sagen, ob sie diese Möglichkeit ausschließen durften.

Sie waren bereit zum Ausschwärmen gewesen, als Anweisungen vom FBI-Hauptbüro und der Bundesstaatsanwaltschaft eingetroffen waren, beide gleichzeitig: Keine Großrazzia, kein Großeinsatz an einem Tag, von dem irgendjemand, sei es noch so weit hergeholt, behaupten konnte, es sei Karfreitag. Denn falls irgendetwas schief lief – und selbst dann, wenn sie ihre Arbeit perfekt erledigten und niemand dabei umkam –, würden die Schlagzeilen die Strafverfolgungsbehörden des Bundes in Bausch und Bogen mit Dreck bewerfen können. Im ganzen Land herrschte eine äußerst gereizte Stimmung. Und das war schon seit mehr als dreißig Jahren so. Amerika fühlte sich beunruhigt, von innen wie von außen angegriffen und bedroht, war halb verrückt vor unterdrückter Wut.

Doch es blieb ihnen nicht viel Zeit. Bestimmt würde der

Patriarch in den nächsten zwei Tagen etwas spitzkriegen. Und er hatte unzählige Möglichkeiten, vom Hof zu verschwinden und unbehelligt abzutauchen.

Am Vormittag fuhr ein weißer Kleinbus zum Hof. Während Griff das Einsatzteam der Ermittlungszentrale benachrichtigte, zählte Rebecca die Frauen und Kinder, die in den Bus stiegen: zwei Frauen mittleren Alters in langen Kleidern, sechs kleine Kinder im besten Sonntagsstaat. Munter und fröhlich setzten sich die Kinder in den Bus, der nur ein paar Meter von der vorderen Veranda des Hauptgebäudes entfernt geparkt hatte.

Griff spulte die Videoaufzeichnung zurück und sah sie sich an, um die Mitfahrer zur Sicherheit noch einmal durchzuzählen.

Um halb elf stiegen Cap Benson, Charles Sprockett vom ATFE und der verantwortliche Sonderagent John Keller, Griffs Chef im FBI-Außenbüro Seattle, auf den Turm, gingen das Material durch und berieten sich kurz.

»Wissen wir mit Sicherheit, dass alle Familienangehörigen da unten versammelt sind?«, fragte Sprockett.

»Nein«, erwiderte Griff. »Aufgrund dieser Banküberfälle nimmt Jacob an, dass sich dort außerdem zwei junge erwachsene Männer aufhalten, und das glaube ich auch. Sie sind nicht im Bus. Kann sogar sein, dass es da unten zwei weitere Kinder gibt. Und wir haben auch die Möglichkeit erwogen, dass die jungen Männer Freundinnen oder Ehefrauen haben. Wir haben die Kinder noch nie alle zusammen gesehen und konnten sie deswegen nicht durchzählen, aber …«

»Da unten müssten noch ein rothaariges Mädchen und ein weißblonder Junge von etwa fünf oder sechs Jahren sein. Die beiden haben wir nicht in den Bus einsteigen sehen«, warf Rebecca ein. »Sie sind jünger als die anderen Kinder. Vielleicht sind sie die Enkel des Patriarchen. Möglich, dass sie im hinteren Gebäude wohnen.«

»Was könnte der Grund sein, dass sie nicht zum Ostergottesdienst mitfahren?«, fragte Keller.

Levine zuckte die Achseln. »Vielleicht teilen sie sich die Macht in der Familie. Möglich, dass der Alte seine Söhne dazu erzieht, als Familienvorstände selbstständig zu agieren. Oder die Kinder sind nur Täuschungen des Lichts und Ausgeburten unserer Fantasie.«

»Nun ja, jedenfalls sind seine beiden Söhne nicht im Bus«, sagte Keller.

»Was, wenn sie anfangen, das Feuer zu erwidern? Die Kinder, meine ich«, gab Levine zu bedenken.

»Glauben Sie, das würden die tatsächlich tun?«, fragte Sprockett. »Gehen Sie davon aus, dass er allen das Kämpfen beigebracht hat?«

Levine rieb sich mit zwei aneinander gelegten Fingern die Stirn. »Chambers gehört zur harten Sorte. Seine Ideologie besagt, dass die große Zeit bald anbrechen wird. Ein weißhäutiger Christus aus dem Norden wird die Gottlosen züchtigen und die *Mud People*, die seelenlosen Nichtweißen, in die Gräber treiben. Von dort werden sie wiederauferstehen, um als seelenlose Sklaven überall in der Welt den wahren Aryanern zu dienen. Jeder, der sich nicht gegen die Seelenlosen verteidigt, wird von ihnen vergewaltigt und lebendig verspeist werden.«

»Du meine Güte«, sagte Cap Benson.

»Philosophisch ausgedrückt, ist er völlig neben neben der Spur.«

»Griff«, sagte Keller. »Sie haben den Fall seit zwei Jahrzehnten verfolgt. Das hier könnte die beste Gelegenheit sein, die sich uns überhaupt bietet. Wir können es uns nicht leisten, ihn an Altersschwäche sterben zu lassen … Oder ihn noch ein paar Kliniken bombardieren zu lassen, falls er das vorhat.«

»Wenn nicht Schlimmeres«, bemerkte Rebecca.

»Glauben Sie wirklich, dass da unten eine bioterroristische Operation vorbereitet wird?«, fragte Levine. »Das passt einfach nicht zum Patriarchen, das muss ich schon sagen. Er bevorzugt den klassischen Stil. Es macht ihm Spaß, Dinge in die Luft zu jagen.«

Rebecca lächelte zuckersüß.

»Washington will keinen Überfall«, sagte Keller. »Die fürchten, wir könnten Kinder dabei verletzen.«

Griff rieb sich die Wangenstoppeln. »Es liegt auf der Hand, dass ich allein dorthin gehen und die Lage auskundschaften muss.«

»Ist doch der helle Wahnsinn«, bemerkte Keller trocken.

»Ist den Versuch wert. Schließlich sind wir uns noch nie persönlich begegnet. Und er hat ja auch den Deputy rein und wieder raus gelassen – hat ihm sogar Kaffee und Brötchen angeboten. Meiner Meinung nach könnte ich dorthin gehen, mir die Sache aus der Nähe betrachten, ein paar Fragen stellen und lebendig wieder herauskommen.«

»Unter welchem Vorwand?«, fragte Keller.

»Ich hätte bessere Chancen«, sagte Rebecca. »Könnte als Sozialarbeiterin auftreten. Oder als jemand, der eine statistische Erhebung macht. Ich sehe weniger nach FBI aus als ihr alle.«

»Der Patriarch hasst Sozialarbeiter«, wandte Griff ein.

»Sie könnte sich für den Harem bewerben«, meinte Sprockett. Offenbar hielt das niemand für eine gute Idee.

»Kann man mein Aussehen so verändern, dass ich wie ein alter Knastbruder aussehe?«, fragte Griff. »Ein paar Tätowierungen hab ich ja schon.«

Sprockett und Keller starrten ihn an.

»Die Zeit ist knapp.«

»Scheiße«, sagte Sprockett.

Keller griff zum Handy, um Anweisungen durchzugeben. An anderen Telefonen trugen Sprockett und Rebecca den Agenten im Ort auf, Bescheid zu geben, sobald der Bus eintraf.

Griff holte tief Luft. Es hasste kugelsichere Kleidung, besonders die neue reaktive. Sie war zwar dünn, aber ringelte sich beim Gehen. Er kam sich darin so vor, als stecke er in einer lebendigen Zwangsjacke.

»Man ist, was man isst«, sagte Rebecca zu ihm, während sie hinter Griff die Stufen zum ersten Treppenabsatz hinunterstieg. »Was hatten Sie heute Morgen zum Frühstück?«

»Flocken.«* Griff grinste sie an. Gleich darauf blieb er stehen, um mit weit aufgerissenen Augen einen Blick durch die Bäume zu werfen. Er hatte Probleme, tief durchzuatmen. Wie würde das erst sein, wenn sie ihm den Schutzpanzer angelegt hatten?

Die nächsten Stunden nutzten sie dazu, einen schäbigen alten Ford Pick-up zu beschaffen, einen Arbeitsanzug aus Drillich, ein T-Shirt und – dank eines Angehörigen von Cap Bensons Sicherungsteams, der heimlich auch Make-up-Künstler war – drei schnell haftende Tätowierungen für den Vorderarm, zusätzlich zu denen, die Griff bereits hatte. Benson rief im Gefängnis Monroe an, um sich nach den jüngsten Verschönerungstrends bei Häftlingen zu erkundigen. Zehn Minuten später erhielt er einige Scans. Schädel, zerbrochene Herzen, Jesus am Kreuz, Skorpione und Ketten standen nach wie vor hoch im Kurs. Aus irgendeinem Grund liefen auch dicke Buddhas in sitzender Haltung gut – ausgestattet mit militärischen Käppis und Maschinenpistolen im breiten Schoß.

Rebecca gab Griff den letzten Schliff, indem sie sein Kopfhaar abrasierte und nur kurze Stoppel stehen ließ.

»Siehst wie jemand aus, den ich aus der Stadt werfen würde«, kommentierte Benson.

Rebecca war nicht so zuversichtlich. »Ich wette zwanzig zu eins, dass er Sie trotzdem als FBI erkennt.«

»Also gut«, sagte Griff. »Verraten Sie mir, wonach ich Ausschau halten soll.«

Rebecca holte ein Laborverzeichnis aus ihrer Reisetasche.

Es war zwar nur eine Meile bis zum Hof, aber die Fahrt auf der holperigen, unbefestigten Straße in der heißen Mittagssonne kam Griff trotzdem lang vor. Der Ausflug hätte eine nette Abwechslung sein können, doch er hatte keinen Schimmer, was ihn am Ende des Wegs erwartete.

---

* Im Original *flakes*. Wortspiel: Im amerikanischen Slang steht *flakes* auch für Spinner oder Verrückte. – *Anm. d. Übers.*

Als Neuling beim FBI hatte er stets eine gefaltete Karteikarte bei sich getragen, die er las, wenn er sich in eine gefährliche Situation begab. Auf dieser Karte waren in Druckschrift seine wichtigsten persönlichen Mantras festgehalten:

– *Du kannst dich entspannen und auf dein Training vertrauen. Du weißt, dass du gut bist.*

– *Du kannst darauf bauen, dass du aus jeder Sache lebend herauskommst, weil du so verdammt gut bist.*

– *Sag dir selbst: Ich werde heil herauskommen und Erfolg haben, aber das schlimme Pack wird diesen Tag noch bereuen.*

An dem Tag, als sein Team mit dem israelischen *Gunbot*, einem herumballernden Roboter, zusammengestoßen war, hatte er die Karte verloren, doch er kannte die Mantras auswendig. Immer noch hatten sie magische Kraft.

Langsam umrundete Griff den großen Baumstumpf einer Zeder, lenkte auf die nicht so holperige Seite der Straße, bremste ab und warf einen Blick auf den schwarzen Knopf an seinem Revers. In Wirklichkeit war der Knopf eine winzige Kamera, die dem Team, das sich auf der Hauptstraße formierte, und der kleinen Gruppe, die sich vom Brandschutzturm aus durch den Wald schlug, Videobilder übermitteln würde.

Im lockeren Arbeitsanzug war seine SIG-Pistole verborgen, an der Taille so festgeschnallt, dass er durch eine große offene Seitentasche an sie herankommen konnte. Irgendjemand hatte den Klettverschluss nicht richtig zugemacht. Offenbar war einer von ihnen sehr nervös.

»Die SIG nützt im Ernstfall nichts«, rief er sich ins Gedächtnis. »Die SIG ist nur ein Pusteröhrchen.«

Dieser *Gunbot* …

Vor zwei Jahren hatte ein Team von fünfzig Agenten des FBI und des Geheimdienstes das Muncrow Building in der Innenstadt von Portland gestürmt, um zehn Mitglieder eines serbischen Fälscherrings festzunehmen. Sie waren auf sieben Männer und zwei Frauen in kugelsicherer Kleidung gestoßen, die keine Gnade erwartet und über ein irrsinniges Arsenal automatischer Waffen verfügt hatten. Aber das, was sich hinter der geriefelten Stahltür verborgen hatte, die ihren einzigen Fluchtweg versperrt hatte – das, was innerhalb von zwanzig Sekunden fast alle Mitglieder des Teams niedergemäht und zu blutigen Brocken zerfetzt hatte – war eine israelische Sholem-Schmidt D-7 gewesen, ein vollautomatisches Geschütz im Insektenpanzer, mit selbst steuernder Zielerkennung. Keiner von ihnen hatte so ein Ding je gesehen, außer in der Zeitschrift *Popular Science*.

Ehe das Ding in eine Steinwand gerannt war, sie gerammt hatte und seine überhitzten Zylinder zu Schrapnell explodiert waren, hatte es auf eigene Faust dreiundvierzig Agenten umgebracht.

Griff hatte heil und ganz, ohne jeden Kratzer, aus dem Muncrow Building entkommen können, aber noch Wochen danach Alpträume gehabt.

Und hatte sie noch immer.

In diesem Chaos hatte er seine Karteikarte eingebüßt.

Der letzte amerikanische Präsident hatte im privaten Kreis damit gedroht, die Produktionsanlagen von Sholem-Schmidt in der Nähe von Haifa zu bombardieren. Das hatte die außenpolitischen Beziehungen einige Monate lang stark belastet, bis der israelische Geheimdienst herausgefunden hatte, dass die D-7 auch in den Iran exportiert wurden. Daraufhin hatte der Mossad den Job schließlich selbst erledigt, die Inhaber und Angestellten verhaftet und die Fabrik dichtgemacht.

Es war eine schlimme Welt.

Die Scheune kam ins Blickfeld, gleich darauf das ungestrichene Hofgebäude. Griff nahm an, dass für beide Gebäude Bäume aus der Nachbarschaft hatten herhalten müssen. Aufgrund der Witterungsverhältnisse hatten sich die Außenbalken leicht verzogen, und die Dachschindeln aus Zedernholz waren zur Luvseite hin so rau wie die Schuppen einer alten Echse. Die Bäume, die früher sicher dicht an dicht auf dem Grundstück gestanden hatten, waren vermutlich mit Ablängsägen gefällt worden. Er versuchte, sich die längliche altmodische Säge auf dem Anhänger vorzustellen, der an einen Laster gekoppelt war, roch das frisch gefällte Holz, hörte das *Wik-Wik-Wik* der Balken, die von Hand abgehobelt und durch Keilnuten, Zapfen und eiserne Vierkantnägel miteinander verbunden wurden.

Schlicht und unabhängig von anderen, indem man das nutzte, was das Land hergab.

Er fuhr am Rand der Obstplantage mit Apfelbäumen vorbei und spähte unter der Sonnenblende der Windschutzscheibe hindurch. Vor ihm erstreckte sich ein kleiner Wald von Masten, die in doppelten Viererreihen zwischen den matt wirkenden Bäumen rund um Scheune und Haus aufgestellt waren. Das Material der Masten war neuer als das übrige Holz auf dem Grundstück. Zwischen die Masten hatte jemand – vermutlich der Patriarch und seine Söhne – kreuz und quer Drähte gespannt, alle in einer Höhe von rund einem Meter achtzig. Manche verliefen parallel, andere waren so umeinander gewickelt, als hätte hier jemand seine ziemlich verrückten Vorstellungen von einer Wäschespinne verwirklicht.

Durch das Seitenfenster konnte er an einigen Apfelbäumen die Frühlingsblätter erkennen; sie waren von hellem Staub überzogen. Seit zwei Wochen hatte es hier nicht mehr geregnet, höchstens ein bisschen genieselt. Vielleicht hatte sich feiner Straßenstaub auf den Blättern abgesetzt. Wie auf allen Bäumen, die hier wuchsen, lag auch auf den Kiefern rund um die Scheune derselbe leichte Staub.

Griff zog sein Taschentuch heraus und putzte sich die Nase. Vielleicht waren es Baumpollen. Er hielt Ausschau nach irgendeinem Anzeichen dafür, dass er vom Haus aus beobachtet wurde. Der Pick-up nahm noch ein paar letzte Schlaglöcher, dann hielt Griff in der Mitte eines ungepflasterten Parkplatzes an, der durch Bahnschwellen, offenbar mit Holzschutzmitteln bearbeitet, gekennzeichnet war. Er sah auf die Uhr: Es war elf Uhr vormittags. Der Lärm des Pick-ups hatte niemanden zur Eingangstür oder Veranda gelockt, doch in einem der Fenster sah er kurz einen Schatten auftauchen.

Der alte Mann hatte sein Leben auf einen Abschied von dieser Welt eingerichtet; zweifellos hatte er sich auf einen solchen Moment vorbereitet. Doch Griff war sich ziemlich sicher, dass er es zumindest einige Minuten lang schaffen würde, Chambers vorzumachen, er sei nur irgendein zufälliger Besucher.

Dass Gangster die Bullen stets riechen können, hielt er für einen Mythos. Donnie Brasco, eigentlich Joe Pistone, war der beste Gegenbeweis – und es gab viele weitere. Kriminelle waren nun mal nicht die hellsten Köpfe, sofern es das Einfühlungsvermögen in die menschliche Natur betraf. Andernfalls würden sie in Vorstandsetagen sitzen, viel mehr Geld verdienen und nicht so leicht im Gefängnis landen.

Als er nach unten griff, um die Handbremse anzuziehen, fragte er sich, wie es William in Quantico gehen mochte. Die dritte Generation. Das hatte er nie gewollt, selbst vor der Scheidung nicht. Selbst damals nicht, als sie einander noch öfter als ein- oder zweimal im Jahr gesehen hatten.

Er richtete sich auf, öffnete die Fahrertür und schob alles bis auf seine Tarnungsgeschichte und den kommenden Auftritt weit von sich weg. Während er vom Pick-up hinunterstieg, konsultierte er eine Karte und drehte sich gleich darauf einmal um sich selbst. Mit zusammengekniffenen Augen musterte er das Haus, die Bäume und die Hügel. Nur kurz wandte er dem Haus den Rücken zu, aber in diesem Moment stellten sich die Härchen auf seinem Arm auf.

Als er wieder zum Haus blickte, sah er den alten Mann leicht gebeugt auf der vorderen Veranda stehen, die Hände an die Seiten gelegt. Von Nahem sah er nicht so gut aus. Er hatte langes, dichtes weißes Haar; man hätte es eine Löwenmähne nennen können, aber sein Bart war dunkler, fast schwarz. Eine Perücke vielleicht, allerdings war Griff nicht klar, wer solche Perücken vertrieb.

Möglicherweise ein Geschäft, das Halloween-Artikel verkaufte. Die Augen des Alten waren weit geöffnet und blickten hellwach und aufmerksam, das Gesicht wirkte weder freundlich noch besorgt. Er sah nicht so aus, als wäre ihm Besuch willkommen, aber auch nicht so, als wäre er schrecklich unglücklich darüber.

»Hallo!«, rief Griff. »Ist das der Tyee-Hof? Hoffe, ich bin hier richtig.«

Jemand hatte einen Krug mit kaltem Wasser und Tee in einiger Entfernung von den Stufen am Rande der Veranda abgestellt, damit die Sonne die Zubereitung übernahm. Es war ein großer Glaskrug mit Verschluss, der an einer Seite mit gelben Blumen bemalt war.

»Der Hof hieß früher so«, erwiderte Chambers. »Um was geht's?«

»Ich such nach einem Ort, wo ich unterkommen kann oder auch Arbeit krieg. Die Leute im Ort haben gesagt, Sie könnten mir vielleicht weiterhelfen. Sitze völlig auf dem Trockenen, mein Freund.«

Chambers blieb auf der obersten Treppenstufe der Veranda stehen, doch seine Lippen zuckten. »Dann sind Sie hier wahrscheinlich falsch.«

»Na ja, ich sehe, dass die Bäume schon Staub angesetzt haben«, erwiderte Chambers in dem Versuch, witzig zu sein. »Sehen ausgetrocknet aus.«

Die Miene des Alten erstarrte. »Muss sie ständig einsprühen, wegen der verdammten Insekten. Sagen Sie mir, was Sie wollen, oder ziehen Sie weiter.«

Griff bemühte sich um Gelassenheit. »Will sagen: Hab gehört, dass es in dieser Gegend eine Kirche gibt. Und Leute, die vielleicht ähnlich denken wie ich. Da, wo ich herkomme, kann man lange danach suchen.«

»Wo kommen Sie denn her?«

»Multnomah County.«

Chambers verzog das Gesicht. »Seltsamer Ort. Voll von Liberalen und Schwulen. Die verdienen einander.«

»Genau«, sagte Chambers. »Weiß auch nicht, warum ich da gelandet bin. Lauter Nigger und Judengesocks. Steigen einem glattweg in die Hosen. Muss sie zerquetschen, sonst geh'n die einem an die Eier.« Er klopfte sich auf die Hose und schüttelte einen Fuß aus. Levine hatte Griff diesen Text eingepaukt.

»Sie sind wohl ein kleiner Witzbold, wie?« Chambers ließ den Blick beiläufig zum Pick-up schweifen, danach zur Scheune und schließlich zu den Hügeln im Norden. Einen Augenblick lang ließ er Lider und Schultern sinken. »Angeber und Witzbolde machen immer Probleme.«

»Möchte mich entschuldigen. Könnte bestimmt 'ne gute alte Moralpredigt brauchen, Sir. Was immer Sie anzubieten haben«, sagte Griff in der Hoffnung, gerade so linkisch und aus dem Tritt gebracht zu wirken, dass es noch glaubwürdig war. Chambers war der schlauste Kopf einer traurigen Schar, hatte die meiste Erfahrung. Verfügte über Instinkte, die er in fünfzig schweren Jahren voll hochfliegender Pläne erworben hatte. Margaret Thatchers Klo – das konnte Griff kaum glauben. Und dieser Mann *hier*, im Snohomish County.

»Haben Sie bis vor kurzem im Gefängnis gesessen?«, fragte Chambers.

»Ja, Sir, im Monroe. Wollte nicht gleich damit rausplatzen.«

»Haben Sie im Monroe vom Tyee-Hof gehört?«

»Ja, Sir.«

»Wer hat Ihnen davon erzählt?«

»Wenn ich das verraten soll, müssen wir uns erst besser kennen lernen, Sir.«

»Also gut, kommen Sie näher, lassen Sie sich anschauen.«

Griff ging einige Schritte auf Chambers zu.

»Mein Gott, Junge, hast ja Arme wie Schweineschenkel. Hast du Gewichte gestemmt?«

»Ja, Sir. Ohne die Gewichte wär ich durchgedreht.«

»Sind ja wirklich riesig, die Tätowierungen. Komm rauf. Wo warst du vor Monroe?«

»Im Boise, Idaho.«

»Warum nennst du mir nicht ein paar Namen?«

»Jeff Downey war früher ein Freund von mir. Hab ihn schon zehn Jahre nicht gesehen. Weiß gar nicht, ob er noch lebt.«

»Lebt nicht mehr.« Chamber rümpfte die Nase. »Ist auch besser so.«

»Mark Lindgren und seine Frau Suzelle.« Erneut griff er auf Levines Drehbuch zurück.

»Hast du in jüngster Zeit mal mit Lindgren gesprochen?«

»Nein, Sir, aber er kennt mich.«

»Macht's dir was aus, wenn ich ein paar deiner Angaben überprüfe?«

»Nein, Sir, aber im Moment hab ich großen Durst.«

»Nach Worten oder nach Taten?«

»Wie bitte?«

»Werden meine Worte deinen Durst löschen, oder bist du wegen Taten hier? Derzeit läuft bei mir nämlich nicht viel. Ich verhalte mich mehr oder weniger ruhig, wie die Vulkane, die du von der Straße aus sehen kannst.«

Griff nickte. »Verstehe, Sir. Wollte Sie nur kennen lernen und mir Predigten anhören. Eine Kirche finden, wo ich mich wohl fühl.«

»Na ja, das ist ja auch in Ordnung. Wie gut kennst du dich mit Waffen aus?«

»Messer ham mir ein-, zweimal das Leben gerettet. Kenn mich auch ganz gut mit Kanonen aus. Hab früher Schrotflinten gesammelt. Die Frau hat meine ganze Sammlung über eBay verkauft. Exfrau.« Er legte jede Menge Entrüstung hinein, die Entrüstung eines Mannes, der die Frauen nie verstehen wird. »War fast fünfzigtausend Dollar wert. Einige Flinten stammten noch von meinem Großvater aus North Carolina, französische, deutsche – schöne Dinger. Und sie hat die … einfach verscherbelt.« Er wedelte hilflos mit den Händen und spannte seine Halsmuskeln an, damit sein Gesicht rot anlief.

»Wir alle müssen uns irgendwann von irdischer Habe trennen. Doch es wird die Zeit kommen, in der wir anderen ihre irdische Habe nehmen, das ist die ausgleichende Gerechtigkeit.« Offenbar gefiel Chambers diese zur Schau gestellte Wut, Griffs gerötetes Gesicht. »Ich hab Sonnentee hier draußen und Eis in der Küche. Möchtest du ein Glas?«

»Nichts Stärkeres?« Griff kniff scherzhaft das rechte Auge zu.

»Ich dulde keinen Alkohol in meinem Haus. Da du vom Monroe kommst, verzeih ich dir. Allerdings hätte es dir noch schlimmer ergehen können. Hättest ja auch im Staatsknast Walla Walla landen können.«

Griff grinste und streckte abwehrend die Hände vor. »Jawoll, Sir.«

Sie setzten sich auf die Stufen und tranken aus großen Gläsern Sonnentee, der mit Honig gesüßt war. Für sein Alter war Chambers erstaunlich gelenkig. Er zuckte kaum zusammen, als er auf der vorderen Stufe Platz nahm. Seine Beine, die in ausgeblichenen Arbeitshosen steckten, waren lang und dünn. Aus den großen, viel getragenen braunen Halbschuhen ragten die dürren Knöchel.

Die Sonne stand hoch über dem Gehöft, und die staubigen Bäume warfen tatsächlich Schatten. Der Tag war so schön, wie man es in diesem Vorgebirge, egal zu welcher Jahreszeit, nur selten erleben konnte. Und in jüngster Zeit hatte es viele solcher Tage gegeben, es herrschte eine anhaltende Schönwetterperiode, ohne jeden Regen. Ein paar Minuten lang unterhielten sie sich über die globale Erwärmung und was sie mit sich bringen würde.

»Verdammte Scheiße, die Sonne wird uns alle kaffeebraun brennen«, sagte Griff. »Bald werden wir wie die *Mud People* aussehen. Vielleicht sogar welche von denen heiraten.«

Chambers gluckste in seinen Bart hinein. »Mir wäre es wirklich lieb, wenn du deinen Knastjargon im Zaum halten würdest. Hier leben Kinder. Sie sind jetzt unterwegs, um Ostern zu feiern. Karfreitag.«

»Ist doch erst nächste Woche.«

»Wir halten uns an den Kalender Gottes. Die weltliche Zeitrechnung bringt nur Kummer und Elend über uns.« Plötzlich war bei Chambers eine Spur des früheren Ostküstenakzents herauszuhören. »So kann es ja nicht weitergehen.«

Griff musterte den Patriarchen voller Respekt, wenn nicht sogar Ehrfurcht, und nickte. Nahm alles in sich auf.

»Die Weissagung ist Schall und Rauch«, erklärte Chambers mit leiser, brüchiger Stimme. »Die Offenbarung ist eine jüdische Erfindung. Israel hat nichts mit Weissagungen zu tun, es ist ein politisches Gebilde, das Schande über die weißen Rassen bringt. Jesus war kein praktizierender Jude. Seine Familie stammte aus dem Norden. Aus Norditalien, vielleicht sogar aus Deutschland. Keiner der Apostel war Jude bis auf Judas. Nur weil wir die sogenannte Heimat der Juden verteidigt haben, sind wir überhaupt in diesen Schlamassel geraten. Mit allem, was dazugehört: der Kampf von Bruder gegen Bruder. Der elfte September. Der Ruf nach mehr Polizei. Und jetzt der vierte Oktober. Hab's verstanden. Und tschüss.«

Chambers starrte auf das Stoppelgras des großen Vordergartens und fixierte danach die Scheune.

Die Augen können dich verraten. Es ist wichtig, wohin du blickst.

»Es ist so schlimm, dass Jesus schon lange zurück sein müsste«, sagte Griff. »Meinen Sie nicht auch?«

Chambers blickte mit zusammengekniffenen Augen nach Norden, streckte den Arm aus und deutete mit dem mageren Zeigefinger nach vorn. »Er kommt nicht. Es widert ihn an, dass all diese *Mud People* Gebäude errichten, die sie *Kirchen* nennen … Er wird *dir* erst helfen, wenn du *ihm* hilfst. Du musst darauf vertrauen, was dein Herz dir sagt. Was sagt dir dein Herz?«

»Weiß ich nicht. Ich bin wütend, zornig. Möchte eine bessere Welt. Möchte, dass alles leichter wird.«

»Die Dinge haben es noch nie an sich gehabt, leicht zu sein, Monroe-Mann. Das weiß ich aus tiefstem Herzen, hab's immer gewusst.« Chambers klopfte sich mit der knochigen Faust auf die Brust. »Sie holen dich heimlich wieder ein. Genau dann, wenn du dein Alter zu akzeptieren beginnst und deine Enkel genießen möchtest. Man muss gewappnet sein.« Er zog ein Augenlid herunter und zwinkerte Griff bedeutsam zu, während er schlau grinste. »Fast jede Woche gehe ich auf die Jagd und mache Ausflüge in die Gegend. Ich kann immer noch gut schießen, meine Augen sind immer noch scharf.« Er beugte sich vor und schwang seinen rechten Arm vor. »Siehst du den kleinen Hügelkamm da drüben? Genau vor dem dreieckigen Gipfel. Da oben gibt's einen Brandschutzturm. Siehst du ihn?«

Griff blickte in die angedeutete Richtung. »Nein, Sir.«

»Früher stand ein Baum auf dem Kamm. Vor ein paar Tagen hat jemand ihn abgesägt. Einfach gefällt.«

Griffs Miene signalisierte Begriffsstutzigkeit. »Diese Türme stehen hier doch überall rum.«

»An dem Turm bin ich vor sechs Monaten vorbeigegangen, ist der einzige dort oben. Zu dieser Jahreszeit ist er meistens vermietet. An Camper. Aber Camper fällen keine Bäume. Jemand ist in diesem Turm drin.«

»Vielleicht die Forstaufsicht. Kann ja sein, dass sie in diesem Jahr früher dran ist, wegen der Erwärmung und so.«

Chambers schüttelte den Kopf. »Die sind da oben und beobachten mich. Aber das macht nichts, ich bin vorbereitet.«

»Ich könnte es für Sie auskundschaften«, schlug Griff mit finsterem Blick zum Turm vor.

»Nicht nötig, Monroe-Mann. Die Sache ist erledigt. Bin einige Risiken eingegangen, hab sogar meine Familie gefährdet, aber langfristig gesehen ist die Sache das wert.« Er sah Griff beim Reden nicht an. »Hab meinen Söhnen befohlen, durch die hinteren Pfade abzutauchen, dem Bus zu folgen und irgendwo in einer Kirche der Aufrechten für mich zu beten.«

Griff setzte eine verwirrte Miene auf. Das hier wurde zur Straße übertragen. Erneut in einen Hinterhalt zu geraten war das Letzte, was er sich wünschte. »Warum weggehen?«, fragte er. »Ist doch schön hier. Ich wär froh, wenn ich hier leben könnte.« Er musterte Chambers' abgetragenes weißes Hemd, versuchte, darunter die mageren Rippen zu erkennen, und hielt nach Ausbeulungen Ausschau, nach irgendeiner verborgenen Sprengladung. Das Hemd saß zu locker. Die Bombe konnte überall versteckt sein.

»In der Nacht hat der Baum Blüten getrieben, bald wird die Frucht zu sehen sein. Ich bin ein alter Mann. Wenn ich nicht mehr da bin, wird meine Familie dennoch blühen und gedeihen und große Werke verrichten.«

Griff schüttelte den Kopf. »Sie haben noch ein langes Leben vor sich, in dem Sie predigen und Gottes Wort verkünden können.«

Durch die Nase holte Chambers tief Luft. »Komm mit in mein Haus, Monroe-Mann. Ich werde dir etwas Herrliches zeigen, und danach werden wir uns voneinander verabschieden.« Er rappelte sich langsam hoch. Das Aufstehen fiel ihm offenbar schwerer als das Setzen.

Griff gefiel diese Entwicklung ganz und gar nicht. Eine Rolle zu spielen und gleichzeitig auf der Hut zu sein, war ihm noch nie leicht gefallen. Durch die holzgerahmte Fliegengittertür, deren Feder quietschte, folgte er dem Alten in den Schatten des aufgeräumten Windfangs. In einer Ecke waren zwei Holzstöße aufgestapelt, an der Wand lehnten zwei angerostete Schneeschippen. Das Mobiliar des dahinter liegenden Wohnzimmers wirkte robust, aber abgenutzt. Der große ummauerte Kamin sah so aus, wie der Deputy ihn beschrieben hatte. Genau an der Stelle, an der Griff jetzt stand, hatte er sein Sauerteigbrötchen verspeist.

»Ich habe meine Kinder wirklich lieb«, sagte Chambers. »Und sie mich auch. Ich werde sie vermissen, aber habe mir durch meine Taten eine Wohnung im Himmel erworben. Die Wende zum Besseren wird hart ausfallen, Monroe-Mann. Während die Juden wehklagen, wird mich Jesus als einen Bruder begrüßen, und Maria wird mich trösten und mir übers Haar streichen. Zwar werde ich in einem jugendlichen Körper wiederauferstehen, aber trotzdem werde ich um die Menschen trauern, die auf dieser Erde immer noch leiden, weil sie unter jenen leben müssen, die im Dunkeln wandeln. Denn es besteht kein Zweifel daran, dass sich die dunklen Rassen vor diesem läuternden Lichtstrahl verbergen. Das ist so gewiss wie die Tatsache, dass die

Sonne heute scheint und mit ihrem Strahl nach ihnen sucht, während sie sich in den Ghettos und Löchern ihrer Städte vergraben, in ihren dunklen, lauten Bienenstöcken aus Schmutz und Gestein. Aber bald wird die Zeit anbrechen, in der die Feuersäule erneut aufsteigen wird. Und ein Mann wird ein Gefäß durch diese Welt tragen, das etwas so Gefährliches in sich birgt wie die Bundeslade. Und alle, die sich ihm nähern, alle seelenlosen dunklen Rassen und die verlogenen, hinterlistigen Juden mit ihren langen schwarzen Locken, die das Schamhaar auf dem Kopf tragen, werden die Hände ausstrecken, um dieses schöne Gefäß zu berühren. Und dann werden sie wie in den alten Zeiten zu Tausenden und Abertausenden verrecken. Gott hat für die Juden noch nie viel übrig gehabt, wie die Geschichte beweist. Erneut wird des Nachts eine Feuersäule über dem Land aufsteigen und eine Wolkensäule bei Tag.«

Chambers' Gesicht nahm friedliche Züge an. Er bedachte Griff mit einem väterlichen Lächeln.

»Halleluja«, sagte Griff. »Gut gepredigt, Hochwürden.«

»Du hast mir deinen Namen noch nicht genannt, mein Sohn.«

»Jimmy. Jimmy Roland.«

Der Patriarch streckte die Hand aus, die Griff packte und schüttelte. Sie war trocken und kräftig. Kein Schweiß, kein Hinweis auf Nervosität.

»Es ist keine Sünde, die Verdorbenen vom Erdball zu fegen.«

»Dazu kann ich nur ja und Amen sagen.«

»Also, du siehst wie ein durchaus kluger Junge aus, Jimmy Roland. Hat keinen Zweck, mir den Dummen vorzuspielen. Du bist viel herumgekommen. Weißt, was du zu tun hast, weißt, was ich zu tun habe.« Chambers nahm vorsichtig auf einem Schaukelstuhl Platz und begann, langsam vor und zurück zu schaukeln. Ein wenig nach oben, ein wenig nach unten. »Niemand aus dem Monroe-Knast taucht hier jemals ohne bestimmte Passwörter auf. Ich bin mir sicher, dass ich bei dir einen Juden schnuppere.«

Unauffällig hatte Griff mittlerweile eine Bestandsaufnahme des Zimmers vorgenommen. In Chambers' Reichweite, unmittelbar rechts von ihm in seinem Rücken, stand neben dem Kamin ein schmaler Schrank, dessen Tür geöffnet war. Vielleicht wurden darin Schürhaken und Schaufeln für den Kamin aufbewahrt. Griff konnte das Innere nicht sehen.

»Du hättest letzten Monat hier sein und alles im Keim ersticken sollen, dann hättest du uns drankriegen können. Hast ja gesehen, dass wir in den Fässern was verbrannt haben. Wir haben aufgeräumt, die Spuren beseitigt. Der Rest liegt in den Händen des wahren Gottes. War auch schon so, ehe du hier aufgetaucht bist. Du musst nur wissen, dass die Saat gelegt ist. Bald werden die Juden und ihre Kinder die Frucht auf den Tisch der Welt bringen und davon essen.« Er zielte mit dem Finger auf Griffs Brust. »Die hören zu, also lass sie meine *Letzten Worte* hören.« Er schwieg kurz und lächelte hinterhältig. »Ein Ende all dem Bösen, das sie seit Beginn aller Zeit angerichtet haben. Tod den Juden, mein Freund.« Chambers beugte sich vor und streckte die knorrigen Finger zum Schrank aus.

Griff ließ die Hand durch den Klettverschluss in seinem Hemd gleiten. »FBI!«, brüllte er.

Schneller als man ihm es zugetraut hätte, zog Chambers eine Schrotflinte mit abgesägtem Doppellauf aus dem Schrank, die er unverzüglich spannte. Der Schaft aus blauem Stahl funkelte, als er herumschwang.

Auch Griff hatte inzwischen die Waffe gezogen. Er gab vier Schüsse auf Chambers ab. Der Schaft der Schrotflinte fuhr herum und sank ein paar Zentimeter nach unten. Immer noch versuchten die Finger des Alten auf den Abzug zu drücken. Nachdem Griff zwei weitere Schüsse abgefeuert hatte, ließ Chambers den Schaft los, sodass die Flinte ihm entglitt. Der Kolben schlug schwer auf dem Boden auf, und der Gewehrlauf prallte gegen die Ummauerung des Kamins. Die Lungen des Alten gurgelten, als die Luft durch die neuen Löcher in Brustkorb und Hals entwich, seine Augen drehten sich in den Höhlen. Mit einer Stimme, die wie Froschquaken klang, sagte er: »Jesus, mein Herr.« Gleich darauf, kaum hörbar, aber den flackernden Blick auf Griff gerichtet: »Fahr zur Hölle.« Danach wurden seine Augen leer, er war tot. Dennoch bewegte er sich noch, ein Zittern lief durch die Beine und einen Arm, während er im Schaukelstuhl zusammensank und schließlich halb drin, halb draußen hing. Sein Abzugsfinger wand sich wie eine Schlange. Und erstarrte.

Griff hob die SIG und wälzte Chambers mit einem Grunzen herum. Nachdem er ihn hastig und grob abgetastet hatte, drehte er dessen Taschen von innen nach außen, um nach selbst fabrizierten Sprengkörpern, Fernsteuerungen oder Zeitschaltuhren zu suchen. Er zog Handschellen aus Plastik aus der Hosentasche und legte sie um die schlaffen, knochigen Handgelenke des Alten. Erst danach fühlte er ihm den Puls, wobei er, so gut er konnte, der glitschigen Blutspur am Fußboden und dem letzten Blutfluss aus der verletzten Halsschlagader auswich.

Während er heftig schluckte, versuchte er seine Gedanken auf die immer noch bestehende Gefahr zu richten und die nervösen Stimmen, wie er sie aus Krimikomödien kannte, vom Vorderhirn in die hinteren Hirnregionen zu verbannen, wo sie hingehörten. *Papa hat den Löffel abgegeben.*

Selbstmord durch Bullenhand. In seinem Alter. Erst predigt er, und dann versucht er mich auszutricksen. Ich kann's nicht fassen.

Hastig durchsuchte er gleich darauf das Haus, bewegte sich vorsichtig an den Wänden entlang, den Gang hinunter, in die Zimmer hinein. Zur Sicherheit öffnete er auch die Schränke; da vor kurzem noch Kinder im Haus gewesen waren, hielt er es für wenig wahrscheinlich, dass dort Sprengkörper verborgen waren. Dennoch ging er damit ein gewisses Risiko ein.

Das Haus wirkte sauber und ordentlich. In jedem der vier kleinen Schlafzimmer waren die Betten gemacht. Auch das einzige Arbeitszimmer im Haus, so nüchtern eingerichtet, wie es in diesem Haushalt Vorschrift war, wirkte etepetete aufgeräumt. Der Sekretär war mit einer Rollplatte abgedeckt.

Auf dem Weg nach draußen ging er am Patriarchen vorbei. Erwin Griffin hasste tote Körper, aber das hatte er noch nie jemandem eingestanden. Von Agenten erwartete man, dass sie einen harten Kern hatten. Doch Leichen lösten Übelkeit bei ihm aus.

Erst da fiel ihm ein, dass er auf Sendung war und seit Beginn der Schießerei bis auf seinen Schrei *FBI!* kein Wort gesagt hatte; höchstens hatte er gegrunzt oder auch geflucht. An der Hauptverkehrsstraße mussten sie alles, was im Haus passiert war, gesehen und gehört haben, vor allem die Schüsse, aber er wollte auf keinen Fall, dass sich hier oder in der Nähe der Scheune Horden von Menschen versammelten. Jetzt noch nicht.

Während er durch die Tür auf die Veranda trat, wobei er nach links und rechts spähte, sagte er: »Chambers ist tot. Ich bin unversehrt. Haltet alle Leute zurück.«

In nördlicher Richtung sah er Agenten und Polizisten auf das Haus zu rennen. Wie lange hatte er dazu gebraucht, das Haus zu durchsuchen? Zwei oder drei Minuten? Ihm war es wie mindestens zehn Minuten vorgekommen.

»Sofort zurück!«, brüllte er von der Veranda aus mit brüchiger Stimme und gestikulierte, um die Neuankömmlinge wegzuscheuchen. Sie blieben stehen. »Zurück, ihr Narren!« Sie drehten um und zogen sich so schnell zurück, wie sie gekommen waren.

Die Tätowierungen waren verschmiert, an seinem Arm klebte Blut. Er setzte sich auf die Veranda, damit sein Herzschlag vom schnellen Rhythmus eines *Krupa* zum Normaltakt zurückfand. Was hätte er jetzt für eine Zigarette gegeben! Bald darauf kam er zu dem Schluss, dass er sich im Garten und in der Umgebung des Hauses umsehen musste, einfach um auf Nummer Sicher zu gehen. Als er damit begann, sah er Vans und weitere Menschengruppen am Rande der Lichtung auftauchen.

Die Ruhe auf dem Gehöft war dahin.

Kapitel 8

El Centro, Kalifornien

»Ich habe über deine Worte nachgedacht«, sagte Charlene zu dem großen blonden Mann. Es war kurz nach zwölf Uhr mittags. Charlenes Augen waren verquollen. Sie hatten sich geliebt, ein bisschen geschlafen und dann bis in die frühen Morgenstunden miteinander geredet. Jetzt frühstückten sie in einem Lokal der Coco-Kette. »Ich kann einfach nicht so zynisch sein. Ich brauche Hoffnung. Selbst wenn mir klar ist, was ich tue, und auch im Kopf habe, wo mein Mann ist, möchte ich doch nach christlichen Vorstellungen leben.«

Der blonde Mann betrachtete seine abgehäuteten Fingerknöchel, auf denen sich bereits Schorf gebildet hatte. Charlene hatte er erzählt, er habe sie sich bei einem Reifenwechsel aufgeschürft. In Wirklichkeit war er in einem Straßengraben ausgerutscht, nachdem er einen Streifenbeamten in Arizona erschossen hatte.

Die Bedienung brachte noch ein Glas Orangensaft, das Charlene genauso schnell hinunterstürzte wie das erste, mit drei hastigen Schlucken. Sie rümpfte die Nase und sah sich im Lokal um: Nischensitze, deren gemusterte Polster mit Plastik überzogen waren, eine narbige Tischplatte aus Eiche, ein Messer, das wie magnetisch angezogen an einer Gabel haftete, daneben ein Teller, der mit Eigelb und Fett vom Frühstücksspeck verschmiert war. Draußen das von der Sonne ausgeblichene El Centro, Kalifornien: Lagerhäuser, Autoreparaturwerkstätten, vorbeidonnernde Lastwagen.

Der blonde Mann, der ausgemergelt und erschöpft wirkte, war Ende vierzig. Nach dem Aufbruch vom Day's Inn hatte er eine Sonnenbrille aufgesetzt, um seine Augen zu verbergen. Eines war grün, das andere blau.

»Du bist so still«, bemerkte Charlene.

»Tut mir leid. Vermutlich hab ich schon zu viel gesagt.«

Charlene hatte ihn mit ihrem grünen Ford, einem Van, am Straßenrand des Highway 10 aufgegabelt, ihn nach El Centro mitgenommen und am Day's Inn angehalten, wo sich beide Zimmer genommen hatten. Nach Mitternacht hatte sie sich mit ihm in der Lobby getroffen. Er hatte sich ihr als *Jim Thorpe* vorgestellt, als sie ihn nach seinem Namen gefragt hatte. Charlene war sexuell ausgehungert gewesen. Während sie später eingeschlafen war, war Jim Thorpe wach geblieben. Er sah aus, als hätte er seit Wochen nicht geschlafen.

Durch das niedrige Fenster neben der Nische blickte Charlene auf den ausgetrockneten Rasen und die dahinter liegende Straße. »Ich bin bereit, an Jesus zu glauben, bereit, mich einer Sache ganz hinzugeben, die für mich das absolut Gute verkörpert«, sagte sie. »Ich will damit sagen, dass mir Jesus ganz deutlich vor Augen steht. Er ist schön, hat Mitgefühl und ein wunderbares Lächeln – er lächelt genau wie du.« Sie sah ihn mit echtem Verlangen an. »Ich weiß nicht, warum Männer sich immer so hart geben müssen. Du hast doch bestimmt keinen Grund zur Bitterkeit … Ich meine, du bist ein attraktiver Mann mittleren Alters, kannst die ganze Welt bereisen, hast keine Pflichten …« Verwirrt hielt sie inne und sah auf den Tisch.

Charlenes Ehemann hatte die West-Point-Akademie besucht. Nach dem Anschlag von *10/4* hatte er sich für die Infanterie dienstverpflichtet, sich für das Emblem der Hirnamputierten, die gekreuzten Gewehre, entschieden, anstatt eine aussichtsreichere Karriere in der Armee anzustreben. Charlene wäre es viel lieber gewesen, wenn er als Ehemann und Vater zu Hause, vor Ort, geblieben wäre. Doch er hatte sich freiwillig für einen zweiten Feldeinsatz gemeldet, um irgendwelche Turbanträger zu töten und mit seinen Kumpeln zusammenzubleiben. Er hieß Jason. Sie hatte Jim Thorpe ein Foto von ihm gezeigt: Er sah rechtschaffen, jung und stark aus, hatte einen Stiernacken und einen durchdringenden Blick. Er fragte sich, was Jason derzeit vor Augen haben mochte.

»Ich stelle mir vor, dass Jason weiß Gott wo ist, denn die verdammte Armee sagt den Familien ja nichts. Und ich frage mich, was Jesus wirklich vorhat. Was denkt ER sich dabei, uns alle so leiden zu lassen? Aber ich kann nicht Jesus dafür verantwortlich machen. Es ist unsere Schuld, stimmt's?« Charlene klopfte so gegen das Saftglas auf dem Tisch, dass es sich zu drehen begann. Sie bemühte sich um ein tapferes Lächeln, aber dazu war es schon zu spät. Frauen benutzten Jim Thorpe gern als Beichtvater. Bei allem, was Frauen ihm gaben, war diese Beichtfreude das Einzige, auf das er gern verzichtet hätte.

Aber hatte er ihr nicht auch etwas – sehr wenig – gebeichtet und damit ihren Wortschwall ausgelöst? Ihr einen kleinen Teil seiner innersten Überzeugungen enthüllt? *Wenn sie auch nur die Hälfte wüsste …*

»Ich weiß, dass du ein guter Mensch bist«, fuhr sie fort. »Aber so ohne jede Hoffnung … Das kann ich nicht nachvollziehen. Es liegt doch nur daran, wie die Welt uns behandelt. Wir werden auf die Probe gestellt.«

Seine Nerven begannen zu flattern. Er musste weiterziehen, sonst würde der Kummer ihn einholen, und die mentale Mauer, die er zwischen sich und seinem Gesichtsverlust errichtet hatte, würde bröckeln. »Na, dann wird am Ende ja vielleicht alles gut«, warf er zum Trost ein.

Charlenes Augen füllten sich mit Tränen.

»Es ist einfach nicht richtig, dass ich auf meinen Ehemann warten muss, während ich mich gleichzeitig so … nach einem Mann sehne. Einfach nach einem Mann, der mich umarmt, seine Arme um mich legt. Noch nie war ich derart verzweifelt, nicht so wie jetzt. Nie. Und mein Junge braucht einen Vater. Ich brauche *seinen* Vater.« Ihr Gesicht wurde hart. »So was hab ich noch nie getan.«

Doch, hast du, dachte er.

»Wann wird dieser ganze Schlamassel endlich vorbei sein?«, fragte sie.

»Bald.« Jim Thorpe umfasste ihre Hand, die am Saftglas lag, mit seiner eigenen und drückte sie sanft.

Charlene sah ihn finster an: *Zieh mich bloß nicht auf.* »Ich möchte doch nur, dass mein Mann wieder nach Hause kommt. Möchte mich wieder normal fühlen, mit meinen Kindern, mit meiner Familie zusammen sein.«

»Klar doch.« Er stellte sich neben die Sitznische und machte seinen Geldbeutel auf. »Das Frühstück bezahle ich.«

»Nein, wir sind keine armen Leute«, entgegnete Charlene steif und legte einen Zwanziger neben seinen. Gleich darauf zog sie noch einen Zehner heraus und gab ihm seinen Zwanziger zurück. »Dein Geld ist hier nicht gefragt«, sagte sie kühn.

»Bist du sicher?«

»Bin mir sicher, Mr. Jim Thorpe. Oder nennt man dich James?«

Er lächelte.

»So ein reizendes Lächeln.« Sie ließ den Blick schnell und gründlich über das Umfeld schweifen, sah zu den Tischen hinüber und spähte durch die hellen Fenster. »Geh du zuerst.« Selbst in El Centro machte sie sich Sorgen darüber, dass Bekannte sie mit einem anderen Mann sehen könnten.

»Danke für das Frühstück«, sagte er.

»Danke dafür, dass du mir so geduldig zugehört hast.«

Während er in das blendende Licht hinaustrat, überholte sie ihn mit beherrschter Hast. Niemand hätte erraten können, was sie erst vor wenigen Stunden auf dünnen Hotellaken miteinander getrieben hatten. Er bewunderte diese Art von Selbstbeherrschung. Frauen waren gut darin.

Er nicht. Die Steine seiner Mauer bröckelten bereits. Keine geistige Mauer war so dick, dass sie als mentale Blockade gegen das, was er eingebüßt hatte, funktioniert hätte. Die Hände in den Hosentaschen, blieb er auf dem Bürgersteig stehen. Trotz der Hitze zitterte er. Ihm war keineswegs wohl bei dem Gedanken, Tommy von der Sache zu erzählen. Tommy brauchte von dem Streifenpolizisten nichts zu erfahren. Selbst in dessen besten Zeiten stand der Seelenzustand seines wichtigtuerischen Partners stets auf der Kippe. So nannte es Tommy selbst: *auf der Kippe, dennoch mit Begeisterung bei der Sache* – wenn er nicht gerade im *tiefen Loch saß*, wie er es umschrieb.

Unberechenbar, aber im Augenblick noch unverzichtbarer Bestandteil des Projekts.

Der große Mann sah zu, wie Charlene mit dem grünen Van Cocos Parkplatz verließ. Sie kurbelte das Fenster hinunter und hielt nach beiden Seiten hin Ausschau, übersah ihn jedoch bewusst, als sie an ihm vorbeifuhr.

Fünf Minuten später donnerte Tommy in seinem zerbeulten cremefarbenen El Camino auf ihn zu, griff zur Seite und entriegelte mit den dicken Fingern der rechten Hand das Türschloss. Bis auf sein Gesicht und die Finger, die eigentlich einem größeren Mann zugedacht waren, war Tommy klein und dünn. Diese körperliche Eigentümlichkeit wirkte grotesk, aber offenbar machte es Tommy nichts mehr aus, wie die Menschen darauf reagierten.

»Kein Gepäck?« Sein plumpes Gesicht zeigte einen leichten Anflug von Bestürzung. »Kein Lastwagen. Keine Drucker. Herrgott, Sam, was ist passiert?«

Sam machte die Tür auf, stieg ein und nahm auf dem zerschlissenen Beifahrersitz Platz. »Fahren wir!«

»Was ist mit dem großen Laster passiert?«

»Unsere Strategie hat sich geändert.«

»Sam, ich mag es nicht, wenn man mich *enttäuscht*«, greinte Tommy. »Wir brauchen diese Drucker. Ohne sie kann ich das, was wir vorhaben, nicht alles bewerkstelligen. Ich mag es nicht, wenn Dinge *daneben gehen*.«

Sam war gefährlich nahe dran, alles hinzuschmeißen. »Zum Weingut, *Jeeves**«, sagte er in geschraubtem Ton.

»Du bist ja bestens gelaunt, Sam. Hast gestern Nacht 'ne Nummer geschoben, wie? Deshalb versuchst du, witzig zu sein.«

---

* Jeeves: fiktive Figur in Romanen von P. G. Wodehouse, Mischung aus emanzipiertem Butler und Kammerdiener. – *Anm. d. Übers.*

Manchmal hatte Tommy solche Anflüge von Intuition, dass er wie ein Hellseher wirkte. Angesichts eines solch kindlichen Mannes fiel es schwer, sich daran zu gewöhnen.

»Eigentlich stehen wir ganz gut da. Wird schon klappen. Wir werden uns andere Drucker besorgen.«

»Ehe du hierher gekommen bist und herumgebumst hast, ist irgendwas schief gegangen. Erzähl mir's besser nicht«, sagte Tommy nachdrücklich. Er verzog das Gesicht wie ein Baby, das drauf und dran war, in Tränen auszubrechen. »Ich will's gar nicht hören, wirklich nicht. Könnte es nicht verkraften.«

»Kommt schon alles in Ordnung«, wiegelte Sam ab.

»Hast du Fingerabdrücke hinterlassen?«

Sam streckte die rechte Hand hoch: Die Finger glänzten wegen des transparenten Silikonüberzugs.

»Da ist noch was.« Tommys winzige Augen huschten unruhig hin und her. »Ich hatte das Radio an. Hab's auf dem Weg hierher gehört.« Er drückte auf die Radiotaste. Die großen Neuigkeiten bestanden darin, dass der Mann, der allgemein *Der Patriarch* genannt wurde, bekannt als Bankräuber und Bombenleger in Abtreibungskliniken, tot war und sein verstecktes Gehöft im Bundesstaat Washington derzeit noch durchsucht wurde. »Ist das unser Mann?«, fragte Tommy. »Ist das unser Mann, Sam? Ist das unsere zweite Fabrikationsanlage?«

Sam hatte nicht so schnell eine Geschichte parat, die Tommy – oder ihn selbst – hätte beruhigen können. Er starrte erst auf das Radio, dann nach draußen.

»O je, o je, Sam, o je«, greinte Tommy.

»Also gut, Tommy. Fahr rechts ran. Ich übernehme ein Weilchen das Steuer.«

Tommys Nase tropfte, und er zitterte heftig. War wieder auf dem besten Weg ins tiefe Loch und schaffte es gerade noch, den Wagen zum Stehen zu bringen, ohne sie beide umzubringen.

Kapitel 9

Bundesstaat Washington

Griff streifte das Hemd und die kugelsichere Kleidung ab und übergab alles dem FBI-Team, das für die Spurensicherung zuständig war. Sie nahmen die Sachen sofort mit in ihren Van, um dort die Dateien und Videos, die in der Schutzweste gespeichert waren, herunterzuladen. Auf Griffs Bitte hin waren sämtliche Polizeifahrzeuge am Rand der Lichtung stehen geblieben, rund hundert Meter von Haus und Scheune entfernt.

Zusammen mit Rebecca Rose ging Griff zurück zum Haus. Beide starrten zur Scheune hinüber. Griffs Nasenflügel bebten, und seine Oberlippe zuckte so, als müsse er gleich niesen. Da sein Oberkörper nackt war, empfand er den leichten Wind als kühl. Er besorgte sich ein Unterhemd, wie es unter der Schutzkleidung getragen wurde, und streifte es sich über. Als Jacob Levine sich zu ihnen gesellte, bot er Griff seine violette Steppweste an, aber der lehnte dankend ab. Ihm war zwar kalt, aber das ging ihm zu weit.

»Becky«, sagte er, »Chambers hat immer wieder zur Scheune gesehen.«

»Tja.«

»Vielleicht möchten Sie wieder zu den anderen zurückkehren.«

»Nur, wenn Sie mitkommen.«

»Machen Sie sich nicht lächerlich. Um solche Sachen kümmere ich mich schon seit Jahrzehnten.«

Rebecca schüttelte den Kopf. »Ich muss so schnell wie möglich nachsehen, was sich im Haus und in der Scheune befindet. Danach werden wir wissen, was als Nächstes zu tun ist.«

Auch Levine wich Griff nicht von der Seite. »Haben Sie's schon gehört?«, fragte er beide.

»Was gehört?«

»Der Bus ist gar nicht im Ort angekommen. Er hat angehalten, und die Familien haben sich auf drei Wagen verteilt. Als sie in eine Nebenstraße abgebogen sind, haben sie die verfolgenden Fahrzeuge abgehängt. Kann sein, dass ein Teil der Familie nach Osten will, Richtung Idaho.«

Griff überzeugte sich davon, dass er kein Blut am Finger hatte, und strich sich über die Oberlippe. »Er wusste schon die ganze Zeit über uns Bescheid. Hat gesehen, wie wir den Baum gefällt haben.«

»Da fragt man sich doch, wo seine rechtschaffenen Söhne abgeblieben sind«, sagte Rebecca.

Beide starrten auf die weiter entfernten Baumgruppen von Zedern und Lärchen.

Als ein Hubschrauber über ihre Köpfe hinwegdröhnte, zuckte Griff zusammen. Obwohl dessen Flughöhe fast hundert Meter betrug, erschütterte das ständige Rotieren der Drehflügel die Scheune und den Boden unter seinen Stiefeln. Drei Techniker der Spurensicherung kamen um das Hauptgebäude herum und sicherten es mit gelbem Absperrband, das im Abwind des Hubschraubers hin und her flatterte. An der Seite des Fliegers war das Akronym eines Nachrichtensenders aufgemalt: KOMO Seattle. Jemand musste dem Piloten wohl über Funk mitgeteilt haben, dass der Tatort noch nicht gesichert war und Risiken barg, denn plötzlich zog sich der Hubschrauber zurück und flog nach einer Kehre über den Wald hinweg Richtung Westen, auf den Highway zu – vermutlich um weitere Aufnahmen von der Operationsbasis zu machen.

Cap Benson kam auf sie zu, in den Armen eine blaue Sportjacke, die er aus dem Kofferraum seines Wagens geholt hatte. Die Jacke mochte zwar angemessener aussehen als die angebotene violette Steppweste, aber als Griff sie über sein Unterhemd streifte, kam er sich noch lächerlicher vor, als hätte er Levines Schmuckstück getragen.

Alle blieben im weitläufigen, vernachlässigten Vorgarten des alten Hofgebäudes stehen. Im Haus lag der Patriarch immer noch in einer Blutlache und streckte alle viere in einem seltsamen Winkel von sich. Mit Handschellen gefesselt und besudelt lag er dort auf dem Bauch und scherte sich einen Dreck um das, was um ihn herum geschah. Als Griff über die Scheune blickte, sah er das Bild so deutlich wie ein Nachglühen vor sich. Im Lauf seiner Arbeit für das FBI hatte Griff dreimal – nein, jetzt viermal – Menschen getötet. Vorher, in der Marine, sechs- oder siebenmal. Für einen FBI-Agenten war das weit mehr als der statistische Durchschnitt, was er keineswegs als Lorbeerkranz empfand.

Von der Straße her trug der Westwind Geräusche herüber. Schwach konnten sie das Dröhnen großer Lastwagen ausmachen, ausgeschickt von der Landespolizei, vom FBI, dem ATF, dem Heimatschutz oder sonst wem.

Hunde, die losrannten, um im Königreich des Alten herumzuschnüffeln.

»Die Scheune ist wirklich riesig«, bemerkte Benson. »Was mag da drin sein?«

»Warum siehst du nicht nach?«, fragte Griff. Er würde die ganze Szene noch einmal durchgehen müssen, um sie im Licht der jetzigen Kenntnisse neu einzuschätzen. Wenn Chambers seit mehreren Tagen gewusst hatte, dass er überwacht wurde, wer konnte da sagen, was er in der Zwischenzeit ausgetüftelt hatte? Welche Kette von Ereignissen er durch ein paar nächtliche Besuche in der Scheune oder im Nebengebäude womöglich in Gang gesetzt hatte?

Allerdings bestand wegen all der Kinder die Chance, dass gar keine Sprengstoff auslösenden Drähte oder andere Fallen im Garten und in den Häusern verborgen waren ... Trotzdem konnte Griff es nicht ausschließen.

Er wandte sich in nördliche Richtung. In einigem Abstand waren mehrere Techniker, die weiße Plastikanzüge und Kapuzen trugen, damit beschäftigt, Staubproben von den Bäumen zu schaben. »Ihre Leute?«, fragte er Rebecca. Sie nickte. »Was werden die Ihrer Meinung nach finden? Chambers hat gesagt, sie hätten die Bäume wegen Schädlingsbefall eingesprüht.«

»Das bezweifle ich«, mischte sich Levine ein. »Chambers hat Pestizide gehasst. Bezeichnete sie als jüdisches Komplott, um den *Mud People* in aller Welt Nahrungsmittel zu verschaffen.«

Rebecca schien das zu belustigen. Griff dagegen wusste nicht, wie er dieses Reich des Bösen einschätzen sollte.

Ein weiterer Techniker, der näher herangekommen war, hatte inzwischen eine Leiter bestiegen, die an einem der zahlreichen Holzmasten auf dem Grundstück lehnte, und befestigte einen Strommesser an den Drähten über seinem Kopf.

»Wie viele Arme des Gesetzes sind da drüben noch in Bereitschaft, Cappy?«, fragte Griff.

»Sind nur noch meine Jungs und ich da. ATF hat sich zurückgezogen, keine Ahnung, warum.«

»Das Büro hat darum gebeten, ihm den Vortritt zu lassen. Offenbar haben wir immer noch ein paar Asse im Ärmel.«

»Ich hab hier gar nichts von deinem Chef Keller gesehen«, sagte Benson.

»Der wurde nach Washington D.C. abberufen«, erklärte Rebecca. »Soll vor irgendeinem Senatsausschuss aussagen.«

Griff hatte daran zu schlucken. Nicht einmal die Tatsache, dass sie den Patriarchen geschnappt hatten, hielt die Mühlen der Parteipolitik von dem Versuch ab, das FBI zu zermalmen. Von dem Versuch, das Büro zu liquidieren und dessen Aufgaben anderen Organisationen zu übertragen. Egal. Seine Altersrente war jedenfalls gesichert. Noch ein Jahr, dann würde er sich vom Gehaltsempfänger des Öffentlichen Dienstes, Stufe GS-1811, in einen Ruheständler verwandeln, weil er das gesetzliche Rentenalter erreicht hatte.

»Sergeant Andrews und vier Männer vom Bombenentschärfungstrupp sind hier. Außerdem Dan Vogel von K9 mit der Hundestaffel, die Sprengstoff aufspürt. Ich hab hier auch Leute vom Kinder- und Jugendschutz herumhängen sehen, weil sie nichts zu tun hatten. Und ein schwarzes Mädchen in Lederjacke, die verdammt nach Black Panther aussah, aber ich nehme an, die gehört zu euch.«

Griff nickte.

»Außerdem noch zwei Agenten der Bundesregierung, die ich nicht kenne.«

»Von der *Homeland Security* und dem *Bureau of Domestic Intelligence*«, erklärte Griff. »Die würden sich hier liebend gern einmischen. Ich möchte, dass Dan und sein Hund das Hauptgebäude durchsuchen und danach das zweite Haus, in dieser Reihenfolge.« Er deutete in der Luft den Lageplan an.

»Und die Scheune nicht?«, fragte Benson.

»Griff nimmt an, dass die Scheune vermint ist«, sagte Levine, der, die Augen auf den Boden gerichtet, kleine Kreise zog. Trotz der Kühle stand ihm Schweiß auf der Stirn.

»Kommen die Bots bald?«, fragte Griff.

Benson nickte.

»Schick einen in die Scheune. Und schick noch ein paar Polizisten in den Wald. Könnte ja sein, dass Chambers' Söhne uns in diesem Moment im Visier haben.« Er kniff ein Auge zu und zielte mit dem Finger auf Levine.

»Ach was! Nachdem Sie deren Papa erschossen haben, hätten die Söhne Sie doch auf der Stelle umgebracht«, widersprach Levine. »Die sind längst über alle Berge.«

»Kann sein.«

Griff rechnete nicht damit, dass in den Wohnhäusern Sprengkörper verborgen waren. Schließlich hatten sich dort noch vor kurzem die Kinder herumgetummelt. Und Kinder waren nur schwer zu kontrollieren und davon abzuhalten, aus Versehen irgendetwas in die Luft zu jagen. Nach Abfahrt des Busses war auch niemand mehr zum hinteren Haus gegangen, soweit sie gesehen hatten. Trotzdem musste man auch die Wohnhäuser gründlich durchsuchen und sowohl nach verborgenen Sprengkörpern als auch nach Kindern, die sich versteckten, Ausschau halten. Das konnte K9 übernehmen.

Er stellte sich so hin, dass er einen direkten Blick auf das hatte, was sein größter Albtraum war, und stemmte die Hände in die Hüften. Die große Schiebetür der Scheune stand knapp zwanzig Zentimeter offen, nicht so weit, dass ein Mann sich mühelos hätte hindurchzwängen können. Er wollte die Tür nicht anfassen, es sah allzu sehr nach einer Einladung aus.

»Sicher hat der Patriarch Bots eingeplant, meinen Sie nicht auch?«, fragte Griff Rebecca.

»Klingt ganz danach. Auslösemechanismen auf der Basis von Röntgenstrahlen. Oder Mikrofone, die auf bestimmte Maschinengeräusche reagieren – und dann bäng.«

»All diese Drähte«, sagte Griff. »Wofür, zum Teufel, sind sie da? Und welche Stufe von Paranoia können wir als irrational ausschließen? Immerhin hat er das ja fünfzig Jahre lang gemacht, stimmt's?«

»Wir sollten noch abwarten«, sagte Rebecca. »Dann ist das Risiko nicht so groß, dass irgendein Tölpel in einen Stolperdraht rennt und was auslöst.«

Griff wandte sich ihr zu und sprach leise weiter. »Was, wenn das alles mit einer gottverdammten Zeitschaltuhr gekoppelt ist, Sonderagentin Becky Rose?«

»Sie haben das Sagen.« Rebecca schürzte die Lippen. Griff war der einzige Kollege, der sie Becky nannte, und sie mochte das nicht sonderlich, doch im Großen und Ganzen betrachtet …

»Ach ja? Oder sitzt mir nicht vielmehr News im Nacken?«

»Wie schon gesagt …«

»Richtig. Ich hab das Sagen. Na ja, scheiß drauf.«

Die Polizisten, die sich am Rande der Lichtung in Bereitschaft hielten, wuselten herum und beobachteten die vier, die ihrerseits zur Scheune blickten.

»Er hat das sicher vorausgesehen«, sagte Levine. »Hat mit Hunden gerechnet.«

»Unsere Hunde sind darauf abgerichtet, Drähten aus dem Weg zu gehen. Und sie können das Wesentliche durch alle Tarnungsgerüche hindurch erschnuppern«, versicherte Benson. »Den Hunden würde ich eher vertrauen als den Bots.«

»Hab noch nie einen Hund gesehen, der bei trübem Licht einen Auslösedraht erkannt hätte oder einem Bewegungsmelder ausgewichen wäre«, wandte Griff ein. »Die Wohnhäuser sind meiner Meinung nach am ungefährlichsten. Die Hunde setzen wir in den Häusern ein, in die Scheune schicken wir Bots.«

Er fing an zu zittern. Es war schon Stunden her, dass er den Alten erschossen hatte – in seinem blöden Wohnzimmer sechsmal auf ihn angelegt hatte. *A man's home is his castle.* Griffs Inneres war so aufgewühlt, dass seine Hände und Schultern bebten. »Also gut«, sagte er schließlich, »holen wir alle hierher. Benachrichtigen Sie Watson.«

Rebecca sprach in ihr Funkgerät.

Gleich darauf drängte sich Sonderagentin Alice Watson durch die Versammlung von Polizisten und Agenten und ging mit schnellen, leicht hinkenden Schritten die Straße hinunter. Sie war eine füllige Frau von dreiunddreißig Jahren, deren eines Bein kürzer war als das andere. Sie hatte weit reichende Handlungsvollmachten, aber auch die Fachkenntnisse, die das rechtfertigten. Über eine Seite ihres Gesichts zogen sich lange Narben. In einem Auge trug sie eine dicke Linse, doch mit dem anderen konnte sie noch gut sehen.

Vor zwei Jahren wäre Watson in Paris fast gestorben. Sie hatte einen kleinen Fehler im Umgang mit einem Handkoffer der Al-Aqsa gemacht, der mit zwei Annäherungszündern und Sprengladungen, T6 Anafex, ausgestattet war und darüber hinaus darauf abzielte, eine ganze Phiole von Osmium Tetroxid (OsO4) freizusetzen, und zwar mittels Spraydosen, die früher Reinigungsmittel der Firma Raid Autozubehör enthalten hatten. Irgendjemand hatte die Tasche in einem öffentlichen Park entdeckt. Aufgrund der knappen Zeit hatte man keine Roboter zur Entschärfung einsetzen können. Die Hauptladung war ein Blindgänger gewesen: Der Tetrox-Behälter war unversehrt geblieben, sodass viele Menschen – einschließlich Watson – von schlimmen Verletzungen verschont blieben. Doch unterhalb dieses Kofferinhalts war ein dritter Annäherungszünder verborgen gewesen, und sie hatte ein Quäntchen der Reserveladung unmittelbar ins Gesicht bekommen.

Später, im Krankenhaus, hatte sie Griff anvertraut: »Ich bin dem Geist dieser Bombe begegnet. Hab ihm zwei Finger in die Nase gesteckt und sie dann herumgedreht. Deshalb hat er mich ziehen lassen. Beim nächsten Mal wird er mir einige Geheimnisse verraten.«

Watson hatte sich eine Auszeit genommen und bei Mann und Kind erholt. Nach sechs Monaten hatte sie ihren Dienst zwar wieder angetreten, aber sich die folgenden vier Monate ausschließlich mittels einer elektrischen Gehhilfe fortbewegt. Ob die Begegnung mit dem »Geist der Bombe« ein Scherz gewesen war oder nicht, kümmerte Griff wenig. Sie war die beste Bombenexpertin, die er kannte.

Watson begrüßte Rebecca mit Handschlag, stellte sich neben Griff und sagte: »Wir sind mit den Bomben-Datenbanken von HDS und Eglin verbunden. Die übermitteln unser Material an Experten in Los Angeles und Washington. Mit dieser Sache werden sich schätzungsweise fünfzehn scharfe Augen befassen, mein gutes Auge mitgerechnet.« Ihr Grinsen wirkte wie eine derbe Parodie, aber es munterte Griff auf.

Einige Schritte hinter Watson folgte ein kleinwüchsiger Mann mit kurz geschorenem braunem Haar, der schwarze Jeans und ein schwarzes T-Shirt trug und einen Golden Retriever an einer funkelnden Kette führte. Der Hund jaulte und sprang aufgeregt herum, ganz scharf darauf, für ein Spielchen belohnt zu werden. Das mussten Dan Vogel und Chippy sein, wie Griff annahm. Chippy war eine schöne Hündin mit weichem, rötlich goldenem Fell, das vor kurzem sicher mit Hundeshampoo gewaschen worden war. Sie war völlig auf den roten Ball fixiert, den Vogel in der Hand hielt. Eine glückliche Hündin mit viel zu viel Energie. Unter einen Arm hatte Vogel eine dicke Mappe voller Duftstreifen geklemmt: ein ganzes Archiv explosiver Substanzen, die Chippy dabei helfen sollten, sich auf bestimmte Gerüche zu konzentrieren. In den letzten zehn Jahren hatten sich das Spektrum von Sprengkörpern, ihre Dichte und Sprengkraft wesentlich verändert. Mikroreaktoren – chemische Fabriken, kaum größer als ein Brotkasten – ermöglichten es kleinen Gruppen und selbst Einzelpersonen, tödliche Mengen gefährlicher Substanzen herzustellen.

»Chippy geht's gut«, sagte Watson.

»All meinen Hündinnen geht's gut. Wohin zuerst, Chef?«

»Die Scheune ist ja wirklich riesig«, bemerkte Watson.

»Was sagt Ihnen Ihr Geist?«, fragte Griff.

Mit dem gesunden Auge sah Watson ihn finster an, während das andere Auge hinter der Linse nur glotzte und an einen leeren Mond erinnerte, den man durch ein Teleskop betrachtet. »Das war vertraulich, Griff.«

»Also gut. Für welche Art von Bombe würde man eine ganze Scheune brauchen?«, fragte er.

»Für Kunstdünger«, erwiderte Watson. »Aber dieser Mistkerl hat vorher schon alles Mögliche benutzt: Haushaltschemikalien, C 4, Semtex, Anafex, Triminol, Gleitmittel, Poly-S-Phosphat und ein Kerosin-Aerosol – Letzteres ist eine kleine Streubombe, falls ihr's nicht wisst. Alles, was ihr euch nur vorstellen könnt. Ich hab wirklich keine Ahnung. Die Sache hier soll wohl sein *pièce de résistance* darstellen, seinen letzten Triumph, wie?«

»Es spricht viel dafür«, sagte Griff. »Er ist in stolzer Haltung gestorben. Sagte, jetzt liege alles in Gottes Hand.«

»Scheiße.« Bensons Gesicht wurde noch eine Nuance blasser, wie im Zwielicht zu erkennen war. Levine hörte auf, hin und her zu tigern, und schob die Hände in die Hosentaschen. Rebecca blickte auf ihre Füße, kniff die Augen zusammen und sah wieder hoch.

Vogel kniete sich neben den Retriever und schlug die Mappe auf der ersten Seite auf – für den Hund ein stimulierender Geruch, an dem er schwanzwedelnd und mit wachem Blick glücklich herumschnupperte, um gleich darauf zu niesen.

Watson musterte das Netz von Drähten, die rund um das Haus auf die Masten gespannt waren und über die unbefestigte Straße hinwegführten. Sie holte tief Luft, atmete aus und deutete auf den Rand der Lichtung. »Meine Herren, Agentin Rose, wenn Sie hier nicht unbedingt gebraucht werden, ziehen Sie sich besser zurück. Wer weiß, wo Sie hineintreten oder worüber Sie stolpern könnten?!«

»Ich bleibe«, erklärte Rebecca.

»Sie gehen da nicht rein!«, schnauzte Griff.

»Das werden wir noch sehen. Ich hab Ihnen doch gesagt, dass ich dabei sein will.«

»Scheiße. Wir müssen das Personal vor Ort auf so wenige Leute wie möglich beschränken und mit der Durchsuchung beginnen, also machen Sie keine Zicken. Ich bin schon seit zwanzig Jahren an der Fahndung nach diesem Mistkerl beteiligt.«

»Es sind keine Zicken«, entgegnete Rebecca ungerührt. »Ich befasse mich schon länger als zwanzig Jahre mit Bioterrorismus. Ich bin vor Ort und an der Sache interessiert. Werde Ihnen schon nicht in die Quere kommen.«

»Becky …«

»Können Sie ein Mini-Labor erkennen, Griff? Sequenzierer? Fermentierer? Wissen Sie überhaupt, wonach Sie Ausschau halten müssen?«

Griff presste die Kiefer zusammen. »Sie könnten es mir ja verraten. In dieser Sache sind Sie ein Neuling. Schwirrt ab, ihr drei!«

Benson zuckte die Achseln. »Du hast schon Kummer genug, ich will dir nicht auch noch welchen machen.« Er strich Griff über den Arm. Zusammen mit Levine ging er die Straße hoch, um das Feld – und die Scheune – den Experten zu überlassen. Und der sturen Rebecca Rose, die an der Sache *interessiert* war.

Über die Schulter warf Levine einen Blick zurück. Griff mochte es nicht, wenn Menschen einen letzten Blick zurück taten, diese Art von sentimentaler Scheiße nervte ihn. Er deutete mit dem Finger auf Rebecca. »Für eine Bombenräumung sind Sie ja nicht einmal zugelassen!«

Sie verschränkte die Arme.

Watson musterte beide belustigt.

Chippy winselte und zerrte an der Leine, weil sie zur Scheune wollte.

»Kommt Chippy allein zurecht?«, fragte Griff Vogel.

»Hat beim Fairview-Kurs im letzten Monat mit 4.0 abgeschnitten. Sie hat alle zehn Substanzen herausgeschnuppert, einschließlich Anafex.«

»Kommt sie mit Kindern klar?«

»Sie liebt Kinder. Spielt Fangen mit ihnen.«

Chippy zerrte energischer, weil sie jetzt wirklich loswollte. Aber in die Scheune, die ihm mehr als unheimlich war, wollte Griff weder Chippy noch ein anderes Lebewesen hineinlassen. Finster sah er Rebecca an. »Nummer eins«, er deutete auf das Hauptgebäude. »Danach das hintere Haus.«

Vogel führte die Hündin zum ersten Haus, machte die Fliegengittertür auf, griff nach unten und löste Chippy von der Kette, worauf sie hineintrottete.

Ein schneeweißer, frisch polierter Lastwagen des organisationsübergreifenden Bombenräumkommandos, gekennzeichnet mit dem seltsamen Symbol eines brennenden Wespennestes, rumpelte durch die Absperrung auf das Haus zu. Cap Benson, der auf dem Trittbrett mitfuhr, grinste lausbübisch. Am Steuer saß der Mann, der den Einsatz von Robotern bei der Bombenentschärfung koordinierte, ein Sergeant, den Griff von einem Ausbildungsseminar für örtliche Polizeidienststellen in Portland her kannte. Sie waren ein paarmal zusammen etwas trinken gegangen. Er hieß George Carlin Andrews.

Als der kleine Lastwagen neben Griff hielt, sprang Benson vom Trittbrett. »Wer nicht wagt, der nicht gewinnt«, sagte er zu Griff.

Griff drängte sich wortlos an ihm vorbei. Watson machte Andrews die Tür auf. »Die Maschinengötter sind da«, verkündete sie.

»Meine Güte, vielen Dank auch, schöne Frau«, erwiderte

Andrews und stieg aus, bewaffnet mit einem Alukoffer voller wunderbarer Dinge. »Griff, bist du das, der hier so toll herausgeputzt ist?« Er streifte einen Handschuh ab und streckte ihm die Hand hin. Er war zwar groß und um die Taille herum recht füllig, hatte aber zierliche Finger – die Hände eines Juweliers.

Griff nickte und schüttelte ihm die Hand.

»Womit rechnen wir? Besser gesagt: Was würden wir hier lieber nicht finden? Gibt's irgendwelche Hinweise?«, fragte Andrews.

»Nicht viele.« Griff erzählte Andrews, dass Chambers immer wieder zur Scheune geblickt hatte, und informierte ihn grob über dessen Vergangenheit. »Er sagte, jetzt liege alles in Gottes Hand.«

Beim zweiten Hören gefiel Rebecca dieser Satz noch weniger.

»Aha. Jacob Levine hat mir das Wichtigste mitgeteilt. Wahrscheinlich können wir uns gar nicht so weit zurückziehen, dass wir diesem Zorn Gottes entkommen. Natürlich könnten wir Fuchsbauten graben, aber das kostet Zeit. Was meinst du?«

»Wenn etwas derartig Großes in die Luft geht, würde es uns einfach herauskatapultieren und in den Sog reißen«, entgegnete Watson.

»Rosarote Wolken«, warf Rebecca ein.

Andrews wandte sich ihr zu. »Wir kennen uns noch nicht, oder?«

»Das ist Sonderagentin Rebecca Rose«, sagte Griff. »Sie hält es für möglich, dass da drinnen biologische Kampfstoffe verborgen sind.«

»Muss schon sagen, ich liebe diesen Job«, bemerkte Andrews. »Soweit ich weiß, könnte der Heimatschutz binnen weniger Stunden entsprechend ausgebildete Spezialisten vom Joint Genome Institute in Walnut Creek einfliegen lassen.«

»Bestimmt wäre es klug, wenn …«, setzte Rebecca an.

»Die Zeit haben wir nicht«, widersprach Griff sofort.

»Dachte mir schon, dass du das sagen würdest.« Andrews ging um das Heck des Kleinlasters herum, öffnete die Klappe und holte ein Gestell mit sechs abgerundeten, fußhohen Behältern heraus, die schwarz-gelb gestreift waren, wie der wichtigste Teil der Hornisse. Er nahm vier vom Ständer, einen nach dem anderen, und ließ sie ungerührt in den Staub rollen. »Wie viele meiner kleinen Schönheiten willst du?«

»Im Moment zwei, immer nur eine auf einmal. Am besten wär's, wenn sie sich durch die Öffnung zwängen könnten, ohne das Scheunentor in Schwingung zu versetzen.«

Andrew öffnete den Alukoffer und holte Kopfhörer und eine Datenbrille heraus. »Zur Verbindung mit der Bomben-Datenbank und HDS setzen wir Lynx ein. Die Bots werden recht gute Aufnahmen vermitteln. Falls sie irgendwas entdecken, sperren wir einfach die Straßen ab und lassen das ganze verdammte Ding hochgehen, schlage ich vor. Du hast deinen Mann doch erwischt, oder nicht?«

»Ich will aber sehen, was er da drin hat«, entgegnete Griff. »Als er versuchte, mir mit seiner Schrotflinte den Schädel wegzublasen, war er glücklich. *Tod den Juden,* waren seine letzten Worte.« *Na ja, nicht ganz, aber es unterstreicht, was ich meine.*

»Hier gibt's nicht viele Juden«, bemerkte Andrews.

Griff steckte die Hände in die Taschen. *Mein Gott, bin ich müde.* Er wünschte sich nur noch, dass das hier vorbei war, wollte sich erkundigen, wie es seinem Sohn in Quantico erging, ins Bett kriechen, sich die Decke über die Ohren ziehen und die anheimelnde Luft eines dunklen, stillen Schlafzimmers atmen.

»Stimmt«, sagte er. »In seinen sechzig aktiven Jahren hat Robert Chambers mit organisierten Gangstern, der IRA, thailändischen Schmugglern, wahrscheinlich auch mit Russen und mit den Aryan Nations zusammengearbeitet. Ist hier wirklich jemand, der nicht gern wissen würde, was er damit gemeint hat und mit wem er sonst noch Verbindung gehabt haben könnte?«

Watson streckte den Arm hoch. »Ich«, sagte sie wie eine Schülerin im Unterricht. Sie ließ den Blick über die Gruppe schweifen. »War nur ein Scherz.«

Griff beachtete sie gar nicht. »Passt eines dieser Dinger durch die Öffnung?«

»Glaube schon«, erwiderte Andrews. »Es sind Armatec 9 D-11s und ein D-12. Kleiner und billiger als die Vorjahresmodelle, aber bis jetzt haben sie sich recht gut bewährt. Jedes Ding hat einige individuelle Eigenschaften. Hab ihnen allen Namen gegeben.« Er stellte einen der Behälter aufrecht hin und schraubte den Verschluss ab. Zusammengefaltet und zu einem kompakten Bündel verschnürt, befand sich darin etwas, das wie eine Mischung aus Go-Kart und Küchenschabe aussah. Auf Sprungfedern und Kolben waren drei Räder montiert, außerdem hatte das Ding fünf Beine mit drei Gelenken, zwei vorne und drei hinten. Als Andrews die Verriegelung des Bot löste, streckte er sich mit einem Ächzen der Hydraulik aus. Über der mit drei Rädern versehenen Basisplatte saß ein rautenförmiger Kopf, aus dem ein bleistiftdicker Stab herausragte. Der Kopf sah aus wie die Kommandobrücke eines Spielzeugschiffs. Der Stab schwenkte zwei dünne, bewegliche Stiele aus, auf denen zwei kleine schwarze Augen saßen. Ein drittes Auge war unterhalb des Stiels angebracht, in der Mitte des Stabs. In den Vertiefungen hinter dem Kopf befanden sich zwei zusammengeklappte Arme, die Greifer und Schneidewerkzeuge ausfahren konnten. Griff, der mit Armatec-Bots vage vertraut war, hielt Ausschau nach dem Fach, das die Scanner-Ausrüstung barg, und fand sie schließlich: Der Bot war mit einem Fluoroskop und einem Stethoskop ausgerüstet, außerdem mit einem Gerät für die chemische Analyse samt Fernbedienung. Des Weiteren entdeckte er zwei Zerstörer, dünne, hinter dem Kopf montierte Röhrchen, die dazu dienten, Sprengkapseln außer Gefecht zu setzen. In ausgefahrenem Zustand war der Bot knapp vierzig Zentimeter lang, das Fahrgestell rund fünfzehn Zentimeter.

»Das hier ist Kaczynski. Die beiden sind McVeigh und Nichols. Und die da, die temperamentvolle, ist Marilyn Monroe.« Marilyn war größer als die anderen.

Rebecca ging zum nächsten Holzmast hinüber und musterte die oben gespannten Drähte. »Ich könnte wetten, dass es eine Art Antenne ist. Dieses Modell ist mir allerdings neu. Es gibt kein

Anzeichen dafür, dass sie mit der Scheune verkabelt ist, aber die Kabel könnten auch unterirdisch verlaufen.« Rebecca klopfte auf den Mast. Griff konnte ihre Miene nicht deuten.

»Wir haben jetzt den höchsten Sonnenstand«, bemerkte sie. »Bis hinunter nach San Diego sind Auroras zu sehen, die schönsten, die ich je erlebt habe – wie ein Zeichen Gottes. War der Patriarch ein Mann, der gern den Himmel beobachtet hat?«

Kapitel 10

Quantico

William ging mit forschem Schritt zur Bibliothek, weil er dort zwei Lehrbücher abgeben wollte. Ihn überholten zwei Agenten in roten Hemden, die zum Foyer rannten, um sich die Fernsehübertragungen des speziellen Bombenprogramms anzusehen. Er selbst hatte es nicht so eilig, Bomben interessierten ihn kaum. Die Tatsache, dass er als kleiner Junge abends oft stundenlang auf die Heimkehr seines Vaters hatte warten müssen, hatte ihm jegliches Interesse daran genommen, Modellflugzeuge mit Feuerwerkskörpern in die Luft zu jagen oder kleine Rohrbomben zu basteln, um sie im Wald zu zünden. Natürlich hatte es auch Wochen gegeben, in denen Griff ihm einiges über Feuerwerk beigebracht hatte ... Seltene, aufregende Wochen. Das hatte er schon fast vergessen.

Er kam an einem Teil der Kunstgalerie vorbei, die zur Akademie gehörte. In diesem Abschnitt hingen gerahmte Drucke an den Wänden, allesamt realistische, beruhigende Darstellungen: Landschaften, Gehöfte, häusliche Szenen. Er mochte sie durchaus. Sie boten das ideale Gegengewicht zu den blutigen Tatortszenen und den Schusszielen des Trainings. *Für diese Dinge kämpfen wir.* Sein Lieblingsmotiv war das eines jungen blonden Mädchens auf einer Wiese, das sich um ein neugeborenes Kalb kümmerte. Er blieb einen Augenblick vor dem gerahmten Druck stehen und wünschte sich auf diese Wiese, zu diesem Mädchen mit dem Kalb.

William Griffin war bewusst, dass er nicht wie ein typischer FBI-Agent aussah, wenn es ihn denn gab. Mit seinen ein Meter dreiundneunzig ähnelte er gewiss nicht seinem Vater, diesem breit gebauten, stämmigen Stier von einem Mann. Selbst nach fünf Jahren Polizeidienst in New York hatte William nichts von den derben Umgangsformen und dem durchdringenden, kritischen Blick des guten Cops angenommen. Stattdessen strahlten seine braunen Augen meistens Anteilnahme, Humor und Freundlichkeit aus. Die Lippen unter der langen, geraden Nase schienen stets zum Lächeln bereit.

Er rannte die Treppe hinauf – das körperliche Training hatte ihn großartig in Form gebracht –, gab die Lehrbücher ab und rannte wieder hinunter. Dabei kam er an einer Glasvitrine vorbei, in der einige Beutestücke der Akademie ausgestellt waren. In den letzten Monaten hatte er sich diese Objekte mehrmals angesehen, sodass er aus dem Kopf wusste, was sie darstellten: Waffen, die aus Haushaltsgegenständen hergestellt waren, einschließlich eines Eispickels mit einer Giftrille. Material zur Produktion von Sprengsätzen. Arabische Computerausdrucke mit Eselsohren, die aus Al-Kaida-Anleitungen zum Töten stammten. Instruktionen für terroristische Operationen, die man in *sicheren Wohnungen* im Irak, in Deutschland und in England beschlagnahmt hatte.

Außerdem das akribische Modell eines Gunbots im Insektenpanzer, der genauso aussah wie der Roboter, der seinen Vater in Portland fast getötet hätte.

Die Ausstellungsobjekte wurden nicht oft ausgetauscht. Hier hatten alle so viel zu tun, dass keine Zeit blieb, einen Blick in die Vergangenheit zu werfen. Und hier war er nun, bewegte sich im Schatten von Legenden – einschließlich der Legende seines Vaters – und wirkte wie ein schlaksiger, aufgeweckter, aber nicht sonderlich schlauer angehender Agent. Ein Agent, der Jagdangst hatte und mit Cholo-Stangen nicht zurechtkam.

Trotzdem machte er sich ganz gut. In zwei Tagen würde er seine Ausbildung an der Akademie abschließen. Mit knapper Not.

Er fiel wieder in schnelleren Schritt, bog um die Ecke, rannte an der Kapelle vorbei, machte eine Kehrtwende und gelangte erneut zur Kunstgalerie. Waren diese Drucke Hoovers Lieblingsmotive gewesen? Es gab kaum Studenten, die viel zu Hoover zu sagen wussten. Die meisten erinnerten sich gar nicht an ihn.

In der Lobby, die auch als Studierzimmer diente, waren Sessel und Sofas vor ein altmodisches Plasma-Fernsehgerät gerückt, dem es an Pixeln mangelte. Manche Studenten lernten noch, andere hatten den Blick fest auf den getüpfelten Bildschirm gerichtet.

William stellte sich hinter Fouad, der sehr aufrecht auf einem der gut gepolsterten Sessel saß. »Wo ist das?«, fragte William.

»Im Bundesstaat Washington. Dort wurde ein Hof gestürmt. Der Patriarch, Robert Chambers, ist bei einem Schusswechsel umgekommen. Erwin Griffin – ist das dein Vater?«

William atmete tief durch. »Allerdings.«

»Na ja, er wird wohl gleich in diese Scheune gehen müssen, um nachzusehen, ob da drinnen eine Bombe versteckt ist. Jeder, der sich mit Bomben auskennt, ist zugeschaltet. Es ist sehr interessant, sehr beängstigend.«

William biss die Zähne zusammen und nahm auf der Armlehne von Fouads Sessel Platz. *Samstagabend bei der Familie Griffin. »Griff ist mal wieder im Einsatz«, sagte seine Mutter oft, wenn sie mit ihrem Sohn allein am Esstisch saß, vor sich einen leeren Stuhl und ein nicht benutztes Gedeck. Mehr als einmal waren ihr die Tränen über die Wangen gelaufen. »Ich kann's spüren, du auch?«*

Gleich darauf erkannte er seinen Vater, der nur von hinten zu sehen war – ein stämmiger, beherrschter Mann mittlerer Größe, der mit zwei anderen Personen vor einer großen Scheune stand. Ein paar Meter weiter hatte ein blitzblanker Kleinlaster der Bombenräumung geparkt, dessen seitliches Emblem ihn als Eigentum der *Washington State Patrol* auswies. William konnte gerade noch erkennen, dass nahe beim Laster einige Roboter auf dem Boden aufgebaut waren. Über das Spezialnetz hörte er die gedämpften Unterhaltungen mit. All diese Helden waren ins Gespräch vertieft, versuchten, das tödliche Puzzle zu lösen. Stellten sich mögliche Szenarios vor, die seinen Vater das Leben kosten konnten, um eben dieses zu verhindern.

Die Familienehre ließ es nicht zu, dass William jetzt einfach verschwand. »Darf ich hier sitzen bleiben?«, fragte er Fouad.

»Ist mir eine Ehre«, erwiderte Fouad und meinte es auch so. Aus seinen nach oben gerichteten Augen sprach Hochachtung. »Dein Vater hat den Patriarchen erschossen, er ist ein sehr tapferer Mann.«

Chippy hatte in beiden Häusern nichts Alarmierendes entdeckt. Vogel brachte die Hündin, die den Schwanz zwischen die Beine kniff, zum Rand der Lichtung zurück und ließ sie ein paar Minuten lang einen Gummiball apportieren, ehe er sie wieder in ihrer Reisebox verfrachtete.

Rund fünfzig Meter von der Scheune entfernt, ein lächerlicher Abstand, kauerten sich Watson, Rebecca und Griff hinter Sprengschutzschilde. Andere Polizisten und Agenten duckten sich am Rand der Lichtung hinter ihre Fahrzeuge. Alle konnten sehen, wie sich Kaczynski, der Roboter, auf den Weg zum Scheunentor machte.

Griff klopfte gegen seine Brille. Die Bilder, die Kaczynski übermittelte, waren scharf – besser als diejenigen, die ein Bombenschutzanzug übertrug. Am leicht geöffneten Tor blieb der Bot kurz stehen und drehte sich gleich darauf auf den Rädern so herum, dass Griff ihren eigenen Standort erkennen konnte: Drei schwarze Rechtecke bewegten hinter winzigen Plastikfenstern ruckartig die Köpfe.

Selbst von außerhalb der Scheune war zu merken, dass das winzige Analysegerät des Bots verrückt spielte. Zwar gab es keinen Hinweis auf Plastikbomben, Semtex oder andere, modernere Sprengkörper, aber die Luft in der Scheune roch stark nach zahlreichen verdächtigen Substanzen: nach Dieselöl, Karbamidnitrat und angereichertem Kohlenstoff. All das konnte von Feuern oder Explosionen neueren Datums stammen, doch die meisten dieser Spuren ließen sich auch anders deuten. Schließlich handelte es sich um eine Scheune, und darin waren Spuren von

Treibstoff und Düngemitteln nichts Überraschendes. Der mit anderen Substanzen vermengte Kohlenstoff mochte ebenso gut von einem Grillfest herrühren.

»Sind wir so weit?«, fragte Andrews vom Heck des Lasters aus.

»Leg los«, sagte Griff, holte tief Luft und hielt den Atem an, was ihm kaum bewusst war.

Hinter dem Schutzschild kniete sich Rebecca aus der Hocke auf und stütze die Hände auf dem Boden ab.

Mäuschenstill oder noch leiser rückte Kaczynski durch die nicht mehr als zwanzig Zentimeter breite Öffnung vor. Anfangs zeigten die Kameras des Bots kaum mehr als auf und ab hüpfende Flecken und Streifen von Sonnenlicht. Prozessoren stellten das Bild scharf, sodass Einzelheiten zu erkennen waren und der Kontrast sich besser ausglich.

Es befanden sich keine Tiere in der großen Scheune. Stattdessen waren die meisten Viehboxen und der Heuboden mit Behältern voll gestopft: Hier standen Kisten mit Mineralwasserflaschen, Zuckersäcke, Fässer, die so aussahen, als könnten sie Reis, Weizen oder anderes Getreide enthalten. Der Patriarch hatte für die Endzeit gut vorgesorgt.

Die drei hinter den Schutzschilden lauschten auf das, was im Laster gesprochen wurde. »Kann man aus Weizen eine Bombe herstellen?«, fragte ein jüngerer Techniker, der neu in der Abteilung war.

»Haben Sie schon mal in einem Getreidesilo zu tun gehabt?«, blaffte Andrews. Während er den Bot steuerte, dachte Andrews an frühere Zeiten. In Wyoming hatte er miterlebt, wie von einer falsch gelagerten Weizenladung Staubnebel aufgestiegen war. Der Funken eins Pumpenmotors hatte das Gemisch aus Mehl und Sauerstoff entzündet, sodass es explodiert war und das Silodach sechzig Meter in die Luft geschleudert worden war. Zwei Lagerarbeiter waren dabei ums Leben gekommen, und der Betonbau hatte sich der Länge nach gespalten. »Unterschätzen Sie nicht die Kalorienmenge einer Tasse Mehl, mein Freund.«

Griff rückte erneut die Brille zurecht. Wenn er sie eine Weile getragen hatte, konnte er die Displays nicht mehr deutlich erkennen. Das war das Problem mit alternden Augen. Mit einem Blick auf Rebecca riss er sich die Brille herunter und verstaute sie in seiner Jackentasche. »Zum Teufel damit.« Er stand von seinem Platz hinter dem Schild auf – die Hocke machte seinen Knien höllisch zu schaffen – und huschte, gefolgt von Watson, die paar Meter zum Kleinlaster hinüber. Auch Rebecca nahm die Brille ab und schloss sich ihnen an. Im hinteren Teil des Wagens drängten sich die Menschen. Widerwillig machte Watson Rebecca Platz. Beide achteten darauf, nicht auf die Schutzanzüge zu treten, die in durchsichtigen Plastikhüllen auf dem Boden lagen.

»Willkommen in der Bot-Zentrale«, sagte Andrews. »Hoffe, Sie leiden nicht unter Platzangst.«

Griff hatte damit leichte Probleme.

Der enge Raum stank nach angstbedingten Adrenalinstößen.

»Benutzt ihr Kerle denn kein Deo?«, fragte Watson.

Griff war mit diesem durchdringenden fischigen Mief vertraut. Der Gestank verängstigter Männer war ihm zum ersten Mal beim Kampfeinsatz in Übersee in die Nase gestiegen. Später hatte er ihn auch in der Heimat in vielen kritischen Situationen gespürt. Er hasste diesen Geruch.

Aber sie alle hatten gelernt, trotz der Furcht und trotz des Gestanks mit höchster Effizienz zu arbeiten.

»Entschuldigen Sie«, sagte Andrews.

Der junge Techniker grinste, rückte vor und nahm auf einer Stahlkiste Platz.

In der Scheune des Patriarchen war der Bot namens Kaczynksi vor einem Objekt stehen geblieben, das wie eine abstrakte Skulptur aussah: Metallröhren waren als stacheliges Bündel an einer zentralen Stahlkugel festgeschweißt. Die Kameras des Bots nahmen den unteren Teil ins Visier. Das ganze Arrangement war auf einer fahrbaren Plattform montiert, die an einer Seite mit einer Kuppelstange versehen war.

»Was, zum Teufel, ist das?«, fragte Griff leise.

»Eine Dampforgel?«, spekulierte Andrews.

Watson presste die Lippen zusammen.

Graue, mit Gas gefüllte Druckzylinder ragten hinter dem Rollwagen auf. Die Kamera machte einen Schwenk, sodass sie von oben bis unten zu sehen waren. Rebecca hielt nach Kennzeichnungen Ausschau. »Keine Farbcodierungen«, murmelte sie. »Könnte alles Mögliche sein. Werden ihm die Schweißlizenz entziehen müssen.«

Die Sensoren konnten weder Acetylen noch Propan oder Methan feststellen. Schon dass kein Methan nachzuweisen war – und das in einer Scheune! –, bewies, dass sich hier seit langem keine Wiederkäuer aufgehalten hatten.

Der Bot schob sich um das abstrakte Metallobjekt herum und bewegte sich danach einen Gang entlang, der rechts und links von leeren Boxen gesäumt wurde. Während sich Griff auf das Display konzentrierte, begann das Bild plötzlich zu wackeln. In den Ecken ihrer Brillen blinkte ein roter Punkt auf. »Was ist los?«, fragte Griff.

»Der Bot hat etwas Bewegliches geortet«, erwiderte Andrews und drehte den Ton auf: raues Atmen, erschrockenes, leichtes Keuchen. Gleich darauf verlosch der rote Punkt. »Der Bot ist zu dem Schluss gekommen, es könnte sich um einen Menschen handeln«, erklärte Andrews.

Das Kamerabild war so lange auf das Innere einer Viehbox fokussiert, dass kurz das rötlich blonde Haar und der vage Umriss einer kleinen Gestalt zu erkennen waren, die aus dem Blickfeld huschte.

»Haben Sie das mitbekommen?«, fragte Griff.

»Sah aus wie ein kleines Mädchen«, erwiderte Watson.

Gleich darauf sahen sie bläuliche Blitze aufflackern und hörten in der Ferne drei kleine Explosionen in rascher Folge. Während alle zusammenzuckten und sich duckten, fielen Kaczynskis Übertragungen ganz aus.

Es dauerte einige Sekunden, bis sie sich wieder entspannten. Die Scheune war nicht in die Luft geflogen.

Andrews fummelte an der Steuerung herum. »Scheiße, der Bot ist erledigt.«

»Was? Hat jemand auf den Bot geschossen?«, fragte Watson.

Andrews schüttelte den Kopf. »Ich glaube, wir haben einen Fryer aktiviert. Ich bekomme nichts mehr herein.«

Fryer waren schlaue kleine Generatoren, die elektromagnetische Impulse erzeugten, im Wesentlichen Batterien von Hunderten leistungsstarker nadelförmiger Elektromagneten, die mittels eines aus Nickel und Kupfer gegossenen Gitters wie Störsender in ihrem Umfeld wirkten, wenn eine kleine, innen angebrachte Kugel mit Zündmaterial losging. In den letzten Jahren waren immer winzigere Fryer aufgetaucht, die von Terroristen in England, Spanien und Saudi-Arabien benutzt wurden. Sie legten alle Festkörper-Elektronik im Umfeld von zehn Metern lahm. Es war schwierig, Roboter, die Bomben aufspüren und entschärfen sollten, so davor zu schützen, dass sie keinen Schaden nahmen.

Terroristen setzten Fryer dann ein, wenn sie Menschen dazu zwingen wollten, die schmutzigen Bomben persönlich zu entschärfen.

Andrews sah sich in dem kleinen Laster um und hob die Hände von der Steuerung. »Ich kann noch einen hineinschicken«, sagte er mit traurigem Blick.

»Ist nicht nötig«, erwiderte Griff. »Wir alle haben sie gesehen. Es ist ein Kind da drinnen, wahrscheinlich ein kleines Mädchen.«

Rebecca seufzte. »Haben die das Mädchen vergessen?«

»Vielleicht wollte sie nicht zur Kirche gehen«, sagte Griff. »Das kommt vor. Bei so vielen Kindern verliert man leicht den Überblick.« Er stand auf und zog Schultern und Hals ein, um nicht ans Dach zu stoßen. Mit einer Stiefelspitze stupste er einen der Schutzanzüge an. Es waren EDO-23-Modelle von Ang-Sorkin, hergestellt in Neuseeland und inzwischen in der ganzen Welt verbreitet. EOD stand für *Explosive Ordnance Disposal* – Sprengstoff-Räumungskommando. »Ist an der Zeit, mich mit einem dieser Dinger auszurüsten.«

»Auf keinen Fall«, widersprach Andrews. »Das hier ist nicht dein Trupp.« Seine Miene sagte alles: Der FBI-Agent war älter und ein bisschen übergewichtig. Niemand holte gern einen Mann heraus, der einen Gehirnschlag oder Herzinfarkt erlitten hatte – und wenn das passierte, während er mit einer Sprengkapsel hantierte, würde das auch gar nicht mehr nötig sein.

»Ich werde gehen«, erklärte Rebecca.

»Also wirklich, Teufel noch mal, entschuldigen Sie, aber …«, legte Andrews los.

Griff legte die Finger an die Lippen und pfiff so schrill durch die Zähne, dass sich alle die Ohren zuhielten. Er hob die fleischige Hand. »Ich habe hier das Oberkommando. Und falls das irgendwas zu sagen hat: Bei der EOD der Navy hatte ich früher den Dienstgrad eines Sprengmeisters.«

»Im Ernst?«, fragte Andrews. »Du hast bei den Navy-Krabben Lorbeeren geerntet? Und wie alt warst du damals?«

Griffs Lippen zuckten. »War früher Dozent für so was, an der Militärakademie in Redstone. Deshalb wurde mir auch der Patriarch zugewiesen. Ich bin der Erste, der hineingeht. Und da ich alt und lahm bin und vielleicht nicht mit den tollsten neuen Techniken vertraut, kann einer von euch mitkommen.« Wie bei einem Kinderspiel zählte er auf *eene-meene-muh* ab und deutete mit dem Wurstfinger dabei abwechselnd auf Rebecca, Andrews und Watson, die hinten im kleinen Laster standen.

Sein Finger hielt bei Watson an, wie er es von vornherein beabsichtigt hatte. Er deutete auf die Schutzanzüge.

»Oh, prima«, sagte Watson.

Rebecca wollte etwas sagen, doch Griff drehte sich schnell um und legte ihr die Hand über den Mund. Über seine dicken Finger hinweg sah sie ihn böse an. »Sie können mir verraten, wonach ich Ausschau halten soll. Sie erzählen mir, was ich sehe, okay?«

Mit zwei zierlichen Fingern schob Rebecca seine Hand weg.

»Tut mir leid«, sagte Griff mit gerunzelten Brauen.

»*Tut mir leid* reißt es auch nicht heraus, wenn wir unser Beweismaterial einbüßen.«

»Ja, Ma'am. Danke für Ihre Anteilnahme.«

Über Funk nahm Griff Kontakt mit den Agenten weiter oben an der Straße auf und instruierte sie, das Umfeld des Gehöfts scharf zu beobachten – für den Fall, dass jemand versuchte, hinein- oder herauszugelangen. Falls das Mädchen aus der Scheune flüchtete, während sie da drinnen waren, würden sie sich zurückziehen und wieder Roboter einsetzen.

Andrews und die Techniker halfen ihnen, die Schutzanzüge anzulegen, ein Prozess, der zehn Minuten in Anspruch nahm. Beim letzten Schritt, der darin bestand, den arerodynamisch geschwungenen Gesichtsschutz überzustreifen und ihn an der Brustmontur zu befestigen, fühlte sich Griff jedes Mal wie ein Tiefseetaucher. Falls sie wegrennen mussten, konnten sie sich durch Aufreißen der Klettverschlüsse in weniger als zwanzig Sekunden aus den Anzügen schälen – andernfalls würden sie sich wie große unbeholfene Käfer fortbewegen.

Durch das Visier aus dickem Kunststoff sah Griff Rebecca Rose an. Ihren stillen Zorn empfand er als tröstlich. »Sie sind mein Glücksbringer, Becky«, sagte er.

»Scheren Sie sich zum Teufel«, erwiderte Rebecca, ohne es wirklich böse zu meinen.

Im Zwielicht näherte sich der Bombenbot dem Scheunentor, rammte einen Metallarm gegen den Rahmen, tauchte ins Innere ab und schob das Tor so weit auf, dass sie eintreten konnten. Die Räder in der angerosteten Laufschiene protestierten mit einem Quietschen, und das Tor wackelte beim Aufgleiten, aber das war auch schon alles.

Durch sein Visier hindurch konnte Griff in der Öffnung nichts erkennen, nur dunkle gähnende Leere.

»Was, wenn es gar kein kleines Mädchen gibt?«, fragte Alice Watson, während sie auf die Scheune zu watschelten. In seinem Kopfhörer klang ihre Stimme wie das Summen einer Fliege. »Wäre das nicht ein Hohn?«

Der Laster schaltete Flutlicht ein und richtete den grellblauen Strahl auf den Eingang. Eine Reihe von Viehboxen und der Rollwagen mit der seltsamen Skulptur aus gebündelten Röhren wurden sichtbar. Jenseits davon befanden sich Werkbänke, Behälter, herunterhängende Seile – Teile einer Winde und eines Flaschenzugs –, die sich wie Scherenschnitte von der samtenen Schwärze abhoben.

Griff drehte sich um und musterte das Hofgebäude, den Garten, die fast schwarzen Hügelketten mit der Baumlinie, das tiefe Blau des sich verdunkelnden Himmels, der von watteartigen gelben und orangeroten Wolkenfetzen überzogen war. Er versuchte die Lücke auszumachen, wo der Brandschutzturm zu sehen sein musste, da der Baum davor inzwischen gefällt war, aber er fand sie nicht. Es war schon spät am Tag, außerdem waren seine Augen nicht mehr die besten.

Zweifellos entgingen ihm auch andere Dinge.

»Ich zuerst«, sagte er zu Watson. »Geraten Sie mir nur nicht in den Dampfstrahlbereich.«

Unter den glänzenden, miteinander verbundenen Schutzplatten und Schutzpolstern waren die Ang-Sorkin-Anzüge mit wassergefüllten Mikroröhren ausgestattet, die vorne unter den exponierten Oberflächen ein Netz bildeten und hinten durch versiegelte Luftlöcher Dampf ablassen konnten. Wenn die Druckwelle einer Explosion die geschwungenen Schutzpolster aus geschmeidigem Plastik an der Vorderseite traf, würde sie nicht viel anrichten können. Die von der Detonation hochgewirbelten Teilchen, einschließlich Schrapnell, würden die Platten zwar eindellen, vielleicht sogar durchdringen, aber die darunter liegende Schicht von Monokarbonfasern würde alles bis auf die größten und schärfsten Teile vom Körper abhalten. Sämtliche gasartigen Elemente und die Kräfte des Schrapnells, die nicht bereits von den Schutzanzügen und dem Helm gestoppt wurden – immer noch ein beträchtlicher Teil der Schockwelle –, würden einen solchen Druck auf die unter dem Schutzpanzer liegenden Mikroröhren ausüben, dass sich das Wasser zu Dampf erhitzte. Dieser Wasserdampf würde dann durch Hunderte von Ventilnadeln aus dem hinteren Teil des Schutzanzugs entweichen. Im

Umfeld von fünfzehn bis zwanzig Zentimetern besaßen diese Dampfstrahlen eine solche Kraft, dass sie einen Schutzanzug durchdringen und die menschliche Haut durchbohren konnten. Deshalb hielt man stets gewissen Abstand zu den Kollegen, wenn man diese Schutzanzüge trug, die inzwischen höchst raffinierte Dinger waren.

Doch als Griff im gemächlichen Watschelgang die Scheune betrat, fühlte er sich trotzdem nicht viel sicherer. Ebenso gut hätte er sich in Kleenex-Tücher hüllen können, wie eine Mumie an Halloween. Oder sich bei feindseliger Begegnung mit einer Haubitze eine braune Papiertüte überstülpen können.

Die in die Schutzanzüge integrierten Kameras – eine war hinten, eine vorne angebracht, eine dritte konzentrierte sich ausschließlich auf einen knapp einen Meter entfernten Punkt vor dem Brustpanzer – übertrugen einiges von dem, was sie sahen, zum Laster des Sprengkommandos und zu den Zuschauern, die über das Spezialnetz für Bombenexperten zugeschaltet waren. An Kardanringen befestigte Lampen oberhalb ihrer Visiere schickten lautlos Lichtstrahlen aus, die dem Blick ihrer Augen folgten. Ein kleines senkrechtes Display, das unter dem Kinn angebracht war, projizierte Dateien des Videos, das der Bot aufgenommen hatte, ehe er verschmort war. Die Computer des Sprengkommandos im Laster hatten bereits modernste Techniken eingesetzt, um die Objekte auszuwählen und zu identifizieren, die der Bot während seines kurzen Einsatzes in der Scheune aufgezeichnet hatte. Sie trugen sie als Markierungen in den Grundriss des Gebäudes ein.

Griff empfand die weiß-rosa Karte als ablenkend und deaktivierte sie mit Hilfe seiner Zungen-Maus. Inzwischen konnte er hier drinnen ganz gut sehen. Jemand hatte die Scheune so umgewandelt, dass sie wie die Werkstatt eines Mechanikers wirkte. Hinter der Röhrenskulptur stand eine hölzerne Werkbank mit einer Drehbank zur Metallbearbeitung und einer Bohrpresse. Mangels einer besseren Bezeichnung nannte er die verrückte Röhrenskulptur auf dem Rollwagen inzwischen einfach *Dampf-*

orgel, wie von Andrews vorgeschlagen. »Wir gehen jetzt an der Dampforgel vorbei«, meldete er. »Sieht so aus, als könnte sie ein Verteiler für Pulver oder Wasser sein – ähnelt einer großen Spritzanlage oder einem Springbrunnen.« Er dachte an das Pulver an den Bäumen. »Vielleicht haben sie das Ding dazu benutzt, Pestizide aufzusprühen.«

»Dazu sind die Röhren zu groß«, wandte Watson ein. »Ähnelt eher einem Granatwerfer. Könnte eine Art Wasserbombenwerfer sein – eine Abschussvorrichtung. Falls das tatsächlich ein Granatwerfer ist, könnte er glatt einen ganzen Straßenzug auslöschen.«

Griff achtete darauf, vor jedem neuen Abschnitt kurz stehen zu bleiben. »Alice hat Recht. Ist keine Spritzanlage.« Falls er nicht lebend davonkam, würde jemand das Video dazu benutzen können herauszufinden, was ihn umgebracht hatte.

Sie gingen bis zur Werkbank vor, auf der sich Werkzeuge und Arbeitsmaterial türmten, und drehten sich um. Ihr Blick fiel auf Holz- und Gummischlägel, zweigeteilte röhrenförmige Gussformen, die aufgeklappt herumlagen, Stanzgeräte, Abfallstücke von Blattmetall, Papierfetzen und Bürsten.

»Nicht gerade ordentlich«, sagte Watson.

»Sie hatten keine Gelegenheit mehr, alles aufzuräumen«, bemerkte Griff. »Vielleicht sind wir schneller gekommen, als sie dachten.«

Allerdings hatten sie die ganze Woche über Abfall verbrannt, in Fässern …

Um Funkenschlag zu verhindern, waren die Steckdosen mit Kabelband und gummiartigem Plastik überklebt. All das würden sie sich später, nachdem sie das Mädchen gefunden hatten, im Einzelnen ansehen. Watson übernahm die Führung und betrat den breiten Gang, der links und rechts von Viehboxen gesäumt wurde. »Wenn jemand hier ist«, rief sie, »bitte sofort herauskommen! Wir müssen diese Scheune räumen, Liebes. Es könnte gefährlich werden, hörst du?«

Wie angewurzelt war der Bot mitten auf dem Gang stehen geblieben. Auf Kniehöhe waren an den Pfosten links und rechts Fryer angebracht. Während Watson sich bückte, um den Bot zu inspizieren, stützte Griff die Hände auf die Knie und beugte sich vor, um sich die Mechanismen der beiden Fryer anzusehen, die von seiner kleinen Kopflampe angestrahlt wurden. Sie sahen wie Aufziehspielzeuge aus, deren obere Teile verschmort waren. Ihre winzigen Ladungen hatten so viel Hitze entwickelt, dass die Pfosten angekohlte Stellen aufwiesen. Offenbar selbst fabrizierte Fryer, möglicherweise mit Teilen aus Deutschland oder Italien. Heutzutage hatte die ganze Welt einen Hass auf Autoritäten.

»Habt ihr das mitbekommen?«, fragte er, während er sich wieder aufrichtete.

»Ja«, sagte Andrew in sein Ohr. »Gibt's noch weitere Fryer da drinnen?«

»Ich sehe keine.« Als Griff den Bot mit der Stiefelspitze anstupste, sackte er wie eine gerade getötete Spinne zusammen.

Watson blieb argwöhnisch stehen, die Hände auf die dick gepolsterten Knie gestemmt. »Der ist mausetot.«

Mit der Ferse schob Griff etwas Stroh zur Seite. Darunter kam ein dünnes Metallband zum Vorschein, das sich von einem Pfosten zum anderen spannte. Als er weiteres Stroh entfernte, merkte er, dass das Metallband nicht nur die Pfosten – und die Fryer – miteinander verband. Höchstwahrscheinlich erstreckte sich der Streifen über die ganze Länge der Scheune. Um sicherzugehen, kratzte er im Umkreis von zwei, drei Metern weiteres Stroh weg: Das Metallband führte im Zickzackkurs von einer Viehbox zur nächsten.

»Mitbekommen?«, fragte er Andrews.

»Ist ja ganz simpel«, erwiderte Andrews. »Sobald ein Bot den Streifen überquert, löst er den Fryer aus.«

»Und was sonst noch?«, fragte Rebecca.

Die abgeteilten Boxen hatten die richtige Größe, um Pferde darin unterzubringen. Die Metalltore boten einen guten Einblick ins Innere. In einer waren große Heuballen gelagert, umhüllt von Ölzeug oder einem gummiartigen Stoff.

Puffer, um Detonationen aus sicherer Entfernung zu beobachten.

»Denken Sie dasselbe wie ich?«, fragte Watson.

Griff nickte. »Sagen Sie's den Jungs an der Heimatfront.«

Watson erklärte, wofür sie die Heuballen hielt.

»Einleuchtend«, sagte Andrews.

Alles, was sie hier taten, war riskant. Wenn die Scheune tatsächlich *lebendig* war – falls es hier weitere Geräte mit Geräusch- oder Bewegungsmeldern gab –, waren sie wahrscheinlich schon so gut wie tot, auch wenn sie noch herumliefen.

Die Möglichkeit, dass sich ein kleines Mädchen hier drinnen aufhielt, beruhigte sie ein bisschen. Obwohl natürlich nicht auszuschließen war, dass es die Scheune trotz eines ausdrücklichen Verbots betreten hatte. Das brachten Kinder ja durchaus fertig. Griff fragte sich, auf welche Weise diese Familien ihre Kinder bestraften. Möglich – er hoffte es –, dass sie liebevoll und sanft mit ihnen umgingen. Schließlich hatten selbst Fanatiker die eigenen Kinder lieb.

Als sie sich der letzten Box näherten, merkte er, dass ihm der Arsch auf Grundeis ging. Bis jetzt hatten sie wenig gefunden. Vielleicht hatten der Patriarch und seine Söhne die netten Überraschungen auf dem Heuboden oder in den Dachsparren verkabelt. Durch die Balken und Dachverstrebungen da oben flogen Vögel ein und aus. Trotz des Helms konnte er sie schwach zwitschern hören.

Vielleicht war das kleine Mädchen in die Scheune gegangen, um die Vögel zu beobachten und ihre Nester auszukundschaften. Griff kratzte weiteres Stroh weg, um nachzusehen, ob das Metallband tatsächlich durch die ganze Scheune lief. Allerdings: in lang gezogenen Schleifen und Kurven. Sehr schlau.

Griff stellte sich eine lange Reihe schlauer Menschen vor, Leute mit ganz unterschiedlichen Mienen und Gesichtern, denen er mit der Brechstange eins über die spitzfindigen Köpfe gab. Seltsamerweise schloss er auch Jacob Levine in diese Reihe mit ein, ausschließlich deshalb, weil er den Patriarchen identifiziert und ihren Verdacht damit bestätigt hatte. Indirekt war er es gewesen, der sie in diese Scheune geschickt hatte.

Erneut rief Alice Watson, die er über Kopfhörer langsam und regelmäßig atmen hören konnte, nach dem kleinen Mädchen. »Hier gibt es wahrscheinlich gar kein kleines Mädchen«, sagte sie schließlich. Da eine Seite ihres Gesichts versteift war, hatte sie einen merkwürdigen Akzent, der in seinen Ohren durchaus anziehend klang. Seltsam, dass es ihm erst jetzt auffiel. »Ich glaube, wir jagen Gespenster.«

»Wir werden ja sehen.« Griff richtete den Blick drei oder vier Meter nach vorn, auf eine Falltür, die halb von altem Stroh verdeckt war und sich am Ende des Ganges im hintersten Teil der Scheune verbarg. Links davon befand sich eine zweiflügelige Stalltür aus ungehobeltem Holz, die zu einem Raum führte, der früher wohl zur Fütterung oder Lagerung von Futtermitteln gedient hatte. Rechts von der Falltür war eine Diele, in der immer noch ein alter Trecker stand. Dahinter entdeckte er eine weitere Tür, die geschlossen und von innen durch ein Vorhängeschloss gesichert war.

»Haben Sie Lust, den Trecker anzulassen, Alice?«, fragte Griff.

»Werd mich hüten, auch nur in seine Nähe zu kommen!«

»Vielleicht haben die den Trecker dazu benutzt, diese Dampforgel nach draußen zu schleppen«, sagte Griff. »Allerdings frage ich mich, wozu.«

»Feuerwerk«, sagte Watson spontan. Langsam drehten sie sich zueinander um. »Scheiße«, setzte sie grinsend nach.

»Ich hätte daran denken müssen.« Griff streckte den Daumen im dicken Handschuh hoch. »He, hört mal zu, Jungs. Alice hatte gerade einen kleinen Geistesblitz.«

»Haben wir gehört«, sagte Andrews. »Hütet euch vor Apparaten, die durch Geistesblitze aktiviert werden.«

»Also, warum haben wir nicht früher daran gedacht?«, fragte Watson. »Mobile Abschussvorrichtung für Feuerwerkskörper. Gut gemacht, Mädchen«, setzte sie leise nach. »Aber wozu?«

»Haben Sie irgendwelche Theorien, Becky?«, fragte Griff.

»Bin noch am Überlegen.«

Inzwischen war Griff bei der Falltür angekommen, die nicht mehr in den Angeln hing, falls sie je Angeln gehabt hatte. Sie war so zur Seite geschoben, dass eine schmale dreieckige Öffnung zu sehen war. Griff hielt die Tür für recht leicht. Notfalls würde er sie mit dem Stiefel wegschieben können.

An diesem Ende der Scheune, vermutlich auch am anderen, bestand der Fußboden aus Holz. Im mittleren Teil war er ziemlich sicher gewesen, über Beton zu gehen. Irgendwann, sicher schon vor vielen Jahren, hatte jemand die Scheune vorne und hinten ausgebaut.

Unterhalb der Falltür konnte Griff eine Holzrampe erkennen, die in die Dunkelheit unterhalb des Fußbodens führte. Das lange Metallband war hier an einen anderen Metallstreifen geklebt, der in der Mitte der Rampe verlief.

Ein kleines Kind hätte durch die Öffnung der Falltür kriechen können. Allerdings hätte ein kleines Kind kein Metallband gebraucht, um den Weg zu finden.

Kapitel 12

Temecula, Kalifornien

Die Fahrt nach Westen, in die Hügel, dauerte mehrere Stunden. Sam fuhr flott und mit gleichmäßigem Tempo. Tommy hatte sich auf den Beifahrersitz gefläzt und trug nach wie vor eine leicht besorgte Miene zur Schau. Er wählte seinen Gesichtsausdruck stets mit Bedacht und behielt ihn dann oft stundenlang bei.

Während die Sonne hinter den von Eichen gekrönten Hügeln unterging, fuhren sie auf einer Schotterstraße auf das Weingut zu. Die Luft war heiß und voller Staub und roch nach ausgetrocknetem Unterholz. Zu ihrer Linken erstreckten sich die alten Weingüter mit ihren wellenförmig angelegten Rebenreihen. Inzwischen waren davon nur Holzpflöcke und abgestorbene, knorrige Weinstöcke übrig geblieben, die Gras und Unkraut fast schon überwuchert hatten. Mehr als dreißig Hektar Land, die hier einfach verrotteten.

Sam bog mit dem El Camino in die lang gestreckte, von Bäumen beschattete Auffahrt ein. Halb verkümmerter Efeu überwucherte die nordöstliche Seite des einstöckigen, mit Stuck verzierten Gebäudes im spanischen Stil. In jüngster Zeit hatten Regenfälle dafür gesorgt, dass Teile des übermäßig gesprossenen Vorderrasens wieder grünten. Tommys Tante hatte vorne Gartenzwerge aufgestellt, die wie fröhliche kleine Guerillakämpfer aus Gras und Unkraut hervorgrinsten. Die großen Panoramafenster des Hauses waren mit einer dünnen Staubschicht bedeckt, durch die sich wegen der Regenfälle Rinnsale zogen.

Hinter dem Haus standen drei Gebäude, die früher als Weinlager und Geräteschuppen gedient hatten. Ihre grauen Stahlverkleidungen fingen das letzte Tageslicht ein.

Tommy drehte sich zu Sam um. »Tut mir leid, ich hab über-
reagiert und nicht ›nachgedacht‹, Sam.« Mit den Fingern malte
er Gänsefüßchen in die Luft. »Eigentlich hat man mich zur Höflichkeit erzogen, aber ich bin so viele Jahre allein gewesen, das
weißt du ja.«

»Ja, weiß ich, Tommy.«

»Ich hätte mich erkundigen müssen, ob du verletzt bist.«

»Kaum, hab mir nur die Fingerknöchel aufgeschürft.«

»Das ist gut. Wenn dir nichts fehlt, müssen wir auch nicht zu
einem Krankenhaus fahren, das spart uns Zeit. Tut mir leid.«

»Uns geht's doch gut, Tommy, allen beiden.«

»Wir arbeiten einen neuen Zeitplan aus, nicht?«

»Ich glaube, darüber müssen wir uns gar nicht den Kopf zerbrechen.«

»Gut.« Tommy seufzte theatralisch. »Na dann, Schwamm drü-
ber.« Er machte die Tür auf und stieg aus, während Sam auf die
Fernbedienung drückte, die an der Sonnenblende klemmte. Die
Spiralaufhängung quietschte, das Garagentor schwang hoch und
gab den Blick auf einen knallroten Dodge-Transporter und
einen Anhänger frei, der Platz für zwei Pferde bot.

Während Sam im El Camino sitzen blieb und den Motor weiter laufen ließ, dachte er darüber nach, wie prekär die Situation
in Wirklichkeit war. Ihr Projekt stand fast vor dem Aus. Er sah
zu, wie Tommy um das Haus herumlief und die Stufen zur Eingangstür hochstieg. Das große Kind in Gestalt eines Mannes ließ
zwar die Schultern hängen, aber es ging ihm schon viel besser.
War nur *geistesabwesend*.

Schließlich war es ja auch eine von A bis Z wahnwitzige Idee –
die Art von Idee, die ein vom Leben enttäuschter Mann nachts
im Bett wälzen mag, wenn er sich im Dunkeln von einer Seite
auf die andere rollt oder die Laken von sich wirft. Die Art von
Plan, die ein mit Kummer geschlagener Mann in Betracht zieht,
wenn ihm sein Leben sowieso sinnlos vorkommt, die Stunden
sich ewig hinziehen und später ins Vergessen sinken. Zeit, die
einfach verrinnt, Tag für Tag, unwiederbringlich.

Tommy war nicht der Einzige, der manchmal in ein tiefes Loch fiel.

Sam nahm den Fuß von der Bremse, legte einen Gang ein und ließ den Wagen langsam vorwärtsrollen, um rechts vom Pferdeanhänger einzuparken. Nachdem sich das Garagentor geschlossen hatte, blieb er im schwachen Licht der kleinen orangerot glühenden Innenbeleuchtung sitzen.

Er konnte die Erinnerung nicht abschütteln. Die Erinnerung an die Explosion von Blut – Blut, das wie eine Feuergarbe herausgespritzt war – und an den Polizisten, der an den Straßenrand geschleudert worden war.

Gewisse Menschen hatten einen hohen Preis für diese Sache bezahlt. Das Räderwerk mahlte. Hier ging es nicht nur um ihn und Tommy.

»Sie müssen auf Gott hören«, murmelte Sam, während er die Haustür aufmachte. »Sie müssen ihren Hass vergessen und auf ihn hören.«

Kurz vor dem Ende seines anderen Lebens, vor fünf Jahren, hatte Sam Tommy kennen gelernt. Er war zu diesem Haus hinausgefahren, hatte an die Tür geklopft und verkündet, er benötige Tommys Hilfe …

Tommy sehnte sich damals verzweifelt nach Gesellschaft. Offenbar hielt er die Zeit für gekommen, eine Beichte abzulegen. Er wollte sich erklären. Sich selbst, alles, was er getan hatte, und warum.

Sam nahm Tommys Angebot an und ließ sich von ihm auf dem Weingut herumführen. Immerhin bestand die Chance, dass diese Begegnung zum größten Durchbruch in seiner beruflichen Laufbahn führen würde. Tommy war so verletzlich, dass man nur Mitleid mit ihm haben konnte, erzählte seine Geschichte jedoch mit überschwänglicher Begeisterung … Und während sie in der großen Küche Orangensaft tranken, brach er, innerlich erschöpft, ohne jede Vorwarnung zusammen.

Völlig entsetzt darüber, was er einem Fremden offenbart hatte, flüchtete Tommy und verkroch sich in seinem miefigen, voll gestopften Schlafzimmer unter der Bettdecke. Als Sam dem großen Kind nachging, sah er, dass die Schlafzimmerwände mit Bücherbrettern, Plakaten und Illustriertenfotos von Jennifer Lopez zugepflastert waren. In Tommys Allerheiligstem regierte Königin J-Lo.

Rings um sein Doppelbett hatte Tommy Lehrbücher und Zeitschriften aufgestapelt, deren Seiten mit einer Fülle bunter Klebezettel markiert waren.

Als Sam zusah, wie das große Kind sich zusammenkauerte, klickte etwas in seinem Gehirn. Durch den schmalen Durchgang zwischen den Stapeln von Büchern und Zeitschriften arbeitete er sich bis zu Tommy vor und legte ihm die Hand auf die Schulter. »Was für ein mutiger, tapferer Mann du doch bist«, sagte er in beruhigendem Ton. »Ich verstehe das so gut. Ein brillanter Bursche wie du – und alle wollen dir ans Leder, wie? Komm, wir gehen wieder ins Wohnzimmer, lass uns reden. Ich wette, wir finden eine Lösung. Du und ich, gemeinsam.«

Tommy schob die Bettdecke zurück und linste mit seinem rosafarbenen, nassen Gesicht wie ein Wasser speiender Gnom zu Sam herüber. »Ist doch nicht dein Ernst.«

»Doch, das ist mein Ernst.«

Tommy setzte sich auf. »Du glaubst mir?«

»Was sollte daran nicht glaubwürdig sein?«

»Willst du noch mehr sehen?« Tommy wischte sich die dicken Tropfen unter den Augen und der Nase weg.

Da wurde Sam klar, dass er es schaffen konnte. Tommy war genau das, was er brauchte – *die* Entdeckung in seiner bisherigen beruflichen Laufbahn. Eine Entdeckung, die das Potenzial hatte, seine eigene Situation grundlegend zu verändern. Vielleicht auch eine Entdeckung, wie man sie nur einmal im Leben machte. Eine Entdeckung, die alles verändern konnte, für jeden.

»Zeig mir, so viel du möchtest«, sagte Sam. »Ich würde gern alles sehen.«

»Sie steigen jetzt nach unten.«

William hob die Schultern und rieb sich den zusammenge-pressten Kiefer, damit der Schmerz nachließ. Auf dem Bild-schirm war nur wenig zu erkennen: verschwommene, von den beiden in die Helme integrierten Kameras übermittelte Bilder, Menschen, die im hinteren Teil des Kleinlasters saßen, der dem Sprengkommando gehörte. Und es war auch nur wenig zu hö-ren: Das Netzwerk der Bombenexperten in Eglin, Redstone und Washington D. C. war weitgehend verstummt.

Die Studenten saßen da wie erstarrt. Das hier war eine Situa-tion, die auch sie früher oder später ereilen konnte, jedenfalls einige von ihnen – es sei denn, sie trafen sofort irgendwelche schwerwiegenden Entscheidungen. Doch William konnte sehen, dass es sie gepackt hatte. Sie waren so konzentriert und ange-spannt, als wären sie tatsächlich vor Ort, murmelten ihren Kol-legen in spe auf dem Bildschirm hilflos irgendwelche Ratschläge zu. Sie dachten bereits wie Agenten. William hatte höllische Angst. Schließlich steckte sein Vater mittendrin, riskierte wieder einmal sein Leben, ohne Rücksicht auf Familie oder Freunde. Die Pflicht bedeutete ihm alles.

Bei jedem gottverdammtem Einsatz stand die Pflicht an erster Stelle, ohne Rücksicht darauf, wie hoch der zu zahlende Preis sein mochte.

In seiner Kindheit hatte ihn das in Rage gebracht. Mittlerwei-le wusste er nicht mehr, was er davon halten sollte. Denn er war sicher, dass sein Vater es gleichzeitig als ein weiteres großes Abenteuer empfand. *Ein weiterer Tag im Leben eines Helden. Jack*

Armstrong, der allwissende G-Man mit den Argusaugen. Jimmy Stewart mit dem Körperbau eines Motorradfahrers.

»Ich stelle mich hin«, erklärte Fouad und erhob sich von seinem Sessel. »Du kannst sitzen.«

»Danke.« William hatte weiche Knie. Während er Platz nahm, stellte sich Fouad mit verschränkten Armen neben ihn.

»Ich kann diese Spannung nicht ertragen«, bemerkte Fouad. »Genau deswegen bin ich zwar hier, aber ich hasse sie.«

»Danke«, wiederholte William, ohne richtig hinzuhören.

Die Bilder, die von den Kameras der Helme übermittelt wurden, wurden jetzt schärfer. Die Experten in Eglin meldeten sich wieder, spekulierten über die Drähte und Masten vor der Scheune, die Fryer, das lange Metallband, fragten sich, warum Griff immer noch nach dem kleinen Mädchen Ausschau hielt.

Kapitel 14

Bundesstaat Washington

Griff holte tief Luft. Er merkte, wie die altbekannte Klaustrophobie Besitz von ihm ergriff. Er schaffte es nicht mehr, richtig einzuatmen, hatte das Gefühl, dass sich zuerst die Nasenlöcher verschließen würden, danach die Kehle, bis er erstickte. Sprengschutzanzüge lösten das immer bei ihm aus. Mit der Zeit wurden die Wärme, der eigene schale Atem, der vom Kopfvisier zu ihm zurückgelenkt wurde, die erdrückende Enge des schweren Schutzpanzers immer unerträglicher.

Plötzlich meldete sich Andrews in seinem Kopfhörer. Offenbar war die Lautstärke heraufgedreht. Griff war jetzt sehr geräuschempfindlich. »Ich stelle George Schell aus Eglin durch.«

Schell hatte zusammen mit Griff das Explosive Ordnance Disposal Training, kurz EOD – die Ausbildung zum Sprengstoffexperten – auf dem Redstone-Gelände in Huntsville absolviert. Er war ein kleingewachsener drahtiger Mann mit scharfen grauen Augen, dessen Haar sich bereits lichtete, und neigte zu Jähzornausbrüchen, die wundersamerweise verschwanden, wenn er mit Sprengkörpern zu tun hatte.

»Griff, wir haben hier die Situation durchgesprochen und sind dabei auf eine verrückte Idee gekommen. Hast du je von Alfvén-Wellen gehört?«

»Nein«, erwiderte Griff genervt. »Ich interessiere mich nicht sonderlich für Frisuren.«

»Das hat aber mit Physik zu tun. Hör zu: Derzeit sind wir einem heftigen Sonnenwind ausgesetzt. Sie können elektrische Strömungen in Versorgungsnetzen auslösen, die Alfvén-Wellen, meine ich. Mir ist zwar nicht klar, wie über ein paar Hektar gespannte Drähte viel Energie aufnehmen können, andererseits ist vielleicht auch gar nicht viel nötig, oder? Kannst du irgendetwas erkennen, das wie eine Messfunkenstrecke aussieht, etwas, das ein Hochspannungszünder mit niedriger Amperezahl sein könnte?«

»Nein«, sagte Griff. Und gleich darauf, um Höflichkeit zu wahren (und weil ihm diese Vorstellung, ehrlich gesagt, den Magen umdrehte): »Bislang nicht.«

»Ich wusste es«, bemerkte Watson leise. »Genau, wie Rose gesagt hat: Er hat den Himmel beobachtet.«

»Still«, fuhr Griff dazwischen. »George, erklär mir diese blöde Idee noch mal.« *Schlaue Menschen. Man sollte sie alle einfach erschießen.*

»Angenommen, wir empfangen einen starken Impuls aus dem Weltraum«, begann Schell. »Dann könnten die Drähte auf den Masten eine Energieströmung auffangen und zur Scheune weiterleiten. Der Strom könnte so stark sein, dass er einen Zünder, Abzug oder sonst was in Gang setzt.«

»Ich stehe vor dem Laster«, fügte Andrews hinzu. »Es ist völlig dunkel, und ich kann die Aurora sehen, Griff. Ist ein eindrucksvolles Schauspiel. Da oben ist eine große rosa-orangefarbene Korona zu erkennen. Ist so, als blickte man ins Auge Gottes. Vielleicht liegt's ja nur an mir, aber er wirkt nicht sonderlich glücklich.«

»Scheiße«, sagte Alice Watson.

»Ist an dieser Idee was dran?«, fragte Griff.

»Du hast zu Andrews gesagt, das hier sei womöglich das *pièce de resistance* des Patriarchen.« Schell sprach den Ausdruck nicht französisch, sondern englisch aus. »Er hat seit sechzig Jahren Bomben gebastelt. Sag *du* mir, was an dieser Idee dran sein könnte.«

»Amen«, warf Watson ein.

Griff bedachte sie mit einem kritischen Blick. »Bombenleger überlassen bei Zeitschaltuhren und Zündern normalerweise nichts dem Zufall. Wie hätte er wissen sollen, ob das Ding nicht hochgeht, während seine Familie noch vor Ort ist?«

»Vielleicht hat er, sobald er dich hier auftauchen sah, irgendeinen Schalter umgelegt«, erwiderte Schell. »Und damit sein Schicksal in Gottes Hand gelegt. Wie auch deines. Würde das nicht zu ihm passen?«

»Komm da raus, Griff.« Andrews Stimme klang zwar fest, aber Griff wusste trotzdem Bescheid. »Die sollen eine V-1-Bombe draufschmeißen.«

»Er hat's Gottes Lust und Laune überlassen«, bemerkte Watson trocken. »Gott ist die Zeitschaltuhr. Sehr schlau. Ihr Jungs macht mir Angst.« Von der anderen Seite der Falltür aus sah sie ihn an.

»Das ist doch Quatsch«, murmelte Griff. »Gott erzeugt keine Lichtspiele am Himmel. Das tun Magnetfelder und Teilchen, stimmt's?«

»Wenn du es sagst«, erwiderte Schell. »Was würde der Patriarch dazu meinen?«

Tod den Juden. Griff ging um die Falltür herum. Allmählich kamen ihm echte Zweifel daran, dass sich irgendwo in der Scheune ein kleines Mädchen verbarg. Dennoch musste er sich vergewissern. Vielleicht war es in den Keller gegangen, um sich dort zu verstecken. Bestimmt hatte der Patriarch seine Kinder so erzogen, dass sie vor Polizisten und Regierungsbeamten Angst hatten. Möglich, dass ihnen nicht genügend Zeit blieb, um den großen Bot hereinzuholen, damit er die Lukentür beiseite schob. Gewiss nicht so viel Zeit, dass sie, falls die Luke vermint war, das Minimum von Sicherheitsabstand zwischen sich und die Falltür bringen konnten.

Er wollte, dass wir tiefer hineingehen, ein bisschen mehr von dem sehen, was er ausgetüftelt hat. Die Falltür hängt nicht in den Angeln.

Zwanzig Jahre hatte er am Fall des Patriarchen gearbeitet. Zwanzig Jahre seines Lebens, die er, bis auf kurze Unterbrechungen, damit zugebracht hatte, einem Rätsel nachzujagen – dem Wie und Warum –, dessen Lösung sich ihm immer wieder entzog. Bis er geglaubt hatte, den Mann zu kennen, ohne ihm jemals begegnet zu sein. *Selbstverständlich macht sich der Profiler vor, dass seine Arbeit eine Wissenschaft ist. Illusionen sind wie dicke Fettschichten: Sie bremsen einen. Und irgendwann bringen sie einen um.*

»Das Metallband läuft durch die ganze Scheune«, teilte er Andrews und den Jungs und Mädels überall im Land über das Bomben-Netzwerk mit. »Es setzt sich auf einer Holzrampe fort und reicht wahrscheinlich bis nach ganz unten, bis zum Kellerboden.«

»Das Metallband könnte doppelter Litzendraht sein, Strom führend und geerdet«, sagte Schell, den das Bombennetz zum Sprecher ernannt hatte. »Glaubst du, es ist mit einer Sprengladung verbunden?«

»Ich glaube, es ist ein Führungsband für irgendeinen Mechanismus«, warf Watson ein und forderte Griff damit auf, ihr zu widersprechen. Was er nicht tat. »Ich gehe hinunter«, sagte er stattdessen, »um das Mädchen zu suchen. Dazu brauchen wir keine zwei Leute. Ziehen Sie sich zurück, Alice.« Und das meinte er wörtlich: Die Sprengschutzanzüge funktionierten am besten, wenn man dem Explosionsherd die Vorderseite zuwandte.

»Sie zuerst«, sagte Alice. »Ich halte Ihnen das Händchen.«

»Glaubt ihr wirklich an diese Sache mit den *Elfen*-Wellen?«, rief Griff lauter als nötig. »Ich habe eine Falltür vor mir. Nehme an, dass sich das Mädchen vielleicht da unten versteckt.«

Andrews meldete sich wieder. »Das Bombennetzwerk möchte, dass du da rauskommst. Die Leute glauben, dass Schells Jungs eine plausible Theorie gefunden haben. Manche haben ihre Lehrbücher über Elektrizität und Taschenrechner herangezogen, aber ihr Bauchgefühl sagt ihnen, dass es machbar wäre. Redstone, Eglin, Washington – alle sagen sie das Gleiche. Alle sind sich einig.«

»Der Patriarch will mir etwas mitteilen«, erwiderte Griff. »Er wird versuchen, mich dafür bezahlen zu lassen, aber ich glaube, es wird interessant.«

146

»Was, zum Teufel, soll das heißen?« Schells Worte waren nur noch in Bruchstücken zu verstehen. Der Solarsturm da oben, weit über ihnen, in Gottes grausamem Himmel, war so heftig, dass die Satellitenkommunikation darunter litt. Die Aurora war nur ein Nebeneffekt. Wahrscheinlich waren auch die Videoübertragungen der in die Helme integrierten Kameras gestört.

»Strafverfolgungsbeamte treffen nach einem Anflug von Depression manchmal irrationale Entscheidungen«, fuhr Schell fort. »Sie verkennen die Prioritäten, geben ihren Rachegelüsten nach … Gehen Risiken ein. Cap Benson hat mir erzählt, dass … Wegen einer Depression.«

»Wer, zum Teufel, hat das bei diesem Job noch nicht erlebt?«, fragte Griff. Traf Schells Bemerkung auf ihn zu? Hatte er wirklich eine heimliche Todessehnsucht? *Ehrlich gesagt, glaube ich das nicht. Ich möchte erleben, wie William seinen Abschluss an der Akademie macht. Möchte mit eigenen Augen sehen, wie er beweist, dass sich sein Arschloch von Vater in ihm getäuscht hat.* »Cap, hör auf, mir irgendwelche Geschichten zu erzählen.«

»Tut mir leid, Griff. Komm einfach da raus!«

»Da unten ist etwas Großes im Busch, spürt ihr das nicht? Ich würde gern wissen, was es ist, ihr nicht?«

»Nein«, sagte Andrews.

»Vergessen Sie's, Griff«, mischte Rebecca sich ein. »Ich kann daran nichts Interessantes entdecken. Kommen Sie da raus! Später werden wir alles tun, was wir können, um das Beweismaterial zu sichern.«

»Griff, jeder hier …«, sagte Schell.

»Also, ich würde jetzt gern das Mädchen suchen gehen und mich ein bisschen umschauen. Danach komm ich sofort heraus.« Stille im Bombennetz. Griff konnte sich vorstellen, wie Schell in diesem weit entfernten Zimmer mit dem Fuß aufstampfte und fluchte oder auch nur dastand – und den Kopf schüttelte.

»Wir sind auf uns selbst gestellt, Alice«, sagte Griff. »Sind Sie in deprimierter Stimmung?«

»Nein, Sir. Ich möchte nachsehen, was da unten ist.«

»Ein Keller unter einer alten Scheune. Ist bestimmt ein richtiges Wunderland.«

Watson grinste, aber das tat sie ja immer. Ihr Einsatz in Paris hatte solche Spuren hinterlassen, dass sie so aussah, als wäre sie mit dem Tod auf Du und Du.

Er streckte die Stiefelspitze unter die Falltür und bemühte sich, sie wegzuschieben. Mit hohem Ächzen rutschte sie ein Stück zur Seite. Derweil richtete Watson den Lichtstrahl nach unten: Die Rampe war lang, der Keller riesig.

Griff kämpfte gegen das Gefühl an, vom Schutzanzug erdrückt zu werden. *Die Angst tötet den Verstand*, sagte er sich. Es war ein Zitat aus einem Roman, den er als Teenager gelesen hatte. *Die Angst ist der kleine Tod.* Doch eine andere Stimme sagte ihm: *Scheiß drauf. Viel schlimmer als der kleine Tod ist der große Schlaf.*

»Das Gehirn ist schon ein verflixtes Ding«, bemerkte Watson. »Wissen Sie das?«

Griff kicherte. Deswegen hatte er sich für Watson entschieden. Wenn sie in solchen Situationen zusammenarbeiteten, schien sie stets genau zu wissen, was ihm im Kopf herumging.

Die Holzbohlen der Rampe waren breit und dick und wirkten stabil. Er nahm an, dass sie ihn mitsamt dem Schutzanzug tragen würden, allerdings nicht zusammen mit Watson. »Ich gehe als Erster.«

»Aber sicher doch, ganz wie Sie wünschen.« Watson deutete einen Knicks an, was so aussah, als bewege sich eine Wurst in der Pelle. Sie hielt seinen Arm fest, während er auf die Rampe stieg. Was jetzt folgte, war ein ungeschicktes kleines Ballett: Er setzte schleppend die Füße vor, merkte, wie sich die Holzbohlen unter ihm bogen, fragte sich, ob hier unten womöglich Holzameisen oder Termiten am Werk gewesen waren.

Watson sah zu, wie die Dunkelheit ihn verschlang und seine Helmlampe wie ein weißer Kreidefleck in das Zwielicht eintauchte. Nach ewig langer Zeit, es schienen Stunden vergangen zu sein, stieß er bis zu festem Untergrund vor. »In Ordnung, ich bin unten.«

»Gehen Sie von der Rampe weg, ich komme«, rief Watson.

Als er sich nach rechts drehte, sah er, dass sich auch unten Viehboxen befanden, genauso angeordnet wie die oben. Er wandte sich nach links: Nur wenige Schritte von ihm entfernt bewegte sich etwas, das er nicht identifizieren konnte. Er sah es zwar, aber sein Gehirn vermochte es nicht einzuordnen. Die Plastikscheibe des Visiers reduzierte und verzerrte sein Blickfeld. Er hob leicht den Kopf, um den Strahl der Helmlampe auf das Objekt zu richten.

Watson schien in Rekordzeit herunterzukommen. Der Strahl ihrer Helmlampe kreuzte sich mit seinem.

»Herrgott noch mal, bleiben Sie, wo Sie sind.« Er streckte abwehrend den Arm hoch.

»Was ist los?«

Er wollte einen Schritt nach vorn tun, besann sich jedoch eines Besseren. Reizvolle Objekte hatten es an sich, einen in Stolperdrähte zu locken, die Sprengladungen auslösen konnten. Und dann würde man das Objekt nie erreichen, das Rätsel nie lösen. »Ich hab unser kleines Mädchen gefunden.«

Die Pappfigur eines Kindes, das eine rote Perücke trug, war auf einem motorisierten Mini-Geländewagen montiert. Immer noch surrte das große Spielzeug und stieß wieder und wieder gegen eine Betonmauer. Das Fahrzeug war dem mit Metallband markierten Weg gefolgt und hatte die mit einer Perücke versehene Gestalt wie eine Schießbudenfigur von einer Box im Erdgeschoss durch die ganze Scheune und die Rampe hinunter befördert. Überaus einfach und wirksam. Am Heck war ein kleiner Kassettenrecorder befestigt, aus dem immer noch leises Schluchzen drang.

»Wie wurde das Ding aktiviert?«, fragte Watson. »Durch eine Zeitschaltuhr?«

»Unser Bot hat das Metallband überquert«, überlegte Griff. »Und dann, nach ein paar Sekunden, *päng*, die Fryer.«

Die Stange, die die Figur stützte, glitt zur Seite, sodass sie auf den Boden fiel. Gleichzeitig löste sich der Spielzeugwagen von der Wand, beschrieb einen Halbkreis und surrte wie ein verzweifelter Käfer in eine Ecke, wobei er die flache Schablone des Kindes hinter sich herzog. Gleich darauf ging der Motor aus, und auch der Kassettenrecorder verstummte.

Jetzt herrschte Stille im Keller – bis auf ein anderes surrendes Geräusch, das aus größerer Ferne kam.

»Es gibt gar kein kleines Mädchen«, teilte Watson den Menschen draußen mit.

»Verbreitet das weiter«, ordnete Andrews an, der erschöpft klang.

Seltsamerweise hielt sich Griff ganz gut, mal abgesehen davon, dass er sich eingeengt fühlte, eingezwängt in seinen schützenden Sarg. Er war auch nicht mehr müde. Dieser Ort interessierte ihn. Die Falltür war am nördlichen Ende in den Holzfußboden der Scheune eingelassen. Dort, wo er sich jetzt befand, war der Boden unmittelbar über ihm vermutlich aus zehn bis fünfzehn Zentimeter dickem Stahlbeton. Nach Norden und Süden hin, an beiden Enden der Scheune, bestand der Fußboden oben nicht aus Beton, sondern aus Holzbohlen.

Er schwenkte die Kopflampe herum. Im Lichtstrahl wirkte die Luft vernebelt. Er richtete ihn noch weiter nach oben. Drüben im Laster würden sie die Videoübertragung sehen, fast alles sehen, was er selbst sah. (*Aber was war mit der Interferenz?* Da er es nicht beantworten konnte, dachte er nicht weiter darüber nach). Von einer Reihe langer Drahtgestelle, die an Seilen knapp unter der Betondecke baumelten, rieselte glänzendes dunkles Pulver auf den Boden. Irgendwo brummte ein kleiner Elektromotor in schleppendem Rhythmus.

»Hören Sie das?«, fragte er Watson.

»Ja.« Ihr Lichtstrahl fiel auf Stahlkanister mit mehreren Litern Fassungsvermögen und gefüllte Säcke, die sich in einer Ecke stapelten; sie ähnelten den Mehl- und Zuckersäcken im Erdgeschoss, waren aber in durchsichtige Plastikfolien gehüllt. Ein

Kanister war umgekippt, sodass sich sein Inhalt, zusammen-
klumpendes bräunliches Pulver, quer über den ansonsten leeren
dunkelgrauen Fußboden verteilt hatte. Griff hob einen Kanister
hoch und musterte das Etikett. Eine stilisierte Schwalbe schweb-
te über dem Markennamen und der Bezeichnung:

Feine Hefe
Produziert in Frankreich
EU-Exportlizenz 26 76 901

»Feine Hefe«, sagte Watson. »Haben Sie schon mal Brot gebacken,
Griff?«

»Nein, aber Bier hergestellt«, murmelte er. »War es das, was die
hier unten getrieben haben? He, Becky – sollen wir die Steuer-
fahnder hinzuziehen?«

Keine Antwort. Mangels anderen Publikums belohnte er sich
selbst mit einem Kichern.

An der Südseite des Kellers waren zwölf dunkle Werkbänke
aufgereiht, die abgenutzt und zersplittert aussahen.

Watsons Schritte wirbelten feine Wölkchen auf.

Der Fußboden war nicht mit Hefeflocken, sondern mit dem
glitzernden Pulver überzogen. Hinter den Werkbänken stand ein
langer Trog oder Spülstein. Daneben hing ein großer Holzkasten,
der mit einer transparenten Plastikfolie abgedeckt war. In die
Folie waren Löcher geschnitten, in denen umgestülpte schwarze
Gummihandschuhe steckten.

»Das ist ein Handschuhkasten«, meldete sich Rebecca. »Schauen
Sie sich den Bereich mal näher an.«

»Ich kann hier nichts entdecken, was nach teuren Gerätschaften aussieht«, sagte Griff kurz darauf. »Vielleicht haben sie die
mitgenommen.«

Mit zwei Fingern schnappte sich Watson ein zusammenge-
knülltes blau-gelbes Plastikteil, das auf einer Werkbank gelegen
hatte. Auseinander gefaltet entpuppte es sich als eine Schutz-
haube mit transparentem Visier. Eine geriefelte Kunststoffröhre,

die man an einen Sauerstoffapparat anschließen konnte, baumelte hinten an der Kapuze.

»Gehört zu einem Anzug, der vor biologischen Gefahrenstoffen schützt«, erklärte Rebecca.

»Was, zum Teufel, haben die hier unten hergestellt?«, fragte Watson.

»Jedenfalls kein Bier«, bemerkte Griff. »Chambers hat keinen Alkohol getrunken.«

In der Box gegenüber, auf der anderen Seite des Ganges, waren Holzkisten mit chinesischen Schriftzeichen aufgestapelt – vielleicht hatten sie Feuerwerkskörper enthalten. An der Wand lehnte eine Axt, die jemand offensichtlich dazu benutzt hatte, aus einigen Kisten Kleinholz zu machen. Ein Kunststoffregal barg jede Menge Hohlformen. Die größeren waren aus Metallrohr hergestellt und der Länge nach gespalten, die kleineren aus Holz geschnitzt. Offenbar hatten sie dazu gedient, Ladungen aufzunehmen. Eine regelrechte Granatenfabrik, die sie hier heimlich betrieben hatten.

Brauer, Bäcker, Kerzenzieher …

In einer Box zu seiner Rechten sah Griff aufgestapelte Plastikteile, gekrönt von Material, das Innenteilen eines PC-Druckers ähnelte: Dünne Stahlstäbe bildeten innerhalb eines Laufwagens eine Schiene; an einer Seite hing ein mit Kupferstreifen verstärktes Kunststoffband heraus. Drei Tintenkartuschen, eingewickelt in kleine Tüten, lagen weiter hinten auf der Werkbank.

»Näher ran, bitte«, sagte Rebecca.

»Ist irgendein Drucker.« Griff drehte sich um.

»Gehen Sie noch mal hin, Griff. Lassen Sie mich die Marke sehen.«

Griff tat es. »Ein Epson, glaube ich. Älteres Modell. Was sagt der Ihnen?«

»Wie viele sind es?«

»Bis jetzt nur dieser eine.«

In einer Ecke der nächsten Box lehnten zwei zerfetzte holzverstärkte Flugdrachen, deren Rahmen zerbrochen waren und sich in einer Schnur verheddert hatten.

Damit haben sie geprüft, woher der Wind weht.

Griff schüttelte den Kopf, hinter dem Plastikvisier eine höchst überflüssige Meinungsäußerung, die keiner mitbekam. Das hier war ein scheußlicher, düsterer Ort. Überall alter Plunder, aber Plunder, der ein selektives Muster aufwies. Nicht die übliche Ansammlung von Schrott, wie man sie auf einem Gehöft erwartete. Wenn er dieses Muster doch nur entschlüsseln könnte …

Als sein Lichtstrahl etwas Breites, Weißes auf dem dreckigen grauen Boden erfasste, versuchte er den Blick darauf zu konzentrieren. »Könnt ihr das hier sehen, Leute?«, fragte er. Es kam keine Antwort, nur ein Rauschen. Er beugte sich vor und griff so weit wie möglich nach unten, aber seine Hand reichte nicht bis zum Boden. Er würde sich hinknien müssen. Langsam und vorsichtig ließ er sich auf ein Knie nieder und hob die Ecke des weißen Blattes an. Es gehörte zu einem Stadtplan, der entlang der Falze in drei Stücke zerrissen war, sodass auf diesem Fetzen nur ein Teil des Stadtnamens zu lesen war.

…esia, Ohio.

»Könnt ihr das sehen?«, fragte er nochmals und hielt den Papierfetzen ins Licht.

»Nur verschwommen«, erwiderte Schell. »Die Auflösung ist schlecht. Außerdem verlieren wir …«

Weiteres digitales Rauschen.

Watson linste Griff über die Schulter. Mit den behandschuhten Fingern tippte sie auf das Bruchstück des Namens und fegte grauen Staub und Funken weg. »Was ist das da?« Mit dem dicken Handschuh zog sie die roten Pfeile und geschwungenen Linien nach, die sich über die Teilausschnitte der Straßen zogen.

»Die Windrichtung«, erwiderte Griff. »Die Luftströmung.«

Das Netz von Drähten. Das Pulver an den Blättern. Vielleicht haben sie die Drift im Garten gemessen. Aber was haben sie geladen? Hefe?

Er stand wieder auf und versuchte, den Stadtplan so zu falten, dass er ihn in der Gürteltasche verstauen konnte. Dabei roch er etwas wie Äthanol und angesengtes Gummi.

Watson beugte sich nach hinten und richtete den Lichtstrahl wieder nach oben. Funkelnde Staubschleier trieben umher und vernebelten die Luft.

Da sah Griff es, sah alles. Ein Elektromotor ließ die von der Decke herunterbaumelnden Gestelle vibrieren. Jetzt sah und verstand er die Apparatur wenige Meter vor ihm, begriff deren Anordnung. Ein kurzer Flaschenzug aus Gummi, eine nicht zentrierte Nockenwelle mit einem Rüttelstab, dünne Seile, die an allen Gestellen befestigt waren. Der Staub rieselte durch feine Löcher, die in die Alufolie gestanzt waren, mit der die Wannen der Gestelle ausgelegt waren.

Der ganze Apparat ähnelte einem riesigen Mehlsieb.

Am anderen Ende des Kellers, hinter den Werkbänken, zischte etwas. Aus dem Augenwinkel heraus sah Griff einen kleinen Lichtblitz. In diesem Schutzanzug konnte er sich nur wie ein Michelin-Männchen bewegen. Drei schwerfällige Schritte brachten ihn zur Südwand. Über die unverputzte Betonmauer waren zwei senkrecht verlaufende Drähte gespannt, nur wenige Zentimeter auseinander. Sie sahen wie kupferne Hundertfüßler aus.

»Bin mir verdammt sicher, dass das hier eine Funkenstrecke ist«, sagte Watson. »Am besten, wir …« Ein weiteres Zischen, ausgelöst durch einen Spannungsstoß, schnitt ihr das Wort ab. Funken sprühend, lief der Strom zwischen beiden Drahtenden hin und her und ebbte bald darauf ab.

Griff atmete tief aus.

Das Bruchstück des Stadtplans entglitt seinen dick gepolsterten Händen.

Der ganze Fußboden hatte sich inzwischen mit einer dunkelgrauen, rund dreißig Millimeter dicken Pulverschicht überzogen. Die »Mehlsiebe«, die mindestens schon dreißig Minuten vibrierten, hatten die Luft mit winzigen Teilchen eingetrübt.

Er ging auf eine der Boxen zu. »Sofort die Klettverschlüsse aufreißen«, rief er Watson zu. »Nichts wie raus hier!«

»Das Pulver besteht zum Teil aus Aluminium«, sagte Watson, hob die Hand und strich mit dem gepolsterten Daumen darüber. Ihre Stimme klang wie die eines Kindes, das gerade etwas entdeckt hat. »Vielleicht mit Schellack oder Gummi versetzt. Mein Gott, Griff, ist das nicht das Zeug, das man für die Zündung von Trägerraketen benutzt?«

»Ducken Sie sich hinter eine Mauer«, sagte Griff, während er die Funkenstrecke beobachtete.

»Scheiß drauf.« Watsons Stimme klang schriller als üblich. Der Nebel war jetzt so dicht, dass er den hinteren Teil des Kellers nicht mehr erkennen konnte. Allerdings sah er die Funken, die sich wie gierige weiße Finger ins Zwielicht streckten.

Er begann an den Verschlüssen seines Anzugs zu zerren. Vielleicht würden sie das hier überstehen, wenn sie, so schnell sie konnten, die Rampe hochliefen und aus der Scheune rannten. Vielleicht würden sie überleben, wenn sie sich einige Meter von der Scheune entfernt flach auf den Boden warfen – falls sie nicht von Schrapnell oder herumfliegenden Trümmern getroffen wurden.

Er konnte sich ausmalen, welchen Weg diese Kräfte nehmen würden. Wie sie sich vervielfachten und verdichteten, als ob ein Monster die Schultern nach oben stemmte und sich in jeder Tausendstelsekunde verdoppelte. Die Druckwelle würde gegen den Stahlbeton prallen, sich zwischen Decke und Wände quetschen, durch den Holzboden an beiden Enden der Scheune entweichen, danach den Betonboden herauskatapultieren und die ganze Scheune wie eine Streichholzschachtel in die Luft schleudern.

Während die Dunstglocke sich immer weiter aufblähte, zerrte Alice an den Verschlüssen ihres Schutzanzugs.

Die Funken sprangen munter weiter. Er würde nicht schnell genug aus dem Schutzanzug kommen. Im Keller war es seltsam still. Es waren nur sein Atem, das Vibrieren der Gestelle und ein schwaches Knistern zu hören.

»Der ganze Himmel brennt hier draußen, Griff«, flüsterte ihm Andrews ins Ohr. »Das solltest du sehen.«

O ja, das sah er.

Das Schicksal ereilte ihn in Form einer plötzlich auftauchenden Feuerwand, packte ihn beim Hals, im Schritt und in den Achselhöhlen; ein unglaublich grelles Licht raste auf ihn zu und blendete seine Augen. Seine Ohren erwischte es sofort, sodass er nichts hörte, als er, so schnell wie ein böser Gedanke, in den rückwärtigen Teil der Box geschleudert wurde.

Jahre später, als er glaubte, vielleicht doch noch davongekommen zu sein – Wunder aller Wunder –, schlug der Schmerz zu.

Als der Bildschirm nichts mehr zeigte, blieb im Studierzimmer einige Sekunden alles still. Niemand konnte glauben, was er gerade gesehen hatte.

William bekam keine Luft mehr. Vor seinen Augen lag ein Nebelschleier. Mit der Hand hatte er es tatsächlich geschafft, die Sessellehne abzubrechen.

Die Scheune war auf beiden Enden explodiert. Es hatte nur den Bruchteil einer Sekunde gedauert, bis der Mittelteil sich gehoben hatte und, in Stücke gerissen, in die Luft geflogen war, verfolgt von einem gierigen, hässlich wogenden Flammenmeer, das in Rot- und Orangetönen leuchtete. Hinter schwarzen Sprengschutzschilden, die wie Grabsteine nebeneinander aufgereiht waren, hatten sich die Agenten zu Boden fallen lassen, während Steintrümmer auf die Erde hagelten. Ein großer Brocken aus Balkenwerk und Verkleidungen hatte das Dach des Sprengkommando-Lasters so eingedrückt, dass er wie ein vom Betäubungsschuss gelähmter Ochse auf den Stoßdämpfern zusammengesackt war.

William hatte gesehen, wie ein Agent, der es nicht schnell genug hinter einen Schutzschild geschafft hatte, rückwärts nach hinten geschleudert worden war. Seine Füße hatten wie die einer Puppe gebaumelt. Dann hatte man wegen des Rauches und des Staubs kaum noch etwas erkennen können. Und danach war das Bild komplett ausgefallen.

Ein Stuhl knarrte. Fouad legte William die Hand auf die Schulter. Gleich darauf standen alle auf, brüllten durcheinander, redeten. William sprang von dem weich gepolsterten Sessel auf und hieb auf eine Couchlehne ein. Als jemand nach ihm griff, um ihn zu beruhigen, warf er mit finsterem Blick die Hände in die Luft und rannte die Treppe zum Münzfernsprecher hoch. Er hatte kein Kleingeld. Fouad, der ihm auf dem Fuße gefolgt war, brachte es irgendwie fertig, seine Telefonkarte herauszuziehen, und gab hastig seinen Zugangscode ein.

Für William war alles ringsum Luft, er bekam kaum etwas mit. Erneut hatte er sich so auf die Zunge gebissen, dass er Blut schmeckte und merkte, dass es gleich wehtun würde. Dennoch empfand er eine gewisse bittere Ironie, die seine wirren Gedanken und die Angst wie salziges Meerwasser umspülte. Hier war er nun, in einem der Nervenzentren in der Welt der Strafverfolgung, und rief seine Mutter an, um herauszufinden, was geschehen war, und sich zu erkundigen, ob sie irgendetwas wusste.

Fouad fällte kein Urteil über ihn, er war einfach nur da, genau wie Jane Rowland. William, der beide überragte, sah, wie Pete Farrow mit großen Schritten durch den kurzen Gang auf sie zukam.

»Wen rufen Sie an, Griffin?«, fragte Farrow.

Er hatte die Telefonnummer noch nicht vollständig eingegeben, da er sich nicht an die letzten vier Zahlen erinnern konnte. »Meine Mutter«, erwiderte er. Sie war vor kurzem in ein Apartment umgezogen und hatte das große alte Haus verkauft. Das Haus, in dem er aufgewachsen war.

»Ich finde, *wir* sollten uns darum kümmern. Wir wissen nicht, was da draußen passiert ist. Noch nicht.«

William starrte wie unter Schock auf den Hörer. »Okay«, sagte er. Und dann, in flehendem Ton: »Hat irgendjemand was gesehen? Ist Griff noch rausgekommen?«

»Ich weiß es nicht.« Farrow nahm William den Hörer aus der Hand, löste sanft dessen Finger vom Apparat und hängte ihn ein. Gleich darauf griff er nach Williams Ellbogen. »Gehen wir.«

Fouad und Jane Rowland, deren Gesicht leichenblass war, folgten ihnen. Hinter ihnen standen Kommilitonen in einem Haufen herum und starrten zu ihnen herüber.

Als sie den Gang entlangliefen, kamen sie wieder an den hübschen Kunstdrucken vorbei. Und an der Kapelle, die leer war, wie William aus irgendeinem Grund auffiel. Danach stiegen sie eine Treppenflucht hoch. William wusste nicht genau, wohin sie unterwegs waren. Er konnte kaum sehen und stolperte auf der Treppe. Er weinte. Einen Moment lang schämte er sich deswegen, aber als er zur Seite blickte, sah er, dass auch an Farrows Wangen Tränen herunterrannen.

Sie trafen sich alle in Farrows Büro. Rowland zog einen Stuhl heran, auf dem William Platz nahm. Jemand reichte ihm einen Becher Wasser, an dem er nippte. Farrow gab ihm ein Taschentuch. Als William an sich hinuntersah, entdeckte er ein wenig Blut an seinem Hemd, Blut von der Zunge. Er wischte es sich von den Lippen.

»Holen Sie tief Luft«, empfahl Farrow. William nahm es wie einen Befehl auf und sog mühsam Luft ein.

»Ich muss es wissen.« Er tupfte sich nochmals die Lippen ab.

»Wir werden's alle bald erfahren«, erwiderte Farrow.

»Ich will da hinfliegen. Können Sie mir einen Flug beschaffen?«

»Wir werden sehen.«

»Tut mir leid, ich bin völlig aus dem Gleis.«

Farrow beugte sich über ihn. »Sie müssen durchhalten, Agent Griffin«, flüsterte er William ins Ohr. »Diese Hölle geht jetzt erst richtig los.«

Ein Agent, den William nicht kannte, trat ins Zimmer und sprach leise mit Farrow. Einen Teil der Unterhaltung bekam William mit. Mindestens ein Toter, mehrere Verletzte. Das war alles, was sie wussten. Was von der Scheune noch übrig war, brannte.

William versuchte aufzustehen, aber Jane Rowland, die hinter ihm geblieben war, hatte die Hände auf seine Schultern gelegt und hinderte ihn aus irgendeinem Grund daran. Als er zu ihr aufsah, verrenkte er sich derart den Hals, dass es wehtat. Aber sie blickte stur geradeaus und grub ihm die Finger in die Schultern. Irgendwie beruhigte ihn das. Er hörte auf, dagegen anzukämpfen.

Farrow kniete sich vor ihm hin. »Man hat Ihren Vater noch nicht gefunden. Wir haben draußen vor der Scheune Männer verloren, zumindest einen. Weitaus mehr Leute sind verletzt. Es ist ein Inferno. Sie holen jetzt Löschfahrzeuge hinzu. Sie haben ja selbst gesehen, was passiert ist, William.«

Übermorgen hätte die Abschlussfeier stattfinden sollen. Die Feier, bei der alle Bier im Sitzungssaal tranken und Gelegenheit hatten, mit den Ausbildern und den Leuten von der Nationalen Akademie zusammen zu sein und ihren Erzählungen zu lauschen, lächelnd, nickend und so bescheiden, wie es sich für Anfänger gehörte. Rowland, Fouad und auch fast alle anderen Kommilitonen würden die neuen Ausweise bekommen und zu Agenten ernannt werden. Agenten verhielten sich auf besondere Weise, auf FBI-Weise, anders selbst als Polizisten. Teil von dem, worum es in Quantico wirklich ging, war die Aneignung dieses FBI-Verhaltens. Mittels Osmose, Beobachtung, brutaler Kommentare oder auch einfach dadurch, dass man in emotionaler Hinsicht schwer unter Beschuss genommen wurde.

William kämpfte gegen das Zittern an. Während Fouad vor ihm stand und Jane Rowland weiter seine Schultern festhielt, blieb er steif wie ein Stück totes Fleisch sitzen.

Farrow hatte Recht.

Diese Hölle ging jetzt erst richtig los.

Kapitel 16

Temecula, Kalifornien

Tommys Eltern waren beide mit Ende fünfzig gestorben. Zehn Jahre zuvor hatten sie Geld, das sie aufgrund eines Booms auf dem Aktienmarkt gemacht hatten, dazu verwendet, eine Anzahlung auf das weitläufige Grundstück in Temecula zu leisten. Zwei Drittel ihrer Lebensersparnisse hatten sie danach investiert, um das alte, in den Hügeln gelegene Gut in eine Weinkellerei umzuwandeln.

Ihr Vorhaben war daran gescheitert, dass Ende des zwanzigsten Jahrhunderts der Markt mit Wein überschwemmt wurde. Eine Insektenplage und Pierces Erkrankung hatten ein Übriges getan. Da sie nie viel vom Geschäft verstanden hatten, genauso wenig wie von den Bedürfnissen ihres seltsamen Kindes, hatten sie Streitereien angefangen und vorgehabt, sich scheiden zu lassen.

Tommy war sehr geräuschempfindlich.

Die Welt war ihm zu laut geworden.

Im Jahr 2000 starben seine Eltern an einer Lebensmittelvergiftung, doch der sechzehnjährige Tommy wurde verschont. In dieser schrecklichen Zeit hielten alle Menschen in Tommys Umgebung ihn für unfähig, für sich selbst zu sorgen. Er sei zwar nicht völlig schwachsinnig, aber seltsam und sowohl in sozialer als auch in finanzieller Hinsicht nicht in der Lage, die Dinge eigenständig zu regeln – so hatten ihn seine Eltern in ihrem Testament beschrieben. Als lebensuntüchtigen, naiven Menschen.

Den größten Teil seiner Zeit hatte er bislang damit verbracht, in einem betonierten Kabuff innerhalb der unterirdischen Gewölbe zu arbeiten, in denen der Wein des Gutes in langen Reihen von Eichenfässern gelagert wurde. »Das Einzige, was er je tut, besteht darin, mit chemischen Bausätzen und Computern herumzuexperimentieren«, teilte einer seiner Onkel dem Vormundschaftsgericht mit. Dieser Onkel war ein reicher Mann, der kein Interesse an dem Anwesen, dem Erbe oder Tommy hatte.

Tommy war zwar Alleinerbe, aber das Gericht ernannte die ältere Schwester seines Vaters, Tante Tricia, zu seinem Vormund und Vermögensverwalter. Sie sollte Tommys finanzielle Interessen bis zu seiner Volljährigkeit wahrnehmen. Tante Tricia, eine fröhliche, mitteilsame Frau in den Siebzigern, die sich gern im Freien aufhielt, nahm kein Nein als Antwort hin, schon gar nicht ein mürrisches Schweigen. Kurzerhand verstaute sie ein paar Reisetaschen in ihrem alten Jaguar-Coupé und nahm Tommy auf die große Reise mit.

Drei Monate verbrachten sie auf der Straße; die Fahrt dauerte von August bis Oktober 2001. Zuerst besuchten sie Oklahoma und Illinois, danach fuhren sie in den Süden, nach Florida, und an der Küste zurück bis nach New Jersey und New York City. Tommy bekam diese Reise gar nicht gut. Die vielen fremden Orte und fremden Menschen – und das, was er in den Nachrichten sah und hörte – machten ihm Angst.

Schließlich kehrten sie nach Temecula zurück. Resolut bis zu ihrem Ende und überzeugt davon, dass Tommy endlich erwachsen werden musste, plante die tatkräftige Frau schon die zweite Reise, als sie im November dieses schrecklichen, lärmerfüllten Jahres starb.

Nach ihrem Tod brachte Tommy immerhin so viel Mut auf, dass er mehrere ortsansässige Rechtsanwälte aufsuchte, bis er schließlich einen fand, der verzweifelt genug war, sich ein kleines Honorar verdienen zu wollen. Der Rechtsanwalt schaffte es, Tommy von der Aufsicht des Vormundschaftsgerichts zu befreien. Also erbte er das Restvermögen seiner Eltern, das ausreichte, die Steuern zu bezahlen und ihm ein angenehmes Dasein zu sichern – sofern er das Dasein jemals als angenehm empfinden konnte.

Tommy versuchte sich vor einer Welt zu verstecken, die ihn aufspüren wollte, wie er genau wusste. Eine Welt, die auf einen Krieg zusteuerte (daran gab er sich teilweise selbst die Schuld), eine Welt, die sich mit unerwarteten und unerwünschten Telefonanrufen bei ihm meldete und seinen Computer mit dubiosem Spam voll unmöglicher Versprechungen und Verlockungen überschwemmte. Eine Welt, die seiner Meinung nach nur auf sein Vermögen aus war und sich überhaupt nichts aus ihm machte. Eine ungastliche Welt, die allmählich völlig wahnsinnig wurde, wie sein ›Nachdenken‹ ergab.

Er montierte die Schilder des Weinguts ab und sperrte die Zufahrtsstraße mit einer Schranke.

Innerhalb weniger Jahre geriet das Weingut in Vergessenheit. Die in den sanft geschwungenen Hügeln verborgenen Weinberge verschwanden einfach von der Landkarte. Tommy blieb für sich, entzog sich dem Argusauge der *Homeland Security*, selbst nachdem neue Bundesrichtlinien die Registrierung und jährliche Inspektion von Weingütern, Brauereien und ähnlichen Anlagen verbindlich machten, da hier große Mengen von Mikroben erzeugt werden konnten.

Tante Tricias Spritztour durch Amerika hatte Tommy gelehrt, dass er über unerkannte Kraftreserven verfügte. Dennoch zog er es vor, das Anwesen nur bei Nacht zu verlassen, um mit dem El Camino oder dem roten Kleinlaster, einem Dodge, herumzufahren. Anstatt weitere Ausrüstung zu kaufen und unerwünschte Aufmerksamkeit zu erregen, brach Tommy lieber in örtliche High Schools, Junior Colleges und sogar in eine Universität ein, um sich das Nötige zu beschaffen, basierend auf dem, was er in seiner großen Sammlung von Lehrbüchern und den Stapeln von Wissenschaftsmagazinen gelesen hatte.

Tommy erwies sich als weit mehr als ein Schwachkopf mit einseitiger genialer Begabung – er wurde zu einem Zauberer, der Improvisation und heimliche Tricks perfekt beherrschte. Aber für ihn waren diese Tricks kein Selbstzweck. Von jeher hatte sein wahres Vergnügen darin gelegen, über Nanotechnologie und

Biotechnologie nachzulesen, in seinem Labor herumzuexperimentieren und sich neue Methoden anzueignen, ohne dass die Außenwelt ihn dabei störte. Bis er irgendwann wieder das Bedürfnis verspürte, Fühlung mit anderen Menschen aufzunehmen, um in ihr Leben einzugreifen.

Soweit Sam es beurteilen konnte, hatte Tommy das bislang nur zwei- oder dreimal getan: das erste Mal im Todesjahr seiner Eltern, das zweite Mal im Jahre 2001, als er fünfzehn kleine Briefumschläge bei der Post aufgegeben hatte.

Über den Tod von Tommys Tante wusste Sam nichts, darüber schwieg sich Tommy aus.

Doch irgendwann war es Tommy langweilig geworden. Er hatte entdeckt, dass er in seinem kleinen Labor viele wunderbare Dinge schaffen konnte, Dinge, die nach Meinung der Experten unmöglich herzustellen waren, und er konnte sie höchst effizient mit geringem Kostenaufwand produzieren. An ihm nagte die Sehnsucht, eine wichtige Rolle zu spielen und anerkannt zu werden.

Und so hatte er ein weiteres Mal Fühlung mit anderen Menschen aufgenommen, diesmal mit dem Ziel, seine Dienste jemandem anzubieten, der sie vielleicht zu schätzen wüsste …

Bestimmte Leute, die Sam von Berufs wegen kennen gelernt hatte, Menschen, die sehr an ökologischen Fragen oder am Tierschutz interessiert waren, hatten ihm von einem seltsamen jungen Mann erzählt, der anderen seine merkwürdigen Talente andiente; er sei ein unheimlicher kleiner Gnom mit riesigen Händen, Wasserkopf und Schweinsäuglein. Sam war in einem entscheidenden Moment seines Lebens auf Tommy aufmerksam geworden, zu einer Zeit, in der ihn ein schwerer Kummer verfolgte und er den Glauben an seine innere Berufung – an alles, was er tat und bislang für wesentlich gehalten hatte – verloren hatte.

Aus professionellem Interesse beschloss Sam, Tommy unter die Lupe zu nehmen. In mancher Hinsicht waren sich Sam und Tommy ähnlich. Auch Sam hatte eigenmächtig Einbrüche verübt und war dabei auf einige überraschende Dinge gestoßen, über die er seine Vorgesetzten nicht informiert hatte. Sam und Tommy stöberten beide in einer Welt herum, die sich so schnell wandelte, dass man nicht vorausahnen konnte, aus welcher Richtung Gefahr drohte.

Bei ihrer Begegnung hatte es so geklickt, als wäre ein Schlüssel eingerastet. Und dieser Schlüssel öffnete beiden die Tür zu einem neuen Leben. Sam ließ seinen ganzen Charme spielen, brachte Tommy Lebensmittel und Bücher mit, installierte einen neuen Generator. Tommy hörte auf, sich bei jedem von Sams Besuchen nach gewisser Zeit unter der Bettdecke zu verkriechen. Unter Sams geduldiger Fürsorge blühte das große Kind auf und eignete sich sogar einige grundlegende soziale Verhaltensweisen an. Beispielsweise lernte er, auch tagsüber auszugehen, um Besorgungen zu machen, falls es unbedingt nötig war. Wenn er Menschen begegnete, drehte er ihnen nicht mehr zwanghaft den Rücken zu, murmelte kaum noch vor sich hin.

Seit Sam aufgetaucht war, hatte Tommy es unterlassen, in das Leben anderer Menschen einzugreifen, um ihnen zu schaden, denn Sam hatte ihm versichert, ihre Ziele seien jetzt höher gesteckt. Dass Sam sich Tommys Fähigkeiten nutzbar machte und ihn für weitere Abenteuer einspannte, bedeutete für ihn selbst natürlich den unwiderruflichen Bruch mit seinem früheren Leben und der beruflichen Laufbahn – den Bruch mit all den Dingen, mit denen er sich auskannte.

Aber diese Dinge waren ihm schon lange nicht mehr wichtig.

Die Begegnung mit Tommy hielt ihn davon ab, aufzugeben und seinem Leben ein Ende zu machen.

Kapitel 17

Als die riesige grau-grüne C5A an Höhe gewann, flog sie samtweich, obwohl sie zwei Panzer, fünf gepanzerte Geländewagen, Tonnen von Fracht, die in Containern verstaut war, und zwanzig Passagiere an Bord hatte. Zwei Kinder von Armeeangehörigen – ein siebenjähriger Junge und seine zehnjährige Schwester – rannten auf den Gängen zwischen den Sitzen hin und her und versuchten, mit einer zusammengeschnürten Rolle von Plastiktüten Basketball zu spielen. Das fortwährend dröhnende, tiefe Brummen der großen Turbopropeller-Triebwerke hatte die meisten anderen Passagiere in den Schlaf gelullt.

Farrow hatte William Griffin zur Andrews Air Force Base in Maryland gefahren, damit er in einen Flieger zusteigen konnte, der dort auf dem Weg von Georgia in den Bundesstaat Washington einen Zwischenstopp einlegte. Das FBI hatte schnell durchgesetzt, dass ihm ein *Air Mobility Command*-Ticket zugestanden wurde.

William schmiegte sich in seinen Sitz. Er hatte schwere Lider und kämpfte gegen den Schlaf an, doch als die Flugbegleiterin zuvor mit einer Blechkanne und einem Stapel von Styroporbechern durch den Gang gekommen war, hatte er den Kaffee abgelehnt. Bei seinem aufgewühlten Seelenzustand wollte er die Emotionen nicht noch weiter schüren.

Die jungen Basketballspieler sahen sich inzwischen mit großen Augen die Stricke und Ketten an, die zwei gepanzerte Geländefahrzeuge des Typs Stryker an Ort und Stelle hielten. William war als kleiner Junge zweimal mit Militärmaschinen geflogen, die allerdings längst nicht so groß gewesen waren. Die Familie hatte eine Zeit lang in Thailand und danach auf den Philippinen gelebt. Sein Vater war damals meistens unterwegs gewesen und hatte Frau und Kind sich selbst überlassen. Sie hatten in einem spartanisch eingerichteten Häuschen auf der Marinebasis Subic gewohnt, das aus den 1950er Jahren stammte oder noch älter war. Aus diesen Jahren waren ihm nur zwei Dinge in Erinnerung geblieben: Er wusste noch, wie seine Mutter ihn einmal auf einen grell bemalten Jeepney gehoben hatte und wie sein Vater ihren Kombiwagen, einen Subaru, von Vulkanasche befreit hatte.

Die Flugbegleiterin, eine Offizierin der Luftwaffe, kam erneut durch den Gang und fragte ihn, ob er zum FBI gehöre. »Bei uns wurde eine Satellitenübertragung für William Griffin angemeldet«, erklärte sie und reichte ihm ein Funkgerät mit Kopfhörer. »SCA Keller ist dran.«

»SAC Keller«, berichtigte William sie mit dünnem Lächeln. »Special Agent in Charge – der Chef vom Dienst.«

»Stimmt.« Mit verschränkten Armen trat sie einen Schritt zurück.

»Hier William Griffin.« Er lauschte: Man hatte Griff aus den Trümmern geborgen. Der Rettungsnotdienst hatte ihn nach Seattle ausgeflogen. Sein Zustand war kritisch, aber er lebte.

»Weiß meine Mutter Bescheid?«, fragte William. »Meine Eltern sind geschieden und wohnen nicht mehr zusammen … Außerdem ist sie vor kurzem aus unserem alten Haus ausgezogen.«

»Ich habe Ihre Mutter verständigt«, erwiderte Keller. »Sie sagt, es gehe ihr nicht so gut, dass sie reisen kann. Also werden Sie die Familie allein vertreten müssen.«

»Danke.« William starrte wieder nach vorn. Gleich darauf runzelte er die Stirn. »Wie kann er das überlebt haben? Wie ist das überhaupt möglich?«

»Alice Watson, die Einsatzpartnerin Ihres Vaters, hat man bis jetzt nicht gefunden. Zwei Bombentechniker der Landespolizei wurden in ihrem Laster zerquetscht. Einer ist tot. Eine andere FBI-Agentin, Rebecca Rose, wurde mit leichten Verletzungen aus dem hinteren Teil des Lasters geborgen. Sie ist jetzt zusammen mit Griff in Harborview. Die Explosion hatte für jeden ganz unterschiedliche Folgen. Ich sitze bis morgen hier in Washington fest. Sie werden nach Ihrem Vater sehen, sich über den Stand der Dinge informieren lassen – das Ermittlungsteam hat sich freundlicherweise zu einem Gespräch bereit erklärt –, und sich dann unverzüglich zum Probeeinsatz melden, wo immer das auch sein mag. Ihre Zeugnisse werden meinem Büro in Seattle zugestellt. Passen Sie an meiner Stelle gut auf Ihren Vater auf, bis ich hinkommen kann, ja?«

»Ja, Sir.«

William gab der Offizierin das Funkgerät zurück.

Der Flug setzte sich mit ständigem Gedröhn fort, bis die C5A sich zur Landung bereit machte. Die Flugbegleiterin befahl den Kindern, mit ihrem Ballspiel aufzuhören und sich hinzusetzen. »Festgurten!«, mahnte sie, während sie den kurzen Gang abschritt. Die gepanzerten Geländefahrzeuge und Frachtcontainer hinter und vor ihr ächzten unter den neuen Belastungen. *Es ist so, als flöge man in einem langen Kirchenschiff herum,* dachte William. *Nur dass hier an der Stelle von Kirchenbänken die gepanzerten Stryker und Container voller Waffen stehen und das Flugzeug fast ausfüllen.*

Und dennoch sind auch hier Kinder.

Bei diesem Gedanken schossen ihm seltsamerweise Tränen in die Augen.

Ganz am Schluss seiner Ausbildung hatte William die *Rough-and-Tough*-Prüfung gemeistert. Bei der simulierten Razzia hatte er zwölf Schurken dem »Gottesgericht überstellt«, wie Farrow es nannte – hatte zwölfmal schnell und eindeutig getötet. Zwar hatte Farrow ihm wegen einiger schlampig ausgeführter Bewegungen ein paar Punkte abgezogen, den Test aber trotzdem als BESTANDEN abgezeichnet.

William hatte sich so verhalten, wie es sein Vater seiner Meinung nach getan hätte. An diesem Abend hatte er sich nicht zu den anderen im Aufenthaltsraum gesellt, um ein oder zwei Bier zu kippen. Nachts hatte er kein Auge zugetan.

Kapitel 18

Fouad saß auf dem Beifahrersitz des Hybrid-Autos, eines Ford Preamble, und sah die Bäume, Felder und Vorstädte an der 95 an sich vorbeiziehen. Der unauffällig wirkende Fahrer, der einen schwarzen Anzug und eine schmale Krawatte trug, schwieg die meiste Zeit und konzentrierte sich aufs Fahren. Obwohl er im Gesicht noch keine Falten hatte, war sein Haar grau, genau wie sein Teint. Allerdings kam Fouad die Haut von Amerikanern europäischer Abstammung oft leicht grau vor. Vielleicht lag es daran, dass sie zu viel in geschlossenen Räumen arbeiteten.

Man hatte Fouad instruiert, bis zu seiner Ankunft keine Fragen zu stellen. »Ihr Fahrer gehört nicht zu BuDark. Und wenn Sie dazu gehören möchten, halten Sie sich an die Spielregeln. Denken Sie daran: Wir brauchen Leute wie Sie. Leute mit Ihren Fachkenntnissen.«

Und die bestanden ... worin? Fouad hatte nicht nachgehakt, nach welchen Fachkenntnissen sie Ausschau hielten. Er nahm an, sie meinten Sprachkenntnisse. Während der zwanzig Wochen, die er in Quantico verbracht hatte, war viel über »plötzliche Entführungen aus dem normalen Berufsleben« gemunkelt worden.

Jetzt bog der unscheinbare Mann auf einen Zubringer ab und fuhr durch ein Gewerbegebiet. Junge Ahornbäume säumten die kurz geschnittenen Rasenflächen rechts und links der kleinen Straße, die frisch asphaltiert war. Sie befanden sich immer noch in Virginia, und falls das Einstellungsgespräch schlecht lief, würde er es vielleicht noch rechtzeitig zurück nach Quantico schaffen, sodass er sich mit seinen Kollegen zum Mittwochabend-Bankett in der Cafeteria treffen und am nächsten Tag zusammen mit ihnen an der Abschlussfeier teilnehmen konnte.

Fouad fragte sich, wie es William Griffin gehen mochte. Das war schon eine Sache, zusehen zu müssen, wie es den eigenen Vater bei einer solchen Katastrophe erwischte. Das hätte nicht passieren dürfen. Fouad konnte sich nicht vorstellen zuzusehen, wie sein Vater auf solche Weise starb.

Der unscheinbare Mann hielt auf einem fast leeren Parkplatz vor einem großen, kastenförmigen weißen Gebäude an. »Die erste Glastür links.«

Fouad stieg aus dem Wagen aus, bedankte sich und ging auf einen nicht gekennzeichneten grauen Eingang zu. Als er näher kam, summte eine kleine schwarze Kugel über der Tür, und ein rötlicher Lichtstrahl tastete sein Gesicht ab. Gleich darauf knarrte die Tür, blinkte und öffnete sich einen Spalt.

»Kommen Sie herein«, sagte eine blecherne Stimme durch die Sprechanlage. Auf der anderen Seite stand ein blonder junger Mann, der in seinen Blue Jeans und dem weißen Oberhemd sehr gepflegt wirkte. Zu seiner Ausrüstung gehörten ein Lächeln und eine Pistole, die in einem Schulterhalfter steckte.

»Mr. Al-Husam, willkommen im Gebäude 6. Mein Name ist Swenson. Ich werde Sie während Ihres Besuchs begleiten. Bitte halten Sie sich in meiner Nähe, bis wir Ihren Bestimmungsort erreichen.«

»Danke«, erwiderte Fouad. »Man hat mir mitgeteilt, ich würde mich hier mit einem Mister …«

»Alles nur zur Tarnung«, unterbrach ihn Swenson und bedeutete Fouad, ihm zu folgen. Ein langer Gang führte an neun Türen ohne Aufschrift vorbei. Die Beleuchtung war grell und kalt, der Fußboden nicht mit Teppichen ausgelegt. Aus dem Echo ihrer Stimmen schloss Fouad, dass die Mauern aus Beton sein mussten. »Ich bringe Sie zu einem Zimmer, wo Sie einige Formulare ausfüllen werden. Danach wird sich Agent Dillinger mit Ihnen unterhalten.«

Fouad konnte ein Lächeln nicht unterdrücken. »Dillinger?«, fragte er über die Schulter. »Das ist sicher auch Tarnung.«

Swensons Miene wurde ernst. »Nein, so heißt er wirklich. Quentin T. Dillinger. Stammt aus einer guten Familie, die in Virginia ansässig ist.« Gleich darauf kniff er ein Auge zu, sodass Fouad keine Ahnung hatte, was er glauben sollte. Swenson zog einen Schlüssel hervor und sperrte eine der Türen auf. »Ich werde die Tür offen lassen und direkt davor stehen bleiben«, sagte er.

Auf einem schweren Stahltisch in einem ansonsten nichts sagenden Zimmer warteten zahlreiche Formulare auf Fouad. Die Fragen waren die gleichen, die er bereits bei seiner Bewerbung für das FBI beantwortet hatte, allerdings gab es noch einige zusätzliche: Stand er in der gegenwärtigen Krise auf der Seite des saudischen Königshauses? Wie beurteilte er die amerikanische Außenpolitik der letzten fünfzig Jahre im Iran und Irak? Was wusste er über Mossadegh, den Schah Reza Pahlevi, John Foster Dulles und Allen Dulles? Er wusste eine ganze Menge. Und schließlich kam die Frage, ob er bereit sei, die Äußerungen jedes Muslims wahrheitsgemäß zu übersetzen – unabhängig davon, ob es sich um einen Glaubensbruder handele, ohne Rücksicht auf dessen Wohlergehen und ungeachtet der Frage, ob Einzelheiten dieser Äußerungen ihm relevant oder nur peinlich vorkamen.

Bislang hatte ein ständig nervendes Problem bei muslimischen Übersetzern darin bestanden, dass sie sich der *Umma*, der muslimischen Gemeinschaft gegenüber, überaus loyal verhielten.

Eine Stunde lang arbeitete Fouad ohne Unterbrechung am Fragebogen, füllte fünf eng beschriebene Seiten mit exakten, nüchternen Antworten aus und überlegte danach, ob er sich vielleicht zu freimütig geäußert hatte. Das FBI mochte keine *Show-offs*, keine Angeber. Oder hieß es *Shows-off*? Bei derartigen Pluralformen war er immer noch unsicher. Das galt zum Beispiel auch für den Plural von *court martial*, Kriegsgericht. *Courts martial* oder *court martials*?

Die Tür des kleinen Zimmers öffnete sich.

»Wir sind so weit, Mr. Al-Husam«, sagte Swenson.

»Muss ich das nicht bis zum Ende ausfüllen?« Fouad hielt den Bleistift hoch.

»Nein, Sir.«

»Danke.«

Swenson stapelte die Blätter aufeinander und gab sie durch die Tür an zwei unbekannte weibliche Hände weiter.

Zwanzig Minuten später nippte Fouad an einer Flasche mit dem Aufdruck *Pure American Springs Water*. Er dachte über die Allgegenwart von Markenbezeichnungen auf Lebensmittel- und Getränkeverpackungen nach und über das fast schon semitische Streben nach *Reinheit*, das Amerikaner bei Essen und Trinken im Übermaß an den Tag legten.

Swenson kam zurück, klopfte leise an die Tür und bat Fouad, ihm zu folgen. Am Ende des Ganges gelangten sie an eine Doppeltür, deren eine Hälfte sich bei ihrer Ankunft öffnete.

»Von dieser Besprechung darf kein Wort nach außen dringen«, erklärte Swenson.

»Das habe ich bereits zugesichert«, erwiderte Fouad. Der kritische und unverfrorene durchdringende Blick, mit dem Swenson ihn musterte, war ihm unangenehm.

»Beachten Sie mich gar nicht«, sagte Swenson. »Bei neuen Leuten läuft's mir immer eiskalt den Buckel runter. Dillinger erwartet Sie.«

Der Sonderagent Dillinger – er sagte nicht, welcher föderalen Ermittlungsbehörde er angehörte – saß hinter einem Stahlschreibtisch. Er hatte schütteres Haar und wirkte mit seinen vollen, ein wenig schlaffen Lippen irgendwie verschlafen. Die zerknüllte Krawatte baumelte locker herunter. Fouads erstem Eindruck nach ähnelte er einem Gebrauchtwarenhändler am Ende eines Tages ohne jede Kundschaft. Die einzigen Dinge, die sich auf seinem Schreibtisch befanden, waren ein flaches TelePad und ein kleiner unordentlicher Papierstapel. Die kalte, sicher uralte Zimmerbeleuchtung bestand aus zwei nackten Neonröhren. Zwei Stühle, einander im Winkel von fünfundvierzig Grad zugewandt, warteten vor dem Schreibtisch auf Besucher. Nachdem Fouad auf dem linken Stuhl Platz genommen hatte, schloss Swenson die Tür hinter ihnen.

»Erzählen Sie«, wies Dillinger ihn an und blinzelte so, als reize irgendetwas seine Augen. »Zuerst die persönliche Geschichte.«

»Ich bin amerikanischer Staatsbürger und schließe demnächst eine zwanzigwöchige Ausbildung an der FBI-Akademie ab.«

»Erzählen Sie mir von Ihrem Großvater.«

»Vielleicht wissen Sie über ihn Bescheid.«

»Ich will's von Ihnen hören.«

»Er verließ den Iran 1949. Während des Zweiten Weltkriegs hatte er an Geheimoperationen des amerikanischen OSS teilgenommen, aber nach dem Sturz von Mossadegh quittierte er den Dienst und kehrte nach Beirut zurück. Dort wurde er 1953 getötet. Mein Vater war damals zehn Jahre alt.«

»War es die CIA, die Ihren Großvater ermordete?«

»Ich glaube schon – mir wurde es so erzählt.«

»Also ist er abgetaucht, desertiert.«

Fouad zuckte die Achseln. »Über die Einzelheiten ist mir nichts bekannt.«

»Und dennoch wollen Sie den Vereinigten Staaten dienen.«

»Ja, natürlich. Ich bin amerikanischer Staatsbürger.«

»Naturalisiert, kurz nach Ihrer Geburt.«

»Ja. In den 1970er Jahren hat auch mein Vater für die CIA gearbeitet. Er ist 2003 in Rente gegangen. Er und meine Stiefmutter wohnen mittlerweile in North Carolina und haben einen zweiten Wohnsitz in Colorado.«

»Erzählen Sie mir davon, wie Sie als Junge in der Welt herumgekommen sind.«

»Mein Vater hat in Lahore und in Riad bei der Armee gedient. Während der Invasion war er in Kuwait, und da kam ich auch zur Welt. Meine Mutter wäre bei meiner Geburt fast gestorben, weil irakische Truppen der Klinik die lebensnotwendigen medizinischen Ausrüstungen geraubt hatten. Mein Vater erschoss drei irakische Soldaten, die plünderten und Krankenschwestern vergewaltigten. Er versteckte uns im Keller einer Villa, die einem kuwaitischen Geschäftsmann gehörte. Nachdem die Amerikaner Saddams Streitkräfte aus Kuwait vertrieben hatten, kam er uns holen. Meine Mutter starb, als ich zehn war. Mein Vater heiratete 1998 wieder, eine philippinische Hausangestellte muslimischen Glaubens. Danach arbeitete er bis zur Verrentung in Kairo, Jordanien und im Gaza-Streifen. Ich war mit ihm in Kairo, bis ich zu meinen Tanten und Onkeln nach Kalifornien geschickt wurde. Dorthin kehrte er zurück, nachdem er in den Ruhestand versetzt worden war. Er hatte einen Arm und ein Auge verloren.«

»Das ist ja eine ziemliche Geschichte.«

Fouad legte den Kopf schief. »Es ist vor allem die Geschichte meines Vaters.«

»Wie ich höre, sind Sie ein Sprachtalent.«

»Ich bin mit Englisch und Arabisch, wie man es in Kairo spricht, groß geworden. Später habe ich Tagalog gelernt. Von Hausangestellten und Lehrern habe ich auch Paschtun, Farsi und Aramäisch aufgeschnappt. In späteren Jahren habe ich an der Georgetown University Internationale Beziehungen und Sprachen studiert. Ich spreche fünf moderne südarabische Dialekte.«

»Sie haben nicht zufällig auch noch einen Abschluss im Rechnungswesen?« Dillinger grinste, was nicht zu ihm passte.

»Nein, in den Militärwissenschaften. Ich wollte gern irgendwann in der Armee dienen, bei den Sondereinsatztruppen.«

»Ausgezeichnet. Wissen Sie, auf wessen Ersuchen dieses Gespräch stattfindet?«

»Nein.«

»Der frühere Chef Ihres Vaters hat uns darum gebeten. Er war früher auch Offizier, aber mittlerweile arbeitet er für uns. Er hat enorme Achtung vor Ihrem Vater.«

»Mein Vater würde sich sehr freuen, das zu hören.«

»Gut. Ist Ihnen bekannt, was BuDark zu erreichen hofft?«

Fouad beugte sich vor. »Darf ich raten?«

174

»Raten Sie ruhig.«

»Sie möchten eine gemeinsame Basis mit den Parteien und Gruppierungen finden, die derzeit von Sudan, Jemen und Irak aus in Saudi-Arabien einfallen. Es sieht nämlich so aus, als ob sie siegen könnten. Gut möglich, obwohl ich es nicht weiß, dass die Vereinigten Staaten jetzt schon einige dieser Fraktionen mit Hilfsmitteln und Waffen unterstützen, um sich für die Zukunft Öllieferungen zu sichern. Sie möchten, dass Leute, die deren Sprache sprechen, diese Gruppen infiltrieren und Informationen beschaffen.«

»Eine scharfsinnige Analyse, aber das haben wir nicht vor.«

Fouad lehnte sich zurück. »Nein?«

Dillinger schüttelte den Kopf und zog die Mundwinkel herunter. »Wir haben böse kleine Feuer gelegt, die mittlerweile erkennen lassen, dass sie sich ausbreiten. Alle möglichen Arten von Feuer. Wir brauchen spezielle Leute im Nahen Osten, flexible Leute, die in der Strafverfolgung ausgebildet sind – auch eine militärische Ausbildung ist hilfreich – und selbstverständlich über außerordentliche Sprachfähigkeiten verfügen müssen. Wenn es brennt …, werden Sie mittendrin sein. Haben Sie je eine Wallfahrt nach Mekka unternommen?«

»Nein, das wissen Sie doch.«

»Vielleicht bietet sich Ihnen die Gelegenheit. Sie werden morgen nicht an der Abschlussfeier teilnehmen. Stattdessen werden Sie spurlos verschwinden, und selbst Ihre Stiefmutter und Ihre Brüder werden nicht wissen, wo Sie stecken.«

»Verstehe. Und mein Vater?«

Dillinger schüttelte den Kopf.

»Die Akademie?«

Dillinger lächelte. »Halten Sie sich bereit zu packen und sofort aufzubrechen. Ich habe Ihre Zeugnisse.«

»Ich bin also aufgenommen?«

Dillinger nickte. »Das hier wird Ihr Probeeinsatz, Sie Glücklicher.« Er holte ein kleines aufklappbares Vinylfutteral aus der Schreibtischschublade und reichte es Fouad, der es öffnete.

»Willkommen bei BuDark, Sonderagent Al-Husam.«

Fouad wog das Futteral in den Händen und sah Dillinger an. »Gehöre ich nicht zum FBI?«

»Sie gehören eindeutig zum *Feeb-Eye*.* BuDark arbeitet organisationsübergreifend. Derzeit ziehen wir alle an einem Strang.« Er stand auf. »Sie werden sich einem ausgewählten Team anschließen, das sich auf eine ganz bestimmte Sache konzentriert. Bleiben Sie flexibel. Am Anfang wird man Sie hart rannehmen; beweisen Sie, was in Ihnen steckt, und ziehen Sie mit. Wahrscheinlich werden Sie mit einigen ziemlich hervorragenden Leuten nach Südwestasien geschickt werden, mitten in Krisenherde. Ich dagegen sitze hier fest. Ich beneide Sie.« Als er gebieterisch ein Zeichen gab, öffnete sich die Tür. »Mr. Swenson wird Sie über den Fluss bringen. Viel Glück.«

---

* *Feeb-Eye:* Wortspiel, Verballhornung von FBI. Von feeble = schwach, lahm und eye = Auge, metaphorisch gesprochen »auf einem Auge blind«. – *Anm. d. Übers.*

Kapitel 19

Temecula, Kalifornien

Sam stand in der großen Küche, wickelte eine Alu-Schale mit gefrorener Lasagne aus und machte als einzige Lampe die über der Spüle an. Tommys Stimmungsumschwünge waren aufgrund ihres rasanten Zeitplans heftiger geworden. Sam hatte Probleme vorhergesehen, insbesondere für den Fall, dass etwas schief lief.

Vieles war schief gelaufen. Und Tommy hatte das alles relativ ruhig aufgenommen. Die Episode im Auto war vergleichsweise schnell vorübergegangen. Als Sam hinter sich ein Flüstern hörte, erstarrte er einen Moment und hielt die Luft an.

Jetzt kommt's.

Tommy räusperte sich. »In den nächsten Tagen kann ich ein Drittel des Stoffs neu herstellen, möglicherweise auch die Hälfte. Vielleicht schaffe ich es, in den nächsten Wochen Doppelschichten einzulegen und so viel Stoff zu produzieren, dass wir fast alles erledigen können, was wir vorhatten. Das ›denke‹ ich derzeit jedenfalls, Sam.«

»Erzähl mir Genaueres, Tommy.«

Als das große Kind in die Mitte der Küche trat, drehte Sam sich zu ihm um. Tommys lange Finger schienen wie aus eigenem Willen heraus zu agieren, warfen wilde Schatten an die Küchenwände, während sie sich zusammenzogen und streckten. Es sah so aus, als ob sie einen Teil der Unterhaltung in Zeichensprache zu führen versuchten. »Ich glaube, wir kommen auch ohne die zusätzlichen Drucker aus, wenn diejenigen, die wir haben, nicht den Geist aufgeben. Patronen sind noch jede Menge da, die müssten reichen. ›Denke‹ ich jedenfalls.«

»Zeig sie mir, Tommy.«

»Nicht nötig.« Tommy wippte von einem Fuß auf den anderen. »Alles unter Kontrolle. Ich will ja nur sagen, dass wir genügend Stoff haben werden. Allerdings weiß ich nicht, wo wir den verpacken können, zur Auslieferung, weißt du.«

»Uns wird schon was einfallen. Möchtest du einen Happen schnappen?«

Tommy kicherte, streckte die Hände aus, schnappte nach etwas in der Luft und stopfte es in den Mund. »Da.«

»Ich meine richtiges Essen«, sagte Sam nachdrücklich.

»In Ordnung. Wenn du ›denkst‹, ich müsste Hunger haben.«

»Ich denke, dass wir beide Hunger haben. Eine Lasagne wäre jetzt gut.«

»Lasagne ist in Ordnung. Ich werde noch ein bisschen arbeiten, und dann können wir essen. Du kannst hier warten.«

»Lass uns zuerst essen. Dann können wir besser denken.«

»Du hast Recht. Ich hab mich an deinen Essensplan gehalten. Hab in letzter Zeit ziemlich schlaue Einfälle gehabt. Deshalb macht mir das mit den Druckern auch nicht so viel aus. Ich ›denke‹, ich hab eine Möglichkeit gefunden, doppelt so schnell zu produzieren.« Während er weitere Gänsefüßchen in die Luft malte, grinste er breit.

»Wunderbar. – Die Lasagne wird ungefähr zwanzig Minuten brauchen. Warum deckst du nicht schon mal den Tisch?«

»Mach ich.«

»Hast du dir die Hände gewaschen?«

Tommy grinste und ging zur Spüle. »Kein Problem, Sam«, versicherte er. »Ich bin sehr vorsichtig gewesen.«

»Tja, aber du bohrst dir immer noch in der Nase, ich hab's gesehen.«

Tommy brach in ein Lachen aus, das in ein Wiehern überging. »Tja, *stimmt*. Aber wenigstens kratze ich mich nicht am Arsch, wenn ich aus einem Auto steige.«

»Das tue ich nie!«, erwiderte Sam empört.

Tommy tanzte in der Küche herum und zerrte an seinem Hosenboden. »Es kneift, es kneift!«

Kapitel 20

Seattle, Bundesstaat Washington

Durch das Fenster des Beobachtungszimmers spähte William in den Operationssaal. Er konnte seinen Vater nicht sehen, jedenfalls nicht deutlich, nur einen mit blauen und grünen Laken bedeckten Fleischklumpen. Gelegentlich schimmerte etwas durch, das an rotes Hackfleisch erinnerte. Menschen in OP-Kleidung, die den ganzen Körper einhüllte – sie schleppten Sauerstoffschläuche hinter sich her –, sondierten die Wunden mit glänzenden, gebogenen Instrumenten und sprachen leise miteinander. Er konnte die Bohrer, Sägen und Pumpen aufkreischen und summen hören. Als jemand einen Witz machte, blickte einer der Chirurgen auf und lachte gedämpft. Die Oberschwester der Chirurgie hatte William mitgeteilt, dass sie schon drei Stunden operierten.

Ihm wurden die Knie so weich, dass er sich auf einen Stuhl setzte. Die Sonderagentin Dole vom Außenbüro Seattle, kaum älter als er, reichte ihm eine Wasserflasche, von der er trank, während er weiter das Geschehen im OP verfolgte. Dole war schlank, blond und trug einen braunen Hosenanzug. Alle Agenten der Nachtschicht hatten kurz hereingeschaut, William auf die Schulter geklopft, wenig gesagt, der Operation ein paar Minuten lang zugesehen und Grimassen gezogen, als hätten sie irgendeinem seltsamen Anschauungsunterricht beigewohnt.

Jemand namens Cap Benson, dessen Gesicht und Nacken dick bandagiert waren, kam herein und sagte der jungen Agentin, sie könne jetzt Pause machen. »Ich war mit Ihrem Vater zusammen, bis zum Schluss ... bis zur Scheune«, nuschelte er, da sein Kiefer geschwollen war. Benson nahm neben William auf einem Plastikstuhl Platz. »Er wird's schaffen.«

William nickte. Es sah nicht gut aus. Die OP-Schwester hatte gesagt, die Operation könne noch drei oder vier Stunden dauern. Sie zogen Griffs Gesichtshaut nach vorn und setzten Klemmen ein. Die kaputten Knochen wurden chirurgisch entfernt. Die Ärzte pflückten einzelne Stücke heraus, gaben sie in eine Salz-/ReViv-Lösung und reihten später die am besten erhaltenen wie Mosaikteilchen auf Metallfäden auf. Während sie Griffs zertrümmerte Beine richteten und zusammenflickten, entnahmen sie seiner Hüfte und dem Oberschenkel gleichzeitig Knochenstücke, um sie in seinen Schädel zu transplantieren.

Mein Gott, Dad.

Der Beobachtungsraum hatte hellblaue Wände und abgenutzte Linoleumfliesen, roch aber wenigstens warm und sauber. Benson stank so, als hätte er tagelang nicht geduscht. Ehrlich gesagt, sah er nicht nur müde aus, sondern leicht durchgeknallt.

»Griff ist wirklich ein zäher alter Bursche«, sagte Benson.

William nickte mechanisch. Sein ganzes Leben lang hatte er auf die eine oder andere Weise auf seinen Vater reagiert. Griff hatte für ihn eine Autorität dargestellt, aber auch einen Mann, gegen den er rebelliert hatte. Wechselweise hatte er seinen Vater geliebt, gefürchtet oder sogar verachtet. Er konnte sich nicht daran erinnern, ihn jemals als Freund betrachtet zu haben. Dieser Klumpen rohen Fleisches auf dem OP-Tisch hatte durch sein Beispiel oder auch Gegenbeispiel Williams ganze Existenz geprägt. Selten durch Ermutigung. Viel öfter durch einen finsteren Blick oder ein barsches Zusammenstauchen. Und viele denkwürdige Male durch den abgeschnallten Gürtel.

»Ihr Vater ist ein harter Mann, stimmt's?«, fragte Benson.

»Tja.«

»Hart wie Stahl. Und ein verdammter Glückspilz.«

Kapitel 21

Maryland

»Die ganze Welt liebt es, braunhäutige Menschen zusammenzu-schlagen«, sagte der Häftling, während er äußerst vorsichtig auf dem alten Holzstuhl Platz nahm. Sein Gesicht bezeugte es: Beide Augen waren fast zugeschwollen, eine Wange aufgequollen und mit einem Bluterguss überzogen, die Lippe an drei Stellen ge-spalten und genäht, der Hals von Spuren eines Elektroschockers gezeichnet, die allmählich verblassten. Ähnliche Verbrennungen hatte er sicher auch an Genitalien und Rektum. Ausgedehnte Hämatome und Abschürfungen, verursacht davon, dass man ihn an den Handschellen aufgehängt hatte, bildeten auf den Innenseiten seiner Handgelenke gelb-grüne Halbmonde. An sei-nen Armen waren unzählige Einstiche zu erkennen.

Fouad Al-Husam blieb in einer Ecke stehen, außerhalb des Lichtkegels. Ein Agent, den man ihm als John Q. Anger vorge-stellt hatte, schritt um den Tisch in der Zimmermitte und den sitzenden Mann herum. Es war eine Szene, so alt wie die Zeit: ein kleiner Raum, Schatten und ein Mann, dessen Leben nur so lange etwas galt, wie er nützliche Antworten geben konnte.

Man hatte ihn *ausgeliefert*, heimlich von einem Land ins andere gebracht; in diesem Fall von Ägypten in die Vereinigten Staaten. Fouad wusste sehr wohl, dass es normalerweise umge-kehrt lief. Er wohnte diesem Verhör als Auszubildender und Beobachter bei. Jetzt schon stellte es seinen Magen auf eine har-te Probe.

»Wir werden Sie nicht schlagen«, versicherte Anger dem sit-zenden Mann. »So etwas tun wir hier nicht.«

»Dafür bin ich dankbar.« Der Mann hatte einen breiten Schädel, eine Adlernase und einen üppigen schwarzen Haarschopf. Sein Gesicht wirkte flach, der Hals lang. Aus den zu kurzen orangefarbenen Ärmeln ragten die Hände und Gelenke hervor.

»Werden Sie mich zurückschicken?«

»Zurück wohin?«

»Ich weiß nicht, wo ich gewesen bin«, räumte der Mann achselzuckend ein. »Konnte nicht sehen, wohin sie mich brachten. War durch mein eigenes Blut geblendet.«

»Kennen Sie einen Mann namens Al-Hitti?«

»Ich kenne einige Männer, die so heißen. In Ägypten heißen viele so.«

»Die Iraker haben uns mitgeteilt, dass ein Mann namens Al-Hitti Leute dafür bezahlt hat, bestimmte Menschen umzubringen. Wir haben diese Menschen in einem Haus in Sadr City gefunden. Sie sind unter großen Qualen gestorben.«

»Tut mir leid, das zu hören. Wäre mir ein solcher Mann bekannt, würde ich es Ihnen sagen.«

»Sie kennen ihn.«

Der Mann auf dem Stuhl schüttelte schwach den Kopf.

Anger beugte sich über ihn und zerrte seinen Kopf an den Haaren nach hinten, allerdings nicht sonderlich grob. »Niemand hier duldet Respektlosigkeit. Sie werden mich respektieren. Das ist Teil unserer Kultur, verdammt noch mal. Setzen Sie sich gerade hin.«

»Ich sitze gerade.«

Anger drückte dem Mann eine Hand in den Rücken. »Gerader! Außerdem haben Sie sich mit einem Weißen namens John Brown oder John Bedford getroffen. Er ist entweder Amerikaner oder Engländer. Wir halten ihn nicht für einen Kanadier, auch wenn uns einige Iraker so etwas erzählt haben.«

Aus den von Blutergüssen umrahmten Augen ließ der Mann den Blick durch das Zimmer schweifen und starrte danach auf den Tisch. »Bedford«, sagte er. »Das liegt in Massachusetts.«

Anger wandte ihm den Rücken zu und sah zu Fouad hinüber. »Reden Sie mit ihm.«

Fouad trat einen Schritt vor und sprach ihn auf Arabisch an. »Behandelt man Sie besser, seitdem Sie hier sind?«

»Man lässt mich schlafen, aber ich kann immer noch nichts essen. Ich glaube, die haben mir den Magen kaputtgemacht.«

»Wie ich höre, sind Sie in Jordanien geboren.«

»Ja.«

Anger schoss vor und packte den Mann beim Kinn. »Was wissen Sie über Anthrax?«

Fouad war über diese Einmischung bestürzt, doch der Häftling nahm sie als Selbstverständlichkeit. »Eine Seuche, an der Vieh und Menschen erkranken können«, sagte er. »In Amerika hat jemand Briefe mit so was verschickt. Das ist alles, was ich darüber weiß.«

»Der Name Anthrax bezieht sich auf die schwärzlichen Wunden, die von den Bakterien verursacht werden«, bemerkte Anger und gab Fouad im Vorübergehen ein Handzeichen. »Übersetzen Sie das für mich. Ähnelt Kohle. Schwarz, glänzend und schmerzhaft. Diese Opfer wurden auf den Straßen Bagdads gekidnappt, nach Sadr City gebracht und dort gezwungen, Anthrax in Pulverform zu inhalieren.«

Fouad übersetzte es.

»Sie erzählen mir zu viel«, protestierte der Mann auf Arabisch. Mit flehendem Blick sah er Fouad an – ein braunhäutiger Mann, der einen anderen Menschen seiner Hautfarbe um etwas bittet. »Ich möchte diese Dinge gar nicht wissen.«

»Machen Ihnen diese Informationen zu schaffen?«, fragte Anger. Fouad übersetzte es, aber es war ihm nicht wohl dabei.

»Schon der Besitz dieser Informationen ist gefährlich«, erwiderte der Mann, diesmal auf Englisch. »Wenn Sie mit mir fertig sind, mich zurückbringen und die Ägypter mir Fragen stellen, werden die merken, dass ich einiges beantworten kann. Und dann werden sie annehmen, dass ich noch mehr weiß. Erzählen Sie mir nichts mehr, sonst wird es mich das Leben kosten.«

»Haben *Sie* Mr. Brown Al-Hitti vorgestellt?«

Der Mann auf dem Stuhl senkte den Kopf. »So viele Flugzeuge, so viele Transporter, so viele Verhörzimmer«, bemerkte er.

»Wir sind hier fertig«, sagte Anger. »Schicken Sie ihn zurück«, wies er die Wachen an. »Am besten, wir überlassen den Rest den Ägyptern.«

»Nein, schicken Sie mich nicht zurück. Ich kenne Al-Hitti nicht, bin ihm nie begegnet!«

Anger fasste Fouad am Ellbogen. Gemeinsam verließen sie den Verhörraum. Leise schloss sich die Tür hinter ihnen und dämpfte die Stimme des Häftlings, die um Gnade flehte. Draußen, im grün gestrichenen Gang, schritt Anger weiter forsch aus, den Finger ans Kinn gelegt. »Was für ein Gefühl erzeugt das bei Ihnen?«

»Ein übles«, erwiderte Fouad.

»Legen Sie sich einen Vorrat an Pepto-Bismol zu. Hilft gegen Übelkeit. Sie werden noch Schlimmeres zu sehen bekommen. Aber seitdem die Vereinten Nationen damit gedroht haben, uns wegen Kriegsverbrechen anzuklagen, sind unserem Tun strenge Grenzen gesetzt. Man wird Sie zwar nicht mit eigentlichen Verhören beauftragen, doch Sie werden dabei möglicherweise als Zeuge anwesend sein. Sie müssen Folgendes begreifen: Wenn wir es könnten, würden wir solchen Folterungen Einhalt gebieten. Schon deshalb, weil es überaus schwierig ist, die Informationen, die wir von gefolterten Häftlingen erhalten, zu filtern und in einen bestimmten Zusammenhang zu stellen. Aber unsere muslimischen Verbündeten, insbesondere die im übergeordneten Kommandostab, nehmen offenbar an, dass Todesqualen gut für die Seele sind. Immer wieder übermitteln sie uns stolz irgendeinen Quatsch, den sie durch Anwendung härtester Methoden aus den Gefangenen herausgepresst haben.«

Fouad war verwirrt. »Wie soll ich mich verhalten, wenn ich derartige Dinge mitbekomme?«

»Was wir benötigen, sind unverbrauchte, unverdorbene Häftlinge. Sollten Sie der Meinung sein, dass ein Gefangener über möglicherweise nützliche Informationen verfügt, werden Sie die Auslieferung des Mannes – oder der Frau – forcieren, ehe Foltermethoden angewendet werden. Das Verhör übernehmen wir dann selbst. Und zwar mit Methoden, die zu bemerkenswerten Ergebnissen führen, ohne dass sie besonders schmerzhaft sind. Wenn Sie keine Auslieferung durchsetzen können, melden Sie in allen Einzelheiten, wer gefoltert wird und von wem. Also, Ihr erster Auftrag ist zwar nicht sonderlich angenehm, aber sehr wichtig. Sie fliegen mit einem kleinen Team nach Ägypten, Jordanien und zu einigen Lagern in Kuwait, um zu prüfen, wer möglicherweise an uns ausgeliefert werden sollte, und uns Bericht zu erstatten. Sind Sie dem gewachsen?«

»Werde ich den Leuten damit die Folter ersparen?«

»Nur, wenn es nützliche Leute sind. Der Rest, fürchte ich, wird sich auf Allah verlassen müssen.«

Fouads Miene verdüsterte sich. »Dieser Amerikaner namens Brown oder Bedford – gibt's den wirklich?«

»Klingt wie Quatsch für mich, aber einige Leute in Bagdad haben Anthrax an ein paar schiitischen Muslimen ausprobiert. Kann sein, dass ihr Anführer ein Mann namens Al-Hitti ist.« Anger sah Fouad weiter unverwandt an. »Das ist alles, was wir bislang erfahren durften. Aufgrund der Geheimhaltungsstufen.«

»Werden Sie Ihre Methoden bei diesem Häftling anwenden?«

»Nein.« Anger schüttelte angewidert den Kopf. »In Ägypten haben die ihn mit brutalen Drogen voll gepumpt. Er ist ein Wrack. Wenn wir das tun würden, was wir am besten können, würden wir ihn töten.«

Am Nachmittag bezog Fouad ein Motelzimmer in der Nähe der Marinebasis, nicht einmal dreizehn Kilometer von der Akademie entfernt. Alle anderen Zimmer waren von Agenten des Diplomatischen Sicherheitsdienstes, der Homeland Security, des FBI und der CIA belegt. Und alle hatte man angewiesen, nicht miteinander zu reden.

BuDark, im wahrsten Sinne des Wortes: Alles lag im Dunkel.

Den wahren Namen dieser Organisation kannte er noch immer nicht.

Kapitel 22

Temecula

Sam – inzwischen hatte er viele Namen, aber für Tommy war er nur Sam – saß auf der vorderen Veranda und lauschte dem Flügelschlag der kläglich gurrenden Tauben. Die Morgendämmerung kündigte sich mit diffusem Licht im Osten an, wie ein Riss in seinem Blickfeld, der die perfekte Dunkelheit ringsum störte. Abgesehen von den Tauben und einigen Singvögeln, die sich auf den morgendlichen Wettkampf im Zwitschern einstimmten, lag das Land rund um Tommys Haus still und friedlich da.

Er streckte die nackten Zehen auf dem zersplitterten Holz aus und sog die kühle süße Luft ein. Bis auf den störenden Riss in der Dunkelheit, Vorbote der Morgendämmerung, sah er nur einen schwierigen, steinigen Weg vor sich, der schließlich zum Misserfolg führen würde, wenn es auch noch dauern würde. Es gab allzu viele Einzelheiten, die perfekt klappen, allzu viele Fallgruben, die man umgehen musste. Außerdem hatte er das sichere Gefühl, dass ihm bald jemand auf den Fersen sein würde.

Die Katastrophe mit dem Sattelschlepper und dem Polizeiwagen. Und der Handschuh. Er konnte sich nicht mehr daran erinnern, wo der Handschuh abgeblieben war, nachdem er ihn mit den Zähnen abgestreift hatte. Möglich, dass er ihn in die Hosentasche gestopft hatte. Vielleicht war er in der Nähe des ausgebrannten Streifenwagens liegen geblieben. In diesem Fall befand er sich jetzt in den Händen der Polizei – und des FBI, das man vermutlich hinzugezogen hatte. Oder der Handschuh war während des langen Spaziergangs aus der Tasche gefallen, ehe die Frau angehalten und ihn mitgenommen hatte. Wenn die Polizisten auf Draht waren, würden sie vielleicht all diese Meilen des

Highways absuchen und dabei den Handschuh entdecken. So oder so, er hatte die Sache vermasselt. Hinzu kam noch die eigene Schwäche: die Frau im grünen Van, Charlene. Er konnte sich kaum noch daran erinnern, was er ihr eigentlich *erzählt* hatte.

Sam sehnte sich nach einer Zigarette, obwohl er schon seit fünfzehn Jahren nicht mehr rauchte.

Sie würden dem Handschuh Hautzellen entnehmen und aufgrund der Blutspuren auch seine DNA bestimmen können, nur würde, seltsamerweise, eines nicht zum anderen passen. Und das würde ihnen Aufschluss darüber geben, dass sich zwei Täter am Schauplatz des Verbrechens befunden haben mussten, möglicherweise Brüder.

Vielleicht würde sie das in den Ermittlungen ein bisschen zurückwerfen.

Bei Sam trat alles paarweise auf, und das galt auch für seine Stimmungen: Hoffnungslose Verzweiflung und Euphorie lösten einander ab, und dazwischen gab es gar nichts. Nur, dass hin und wieder kleine Warnungen in seinem Kopf aufblitzten, die Boten böser Vorahnungen – Lichtfunken, die er beinahe sehen konnte.

Am Morgen war es für Sam immer am schlimmsten.

Sam schlenderte durch die Küche zur Hintertür und danach den Steinplattenweg entlang. Links davon lag der hochgeschossene Rasen, rechts davon der Teil des Gartens, der inzwischen einer Viehweide ähnelte. Mit Hilfe von Tommys Schlüsselring sperrte er das erste Lagerhaus auf und ging zwischen den Tanks aus rostfreiem Stahl hindurch, die wie die Köpfe riesiger Blechfiguren aus dem Betonboden lugten und die Stahlmünder spitzten.

Am Ende des Lagerhauses führten Stufen aus unbearbeitetem Holz zu den Kellern, drei Betontunneln, die sich unter den Grundmauern des Lagerhauses über dreißig Meter erstreckten. Sam schaltete die Deckenbeleuchtung ein. Seine weich besohlten Schuhe tappten leise den Gang entlang, der von aufeinander gestapelten Weinfässern gesäumt wurde. Neben Fässern aus alter französischer Eiche gab es auch welche aus junger amerikanischer Eiche, die preisgünstiger war. In dieser Stille und Dunkelheit hatte der Wein wie im Schlaf reifen können, um schließlich das Aroma des Holzes, vor allem eine Spur Vanille, anzunehmen und seine Ecken und Kanten abzuschleifen, bis er rund und milde schmeckte. All das zur Vorbereitung auf eine Flaschenabfüllung, die nie erfolgen sollte.

Ehe sie die Früchte ihrer letzten Ernte hatten genießen können, waren Tommys Eltern gestorben.

Im vergangenen Jahr hatte Sam bei einigen Fässern einen Glastrichter, einen sogenannten *Weindieb*, durch die mit Gummi verstöpselten Spundlöcher geschoben, um den Wein zu verkosten. Aber der Wein war »gekippt« und schmeckte schal, was kein Wunder war: Der Fußboden unter den Fässern war mit purpurroten Flecken übersät, klebrig und glitschig – die Fässer hatten Lecks.

Seine Schritte hallten im Kellergewölbe wider. Die kühle, abgestandene Luft roch nach verschimmelnder Eiche und verdorbenem Wein.

Beim Bau des Weinkellers hatte Tommys Vater am Ende des längsten Tunnels einen Raum von sechs mal sechs Metern freigelassen, den Tommy nutzen konnte. Ihm standen hier warmes und kaltes Wasser, zwei große Stahlspülen und ein Bodenabfluss zur Verfügung. Zur Belüftung diente ein kleines Oberlicht, das man mit einer Stange öffnen konnte. Hier hatte Tommys Vater seinen Sprössling in die biologischen Grundlagen und Labortechniken einer Weinkellerei eingeführt – in die Hefekultur und die Fermentation.

Vielleicht war das die einzige Möglichkeit für sie gewesen, eine emotionale Beziehung zueinander aufzubauen.

Sam versuchte sich vorzustellen, welche Genugtuung der Vater empfunden haben musste, als er Tommys angeborenes Talent entdeckt hatte.

Den Rest hatte Tommy selbst herausgefunden oder im Internet recherchiert und sich eine Fülle überaus seltsamer Kenntnisse angeeignet.

Falls man Tommys Berichten Glauben schenken konnte, waren sowohl seine Mutter als auch sein Vater begeistert gewesen, dass ihr Sohn seine Gaben endlich offenbarte. Dennoch hatten sie sich nie die Mühe gemacht nachzusehen, was er da unten eigentlich trieb. Kurz vor ihrem Ende hatten sie ihre eigenen Probleme gehabt und waren froh gewesen, dass Tommy seinen eigenen Beschäftigungen nachging und ihnen nicht auf die Nerven fiel. Jede wissenschaftliche Ausrüstung, um die er bat, hatten sie, ungeachtet der Kosten, aus ihrem schlechten Gewissen heraus für ihn angeschafft, und er hatte wirklich um einige recht ungewöhnliche Dinge gebeten.

Sam öffnete die Stahltür und schaltete die besonders hellen Lampen ein, die das Sonnenlicht simulierten und das Labor aufleuchten ließen. In der Stille, die durch nichts gestört wurde, ließ er den Blick über die Tische schweifen, auf denen sich die Gerätschaften drängten: eine Zentrifuge, Brutschränke für Bakterien, Rührapparaturen, kleine »heiße« Boxen – versiegelte Plexiglaswürfel mit Löchern für die Handschuhe –, ordentlich aufgereihte Pipetten in weißen, eingekerbten Plastikhaltern, auf einem Regalbrett Dosen mit antiseptischem Spray und Reinigungsmittelspender, an Wandgestellen Reagenzgläser und Teströhren, kleine Päckchen französischer Weinhefe.

Weit hinten stand ein Gehäuse aus Stahlblech und einer 1,25 Zentimeter dicken Platte Sicherheitsglas, das viel größer war als alle anderen Behälter: acht Fuß hoch, zwölf Fuß breit, drei Fuß tief. Die Schweißnähte waren mit einer dicken Silikonschicht abgedichtet. Mittlerweile hatte Tommy das ganze Gebilde »eingemottet«, sprich: in viele Schichten halb durchsichtiger Visqueen-Folie gehüllt, die mit Isolierband und blauem Abdeckband verklebt war. Das hier war Tommys erste laienhafte Produktionsanlage gewesen, er hatte sie mit fünfzehn Jahren konstruiert. Damals war er davon überzeugt gewesen, dass seine Eltern ihn umbringen wollten – die erste vieler schwerwiegender Sinnestäuschungen. Und so hatte er sich daran gemacht, *Clostridium botulinum* zu kultivieren, während er über den Inhalt einer kleinen Phiole nachsann, die er (zu seinem Unglück) in seiner High School entdeckt hatte. Das war der Wendepunkt in Tommys Leben gewesen. Und schuld daran war ein simples, wenn auch ungeheuerliches Versehen, ein unsäglicher Fehler, der aus Gründen passiert war, die man nie verstehen würde, begangen von einem unbekannten Mann, der vielleicht schon tot war.

Tommy verbrachte damals einen großen Teil seiner Freizeit damit, im Lagerraum des naturwissenschaftlichen Schulzweigs Materialien zu sortieren und Glasbehälter zu reinigen. Dabei fand er in einem zugeklebten Karton, jemand hatte ihn auf einem hohen Regal hinter Gefäßen mit Chemikalien verstaut, eine mit Wachs versiegelte, in Mull gewickelte Phiole. Er hatte keine Ahnung, wie lange der Karton und die Phiole schon hier sein mochten. Vielleicht bereits seit 1984, seit Bezug des neuen Schulgebäudes.

Sofort konnte Tommy die mit Bleistift vermerkte Bezeichnung auf dem rot-weißen Papieretikett der Phiole identifzieren: *B. anthracis.*

Tommy wusste nicht, woher diese Flasche stammte, Sam wagte später jedoch eine Vermutung: Vielleicht hatte ein Lehrer, der früher einmal in der Forschung tätig gewesen war und sich mit biologischen Waffen beschäftigt hatte, die Phiole beiseite geschafft. Möglich, dass er sie als Erinnerungsstück oder Trophäe aus dem Labor geschmuggelt hatte.

Vielleicht hatte er von der behördlichen Genehmigung geträumt, einen Kurs über die grandiosen Möglichkeiten der biologischen Kriegsführung abzuhalten.

Tommy steckte die Phiole in die Tasche und nahm sie mit nach Hause, wo er – wie er Sam viele Jahre danach erzählte – zahlreiche Nächte damit verbrachte, im Bett zu liegen, das beigefarbene Pulver anzustarren und sich zu fragen, was das alles zu bedeuten hatte und ob das Pulver überhaupt echt war.

So viel *Potenzial.*

So viel Macht.

Seine Eltern stritten sich jede Nacht, sodass er sich in seine Kissen verkroch und vor Entsetzen weinte. Im Kabelfernsehen hatte er eine Sendung über prähistorische Tiere gesehen, in der über die Notlage von Reptilieneltern vor zweihundert Millionen Jahren berichtet wurde. Gepeinigt von einem kleinen, flinken Dinosaurier auf Raubzug, merkten sie, dass sie sich nach einer anderen Höhle umsehen und Wurzeln roden mussten. Aber mit ihrem frisch geschlüpften Nachwuchs konnten sie nicht umziehen. Da beschlossen sie, ihre Jungen zu fressen, um nicht kostbare Nährstoffe zu vergeuden.

Bei Tommy setzte sich die Idee fest, dass seine Eltern genau das vorhatten – zwar nicht, ihn zu fressen, aber auf jeden Fall, ihn zu töten, um weiter zu ziehen. Zur Selbstverteidigung reicherte er in der Küche eine geöffnete Pilzdose mit einem einzigen Tropfen der Flüssigkeit an, die er der von ihm angelegten toxischen Kultur *C. botulinum* entnommen hatte. Für Tommy war das nur ein logischer Schritt. Allerdings sah er inzwischen nicht mehr fern, da Spielfilme und TV-Programme ihn zu sehr aufregten. Selbst von Komödien bekam er Albträume. Das Mienenspiel der Menschen jagte ihm Angst ein.

Einige Wochen nach dem Tod seiner Eltern – zwischen den Gerichtsterminen und selbst in Gegenwart des ersten, vom Gericht ernannten Vormunds – leitete Tommy die zweite Phase ein, bei der sich sehr schnell zeigte, wie brillant er war. Er fing damit an, Quäntchen von Anthrax in einer Brühe zu kultivieren, deren Rezept er im Internet gefunden hatte. Das Labor im Keller füllte sich mit dem Duft von Schmorfleisch.

Da nicht jede kleine Information, die er benötigte, im Netz zu finden war, begann er zu improvisieren. Um seinem Ziel, der Herstellung von waffentauglichem Stoff in Form von Aerosol, näher zu kommen und die Sache noch zu verfeinern, entwickelte er mehrere bis dato nicht bekannte Verfahren. Durch Waschen, mehrmaliges Trocknen und Zermahlen entfernte er die Reste abgestorbener Zellen, sodass eine Lösung nahezu reiner

Sporen übrig blieb. Allerdings neigte das verbliebene feine Pulver immer noch zum Zusammenklumpen – wenn es trocken war, wegen der Statik, und wenn es feuchter Luft ausgesetzt war, wegen der Nässe.

Er experimentierte damit, das Pulver in unterschiedlichen Flüssigkeiten schweben zu lassen, und fand schließlich sein ganz persönliches Rezept, indem er Chemikalien benutzte, die er in Druckertinte entdeckte.

Manche dieser frühen Ergebnisse bewahrte er in Einmachgläsern auf, einerseits, um kein Material zu vergeuden, andererseits, um seine Fortschritte zu dokumentieren.

Allerdings hatte Tommy schon aus Erfahrung gewusst, dass ein einfaches Trocknen und Zermahlen das Zusammenklumpen nicht verhindern würde. Jetzt bestand das Problem darin, das Anthrax in sehr feinen Körnungen, die bereits isoliert waren und weniger als vier oder fünf Sporen pro Korn enthielten, irgendwohin zu verlagern. Seine brillante Lösung hieß: in ganz normale Tintenstrahldrucker. Er ersetzte die Tinte in den auswechselbaren Druckerkartuschen durch die von ihm selbst hergestellte Lösung von Chemikalien und – anfangs – Bierhefe, stellvertretend für Anthrax. (Auch das eine Vorsichtsmaßnahme, denn Tommy vermutete, man könne ihm auf die Schliche kommen, falls er in einem Geschäft für Gartenbedarf die Basissubstanz für den mit dem Milzbranderreger eng verwandten *BT* oder *Bacillus thuringensis* bestellte.) Hefe dagegen hatte er im Überfluss: aus den Restbeständen der Weinkellerei.

Zunächst auf festem Papier, später auf 20 × 25 Zentimeter großen Glasplatten druckte er Millionen von Tüpfelchen aus, die aus einer trockenen Lösung bestanden. Es waren winzige Körnchen, die nur ein oder zwei Sporen enthielten und viel feiner waren, als er selbst es für möglich gehalten hatte. Wenn die Lösung durch die Tüllen der Druckerkartusche ausgeworfen wurde, erzeugte sie mikroskopisch kleine, von Quarz umhüllte Kügelchen, die, sobald sie getrocknet waren, fest auf der Glasplatte aufsaßen und jeder Verlagerung entschiedenen Widerstand entgegensetzten. Theoretisch war es möglich, die Glasplatten fast ohne besondere Sicherheitsvorkehrungen herumzutragen, sofern man sie durch einfaches Wachspapier voneinander trennte.

Tommys Schutzvorrichtung bei der Arbeit bestand darin, dass er seine behandschuhten Finger durch Löcher steckte, die vorne und hinten, oben und unten jeweils paarweise in Zehnerreihen angeordnet waren. Um an die oberen Öffnungen heranzukommen, bediente er sich einer kleinen mobilen Treppe, die man früher dazu benutzt hatte, Weinfässer aufeinander zu stapeln.

Aufgrund eines weiteren genialen Einfalls reihte er die Glasplatten in einem Gestell auf, das in einer Vakuumkammer rechts von der großen toxischen Produktionsanlage stand, und lud sie statisch auf. Dazu benutzte er eine Apparatur, die er einem alten Bürokopierer entnommen hatte. Die mikroskopisch kleinen Körner schwebten erst frei herum und flogen dann zu einem Gitternetz aus winzigen Drähten empor, wo sie sich entluden und kurz zusammenballten. Danach zog die Schwerkraft sie zu einer mit Teflon beschichteten »Rutsche« hinunter, die sie in kleine Gefäße beförderte. Für den Fall, dass die Sporen an den Drähten oder an der Rutsche hängen blieben, hielt er eine langstielige Bürste in der Vakuumkammer bereit.

Später verband er die auf diese Weise zweckentfremdeten Drucker miteinander und begann schließlich damit, die »eigentliche Sache« zu produzieren: den *Bacillus anthracis* in Form eines Aerosols, jederzeit als Waffe einsetzbar. Die ganze Zeit über hielt er alles in seiner toxischen Produktionsanlage unter hermetischem Verschluss, selbst die Glasplatten, die er recycelte.

Sollte es dabei jemals zu Pannen oder Unfällen gekommen sein, hatte er Sam jedenfalls nichts davon erzählt. Immerhin befand sich Tommy immer noch unter den Lebenden. Und er hatte sich, um keine Spuren zu hinterlassen, weder impfen lassen noch jemals Antibiotika geschluckt.

Nachdem er zwei Gefäße mit äußerst feinen Sporen gefüllt hatte, verschloss er sie, dichtete sie ab und gab die versiegelten Gläser in eine Bleichmittellösung, um eventuelle Rückstände zu beseitigen.

Genau zu dem Zeitpunkt, als seine Tante ins Haus einzog, Anfang 2001, schloss er die erste Produktion ab. Diese fünfzig Gramm waren das Ergebnis von sechs Monaten harter, ununterbrochener Arbeit. Für einen absoluten Amateur, der ohne fremde Hilfe auskommen musste, hatte er tatsächlich sehr viel erreicht.

Ein Jahr nach Beginn seines Projekts besuchte Tommy, begleitet von Tante Tricia, Verwandte in New Jersey und Florida. Während der Fahrt bestand er darauf, kurz bei örtlichen Postämtern vorbeizuschauen, um Gedenkbriefmarken zu kaufen. In der Abenddämmerung unternahm er einsame Spaziergänge zu öffentlichen Briefkästen. Er hatte seine speziell präparierten Umschläge in kleinen Plastikbeuteln dabei, die in einer größeren Tasche steckten. Von diesen Briefkästen aus injizierte er fünfzehn leichte, aber tödliche Spritzen in Form von Briefsendungen in den Blutkreislauf der amerikanischen Post.

Fünf wurden irgendwann entdeckt.

Er hatte keine Ahnung, wo die anderen zehn abgeblieben waren.

Tommy zählte zu den meistgesuchten Erdbewohnern. Im Sommer und Herbst 2001 war die Post der Vereinigten Staaten und ein großer Teil der amerikanischen Regierung aufgrund seines Hobbys so gut wie lahm gelegt.

Er brachte fünf Menschen um, infizierte Dutzende mit der Krankheit und versetzte Abermillionen in Angst und Schrecken.

Da er keinem Täterprofil entsprach, entging er der größten Menschenjagd in der inneramerikanischen Geschichte.

Tommy Juan Battista Juarez war der *Amerithrax*-Mörder.

Kapitel 23

William Griffin saß in einem alten Café am Broadway und wartete an dem winzigen Tisch auf seinen Kaffee. Mit einem Fingerknöchel rieb er sich das Auge und starrte durch das Fenster auf die regennasse Straße. Die letzte Nacht war hart gewesen, er hatte erst um vier Uhr morgens ins Bett gefunden, denn Griffs Herz war zum neunten Mal stehen geblieben. Die Ärzte hatten es fachmännisch wieder in Gang gesetzt und die Operation danach fortgeführt.

Sechs Tage chirurgischer Eingriffe. Vielleicht becherte Griffs Geist bereits mit den alten Kumpels da oben, im Polizeibezirk Omega. Vielleicht lachten sie und schlossen Wetten darauf ab, wann Griffs Körper endlich merken würde, dass sein Besitzer sich unerlaubt von der Truppe entfernt hatte.

William schob die Lippen vor und merkte, wie sich sein Blick in die Ferne verlor.

He, Griff, Zeit, dir deinen himmlischen Namen auszusuchen.

Himmlischen Namen? Mein Gott, Jungs, ich dachte … Ich meine, der Schnaps in dieser Bar schmeckt ja wirklich scheußlich.

Denk besser gar nichts. Wir stellen unseren Schnaps nämlich selbst her. Gott mag die Bullen, Griff.

Quatsch. Gott ist ein Richter, kein Polizist.

Und was sind dann die Engel? Du kommst hier herauf, gesellst dich zu uns im Polizeibezirk Omega, greifst dir dein flammendes Schwert, machst dich auf die Rückreise nach unten, sozusagen unsichtbar, und trittst jemandem in den Arsch. Brauchst keinen über seine Rechte zu informieren. Und der Staatsanwalt unterschreibt jeden Haftbefehl.

»Kein Zucker, *Americano*?«, fragte die Kellnerin.

William nahm die Tasse entgegen. Als er den ersten Schluck trank, sah er eine schlanke Frau mit bandagierter Wange, wachen haselnussbraunen Augen und kastanienbraunem Haar durch das Fenster spähen. Sie trug einen grauen Hosenanzug und eine pfirsichfarbene Bluse mit lockerem Rüschenkragen. Auch ihre rechte Hand war bandagiert. Sie winkte ihm leicht zu und öffnete die Tür, deren Kuhschellen bimmelten.

»Darf ich mich zu Ihnen setzen?«

»Wie bitte?« William war nicht zu einem Gespräch aufgelegt.

»Mein Name ist Rose, Rebecca Rose.«

Jetzt wurde ihm klar, woher er das Gesicht kannte, der Name war ihm sowieso vertraut. »Entschuldigung.« William schob die Tasse weg und streckte ihr die Hand hin. »Ich bin William Griffin.«

»Dachte ich mir. Tut mir leid, aber ich muss Ihnen die Linke geben. Sprockett hat mir verraten, dass Sie hier sein würden. Ich bin Ihr Chauffeur.«

Während William sie ungläubig ansah, zog er einen Stuhl für sie heran.

»Ich nehme Sie mit zum Gehöft«, erklärte sie, als sie Platz nahm.

»Danke, aber ich würde gern hier bleiben, bis Genaueres feststeht.«

»Sie sind beim FBI und jetzt im Dienst. Keller ist der Meinung, dass Sie mal eine Pause von der Klinik brauchen, und das meine ich auch. Ich wurde vor einer Stunde aus dem Krankenhaus entlassen und durfte gleich danach Griff sehen. Ihr Vater wird noch Tage brauchen, bis er jemanden erkennt, vielleicht auch Wochen.« Als sie ihre langen Beine ausstreckte, sah er, dass sie am Knöchel einen weiteren Verband trug. »Hiram Newsome hält es für möglich, dass Griff einer wichtigen Sache auf die Spur gekommen ist, vielleicht sind es auch zwei Fälle, ein alter und ein neuer. Er hat Keller darum gebeten, Sie vorübergehend der Sondereinheit zuzuteilen.«

Auch Newsomes Ruf war legendär. In Quantico war William Newsome einmal zufällig auf dem Gang begegnet. Er war ein

Mann wie ein Bär, stämmig, aber aus seinem kantigen Gesicht blickten große mitfühlende Augen. Obwohl William sehr erschöpft war, beschleunigte sich sein Pulsschlag. Er sah sich im Café um: Hinten in einer Ecke saßen zwei Gäste, und die Kellnerin war damit beschäftigt, Kaffeebohnen zu mahlen. »Ich höre«, sagte er.

Rebecca beugte sich vor und zog ein Bein ein. »Den Teufel werden Sie tun!« Mit einem langen, frisch lackierten Fingernagel pochte sie auf den Tisch. Ein bisschen Lack war über die Nagelhaut verschmiert. William nahm an, dass sie den Lack selbst aufgetragen hatte, mit der bandagierten Hand. »Sie sind drauf und dran, LOS zu überspringen und direkt zur Schlossallee hinüber zu tanzen, also sollten Sie verdammt viel mehr tun, als nur zuzuhören.«

William spürte die Wirkung des Kaffees. »Ist das in meiner Person begründet, oder ist es wegen Griff?«

Rebecca legte den Kopf schräg. »Sie haben's erfasst: Jemand wird Griff erzählen, wir hätten seinem Sohn einen Freifahrtschein gegeben, entgegen aller Regeln mit einem Wahnsinnsfall betraut – und er bekommt neuen Lebensmut und wird schnell wieder munter.« Sie zog die Augenbrauen hoch.

»Tut mir leid«, sagte William.

»Farrow hat Sie empfohlen.«

»Tatsächlich?«

»Damit haben Sie drei Asse im Ärmel.« Rebecca tat mit hohlen Händen so, als forme sie etwas in der Luft. William musterte ihre hellwachen Augen. Ihm fiel auf, dass sie winzige Grübchen hatte. »Wenn Griff wieder ganz bei sich ist, werden wir ihn hinzuziehen. Und Sie können ihn dann über den Stand der Dinge informieren. Vier Asse. Für einen *G-Man*, der gerade erst anfängt, hätten Sie's gar nicht besser treffen können.«

Rebecca vollendete die Form, die sie in die Luft gemalt hatte, und warf ihm einen unsichtbaren Ball zu.

Er streckte eine Hand hoch und fing ihn auf.

»So steht's«, sagte sie. »*Simpatico.*«

Kapitel 24

Temecula

Sam ging um das in Visqueen gehüllte Gehäuse herum. Als er zum ersten Mal an dieser Haustür aufgetaucht war, war es schon zehn Jahre her gewesen, dass Tommy die alte toxische Produktionsanlage angerührt hatte. Soweit Sam wusste, hatte Tommy sie zuletzt vor drei Jahren dazu benutzt, die genetisch modifizierten Anthrax-Proben vorzubereiten, die sie nach Honduras und in den Irak geliefert hatten.

Es war Tommy nicht schwer gefallen, die Milzbranderreger zur Aufnahme von Plasmiden zu bewegen. Das waren kleine DNA-Schleifen, die biolumineszierende Gene enthielten. Die modifizierten Bazillen hatten sich mit ungebremstem Eifer vermehrt, sodass Tommy innerhalb von zwei Wochen weitere zwanzig Gramm reiner Anthrax-Sporen hatte herstellen können, eine Billion Sporen pro Gramm.

Bei fünfzig Prozent der Menschen reichten rund viertausend Sporen, sofern man sie inhalierte, dazu aus, den Tod herbeizuführen. Das nannte man die *LD 50-Grenze*, wobei LD für *Letale Dosis* stand. Schon hundert inhalierte Sporen konnten bei älteren Leuten oder Menschen mit geschwächtem Immunsystem tödlich wirken. Kinder waren offenbar widerstandsfähiger.

Sam musterte das Gehäuse. Jemand hatte Teile der Visqueen-Folie entfernt. Der Strom war eingeschaltet. Das kleine, leise Gebläse, mittels einer flexiblen Plastikröhre mit einem Schwebstofffilter am Oberlicht verbunden, war aktiviert. In einer Ecke stapelten sich Flaschen mit Bleichmitteln und Büchsen mit Alkohol.

Vorsichtig zog Sam einen langen, in der Mitte aufgerissenen Plastikstreifen weg. Die vier darunter liegenden Schichten waren mit Klebeband verschlossen, ließen sich aber leicht aufmachen, wenn man an die Löcher für die Handschuhe herankommen wollte.

Auf einen benachbarten Tisch hatte Tommy einen kleinen, mit Glas verkleideten Inkubator mit Petrischalen gestellt. Daneben befand sich ein Gefäß mit erstarrtem Agar. Auf einem Ecktisch – einem speziellen Labortisch – schaukelte ein einziger Kolben mit rosiger Flüssigkeit, die wie Erdbeermilch aussah, in einer mechanischen Schwingvorrichtung. Tommy arbeitete an einem neuen Projekt. Er hatte sein Labor und die toxische Produktionsanlage wieder in Betrieb genommen, ohne Sammy etwas davon zu sagen.

Im Schuppen legte Sam einen autonom arbeitenden Sauerstoffapparat an, danach einen lockeren Schutzanzug aus grünem Plastik, ein Fabrikat der Firma Seal-Go, und einen Helm mit Arbeitsschutzmaske, die mit einem Kohlenstofffilter ausgestattet war. In solchen Schutzanzügen schwitzte man, und nach einigen Minuten blähten sie sich auf wie Ballons, doch Tommy war auf keinen Fall bereit, auf sie zu verzichten und wusch sie am Ende jeder Woche mit der Hand. Nach wie vor bewahrte er Dutzende unbenutzter Schutzanzüge, die er in Kisten verstaut hatte, im Lagerhaus auf.

Über Schutt und geborstenen Asphalt stapfte Sam zur hinteren Scheune, ein Fußmarsch von zwei Minuten. Die aus Ziegelsteinen und Fachwerk kunstvoll errichtete Scheune stammte noch aus der Zeit vor der Umwandlung der Gebäude in eine Weinkellerei und umfasste mehr als tausend Quadratmeter. Im Grundriss ähnelte sie der Scheune auf dem Gehöft des Patriarchen, nur hatte sie keinen Keller.

Sam sperrte die kleine Seitentür auf. Es war der einzige Eingang, den sie derzeit benutzten. Im Computerraum blieb er stehen, um die kleinen Monitoren der sechs miteinander verbundenen Geräte zu mustern. Hier waren die Lampen stets eingeschaltet, während in der übrigen Scheune nur noch die Notbeleuchtung brannte.

Die serienmäßige Pulverproduktion war die größte Leistung, die Tommy bisher vollbracht hatte, und er hatte dazu dank seines Einfallsreichtums nur einfachste Mittel gebraucht. Das ganze Innere der Scheune, einschließlich der Decke, hatte er mit dicken Plastikfolien verkleidet und danach mit vielen zusätzlichen Schutzvorhängen ausgestattet. Dabei hatte er sich an Richtlinien zum Asbestschutz gehalten, die er im Netz gefunden hatte.

Sam wusste zwar nicht, wie gründlich Tommy dabei vorgegangen war, aber wenn Tommy eines auszeichnete, dann war es die Besessenheit, die er bei der Arbeit an den Tag legte. Anzeichen für Nachlässigkeiten hatte Sam weder im Computerraum noch auf dem Weg zur Scheune entdecken können. Andernfalls wäre er sofort umgedreht.

Im Laufe der Zeit hatte Tommy seine wissenschaftliche Arbeit in eine nervtötende Routine verwandelt. Die Schutzanzüge stammten aus Restbeständen eines Unternehmens, das Computerchips herstellte, und dienten dazu, flüchtige Elemente vom Körper fern zu halten und extrem feine Teilchen wirksam zu filtern. Allerdings hatte Sam trotzdem nicht vor, irgendwelche offensichtlichen Risiken einzugehen.

Als er die Tür zum Hauptschuppen öffnete, zischten die luftdichten Gummiverschlüsse aufgrund des Luftzugs – das lag am Unterdruck, für den innen ein mit einem Schwebstofffilter versehener Ventilator sorgte. Wenn die Produktionsanlage in Betrieb war, umspülte feiner Sprühnebel den Abzug des Luftfilters, um den Staub aufzunehmen und ihn durch ein dickes PVC-Rohr in ein tiefes Auffangbecken aus Beton zu leiten, wo er sich absetzte und … liegen blieb.

Nicht einmal Tommy wagte sich in die Nähe dieses Auffangbeckens.

Während Sam am inneren Schutzvorhang entlangging und durch die letzte Plastikschicht blickte, erkannte er im trüben Licht vereinzelter Neonlampen zwanzig Reihen von jeweils zwanzig Tintenstrahldruckern. Da Tommy jetzt schlief, waren sie ausgeschaltet. Unter den Gummiwalzen der Drucker, die in den letzten vier Reihen standen, lagen schon die Glasplatten, damit die Arbeit später am Tag gleich weitergehen konnte.

Für die jüngste Arbeit hatte Tommy einen besonderen Druckertyp eingesetzt, der noch feinere Tüpfelchen pro Zentimeter ausdrucken konnte als die Modelle, die er im Jahr 2000 benutzt hatte. Über zehn Monate hinweg hatte Tommy Woche für Woche vierhundert Tintenkartuschen mit den in Flüssigkeit aufgelösten Teilchen befüllt, war in seinem Plastikanzug zwischen den Reihen auf und ab gegangen, hatte die Glasplatten in den Sammelraum getragen ... hatte die versiegelten Flaschen mit dem feinen Pulver in eine Stahlkammer neben der Scheune gebracht, wo sie in Transportkisten verladen wurden. Und trotzdem hatte die Menge nicht ausgereicht.

Von Ehrgeiz getrieben, hatte Sam sich nach einem weiteren Partner umgesehen. Und nach einem Testgebiet, das noch weiter »ab vom Schuss« lag als die Weinkellerei. Um eine zusätzliche Produktionsanlage in Gang zu setzen.

Hätten sie es geschafft, die Drucker in den Bundesstaat Washington zu bringen ...

Wäre das Anwesen des Patriarchen nicht durchsucht worden ...

Zwei schnelle Schläge hatten diesen Plänen ein Ende gemacht. Da sie eine solche Niederlage zum ersten Mal erlebten, gelang es Sam nicht, sich in alle Gedanken und Sorgen Tommys hineinzuversetzen. Er hatte schon so lange mit diesem Jungen von einem anderen Stern zu tun, dass er fast alle Vorsicht fallen gelassen hatte. Aber jetzt war er sicher, dass sich Tommys Pläne geändert hatten, und er musste erfahren, warum – und in welcher Hinsicht.

Die Scheune sah genauso aus wie in den letzten beiden Jahren. Sam ging um die mit Folien verhängten Zonen herum und strich mit dem Handschuh leicht über den gewellten Kunststoff. Nichts war hier neu, jedenfalls nichts, das ins Auge fiel. Was hatte er übersehen?

Die hintere Tür zu einem kleinen Verschlag erregte seine Aufmerksamkeit, denn sie war vor kurzem geöffnet worden, wie er daran merkte, dass die Kunststofffolie weggezogen und oben festgeklebt war. Sam untersuchte das Vorhängeschloss mit Zahlencode, das neu war. Noch nie hatte Tommy hier irgendetwas abgesperrt. Sam konnte das Schloss nicht einfach aufbrechen. Frustriert tüftelte er am Zahlencode herum, ohne Erfolg, und drehte sich gleich darauf um, weil er gehen wollte.

Von der anderen Türseite her hörte er ein Scharren und schwaches Winseln, danach ein regelmäßiges Kratzen von Pfoten.

Erneut wandte er sich dem Zahlenschloss zu. Vergeblich versuchte er es mit Tommys Geburtsdatum. Danach gab er 09/11/01 ein – das Datum, das nach Tommys Überzeugung den Niedergang der Welt, deren Abstieg in ein Chaos aus Lärm und Wahnsinn eingeleitet hatte. Es war der Tag, an dem Tommy für sich beschlossen hatte, jeder von ihm durchgeführte Schlag und Gegenschlag sei völlig gerechtfertigt.

Das Schloss klickte. Sam zog die Tür auf.

Im Halbdunkel des Verschlags verbarg sich eine braune Hündin, ein Beagle-Terrier mit hervorstehenden Rippen und braunen Augen, die ihn anstarrten. Den Blick fest auf Sam gerichtet, zog die Hündin fortwährend schnelle, enge Kreise. Trotz ihrer Angst, trotz des Fluchtinstinkts konnte sie nicht davon lassen.

In den Ecken gegenüber lagen zwei weitere Hunde mit glasigen Augen, deren starre Beine ausgestreckt waren. An ihren Nasen und Hinterteilen klebte schwärzliches Blut. Sie waren tot. Angewidert zog Sam die Tür hinter sich zu und sperrte sie ab.

Er ging zum Eingang zurück, streifte den Schutzanzug ab und kehrte zur vorderen Veranda zurück.

Tommy war ein Mittel zum Zweck gewesen. Sam hatte seine Rolle gut gespielt, so gut, dass er sich manchmal selbst etwas vorgemacht hatte. Über die Jahre, solange Tommy verwundbar, hilfsbereit und offen gewesen war, hatte Sam fast vergessen, wer und was Tommy eigentlich war.

Über eine unbefestigte Straße, die durch die Weinberge führte, ging er bis zum Stahlschuppen nördlich des Lagerhauses. Innen waren zwanzig Lattenkisten ordentlich auf Paletten gestapelt, die auf dem Betonfußboden standen. Jede Kiste enthielt zehn Gehäuse von Feuerwerkskörpern, die im Laufe des vergangenen Jahres auf dem Gehöft des Patriarchen zusammenmontiert und eingeschweißt worden waren. Die Kisten waren mit zerschredertem Zeitungspapier und Sägespänen ausgepolstert.

Mit Hilfe eines Handwagens beförderte Sam jeweils zwei Kisten auf einmal in die Garage. Inzwischen war es fast elf, aber Tommy schlief immer noch.

In der Garage lud Sam die Kisten ins Heck des Pferdetransporters und stapelte sie an einer Schutzwand aus verschweißtem Metall hoch, die den hinteren Laderaum vom Führerhaus abtrennte.

Dass Tommy die Produktivität erhöht hatte, zählte jetzt nicht mehr, denn die Zeit wurde knapp. Sie hatten genügend Stoff für einen Test, der auf zwei große Zielobjekte ausgerichtet sein würde. Rom würde er streichen müssen. Sam hatte die Stadt für diesen Test bereits ausgewählt. Einen Ort, an den sich niemand erinnern würde.

Einen Ort, den man vielleicht besser vergaß.

Nachdem er den Transporter beladen hatte, schaute Sam in Tommys kleines Schlafzimmer. Das große Kind lag auf dem Bauch im Doppelbett und gab nach jedem pfeifenden Einatmen leise Schnarchtöne von sich. Er klang wie ein alter Hund. Auf dem kleinen Nachttisch hatte Tommy vier gewichtige tiermedizinische Lehrbücher über Viehkrankheiten aufgestapelt. An den Wänden, die nicht durch Bücherregale verdeckt waren, hingen Plakate und Illustriertenfotos, die alle dieselbe Frau zeigten: Jennifer Lopez. Geschichten über J-Lo hatte Tommy zum ersten Mal im *National Enquirer* gelesen, den seine Mutter bezog. Irgendwie war J-Lo vor vielen Jahren zu Tommys Traumfrau geworden, und er war ihr bis heute treu geblieben.

Bei all dem Kummer, den Tommy verursacht hatte: An Sams Herzschmerz trug er keine Schuld.

Östlich vom Haus fielen Sonnenstrahlen durch die Äste der alten Eichen. »Ich bin jetzt wach.« Tommy trat durch die Flügeltür, stellte sich neben Sam auf die Veranda und wippte auf den Füßen langsam vor und zurück. Er trug Boxershorts und ein T-Shirt mit Batikmuster. Irgendetwas ging ihm im Kopf herum.

»Wenn man viel Geld hat, beachten die Frauen einen, glaube ich«, sagte er. »Hab ich jedenfalls gehört. Stimmt das?«

»Schätze schon. Zumindest einige Frauen.«

»Hast du vielleicht schon mal ›daran gedacht‹«, Tommy malte wieder mit gekrümmten Fingern Gänsefüßchen in die Luft, »Geld dafür zu verlangen, dass wir die Dinge, die wir tun, *unterlassen*?«

Sam zögerte mit der Antwort. Vielleicht war Tommys Frage ernst gemeint, vielleicht auch nicht. »Nein, hab ich nicht.«

»Na ja, wir könnten damit eine Menge Geld machen, aber ich hab noch nicht herausgefunden, wie wir's anstellen könnten. Denn wenn ich richtig darüber ›nachdenke‹, würde man uns beim Versuch, das Geld auszugeben, wahrscheinlich erwischen.«

»Wahrscheinlich.«

»Die ganze Welt kämpft miteinander. Und wir werden den Leuten dabei helfen, damit aufzuhören. Dann wird's wieder viel ruhiger sein, und das ist doch was wert, nicht? Ich hab 'ne Menge von dir gelernt, Sam.«

»Bist mein wichtigster Mann, Tommy.«

»Ja, im Augenblick schon.« Tommy nahm neben Sam auf einem Rohrstuhl Platz. »Aber wenn wir hier fertig sind, wirst du einfach weiterziehen, fürchte ich. Ich würde auch bei der nächsten Sache gern mit dir zusammenarbeiten, egal, was es ist.«

»Das möchte ich auch gern.«

»Vielleicht könnte es was sein, das Geld einbringt, damit ich auch mal ein richtiges Leben habe. Aber was es auch sein mag, Sam, erzählt hast du mir noch gar nichts darüber.«

»Ich denke noch darüber nach.«

Als Sam *denke* sagte, beeilte sich Tommy, die seiner Meinung nach nötigen Gänsefüßchen in die Luft zu malen.

»Aber du bist auf jeden Fall dabei«, versicherte Sam. »Ich möchte, dass du weißt, wie wichtig du bist, und dich auch so fühlst.«

»Ich *bin* wichtig.« Tommy ruckte mit dem großen Kopf vor und zurück, sodass das strähnige lange Haar ihm in die Augen fiel. »Aber inzwischen bin ich ein erwachsener Mann und noch nie mit jemandem ins Bett gestiegen … Ich meine, ich hab noch nie mit jemandem … mit einer Frau geschlafen. Ich nehme an, das ist auch gar nicht so wichtig, aber du scheinst es für wichtig zu halten.«

»Möchtest du mit einer Frau schlafen?«

Tommy kicherte. »Nicht nur *schlafen*, Sam.«

»Versteht sich.«

Tommys verwirrtes Gesicht glättete sich. »Erzähl mir davon, wie laut es da draußen ist, wo alle miteinander streiten. Wir sorgen dafür, dass es wieder ruhig zugeht, stimmt's, Sam?«

»Jedenfalls versuchen wir's.«

»Also, erzähl's mir noch mal, erzähl mir die Geschichte.«

Sam holte leicht Luft und bewahrte eine ungerührte Miene. »Wir leben in einer sehr schlimmen Zeit, in einer Zeit voller Lügen«, begann er. »Jeder hängt in seiner eigenen Geschichte fest.«

»Wie Elefanten in einer Teergrube«, ergänzte Tommy, denn so lautete das Ritual.

»Genau. Niemand weiß, wie er dem entkommen kann, denn Lügen und Hass sind wie Teer. Du verstehst das, Tommy.«

»Wenn man hasst und lügt, bleibt man stecken.«

»Richtig. Und niemand weiß, wie er sich da wieder herausziehen soll, alle hängen fest.«

»Sie verbreiten auch Lügen über Gott. Gott ist für sie wie Teer.«

Sam nickte. »Für diese Leute bedeutet Gott Hass. Aber früher hat Gott Liebe bedeutet.«

»Auch bei der Echsenmama und dem Echsenpapa herrschte früher Liebe«, sagte Tommy – es klang fast wie ein Singsang. »Es waren die Probleme, die sie dazu brachten, zu hassen und zu lügen.«

»Viele Menschen brauchen Ärzte, die ihnen den Hass nehmen. Wir sind die Ärzte.«

»Wir führen eine Operation durch und schneiden ihnen den Hass heraus.«

»Bei der Operation gehen wir zartfühlend und liebevoll vor, auch wenn wir schneiden müssen. Die Operation rettet Leben.«

Tommys Schultern bebten. »Wärst du früher gekommen, hättest du das Leben von Echsenmama und Echsenpapa retten können.«

»Du hast getan, was du tun musstest, Tommy. Aber gemeinsam werden wir dafür sorgen, dass es anders wird.«

Tommy wischte sich die Augen. Er war so hibbelig, dass der Rohrstuhl unter ihm knarrte. Sam beobachtete ihn, bis die Bewegungen des großen Jungen langsamer wurden. Mit halb geschlossenen Augen, durch das Ritual beruhigt, blieb Tommy am Rand des Rohrstuhls sitzen. »Ich würde gern hören, was genau wir vorhaben«, sagte er. »Schließlich sind wir Ärzte.«

»Stimmt genau, Tommy. Du und ich, wir werden den Planeten wieder gesund machen.«

»Ich hab dich lieb, Sam. Du hast mich gerettet. Ich hoffe, ich kann mich dafür bei dir revanchieren.«

»Du bist derjenige, welcher, Tommy. *Du* bist derjenige, bei dem wir alle uns irgendwann revanchieren müssen.«

Beim segensreichen Tommy.

Sam lehnte sich zurück und verschränkte die Hände im Nacken.

Tommy tat es ihm nach. »Kommt einem schon irgendwie richtig vor, dass wir's gerade hier vorbereiten, in der Weinkellerei, nicht?«

»Und den Wein dabei vernichten«, ergänzte Sam. »Um die wahren Früchte des Zorns zu erzeugen, Tommy.«

Zweiter Teil

Die Feuersäule

Kapitel 25

Die Luft über dem Gehöft stand so still, als halte die Welt den Atem an.

Der Schauplatz der Explosion war ein einziges Schlachtfeld aus zerfetzten und eingedellten Plastikfässern, großen Gaszylindern, Betonbrocken, herausgeschleuderten Holzwänden und Trümmern jeder Größe, einschließlich von Splittern, die so fein wie Zahnstocher waren. Auch die Bäume hinter der Scheune hatten Feuer gefangen, sodass immer noch eine dünne Rauchwolke über dem Hof waberte.

Das Hauptgebäude neben der Scheune hatte sich infolge der Druckwelle von den Grundmauern gelöst und schräg gelegt. Die Holzbohlen der Wände waren abgefallen, die Fenster nach außen explodiert. Das weiter entfernte Nebengebäude war, geschützt durch das größere Haus und einige Bäume, fast unversehrt geblieben, hatte jedoch ebenfalls die Fenster eingebüßt. Inzwischen waren sie mit blauem Kunststoff abgedichtet.

Als William zu der tiefen Grube hinüberging, wo einst die Scheune gestanden hatte, kam er an zahlreichen Schutthaufen vorbei. Er bückte sich, um hinunterzuspähen. Mitten in der Grube fiel ein Gewirr aus verkrustetem Betonrippenstahl ins Auge – der frühere Mittelteil des Kellers unter der Scheune. Deren rechteckiger Grundriss war mit einem Raster aus reflektierendem Band überzogen, das auf jeder Seite von Pflöcken gestützt wurde. Wo das Band sich überschnitt, waren zur Orientierung große Zahlen aufgeklebt.

Rebecca blieb ein paar Schritte hinter William zurück, um ihm etwas Raum und Zeit zu lassen. William suchte und fand die beiden roten Fähnchen – sie ragten aus dem Schutt –, welche die Stelle markierten, wo man die beiden Agenten geborgen hatte. Die eine war nicht mehr zu retten gewesen, der andere hatte überlebt.

Ein blasser Mann mittleren Alters, dessen mausgraues Haar aus der breiten Stirn gekämmt war, unterhielt sich mit Rebecca. Er trug einen formellen schwarzen Anzug und eine rote Krawatte. Sie gingen zu dem markierten Quadrat hinüber, wo der Laster des Bombenräumkommandos gestanden hatte. Der Mann deutete auf einen Sprengschutzschild, der immer noch am Boden lag und mit einem Aufkleber als Beweismaterial gekennzeichnet war. Während Rebecca ihn auf William hinwies, kamen sie näher.

»Mr. Griffin, ich bin Aram Trune, der Verbindungsmann des FBI zum National Counter-Proliferation Center, zuständig für die Abwehr terroristischer Angriffe und Massenvernichtungswaffen. Ich hoffe, Ihrem Vater geht es mittlerweile besser.«

»Verbindungsmann?«, fragt William, der angesichts der pulverisierten Gebäudetrümmer immer noch unter Schock stand.

»Unsere Stelle hat den Auftrag, die Beziehung zwischen dem FBI und der neuen Regierung genauer zu definieren.«

»Wo hat man Griff gefunden?«, fragte Rebecca. »Nach der Explosion habe ich kaum noch etwas mitbekommen.«

»Hab ich gehört.« Trune trat an den Rand der Grube mit ihrem schmalen, brüchigen Überhang aus Beton, die durch eine Zickzacklinie von Pfosten gekennzeichnet war. »Er wurde in den hinteren Teil einer Box mit Betonwänden geschleudert. Die Mauer stürzte über ihm ein und lenkte die größte Explosionswelle ab. Die meisten seiner Verletzungen sind Quetschungen. Die Agentin Watson …«, er schüttelte den Kopf. »Wir haben gerade die letzten Reste von ihr geborgen.«

»Was für ein Sprengstoff war das?«, fragte William.

»Perchlorat und Aluminiumpulver auf Polybutadien-Basis. Wir bezeichnen es als besondere Art von Thiokol, schwarzem Polysulfid-Polymer. Das wird vor allem in Antrieben von Feststoffraketen eingesetzt, so auch bei den alten Raumfähren. Die Explosion wurde durch einen Zündungsmechanismus ausgelöst.« Er deutete auf das Gewirr aus Überresten von Pfosten und Drähten, das auf dem Gehöft und dem Feld verteilt war. »Induktionsstrom aus der oberen Atmosphäre, der durch ein Netzwerk von Drähten floss. Der Patriarch wollte Gott die Verantwortung dafür zuschieben.«

»Und, übernimmt er sie?«, fragte William.

»Das fällt nicht in mein Fach«, erwiderte Trune.

Durch abgesperrte und mit Rastern markierte Bodenabschnitte führte er sie zur Einsatzzentrale, einem überaus breiten und mehr als zehn Meter langen Wohnmobil, das – völlig unpassend – auch mit einer Veranda und jeder Menge Verzierungen ausgestattet war. Innen hatten Agenten und Ermittler Markierungstafeln, Schwarze Bretter, einen großen Bildschirm und Klapptische aufgebaut. Auf den Tischen stapelte sich Beweismaterial, welches sie katalogisierten. Zwei Techniker waren gerade dabei, in Beuteln verstaute Teile zum mittleren Tisch zu bringen – Reste verschmorten, geschmolzenen Kunststoffs und Metalls, vielleicht auch Schrapnells. Ein dritter Techniker bereitete das Fotografieren des Beweismaterials vor.

William und Rebecca blieben am Tisch stehen. Rebecca beugte sich vor, um sich die dünnen angeschwärzten Metallstäbe anzusehen. »Wie viele sind es?«, fragte sie eine zierliche Technikerin.

»Fünfzehn oder zwanzig, plus Kabel. Wir haben sie auf einem Haufen neben den Fässern gefunden, in denen was verbrannt worden ist, zusammen mit den Überresten von zwei Computern.«

Rebecca sah William an. »Laufschienen von Tintenstrahldruckern. Stammen von älteren Modellen, Epson-Druckern. Die werden heute gar nicht mehr geliefert. Ist der Patriarch Ihnen wie ein Computerfreak vorgekommen?«

Trune steuerte sie durch die Menge. Im Wohnmobil wurde leise und effizient gearbeitet. Die Leute, die miteinander reden wollten, zogen sich meistens in die Küche oder die hinteren Räume zurück. Eine Frau begann damit, Fotoabzüge an das Korkbrett zu heften: Aufnahmen von Familienangehörigen des Patriarchen, die aus der Zeit der Überwachung stammten.

Als William aus dem Erkerfenster des »Esszimmers« blickte, sah er, wie ein zweites großes Wohnmobil hinter dem Haus hielt.

Trune streifte grüne Plastikhandschuhe über, hob ein etwa neunzig Zentimeter langes Stahlrohr vom Tisch und hielt es Rebecca hin.

»Wollen Sie raten?«

»Eine Rohrleitung?«

»Eher eine Art Geschütz.« Trune legte das Rohr wieder auf den mit Zeichenpapier ausgelegten Tisch zurück, genau auf den dafür vorgesehenen Umriss, machte einen Bogen um den Fotografen und hob eine Plastiktüte hoch, die eine kleine Probe cremefarbenen Pulvers enthielt. »Das haben wir von den Bäumen gekratzt. Hier draußen gibt's jede Menge davon. Sie dürfen nochmals raten.«

»Anthrax?«, fragte William.

Rebecca beugte sich weiter vor. »Hefe.«

»Gut geraten«, sagte Trune.

»Wir haben die Beutel in der Scheune gesehen.«

»Es ist Bierhefe, nein, eigentlich Backhefe«, erklärte Trune. »Alles Kulturen derselben Art. Ungefährlich, nehme ich an. Hängt hier überall auf den Dächern, im Boden und an den Blättern draußen. Nach Norden hin in stärkerer Konzentration. Im Tal kommt der Wind meistens von Süden.« Er holte drei Datenbrillen von einem Regal und führte William und Rebecca in den hinteren Teil des Wohnmobils. »Ich habe einen Raum reserviert und dafür gesorgt, dass unser örtlicher Server uns auf Anfrage die Videofilme aus der Scheune zeigt.«

»Fantastisch«, bemerkte Rebecca, als er ihnen den Vorführraum zeigte – eine leere Toilette, in der alle Installationen fehlten.

»Die richtigen Toiletten befinden sich in einem anderen

Wohnmobil. Derzeit befassen sich Techniker mit den Fäulnis-erregern auf dem Gehöft und mit dem ganzen Abwassersystem«, sagte Trune. »Jeder hier gibt später eine Blutprobe ab und erhält einen kostenlosen CAT-Scan, bis wir alles sterilisiert haben. Und wahrscheinlich auch noch eine Woche danach.«

William merkte, wie ihm Schweiß aus den Achselhöhlen sickerte.

»Okay, und jetzt erzählen Sie mir mal, warum diese Leute Hefe benutzt haben«, sagte Trune mit gesenkter Stimme.

»Jemand, der einen Angriff mit einer biologischen Waffe plant, könnte Hefe als neutrale Testsubstanz einsetzen.«

»Reden wir hier von einem Angriff mittels Anthrax-Bazillen?«

»Ich weiß es nicht«, erwiderte Rebecca. »Aber fein gemahlene Hefe verteilt sich fast genauso gut.«

Trune pfiff leise, zog gleich darauf den Ärmel hoch und ent-hüllte eine Fernbedienung. »Showtime, Leute. Ich werde den Bildschirm zwischen dem Agenten Griffin und der Agentin Wat-son aufteilen. Wenn Ihnen etwas auffällt, sagen Sie mir Bescheid, ich hol's dann näher heran.«

»Ich bin fix und fertig«, sagte Rebecca, während sie durch den Wald auf den Highway zufuhren. »Ich geistere jetzt schon seit achtundvierzig Stunden kreuz und quer durch die Gegend und hab nur kurze Nickerchen gemacht.«

»Und keinen Kaffee getrunken?«

»Kann keinen Kaffee trinken. Macht mich hibbelig, und dann fang ich an, mir schlimme Gedanken zu machen. Das ist die Sache nicht wert.«

»Ich könnte von Kaffee leben«, erklärte William. »Für mich ist Koffein ein Vitamin.«

»Das kommt daher, dass Sie so dick sind.« Rebecca deutete ein Lächeln an.

»Für meine Größe habe ich fünfzig Gramm Untergewicht.« William versuchte, den Knoten in seinem Magen zu lösen. Es war gut, einfach nur zu reden, egal über was.

»Ist ja noch Babyspeck. – In welcher Dienststelle haben Sie eigentlich angefangen?«

»Im New Yorker Polizeidienst. Ursprünglich wollte ich zum Rettungsdienst. Nach dem Motto: *Verlass dich nicht auf den Herrn Jesus, die Rettung besorgen wir.*«

»Ha. Na dann, Hals- und Beinbruch.«

»Genau. – Gelandet bin ich allerdings bei der Sitte, hab ein Jahr da gearbeitet.«

»Bei der Sitte? Was haben Sie denn bei der Sitte gemacht?«

»Ich lief als hübscher Kerl herum.«

»Hübscher Kerl?«

William streckte die nicht vorhandenen Brüste heraus.

Rebecca schürzte die Lippen. »Mit ein bisschen Lidschatten würden Sie vielleicht gar nicht so übel aussehen.«

»Ich ging als Transvestit mit großen Titten, blonder Perücke, wirklich zum Angstkriegen. Aber ich konnte nicht sonderlich gut improvisieren, also hat die Sitte mich wieder abgeschoben, und ich bin zu den Streifenfahrern mit den dicken Ärschen und den Kopfhörern übergewechselt … zum OCID, der für die Verfolgung organisierten Verbrechens zuständig ist.«

»Immer noch besser, als sich auf den kalten Straßen New Yorks den Arsch aufzureißen.«

»Trotzdem sehne ich mich manchmal dorthin zurück. Nach den Ladys in ihren Limousinen, die wie frisch gebackenes Brot riechen. Und nach *Opium* – nach dem *Parfüm* Opium. Innen drin ist es wunderbar warm … In den Limousinen, meine ich.«

Rebecca kniff die Augen zusammen. »Sie wollen mich wohl verarschen.«

»Ich habe mich auf reiche Ladys spezialisiert.«

»Reiche Ladys kreuzen aber nicht auf den Straßen herum, um nach Transvestiten Ausschau zu halten.«

»Das zeigt nur, wie wenig Sie wissen.«

»Erzählen Sie mir mehr darüber.«

»Über organisiertes Verbrechen?«

Rebecca gab ihm einen leichten Klaps auf den Arm. »Nein, Sie Arschloch. Über reiche Ladys. Wie sind sie denn so?«

»Ich kann nur sagen, was ich ihnen angeboten habe.«

Rebecca lachte. »Also gut, mein Hübscher. Wie viel haben Sie verlangt?«

»Fünfhundert pro Stunde, für das ganze Programm. Einschließlich aller Reisen in die Tropen, zu den Polen und zuletzt zum Äquator, ein Trip durch die gesamte *Geografie*.«

Rebecca kicherte – und es war ein echtes, mädchenhaftes Kichern. William sah sie verblüfft an.

»Hatten Sie je Lust, Ihre Razzia abzublasen, sich hineinzusetzen, die Tür zu schließen und dann … das ganze Programm abzuspulen?«, fragte sie hinterhältig.

»Nein, Ma'am. Die meisten Damen waren in den Sechzigern. Gut erhalten, oft geliftet, ohne Fettpölsterchen, aber trotzdem.«

»Ist doch nichts Verkehrtes an Damen in den Sechzigern. Für wie alt halten Sie mich?«

»Dreißig.«

»Quatsch.«

»Höchstens neununddreißig.«

»Mhm. Ich kannte mal eine Agentin, die früher bei der Sitte in San Francisco gearbeitet hat. Inzwischen ist sie pensioniert. Sie hat mir mal anvertraut, dass sie jedes Mal an Strichjungen dachte, wenn sie mit ihrem Ehemann schlief.«

»Das ist ja echt krank.«

»Jedenfalls dachte sie dabei an die Jungen, Gutaussehenden. Sie pflegte sie in ihren Zellen zu besuchen. Wenn sie jammerten, kam sie, in schwarzes Leder gekleidet, mit ihrem Schlagstock und der großen silber-goldenen Dienstmarke hereingestiefelt und herrschte sie an, sie sollten sich wie Männer benehmen, schließlich seien sie ja welche. Und später stellte sie sich dann vor – war ja alles nur Fantasie –, wie diese Männer die Hosen herunterließen. Das brachte sie jedes Mal zum Höhepunkt.«

William wurde rot. »Mein Gott.«

»Stimmt aber. Polizeiliches Ehrenwort.«

»Nun ja.«

»Sie glauben mir wohl nicht.«

»Wenn ein Kerl hinter Gittern sitzt, fühlt er sich als größter Versager auf der ganzen Erde. Den Frauen vergeht dabei alles, höchstens weckt es ihre Mutterinstinkte, aber nicht den ...«

»Den was?«

»Ich wollte etwas Unanständiges sagen, aber schließlich befinde ich mich in Gesellschaft einer Daaa-me.«

»Vergessen Sie das nur nicht.« Sie bremste, um rechts in den Ort abzubiegen. Sie fuhren an der weißen Kirche, dem Lebensmittelladen und der Tankstelle vorbei, danach am Geschäft für Viehfutter und landwirtschaftlichen Bedarf – und das war's auch fast schon, bis sie zum Motel kamen.

Auf dem Parkplatz des Meriwether Motels, das über zwanzig Zimmer verfügte, standen zahlreiche fünf Jahre alte, in Amerika produzierte Sedans mit Antennen. Der winzige Ort war jetzt schon weit über seine Kapazitäten hinaus ausgelastet, deshalb mussten die Agenten in angemieteten Wohnmobilen auf dem Parkplatz eines Gebrauchtwagenhändlers übernachten.

Inzwischen war es sechzehn Uhr. An der Hauptkreuzung empfing sie ein Streifenpolizist der Landespolizei, der wegen des Nieselregens ein Schutzcape trug. Nachdem sie ihm ihre Vollmachten gezeigt hatten, zog er einen Orientierungsplan heraus, der in einer Plastikfolie steckte, wischte die Regentropfen von der Hülle und wies sie an, links in den Boca Raton Drive abzubiegen.

»Boca Raton Drive – Rattenmaulweg. *Nomen est Omen*«, bemerkte Rebecca, während sie den Schotterweg entlangfuhr. »Hier übernachten nur zwei Frauen, die sich Etagenbetten teilen, alle anderen sind Männer. Also, rechnen Sie sich's selbst aus: Wir haben einander am Hals.«

Das letzte *Mobile Agentendomizil*, kurz MAD, stand nicht auf dem Parkplatz des Gebrauchtwagenhändlers, sondern nebenan, im Hintergarten einer leer stehenden Bruchbude. Es war ein Wohnmobil mit fünf Rädern, das zwei Betten hatte, eines vorne, auf der Plattform über der Fahrerkabine, und eines hinten im Wagen.

Rebecca nahm das hintere Bett.

Gegen Mitternacht trommelte Regen auf das dünne Blechdach und riss William aus unruhigem Schlaf. Im Wohnmobil gab es keinen Strom, aber wenigstens war es gut isoliert. Er schüttelte das harte Kissen auf und lehnte sich dagegen. In dem engen Verschlag kam er sich wie ein Matrose in der warmen Koje eines U-Boots vor. Er schwitzte. Und der Regen würde nicht aufhören und ihn daran hindern, wieder einzuschlafen. Dennoch verging die Zeit irgendwie, und irgendwann ertappte er sich dabei, dass er mit einem Stoß von Formularen kämpfte, die auf einem viel zu kleinen Schreibtisch lagen. Er versuchte, die doppelte Buchführung zu entschlüsseln und ein Muster zu finden, das langfristig vorgenommene Unterschlagungen bewies – oder versuchte jemand mit irgendwelchen Winkelzügen auf Grundlage des Paragraphen neun des Handelsrechts Geld zu waschen?

Und was, zum Teufel, war das? Etwas, das er auf jeden Fall beim Examen am kommenden Morgen parat haben musste.

Gleich darauf schwang der Schmerzsimulator von der Decke herunter und zielte direkt auf sein Herz.

Falsche Reaktion, sagte Pete Farrow.

Noch verschwitzter als vorher, schlug William die Augen auf und atmete tief aus. *Du magst Q. verlassen, aber Q. verlässt dich nie.* Eine Zeile aus dem FBI-Rap. Er merkte, dass Rebecca im Essbereich umherwanderte, und hörte sie gleich darauf ins Handy sprechen.

»Tu, was du nicht lassen kannst. Ich weiß … Ich halte das für ein großes VIELLEICHT. Würde das nicht gerade die beste Lösung nennen … Hm. Dann musst du's eben sein lassen. Wenn es das ist, wonach du suchst.« Sie hatte leise und sanft gesprochen, aber jetzt wurde ihre Stimme scharf. »Damen der besseren Gesellschaft stürzen sich ja auch nicht auf die Verbrechensbekämpfung. Aber das hast du schon vor einem Jahr gewusst. Nein, es geht hier nicht um gegenseitige Schuldzuweisungen … Ja, natürlich. Nein, natürlich nicht … Na ja, tut mir leid, das zu hören. Irgendwie ist das fatal, findest du nicht?«

Eine weitere Minute gab sie weitere lustlose *Ahas* von sich, dann sagte sie hastig, sie müsse jetzt auflegen. Und Tschüss. Die Sekunden der Stille zogen sich hin. Offenbar fühlte sie sich wie vor den Kopf geschlagen. Schließlich gab sie eine Nummer ein. »Hallo, Frank. Ja, ich weiß, wie spät es ist. Und ich weiß auch, dass du noch arbeitest. Hast du irgendwas Nützliches herausgefunden?«

William zog leise den Vorhang zur Seite und ließ den Blick durch das Wohnmobil schweifen.

Rebecca tigerte auf dem kurzen schmalen Gang auf und ab, hielt sich das Handy ans Ohr und knabberte an einem Daumennagel. Sie trug ein Nachthemd aus Flanell, das nichts enthüllte, aber William sah auch so, dass sie eine tolle Figur hatte. Als sie die Ellbogen hob, ertappte er sich dabei, dass er die Brüste anstierte, die sich unter dem Hemd abzeichneten. Er zog den Vorhang wieder zu, ließ sich erneut aufs Bett fallen und nannte sich im Stillen einen Blödmann.

»Fantastisch«, sagte Rebecca. »Was ist mit dem Handschuh? … Worin besteht das Problem? Tja, aber worauf deutet das hin? Auf eine Knochenmarktransplantation? Wird er vielleicht wegen Leukämie behandelt? … Okay. Schön zu hören, dass er gesundes Blut hat … Zwei Männer, sagst du? Die denselben Handschuh benutzt haben? … Brüder? Ach, komm. Der Morgen ist noch jung, lieber Franco. Ruf mich wieder an, wenn es irgendeine plausible Erklärung dafür gibt.«

William sah auf die Armbanduhr. Es war zwei Uhr morgens.

»Hallo, Spanner, sind Sie wach?«, rief Rebecca. »So wie Sie sich da oben herumwälzen, zittert ja der ganze Wohnwagen.« Sie schob den Vorhang zur Seite und leuchtete ihm mit der Taschenlampe ins Gesicht. »Ich hab meine vier Stunden Schlaf bekommen. Brauchen Sie mehr?«

»Mir reicht's«, knurrte William und blinzelte ins Licht.

»Ziehen Sie sich an. Wir fahren zum Gehöft zurück.« Sie bedachte ihn mit einem knallharten angedeuteten Grinsen und zog den Vorhang wieder zu.

William schlüpfte in die Hosen und kletterte die Leiter hinunter. Während er das Jackett überstreifte, tauchte Rebecca aus dem Badezimmer auf und trocknete sich Gesicht und Haare mit einem Handtuch ab. Sie reichte ihm einen zerdrückten Granola-Riegel.

»Hier drinnen ist es echt beschissen«, sagte sie. »Kommen Sie, wir ziehen los.«

Kapitel 26

Temecula

Sam fuhr den Transporter aus der Garage und parkte ihn an der Auffahrt. Abweisend und weit entfernt vom irdischen Geschehen, hing der Mond zwischen dünnen blauen Wolkenschichten und warf flüchtige Schatten, die den Boden unter den Bäumen rings ums Haus erfassten.

Sam kontrollierte die Reifen und den Ölstand und sah nochmals nach der Ladung im Pferdeanhänger. Die Kisten waren gut verpackt, aber Fehler durften jetzt auch keine mehr passieren. Ein Unfall in oder mit diesem Laster würde sich vermutlich für jeden im Umkreis von fünfzig Metern als tödlich erweisen.

Er ging nach vorne und öffnete die Seitentür des Anhängers, um einen Blick auf die Abschussanlage zu werfen, die mehr als anderthalb Meter hoch war, sofern man den Blechboden mitrechnete.

Reinheit des Herzens heißt, sich für eine einzige Sache zu entscheiden. Kierkegaard.

Alles war vorbereitet. Bis auf die Sache mit Tommy. Er konnte nicht zulassen, dass Tommy erneut zuschlug. Das hätte sein eigenes Vorhaben besudelt.

Leise machte er die Tür des Anhängers zu, verschloss sie und sicherte sie zusätzlich mit einem großen Kombinationsschloss.

Es wäre leichtfertiger Blödsinn gewesen, jemanden allzu nah an diese schönen Pferde heranzulassen.

Sam nahm die Phiole in die linke Hand und schob langsam die Tür zu Tommys Zimmer auf. Die kleine Nachtlampe, die Tommy stets anließ, verbreitete schwaches, aber beruhigendes Licht.

Alle J-Los sahen Sam mit verführerischem Lächeln zu. Und in der östlichen Ecke, umgeben von verschiedenen Versionen seines prominenten Schutzengels, lag Tommy da und schlief so, wie er immer schlief: tief und unschuldig. Und wie immer gab er Geräusche von sich, die an einen alten Hund erinnerten.

Schon vier- oder fünfmal hatte Sam hier mit der Phiole in der Hand gestanden und versucht, zu einem Entschluss zu kommen. Wäre er in seinem anderen Leben einem solchen Jungen in Mannesgestalt begegnet, der das getan hatte, was Tommy getan hatte, und noch zu ganz anderen Dingen fähig war, hätte er ihm ohne zu zögern eine Pistole an den Kopf gehalten und abgedrückt …

Doch jetzt würde er sanfter und langsamer Lebwohl sagen. Es war an der Zeit.

Er war zu ehrgeizig gewesen. Er konnte damit leben, die Zahl der Zielobjekte zu reduzieren. Die Botschaft würde trotzdem ankommen.

Tommys Arbeit war getan.

Trotz des Plastikanzugs bewegte Sam sich leise. Als er zur Bettseite hinüberging, wich er den Hindernissen ringsum aus: den zusammengeknüllten Zetteln und Bonbonpapieren, den Konservendosen, die früher Chili enthalten hatten – Tommys Lieblingsessen, wenn Sam unterwegs war.

Durch den Anzug konnte er die Zimmergerüche nicht wahrnehmen, aber er erinnerte sich noch gut an das Aroma: Es stank hier wie im Affenhaus eines Zoos. Seit Sam vor fünf Wochen große Wäsche gemacht hatte, hatte Tommy seine Laken nicht mehr gewechselt.

Sam öffnete den Schraubverschluss der Phiole, hielt sie etwa dreißig Zentimeter über Tommys Kopf, kippte sie leicht und ließ das Pulver herausrieseln. Es fiel in einer kleinen, dichten Wolke hinab, blähte sich fast wie Dampf auf, aber verteilte sich an den Rändern so, als wolle es sich in all seiner Feinheit und Reinheit verflüchtigen. Es rieselte so zart hinunter, dass Tommy es nicht spürte und auch nicht riechen konnte, obwohl er es am Morgen vielleicht auf den Laken und Kissen entdecken würde. Wenn Tommy sich drehte und herumwarf, würde es, feiner als jeder Hausstaub, in die Fasern der Stoffe eindringen, sich damit verbinden und darin verlieren.

Tommy röchelte, wenn er Luft holte. Sam sah zu, wie er einen Teil der Nebelschwaden mit der Nase einatmete. Gleich darauf blähten sich seine Backen auf, und aus seinem Mund trat ein gelbliches Wölkchen aus, das wie Zigarettenrauch aussah. Es stieg nach oben, machte kehrt, als Sam mit der Hand wedelte, und trieb über Tommys Augenlider hinweg. Bei jeder Bewegung hob sich das Wölkchen von der glatten, blassen Haut – in verschlungenen Formen, die mit zärtlicher Hartnäckigkeit zu Tommy zurückkehrten.

Tommys Meisterwerk.

Es möchte nach Hause, zurück zu seinem Schöpfer.

Kapitel 27

Während sie auf dem leeren, regennassen Highway dahinfuhren, den rechts und links leise tropfende Bäume säumten, beobachtete William Rebecca am Lenkrad und versuchte sich ein Bild von ihr zu machen.

»Ich kann Sie am Steuer ablösen«, bot er an.

»Nein, ich fahre immer selbst.«

Ihr hageres Gesicht wirkte resolut und anziehend zugleich. Breite Backenknochen unter einer Haut, die keine Spuren von Erschlaffung aufwies und sich bei all dem Stress sogar noch leicht gestrafft hatte, wie an den kleinen Grübchen zu erkennen war. Sie sah nicht so aus, als lächle sie oft, hatte aber auch keine Zornesfalten auf der Stirn. Das Weiße in ihren Augen bildete einen erstaunlichen Kontrast zu den bräunlichen Augen. Wenn sie zu William hinüberblickte, wusste er nicht, ob er sie für eine strenge Chefin oder für eine verständnisvolle Ausbilderin halten sollte – *mein Dank ist Ihnen gewiss, Madam, denn Sie sind zweifellos eine schöne Frau.*

Er verbot sich, diese kontraproduktiven und unprofessionellen Gedanken weiterzuverfolgen, schließlich wollte er nicht riskieren, dass sie ihm irgendwann in die Eier trat. »Wie lange befassen Sie sich schon mit biologischen Angriffswaffen?«, fragte er stattdessen.

»Seit zwanzig Jahren, mit Unterbrechungen. In den letzten vier Jahren nicht besonders intensiv.«

»Worum geht's bei dieser Sache mit dem Handschuh?«

»Ist ein Fabrikat von Hatch Friskmaster. Linke Hand. Ich hab ihn in Arizona eingesackt. Derzeit wird er in Quantico untersucht.«

»Als ich im New Yorker Polizeidienst anfing, hat mir mein

Vater solche Handschuhe geschickt, hab sie allerdings nicht oft getragen.«

»Sie haben wohl nie als Drogenfahnder gearbeitet, wie?«

»Nein.«

»Frank Chao hat in den Fingerspitzen Hautzellen gefunden, die mit Silikonteilchen vermischt waren. Durch Abdichtungen mit reinem Silikon kann man Fingerabdrücke vermeiden – jedenfalls auf begrenzte Zeit.«

»Erzählen Sie mir von Ihrer Anthrax-Theorie. Ich wünschte, es gäbe eine Akte oder so was, wo ich darüber nachlesen kann.«

»Sie spielen wohl auf *Amerithrax* an.«

»September/Oktober 2001«, sagte William. »Umschläge voller Anthrax-Sporen, die mittels der amerikanischen Post in Umlauf gebracht wurden. Fünf Tote. Den Täter hat man nie gefunden, aber das FBI – wir – haben einigen Sonderlingen, die Verbindung zur militärischen Forschung hatten, die Hölle heiß gemacht. Das ging so bis vor etwa sechs Jahren. Danach – Funkstille. Jedenfalls hab ich nichts mehr darüber gehört.«

Rebecca nickte. »Die Experten haben uns gegenüber behauptet, es sei unmöglich, derart hochkonzentrierten Stoff außerhalb eines großen militärischen Labors herzustellen. Damals nahm man an, es müsse eine Gruppe oder eine superintelligente Einzelperson aus Fort Detrick oder Porton Down dahinterstecken, vielleicht auch jemand aus Rhodesien oder Südafrika. Wissenschaftler, die eine Spezialausbildung höchster Geheimhaltungsstufe genossen und freien Zugang zu Laboren haben. Mikrobiologen, die für uns arbeiten, haben in dem Bazillus bestimmte genetische Signaturen nachweisen können – Anthrax, der Milzbranderreger, ist eine Bakterie, die man im Erdboden findet. Diese Bakterie hat verblüffende Ähnlichkeit mit dem BT, dem *Bacillus thuringiensis*, der bei der Gartenpflege als Schutz vor Schädlingen eingesetzt wird ...«

»Das ist mir bekannt.«

»Die Mikrobiologen konnten die Spur bis zum sogenannten *Ames-Stamm* zurückverfolgen. Nicht direkt bis zur University of Ames in Iowa, wie sich herausstellte, sondern bis zu den Bakterien, die 1981 einer Kuh in Texas entnommen und zu mehreren Labors – einschließlich Porton Down – geschickt worden waren, allerdings waren weder der Irak noch Russland damit beliefert worden. Also hatten wir es zumindest nicht mit einem weiteren *Swerdlowsk* wie damals, im Jahre 1979, zu tun. Glücklicherweise hat *Amerithrax* keine Sporen in Umlauf gebracht, die resistent gegen Impfstoffe waren …«

Rebecca schwieg kurz. »Nach einer Weile«, murmelte sie, »lernte ich einfach, mir niemals an die Augen oder die Nase zu fassen. Mir stets die Hände zu waschen, ehe ich auf die Toilette ging – und danach. Meine Hände trockneten völlig aus, wie bei einem Arzt. Egal, wo ich hinging: Immer trug ich antibiotische Hautcreme auf. Das beeinträchtigte sogar mein Sexualleben. Es dauerte nie lange, bis die Männer sich über meine kleinen Schrullen wunderten.«

»Ein stolzer Preis«, bemerkte William.

»Allerdings habe ich seit zehn Jahren keine Erkältung oder Grippe mehr gehabt.« Sie lächelte. »Wie steht es mit dem Verhältnis von Kosten und Nutzen? Es gibt eine Insel vor Schottland, die wegen der Forschung im Zweiten Weltkrieg seit vierzig Jahren Sperrgebiet ist. Die Briten haben Schafe in ihren Ställen mit Anthrax infiziert. Innerhalb von drei Tagen erkrankten die Schafe und starben.«

»Die Insel Gruinard«, sagte William. »Aber auch daran war nicht das Ames-Labor in Iowa schuld.«

Rebecca nickte anerkennend. »Sondern einer von dessen Schülern.«

»Soweit ich weiß, wurde die Insel 1986 schließlich dekontaminiert.«

»Ich bezweifle allerdings, dass der Grund und Boden jemals viel wert sein wird. Im Boden können die Sporen Jahrhunderte überleben. Anthrax ist ein hässlicher kleiner Bazillus mit harter Spore und simplen Verhaltensweisen, die allesamt darauf aus sind, Schmerzen zu verursachen oder den Tod herbeizuführen. Ich habe mich mal mit einem Wissenschaftler unterhalten, der Anthrax als *Teufel im Erdboden* bezeichnete.«

»Gibt es denn nicht wirksame Impfstoffe dagegen?«

Rebecca nickte. »Doch, alle möglichen, außerdem auch Antibiotika. Wenn die Krankheit weit fortgeschritten ist, kann man mittlerweile auch *Gamma-Lysin* einsetzen. Aber bislang konnte noch niemand ein ganzes Volk dazu überreden, sich impfen zu lassen. Also impfen wir nur die wichtigsten potenziellen Rezipienten, Ärzte und Pflegepersonal. Und immer wieder auch Soldaten, die irgendwo und irgendwann Anthrax ausgesetzt sein könnten. Doch es hat keine Priorität mehr, weil wir seit Jahren kaum noch was von Anthrax gehört haben.«

»Glauben Sie, dass es wieder passiert?«

»Das weiß Gott allein. Aber es gibt auch noch eine andere Theorie, die besagt, dass man nicht in Fort Detrick arbeiten muss, um einen Brief mit Anthrax zu verschicken. Gemeinsam mit dem Agenten Carl Macek, einem guten Mann, bin ich vor acht Jahren an einem schönen, feucht-fröhlichen Abend in einer Bar in San Francisco darauf gestoßen. Wir hatten gerade an einem Seminar über forensische Nanotechnologie teilgenommen, bei dem es um die Hightech-Zukunft, das Ende aller Verbrechen und den ganzen Quatsch ging. Aber ich traf dort zufällig einen Mann, der mir erzählte, man könne Tintenstrahldrucker dazu benutzen, Mikroschaltungen, winzige Plastiktunnel und Ähnliches zu installieren. Und Carl wagte einen Schuss ins Blaue und fragte: Könnte man auf diese Weise auch winzige Klümpchen irgendwo deponieren? Weniger als fünf Mikron große Klümpchen? – Kein Problem, erwiderte der Mann, könnte eine große Sache in der Pharmaindustrie werden.

Also haben Carl und ich es News erzählt, Hiram Newsome. Und News hat's sofort kapiert. Wir haben einige Nachforschungen angestellt und waren beide voll damit befasst, bis unser damaliger Leiter damit begann, sich auf irgendwelche Scheiße zu konzentrieren, mit der keiner etwas zu tun haben wollte. Politische Scheiße.«

Sie bog wieder in die Straße ein, die zum Gehöft führte. Der Wagen begann zu ruckeln, trotzdem dachte sie nicht daran, das Tempo zu drosseln.

»Wer hat sich danach damit befasst?«, fragte William.

»Niemand. Der Fall wurde erst einmal auf Eis gelegt. Das FBI hatte bereits einiges auf die Mütze bekommen, weil es das Leben mehrerer Tatverdächtiger zerstört hatte, die sich im Nachhinein als unschuldig erwiesen hatten. Na ja, jedenfalls in der Hinsicht unschuldig, dass sie kein Anthrax verbreitet hatten. Carl Macek ist vor drei Jahren an einem Herzinfarkt gestorben. Und damals war News noch kein so hohes Tier, nicht Stellvertretender Leiter der Ausbildungsabteilung.«

Als sie sich dem Gehöft näherten, fuhr sie langsamer. Mobile, auf hohe Stangen montierte Lampen leuchteten die Szenerie so aus, als werde in einer Baumschule Heiligabend gefeiert. Trotz des Regens und der unchristlichen Zeit waren die Ermittler immer noch dabei, die Beweisaufnahme voranzutreiben, wobei sie vorsichtig über die Trümmer der Scheune hinwegstiegen.

Rebecca hielt neben einem nicht beschrifteten schwarzen Lieferwagen, der mit Antennen gespickt war, und zog die Handbremse an. »Unser neu ernannter Direktor ist damit beschäftigt, das FBI nach Möglichkeit vor der ›Abwicklung‹ zu bewahren. News verbringt mehr Zeit in der Zentrale, als er überhaupt hat. Eigentlich hat er viel engere Kontakte zu den Agenten in den Außenstellen, die ihn vermutlich auch viel mehr achten. Deshalb sieht ihm derzeit auch noch niemand auf die Finger. Offenbar haben höhere Stellen inzwischen wieder Interesse an dieser Sache, wie er sagt. Aus diesen Gründen bin ich hier. Genau wie Sie.«

»Sie haben einen Handschuh sichergestellt, Speichel, Blut und …«

»Sie haben tatsächlich gelauscht, alter Schnüffler! Irgendwelche Typen haben lieber einen Streifenpolizisten umgebracht, als sich mit einer Ladung von dreihundert Tintenstrahldruckern schnappen zu lassen. Niemand weiß, wo sie hinwollten – noch nicht. Fast gleichzeitig finden wir auf einem Gehöft im Bundesstaat Washington die Überreste weiterer Tintenstrahldrucker. In der Scheune eines Rassisten, der an die Überlegenheit der Weißen glaubt. Wozu hat er die Drucker benutzt?«

»Vielleicht wollten die hier die *Turner Diaries* nachdrucken.«

Rebecca spannte die Hände fester ums Lenkrad. »Ich möchte

auf jeden Fall verhindern, dass diese Sache nochmals vermasselt wird.«

William wusste nicht, was er davon halten sollte, deshalb entschied er sich für eine neutrale Bemerkung. »In Quantico ist alles nur ein Spiel, bis man bedenkt, *was* eigentlich auf dem Spiel steht.«

»Ich hasse Spielchen«, sagte Rebecca.

»Anthrax.« William konnte nur den Kopf schütteln. »Für eine derartige Operation brauchte man Dutzende geschickter und sorgfältig geschützter Arbeiter. Und eine Ausrüstung, die Hunderttausende von Dollar wert ist. Und wir überwachen alle Laborausstattungen und Verkäufe von Antibiotika.«

»Früher haben wir das nicht getan. Trotz jahrelanger Drohungen und falscher Alarms haben wir davon abgesehen. Gott sei unseren dämlichen kleinen Hirnen gnädig.«

William musste ihr Recht geben. »Sind in jüngster Zeit irgendwelche Fälle von Milzbrand in den Vereinigten Staaten aufgetreten? Bei Menschen, meine ich?«

»Letztes Jahr einer in Texas. Ein Mann, illegal eingewandert, der Teile eines toten Stiers verzehrt hat. Vier weitere Fälle bei einer Hochzeitsfeier in Oklahoma. Die Familie hat ein infiziertes Schaf geschlachtet und es gegessen. Das Fleisch war nicht durchgebraten.« Sie sah ihn schräg an. »Niemand kennt die Motive von *Amerithrax*. Den ersten Umschlag hat er vor *9/11* abgeschickt, danach kam er erst richtig in Fahrt. Seine Angriffsziele waren nicht sonderlich plausibel. Warum, um Himmels willen, der *National Enquirer*? Keines unserer Täterprofile passte auf ihn. Angenommen, *Amerithrax* hat nicht nur die echten Briefe, sondern auch die gefälschten abgeschickt? Warum, je nach Empfänger, eine unterschiedliche Konzentration von Sporen? *Sorge für höchste Verwirrung und größte Angst, bewahre den besten Stoff auf – und warte auf die nächste Gelegenheit.*«

»Aber nach 2001 wurde doch gar kein Anthrax mehr verschickt, übrigens auch nicht nach *10/4*.«

»Und warum nicht? Ist er gestorben, hält er sich bedeckt, oder ist er nur mit etwas anderem beschäftigt? Angenommen, wir haben es hier mit demselben Mann oder derselben kleinen Gruppe zu tun: Was, wenn sie den Stoff aufgrund privater Finanzierung mittlerweile serienmäßig herstellen und das auf Jahre geheim halten können?«

»Das sind viele Wenn«, bemerkte William.

»Carl und ich haben einige Berechnungen angestellt. Gesetzt den Fall, man verfügt über einen Fermentationstank ausreichender Größe und ein hochwirksames Wachstumsmedium, außerdem über, sagen wir, hundert Tintenstrahldrucker, kann man theoretisch binnen sechs Monaten mehr als dreißig Kilogramm waffentauglicher Anthrax-Sporen herstellen. Wenn man dann noch einen Erntebestäuber entführt, einen Hubschrauber, der normalerweise zur Schädlingsbekämpfung in der Landwirtschaft eingesetzt wird, reicht das aus, jede große Stadt an der Westküste zu besprühen. So viele Antibiotika gibt es auf der ganzen Welt nicht, dass sie dagegen ausreichen würden. 2001 dachten wir, Terroristen könnten genau das vorhaben: einen Erntebestäuber dazu benutzen, eine ganze Stadt zu vernichten. Da die Mistkerle nicht an Erntebestäuber herangekommen sind, haben sie stattdessen Düsenverkehrsflugzeuge entführt – eine Alternative, die vergleichsweise armselig wirkt. Also: Nehmen wir mal an, jemand hätte genau hier *Tonnen* von dem Zeug gelagert, sofort einsetzbaren Stoff, was dann?«

Rebecca stieg aus. Eine Sekunde lang starrte sie William über das Wagendach hinweg an. »Ich will doch bloß eine zweite Chance«, sagte sie schließlich, »möchte mich hier ein zweites Mal umschauen, ohne dass ein Agent Trune uns auf die Finger sieht. Das müssen Sie mir schon zugestehen.«

Im Wohnmobil war es still. Nur zwei Polizeibeamte und zwei FBI-Agenten waren hier geblieben. Sie saßen vor Computern, speicherten die Teilinformationen ab, die sie vor einigen Stunden erhalten hatten, und hielten sich mit schwarzem Kaffee wach, den sie aus großen Bechern tranken.

Nachdem Rebecca einen Zugangscode zum Server verlangt hatte, rückte sie den großen drehbaren Bildschirm herum. Bislang war der Monitor dazu benutzt worden, die örtlichen Polizeichefs und Agenten über den Stand der Dinge zu informieren. Sie spulte Griffs Videofilm schnell vor, bis das stählerne Gebilde auftauchte, das an Orgelpfeifen erinnerte – die Abschussanlage. Zischend drang Griffs Stimme aus den kleinen Lautsprechern: *»Vielleicht haben die den Trecker dazu benutzt, diese Dampforgel nach draußen zu schleppen. Allerdings frage ich mich, wozu.«*

Rebecca drückte auf die STOPP-Taste. »Kommen Sie damit klar, das nochmals anzusehen?«, fragte sie William.

»Bis jetzt schon.« Als William einen Stuhl heranzog, drehten sich die Agenten zum Bildschirm um. Rebecca ließ das Video weiterlaufen und teilte den Schirm, sodass die Aufnahmen beider Kopf-Kameras gleichzeitig zu sehen waren.

»Feuerwerk«, sagte Alice Watson als Nächstes. *»Scheiße.«* Die beiden dicken Monster in den olivgrünen Schutzanzügen sahen einander an. Griff streckte den Daumen hoch. *»Ich hätte daran denken müssen. He, hört mal zu, Jungs. Alice hatte gerade einen kleinen Geistesblitz.«*

»Haben wir gehört«, sagte jemand, der nicht vor Ort war, vermutlich Andrews von der HDS in Redstone. *»Hütet euch vor Apparaten, die durch Geistesblitze aktiviert werden.«*

»Also, warum haben wir nicht früher daran gedacht?«, fragte Watson. *»Mobile Abschussvorrichtung für Feuerwerkskörper. Gut gemacht, Mädchen«*, setzte sie leise nach. *»Aber wozu?«*

Rebecca spulte das Video zu den ›Orgelpfeifen‹ zurück. »Sieht wie ein Wasserbombenwerfer oder ein Granatwerfer aus. Wofür, zum Teufel, dient so was?«, fragte sie leise. »Kann man mit Feuerwerkskörpern tatsächlich Pulver in der Luft verteilen?«

Ein Neuankömmling betrat das Zimmer. »Ich hörte, dass Sie lange aufgeblieben sind«, sagte er. Beide drehten sich zu ihm um, wobei Rebecca gleichzeitig den Bildschirm ausschaltete, da sie den Mann nicht kannte. Er hatte dichtes schwarzes Haar, dicke Backen, eine Stupsnase und trug eine mit *DS* beschriftete Kappe – die Kappe des Diplomatischen Sicherheitsdienstes. »Sie sind Rebecca Rose, stimmt's?«, fragte er.

»Ja.«

»Und ist das Griffs Sprössling?« Der Agent streckte William die Hand hin. »Das mit Ihrem Vater tut mir leid. Wir wühlen hier für ihn den Boden auf.«

Rebecca musterte ihn kühl. »Was können wir für Sie tun?«

»Ich bin David Grange. Sonderagent Trune sagte, ich dürfe mich hier ein wenig umsehen. Im Geiste guter Zusammenarbeit.«

»Gehen Sie davon aus, dass für unser geschätztes Außenministerium Gefahr besteht?«

Grange lächelte. »Schon vor meiner Geburt stand der Patriarch auf unserer Fahndungsliste. Glückwunsch. Aber eigentlich bin ich eher neugierig, warum *Sie* hier sind.«

»In Ordnung«, sagte Rebecca. »Haben Sie sich dieses Gerät schon angesehen?« Sie drehte das Display herum, um ihm die Abschussanlage zu zeigen.

»Werfen Sie's auf den Schrott, sind fast nur noch Kleinteile.«

»Also haben Sie sich das schon angesehen.«

Der Agent kniff die Augen zusammen. Er sah aus, als quäle es ihn, irgendetwas preiszugeben. »Griff hätte diese Sache niemals forcieren dürfen«, sagte er. »Hätte er den Patriarchen nicht bedrängt, wäre uns eine langsame Infiltration möglich gewesen. Dann würden wir jetzt mehr sehen als zerbrochene Röhren.«

William trat hinter Grange, während Rebecca vor ihm stehen blieb. »Wie bitte?«, fragte er.

»Das ist nicht respektlos gemeint«, sagte Grange und drehte den Kopf.

»Das FBI hat den Patriarchen aufgestöbert, ihn überwacht und jede zuständige Stelle auf ihn hingewiesen«, bemerkte William. »Wie kann man das als Vermasseln bezeichnen?«

»Das hab ich ja gar nicht.«

»Indirekt schon.«

»Dann tut es mir leid.«

Rebecca gab dem Agenten ihre Skepsis durch eine Geste mit Hand und Schulter zu verstehen. »Sie reden um den heißen Brei herum. Möchten Sie vielleicht etwas Nützliches beisteuern?«

Grange zog einen Klappstuhl heran und nahm Platz. »Der Diplomatische Sicherheitsdienst und das FBI pflegen seit langem freundschaftliche Beziehungen. Obwohl wir Ihnen hin und wieder zugestehen, die Lorbeeren an unserer Stelle einzuheimsen.« Er deutete auf das Display. »Die Stahlröhren sind innen und am Rand versengt. Bei den Tests wurden Spuren von Polybutadien und Aluminium nachgewiesen – wie in der Sprengladung, die die Scheune explodieren ließ. Außerdem Talkumpuder und kleine Glaskugeln, die ganz nach unten gepresst wurden. Kennen Sie sich mit Feuerwerkskörpern gut aus?«

»Nein«, erwiderte Rebecca.

»Dann machen Sie sich wohl besser schlau. Schließlich ist die große Frage, was die sich als Nächstes einfallen lassen. Soweit ich weiß, haben Sie einige interessante Theorien, Agentin Rose. Vielleicht können wir unsere Hypothesen mal miteinander austauschen, das wäre mir sehr Recht. Aber nicht jetzt. In Ihrer Behörde gibt's derzeit zu viel internen Stunk.«

»Sie gehören zu BuDark, nicht wahr?«, fragte Rebecca.

David Grange stand auf. »Sie sehen mich nicht, ich bin gar nicht hier«, leierte er herunter, verschwand durch die hintere Tür und winkte Rebecca zum Abschied zu. »Richten Sie Hiram Newsome beste Grüße von mir aus.«

Rebecca blickte zur Tür und runzelte leicht die Stirn, wie ein verdutztes kleines Mädchen. »Blödmann mit Boxerfresse«, murmelte sie.

»Wie bitte?«, fragte William.

»Wir leben in einem Zeitalter der Kooperation. Aber dieser Fall, dieser *Mistkerl* steht mir zu.« Sie sah wieder auf das Display.

»Mit Feuerwerkskörpern kenne ich mich ein bisschen aus«, warf William ein. »Griff hat's mir in einem Sommer mal beigebracht, in Lon Guyland, New York*. Wenn das hier eine Ab-

---

* Lon Guyland: Wortspiel mit Long Island, New York. Lon(e) Guyland = das Land der einsamen Kerle. – *Anm. d. Übers.*

schussanlage sein soll, dann ist sie schon seltsam. Speziell gefertigt, kleine Rohre. Für Raketen, keine Granaten. Nicht *Disney World*, sondern eher für ein Spektakel im Garten. Ich schätze, man kann damit zehn bis fünfzehn einfache Raketen – solche, die in einer Höhe zwischen hundertfünfzig und sechshundert Metern am Himmel explodieren – nacheinander abschicken. Allerdings nicht gleichzeitig, denn bei allzu großer Wärmeentwicklung würde die Abschussvorrichtung schmelzen und sich verziehen. Beim Laden der Abschussrohre würde man berücksichtigen, an welcher Stelle sich der Sternenregen über den Himmel ergießen soll – links, rechts oder in der Mitte. Nicht gerade ein Spektakel, bei dem einem der Atem stockt.«

Rebecca lächelte beeindruckt. »Und wozu dienen die Glaskügelchen?«

»Damit trennt man die einzelnen Schichten voneinander ab. Man kann dazu auch Metallfolie, Wattierungen, Sand oder Lehm benutzen … Manchmal nimmt man sogar Babypuder.«

»Offenbar gehen Trune und Grange davon aus, dass dies die Abschussanlage ist, mit der die Hefe über das ganze Gehöft verteilt wurde. Was meinen Sie dazu?«

»Ich weiß nicht: In einer explodierenden Rakete entwickelt sich eine ganz schöne Hitze. Alles biologische Leben müsste dabei eigentlich verschmoren.«

»Das hat man sich auch von der *Challenger* erzählt.«

»Meinen Sie die Raumfähre?«

»2003. Stürzte brennend und explodierend aus der Umlaufbahn. Aber große Teile fielen auf die Erde hinunter.«

»Alle Astronauten sind dabei ums Leben gekommen.«

»Und kleinere Wesen haben überlebt. Man hat eine ganze Ameisenkolonie entdeckt, unversehrt. Erinnern Sie sich daran?«

Er schüttelte den Kopf. »Nein, damals hab ich gerade meinen Abschluss am College gemacht.«

Rebecca spulte das Video mehrmals vor und zurück. »Deshalb ist der Deputy Sheriff ja überhaupt hierher gefahren«, sagte sie unvermittelt. »Weil hier drei oder vier Nächte lang große Feuerwerke gezündet worden waren. Wie viel Hefe steckt in jeder Ladung? Einige Gramm? Ein halbes Pfund?«

Gleich darauf spulte sie das Video so weit vor, bis die Hefebeutel in den Viehboxen des Kellers zu sehen waren. »Französisch. Qualitätsware, nehme ich an.«

William deutete auf die Beutel. »Sie sind in doppelte Plastikhüllen verpackt. Das Zeug glänzt. Die inneren Beutel sind nicht versiegelt. Nach dem Öffnen hat jemand sie wieder verschlossen, und zwar mit großen Heftklammern.«

»Tja.«

»Aber die Beutel sehen voll aus. Vielleicht wurden sie nach dem Öffnen gar nicht benutzt. Oder jemand hat sie wieder aufgefüllt.«

»Hm.«

»Aber womit aufgefüllt? Wieder mit Hefe?«

»Hätten die Ermittler hier Anthrax gefunden, wären wir gar nicht hier«, bemerkte Rebecca. »Vielleicht wurde die Hefe behandelt, mit den Glaskügelchen vermischt. Oder die haben die leeren Beutel mit Lehm oder Babypuder befüllt.« Sie spulte weiter vor. Watson und Griff hatten den Keller der Scheune recht gründlich aufgenommen. »Sind das Flugdrachen?«, fragte sie.

»Kann sein. Und hier könnten sie das Pulver verarbeitet haben«, fügte William hinzu, als Griff die Werkbänke aufs Korn nahm. »Press- und Gussformen.«

»*Und das nur für Feuerwerk?*«, fragte Watson auf dem Video.

»Ob der Patriarch das Zeug selbst verpackt hat?«, fragte Rebecca.

»Vielleicht war es seine Familie. Die Kinder. Griff und ich haben irgendwann im August mal ein kleines Spektakel für ein paar Nachbarn veranstaltet. Wenn es *bumm* macht, ist das schließlich eine feine Sache, nicht?«

Auf dem Video nahm Griff Funken ins Visier, die im hinteren Teil des Kellers auf und ab tanzten. Aufgrund der dahintreibenden düsteren Staubwolke konnten sie kaum noch etwas erkennen. »*Scheiß drauf*«, sagte Watson.

Rebecca schaltete das Display aus. »Der Patriarch hat das nicht allein gemacht«, sagte sie. »Und er war auch nicht der Chef. Das hier passt gar nicht zu ihm.«

»Und was ist mit seinen Söhnen?«

»Die Leitung eines solchen Projekts hätte er niemals seinen Söhnen überlassen. Aber darauf will ich auch gar nicht hinaus. Er hat mit jemandem zusammengearbeitet, der neue Ideen eingebracht hat. Jemand, der ihn davon überzeugen konnte, dass es sich lohnen würde, zur Produktion einer Sprengladung das ganze Gehöft aufs Spiel zu setzen. Einer gewaltigen Sache zuliebe.«

Das Wohnmobil knarrte ein paarmal, es ging heftiger Wind. Zwar lag das Tal geschützt und die Luft hatte sich wochenlang kaum bewegt, doch jetzt schlug das Wetter um.

»Der Praxistest«, sagte William. »Flugdrachen, um die Windrichtung zu überprüfen. Vielleicht haben die einen Ersatzstoff abgeschossen – Hefe. Weil Hefe nicht so viel Aufmerksamkeit erregt wie große Mengen von BT.«

»Aber blieb ihnen genügend Zeit, um die Sache abzuschließen?« Rebecca sah auf ihre Armbanduhr. »Ich frage mich, ob irgendeine Dienststelle die Familie des Patriarchen mittlerweile geschnappt hat. Vielleicht sind die Leute jetzt in Schutzhaft. Kann sein, dass der Diplomatische Sicherheitsdienst sie in Gewahrsam genommen hat. Oder die *Homeland Security*.«

»Würden die uns nicht darüber informieren?«

»Was glauben Sie denn?! Wir sind doch Bürger zweiter Klasse, haben Sie's nicht mitbekommen? Natürlich könnten wir uns erkundigen und unterwürfig um Informationen betteln.«

»Eine weitere Besprechung, in zehn Minuten«, teilte ihnen einer der Agenten von der Tür aus mit.

»Und das um fünf Uhr früh«, bemerkte Rebecca nach einem Blick auf die Uhr. »Sind das Masochisten?«

»Acht Uhr früh nach New Yorker Zeit«, sagte William. »Ehe die Nachrichten die Runde machen, möchte jeder auf demselben Stand sein.«

Kapitel 28

Virginia

Fouad Al-Husam wachte von sanften Jazzrhythmen auf, die aus dem Radiowecker des Motelzimmers drangen. Er wusch sich, breitete den kleinen Läufer aus und verrichtete das Morgengebet. Danach las er eine Stunde im Koran und rollte den Läufer schließlich wieder zusammen. Der gefolterte Mann hatte so ausgesehen wie Fouads Onkel Salim, als er noch jünger gewesen war. Damals war Salim ein schöner Mann gewesen, der viel lächelte und seine Nichten und Neffen bei Familienzusammenkünften gern mit Süßigkeiten bedachte. Fouad fiel es schwer, sich Salim als Folteropfer vorzustellen. Salim hatte sich ihm gegenüber fast so väterlich verhalten wie sein leiblicher Vater.

Als das Telefon läutete, zog Fouad den Reißverschluss der Reisetasche zu und nahm ab.

»In zehn Minuten müssen Sie reisefertig sein«, sagte eine weibliche Stimme am anderen Ende der Leitung.

»Wer ist dran?«, fragte Fouad.

»Die Obergefreite Chandy Bergstrom. Ich bin Ihre offizielle Begleiterin. Wir mussten die Pläne kurzfristig ändern. Ich soll Sie alle vom Podunk Hilton zu einem Militärflughafen bringen. Von dort aus werden Sie unverzüglich in Ihr Einsatzgebiet fliegen. Schaffen Sie's in zehn Minuten, Agent Al-Husam?«

»Ja.«

»Danke. Auf Sie wartet ein großes Abenteuer.«

»Ja, natürlich.«

Fouad legte auf und ließ den Blick durch das Zimmer schweifen. Er klappte den Koran zu, legte ihn in die lederne Reisetasche und verstaute den Rasierapparat im Kulturbeutel.

Kapitel 29

Rebecca hatte für sich und William ein anständiges Motel ausfindig gemacht, das in Everett lag, unmittelbar an der Schnellstraße. Während William um zwei Uhr nachmittags ein Nickerchen machte, saß sie auf dem Bett – dem harten, Motelbett –, in dessen Ecke ein Glas Wasser stand, und starrte zum Fenster hinüber. Durch einen Vorhangspalt fiel grelles Tageslicht ins Zimmer und gleich darauf ein Schatten. Jemand mit Kindern ging draußen auf dem Fußweg vorbei. Der Mann und die Kinder lachten und balgten sich, bis die Frau sie sanft zurechtwies.

Das wirkliche Leben. Diese Frau brauchte nicht allein zu schlafen. Diese Frau hatte keine Einstellung zum Leben, die Männer abstieß. Fast jeder lebte so, dass er – oder sie – von den Auswirkungen eines Verbrechens unmittelbar nichts mitbekam. Diese Menschen waren psychisch gesund, weil sie von solcherlei Dingen abgeschottet waren und sich vormachten, ihnen drohe keine Gefahr.

Und die Verrückten zerbrachen sich die Köpfe und ruinierten sich die Körper, um diese gesunden Menschen nach Möglichkeit zu schützen.

Sie holte ihren Notizblock heraus und ging die stenografischen Aufzeichnungen der Informationen durch, die sie bei der Besprechung auf dem Gehöft des Patriarchen erhalten hatte. John Keller, der Chef des FBI-Außenbüros in Seattle, hatte die Informationen vor allem für den Gouverneur und eine Gruppe von Spitzenbeamten der Strafverfolgung zusammengefasst. Auf der zweiten Seite des Notizblocks waren einige Stellen verschmiert, da es während der Besprechung vor Ort wieder zu nieseln begonnen hatte.

Ihr Handy meldete sich. Hiram Newsome rief aus Quantico an.

»Rose am Apparat.«

»Muss mich kurz fassen, Rebecca. Wie ich gehört habe, kann Griff wieder selbstständig atmen. Sein Zustand wird nicht mehr als sonderlich kritisch eingestuft. Kann sein, dass er heute Abend oder morgen wieder zu Bewusstsein kommt.«

»Ich werde es William ausrichten.«

»Das BDI hat mir mitgeteilt, dass es jetzt weiß, wo sich die Familienangehörigen des Patriarchen aufhalten, zumindest einige. Aber diese Information wird derzeit noch nicht nach außen gegeben. Sowohl der Diplomatische Sicherheitsdienst als auch das BDI haben sich in jüngster Zeit überaus seltsam verhalten. Auf lange Sicht wird das BDI von der gegenwärtigen Regierung vielleicht noch mehr Prügel als das FBI beziehen. Sollte der DS involviert sein, bedeutet das wahrscheinlich *BuDark*. Die Buchstabensuppe wird derzeit schnell kalt, nicht wahr?«

Rebecca konnte die verschiedenen Geheim- und Sicherheitsdienste kaum noch auseinander halten. Mit jedem Versagen der Dienste hatten die nachfolgenden Regierungen die Bürokratie vervielfacht. Vielleicht weil sie hofften, dadurch den Schwarzen Peter künftig zahlreichen verantwortlichen Stellen zuschieben zu können und selbst außen vor zu bleiben. Das *Bureau of Domestic Intelligence*, kurz *BDI*, war Rebecca am meisten zuwider. Diesen inneramerikanischen Geheimdienst (oder Staatssicherheitsdienst) hatte die Regierung zwei Jahre nach und trotz Gründung des Nationalen Sicherheitsdienstes ins Leben gerufen, für den das FBI verantwortlich zeichnete. Man munkelte, ein großer Teil des Schlamassels, der derzeit dem FBI angelastet wurde, liege in Wirklichkeit in der Verantwortung des BDI.

»News, ist es nicht an der Zeit, dass einige von uns erfahren, was, zum Teufel, BuDark eigentlich ist?«

»Na ja, die haben einen unserer Agenten aus dem letzten Ausbildungskurs angeheuert, Fouad Al-Husam, zusammen mit etwa zwanzig anderen Männern des FBI und der CIA, die Arabisch sprechen. BuDark hat jede Bundesbehörde geplündert, bis auf das BDI und den Geheimdienst, um sich Experten für den Nahen Osten zu besorgen. Ich nehme an, sie werden uns irgendwann in den nächsten Wochen mitteilen, wohin unsere Agenten geschickt werden. Falls sie das dringende Bedürfnis verspüren, Höflichkeit an den Tag zu legen.«

»Und die gehören nicht zur CIA?«

»Ich tippe auf eine Geheimoperation, die der Präsidentin unmittelbar unterstellt ist. In den letzten anderthalb Tagen hatte ich drei Besprechungen mit unserem Direktor. Bis wir mit Tatsachen aufwarten können, wird er sich auf kein Zuständigkeitsgerangel einlassen.«

»Also gut, hier haben wir eine Tatsache.« Rebecca zog einen Computerausdruck aus der Aktentasche. »In den Tintenkartuschen der Drucker, die in der Scheune des Patriarchen gefunden wurden, befindet sich kein Anthrax. Aber in den Kartuschen war auch keine Tinte. Sie waren mit Canola-Öl befüllt. Vielleicht waren sie präpariert, wurden jedoch nie benutzt. Außerdem standen dort viel mehr leere Werkbänke als Drucker herum.«

»Sie konnten die Sache aufgrund einer Störung nicht zu Ende bringen.«

»Aufgrund von zwei Störungen: Wir haben den Patriarchen erledigt, und der Laster wurde in Arizona angehalten.«

»Vielleicht ist da noch eine dritte Sache«, bemerkte Newsome. »Mir sind Gerüchte zu Ohren gekommen, die besagen, dass Anthrax im Irak gegen Zivilisten eingesetzt wird. Könnte es da eine Verbindung geben?«

»Ich wüsste nicht, welche.«

Newsome seufzte. »Falls ihr keine Verbindung findet, können wir vom Diplomatischen Sicherheitsdienst keine Hilfe erwarten. Zur Unterstützung kann ich dir noch zwei ausgezeichnete Leute schicken.«

»Griffin reicht aus.«

»Aber er ist noch ein Neuling.«

»Wenigstens bringt er mich nicht auf die Palme.« Rebecca zog die Brauen zusammen und blickte zu dem Sonnenstrahl hinüber, der durch den nicht ganz zugezogenen Vorhang drang.

»Du bist schon ein Pfundskerl, Rebecca, weißt du das überhaupt?«

»Ich bin eine Zicke, News. – Wie behandeln sie dich?«

»Frag lieber nicht. Meine Sicherheitsüberprüfung durch das zuständige Büro des Justizministeriums ist abgeschlossen, aber morgen nehmen die den Lehrkörper ins Verhör. Der Leiter und sein Stellvertreter sind am Mittwoch zur Anhörung vor den Rechtsausschuss des Senats geladen. Die vom Senat eingebrachte Gesetzesvorlage zur Reform der Dienste liegt immer noch beim Ausschuss, wird von der Demokratischen Partei aber mehrheitlich unterstützt. Deshalb haben wir uns im Hauptbüro auf alle Eventualitäten eingestellt, um denen notfalls einen Schritt voraus zu sein.«

»Der Teufel soll die Demokraten holen.«

»Mr. Hoover hatte ein ausgezeichnetes Verhältnis zu Franklin D. Roosevelt.«

»Er war aber auch der letzte FBI-Direktor mit so guten Beziehungen zum Präsidenten. Seitdem Louis Freeh bei der Lewinsky-Affäre Clintons Sperma identifizieren konnte, haben sie uns ständig auf dem Kieker – nein, auch vorher schon. Der gute alte Jimmy Carter beorderte den FBI-Chef Clarence Kelly zu sich, während dessen Frau im Sterben lag ...«

»Halt deine Wut auf Sparflamme, Rebecca. Das tue ich auch.«

»Falls das BDI oder eine andere Stelle Familienangehörige des Patriarchen in Gewahrsam hat, muss ich mit denen reden. Vorzugsweise mit einem der Söhne.«

»Ich werde denen Druck machen. Morgen müsste ich es wissen.«

»Mach's gut, News.«

Sie verstaute das Handy wieder in der Jackentasche, legte sich aufs Bett und wälzte sich noch gerade so schnell herum, dass sie das kippende Wasserglas auffangen konnte. Sie besaß die Behändigkeit einer Katze. Dennoch fühlte sie sich ständig erschöpft, egal, wie viel sie schlief.

Eines machte ihr wirklich Angst: der stets latente Wunsch, den Dienst vorzeitig zu quittieren. Sie hatte nur noch neun Dienstjahre vor sich, bis sie das Mindestalter zur Pensionierung erreichen würde, aber trotzdem …

»Das ist der letzte Mistkerl auf meiner Liste«, versprach sie sich selbst und schloss die Augen.

Nur Sekunden später – jedenfalls kam es ihr so vor – schnappte sie würgend nach Luft. Als sie aufblickte, sah sie, dass sich ein Mann mit aschblondem Haar über das Bett beugte. Eine Hand hatte er an ihrer Kehle, in der anderen hielt er ein Messer mit ausgefahrener, feststehender Klinge, ein Fabrikat der Firma Leatherman, wie sie erkannte.

»Mein Vater ist tot«, knurrte er. Rebecca tropfte ein Speichelfaden ins Auge.

Ein dumpfer Schlag.

William öffnete ein Auge und starrte auf den Bettüberwurf. Er hatte ihn nicht zurückgeschlagen und war immer noch vollständig bekleidet. Einen Moment lang fragte er sich, wo er war und was er hier tat.

Ein Blick auf den Wecker, der auf dem Nachttisch stand, half ihm auch nicht weiter: Er zeigte zehn Uhr früh an, genau wie zu dem Zeitpunkt, als William das Zimmer bezogen hatte, um vierzehn Uhr. Wahrscheinlich hatte er etwa zwei Stunden fest geschlafen, also musste es jetzt gegen achtzehn Uhr sein. Zeit, sich etwas zu essen zu holen und wieder an die Arbeit zu gehen. Auf der anderen Straßenseite, gegenüber vom Motel, hatte er einen *Panda-Express* gesehen. William hatte Appetit auf ein Nudelgericht.

Er stand auf und wusch sich im Badezimmer das Gesicht.

Erneut ein dumpfer Schlag.

Rebecca Rose war auf und lärmte herum. Aber es sah ihr gar

nicht ähnlich, so laute Geräusche zu machen, dass sie durch die Wände drangen. Er warf einen Blick auf das Lynx-Display an seinem Handgelenk und stellte fest, dass Rebecca immer noch mit dem Netz verbunden war, das sie bei Einsätzen aktivierten. Aus alter Gewohnheit schaltete sie das Mikro meistens ab, aber sie hatte nicht auf Schutz der Privatsphäre umgestellt – das vergaßen ältere Agenten häufig.

Peinlich berührt ließ er den Arm sinken. Das war ja so, als betätige man sich als Voyeur und beobachte eine Frau in ihrem Schlafzimmer. Aus den Informationen über Rebeccas körperliche Verfassung, die das Display anzeigte, konnte er auf das schließen, was sie gerade tat.

Hastig trocknete er sich das Gesicht mit einem Handtuch ab und zog die Gardinen ein paar Zentimeter auf. Draußen ging gerade ein braunhaariges Mädchen vorbei, das ein langes Gewand im »Pionierstil« trug – zumindest war es ein Kleid aus blau kariertem Baumwollstoff mit einer Art Schürze. Das Mädchen hätte direkt dem Roman oder der Fernsehserie »Unsere kleine Farm« entsprungen sein können. Er hörte, wie sich die Tür rechts von ihm, der Eingang zu Rebeccas Zimmer, öffnete und wieder schloss.

Rebecca hatte Besuch.

Warum hatte sie ihn nicht eingeweiht?

»Scheiße«, sagte er. *Typisch frisch gebackener Agent, der vor seinem eigenen Schatten erschrickt.*

Aber Rebecca hatte sich die ganze Zeit über so lautlos wie eine Katze bewegt. Er konnte sich nicht daran erinnern, irgendwann geräuschvolles Herumkramen oder auch nur Schritte aus Rebeccas Zimmer gehört zu haben. Sie trug Schuhe mit Gummisohlen.

Und dieses Pioniermädchen wirkte in diesem Teil des Bundesstaats völlig fehl am Platz und wie aus einer anderen Zeit. Sah aus wie die kleine *Bo-Peep* in den Büchern mit amerikanischen Kinderreimen.

Diesmal war sein Interesse an einem Lebenszeichen von Rebecca rein professioneller Natur. *Wenn sie Mary und ihr Lämmchen* zu sich eingeladen hat, müsste ich das doch wissen, oder? Schließlich bin ich ihr Einsatzpartner.*

Erneut hob er das Handgelenk, drückte auf das Display des Lynx und rief die Werte ab, die Rebeccas physische Verfassung zeigten. Tatsächlich waren die Werte, die Stress verrieten, in die Höhe geschnellt – so hoch, dass es nichts mit sexueller Erregung zu tun haben konnte. Außerdem hatte sich die spezifische Leitfähigkeit ihrer Haut verändert. Und der Geruchssensor an Rebeccas Lynx bestätigte eindeutig, dass sie unter psychischem Druck stand und Angst hatte.

Falls sie eine lesbische Nummer schiebt, dann jedenfalls nicht freiwillig.

Er schloss seine Zimmertür auf und löste leise die Kette und den Schnappriegel.

Auf den Fliesen unmittelbar vor Rebeccas Tür lag das Teilstück einer Messingkette, die mit einem Bolzenschneider durchtrennt worden war.

William trat einen Schritt vor. Links von Rebeccas Zimmer stand die Eingangstür auf. Er blickte hinüber. Am Ende des Fußwegs zu den Zimmern, einer hölzernen Plattform, war ein Wägelchen abgestellt – der Karren des Zimmerservice, beladen mit einem Wäschebeutel, frischen Laken, Toilettenpapier, Badeöl- und Shampoo-Fläschchen und zusammengelegten weißen Handtüchern.

Er drehte sich zu dem Geländer um, das den erhöhten Fußweg vom Parkplatz trennte, und sah, wie eine dicke Frau, so schnell die stämmigen Beine sie trugen, vom Motel aus über die Straße rannte. Sie trug die braune Dienstkleidung der Zimmermädchen.

---

* Mary und ihr Lämmchen: Anspielung auf den alten englischen Kinderreim »Mary had a little lamb«, 1830 von Sarah Hale verfasst. – *Anm. d. Übers.*

Sie will nichts wie weg. Was folgt daraus? Jemand hat diesem Zimmermädchen den Generalschlüssel und den Türstopper abgenommen. Hat selbst einen Bolzenschneider mitgebracht, um die Sicherheitskette zu durchtrennen. Das hier geschieht wirklich. Blau karierter Baumwollstoff steht für Pioniergeist.

Mein Gott, SIE sind es. Sie haben uns gefunden.

William machte seine Zimmertür bis auf einen kleinen Spalt zu. Ehe er überhaupt wusste, was er tat, hatte er sein Funkgerät in der Hand und drückte die interne Notruf-Taste des FBI. Gleich darauf zog er seine Waffe, eine Schweizer SIG, unter dem Kopfkissen hervor. Während sie seinen Zugangscode überprüfte, vibrierte sie.

Am anderen Ende der Leitung meldete sich die automatische Ansage des Büros. Jetzt erfassten sie dort seinen Standort und würden ihm so schnell wie möglich Verstärkung schicken, die örtliche Polizei oder andere Agenten. »Hinterlassen Sie eine Nachricht, falls Sie dazu in der Lage sind.«

»Eine Agentin wurde als Geisel genommen, ein Agent ist einsatzfähig und vor Ort. Brauche jede Unterstützung, die ich kriegen kann.« Er klappte das Gerät zusammen und befestigte es an seinem Gürtel. Von jetzt an würde es all seine Schritte verfolgen und alles, was er hörte, an die Einsatzzentrale in Seattle übermitteln.

Er legte ein Ohr an die Wand. Durch den Verputz konnte er die Worte gerade noch verstehen: »*Zieh sie aus, die ist verkabelt.*« Eine männliche Stimme, wütend. Nicht besonders alt.

»*Woher willst du wissen, dass sie vom FBI ist?*« Eine junge Frau, vielleicht noch ein Teenager. Er hörte Papier rascheln.

Williams Lynx piepste leise und zeigte damit an, dass Rebecca nicht mehr mit dem Netzwerk verbunden war.

»*Schau in ihrer Handtasche nach.*«

»*Ich sehe hier keine Handtasche.*«

»*Dann in ihrer Jacke!*«

William machte die Tür wieder auf und presste sich flach

gegen die Wand zu seiner Rechten. Er würde nicht so dumm sein, sie vorzuwarnen und sich als FBI auszuweisen. Denn dann würden sie Rebecca die Kehle durchschneiden oder sie erschießen. Und danach versuchen, ihn zu erledigen.

Wenn sie sich schon so weit vorgewagt hatten, kam es ihnen auf ihr eigenes Leben vermutlich kaum noch an.

Sie hatten Rebecca und ihn vom Gehöft aus verfolgt, vielleicht auch vom Ort aus. *Wissen Sie überhaupt, dass ich hier bin?*

Von der Nachbartür her hörte er ersticktes Stöhnen. Danach die männliche Stimme, diesmal lauter: *»Er ist eine Pizza holen gegangen, wie? Erst bringt ihr meinen Vater um, und dann macht ihr euch aus dem Staub, um Pizza zu fressen und zu ficken, wie?«*

Gleich darauf die Stimme des Mädchens: *»Nicht so laut, Jeremiah.«*

»Hol ihre Dienstmarke! Ich will, dass sie die frisst!«

Zuerst hatten sie die falsche Tür erwischt und das Zimmer leer gefunden. Danach hatten sie sich gewaltsam Zutritt zu Rebeccas Zimmer verschafft.

William holte tief Luft und ließ sie mit einem schnellen und fast lautlosen *Ommmmmm* wieder heraus. Das hatte er von einem Ermittler der Mordkommission gelernt.

»Ich werde dich so aufschlitzen, als wärst du ein quiekendes Schwein. Wir werden zusehen, wie du ausblutest.«

Falls er jetzt die Tür eintrat und ins Zimmer stürmte, würden sie Rebecca auf der Stelle töten. Die Verstärkung würde nicht rechtzeitig eintreffen. Ihm blieben nur die paar Minuten – wenn überhaupt –, die sie sich gönnten, um ihre Spielchen mit Rebecca zu treiben. William sah zum Wägelchen des Zimmermädchens hinüber.

Der junge Mann mit dem aschblonden Haar und den winzigen blauen Schweinsäuglein – das Mädchen hatte ihn Jeremiah genannt – schleuderte Rebeccas Waffe auf den Boden, sobald ihm klar geworden war, dass sie ihm, der keinen Zugangscode besaß, den Dienst verweigern würde. Das Mädchen stieß sie mit dem Fuß unter den Fernsehschrank.

Die Hände zwischen den Beinen verschränkt, saß Rebecca vornüber gebeugt auf dem Bettrand. Sie hatten die Knöpfe ihrer Bluse abgerissen und sie ihr so von den Schultern gezerrt, dass sie ihre Armbewegungen einschränkte. Die Lynx-Sensoren hatten sich dabei gelöst. Sie hatte die Hände nicht frei gehabt, sodass sie es nicht mehr geschafft hatte, auf die interne Notruf-Taste zu drücken. Die Jacke mit den Ausweisen hing im Schrank. Vor dem kurzen Schläfchen hatte sie den Gürtel mit den Gürteltaschen abgeschnallt und auf die Konsole im Badezimmer gelegt. Dort hatten sich der junge Mann und das Mädchen noch nicht umgesehen.

Im Moment schien es ihr am besten, den Mund zu halten. Sie würden sie so lange am Leben lassen, dass sie ihre Spielchen mit ihr treiben und ihrer Wut Luft machen konnten.

Jeremiah setzte sich neben Rebecca, streckte die rechte Hand aus und hielt ihr die graue Stahlklinge rechts an die Kehle. Sie spürte, wie ein warmer Blutstropfen auf ihr Schlüsselbein sickerte, so langsam, als gleite eine Schnecke über ihren Körper.

Das Mädchen trat näher ans Bett heran, stellte sich auf die Seite, als hätte es Angst, und beugte sich vor. Als Rebecca den Blick erwiderte, schnappte das Mädchen nach Luft, holte aus und gab ihr eine kräftige Ohrfeige. Rebecca drehte das Gesicht zur Seite. *Reagieren wie eine Kleiderpuppe. Lass sie denken, ich hätte einen Schock erlitten. Ist ja auch gar nicht so weit hergeholt. Muss wie ein Stein geschlafen haben.* In ihrem ausgedörrten Mund spürte sie einen säuerlichen Geschmack. Sie merkte, wie der Blutstropfen auf ihre Brust hinunterrann und in den BH-Spitzen versickerte.

Das Mädchen griff in die Falten des weiten langen Kleides, zog eine Neunmillimeter Smith & Wesson heraus und richtete sie auf Rebeccas Kopf. Gleichzeitig packte der Mann Rebeccas linken Ellbogen, ließ mit der rechten Hand das Messer an ihrem Körper entlang weiter nach unten gleiten und schüttelte sich das Haar aus dem Gesicht. Sein Kopf befand sich links hinter ihr, nicht weiter als fünfzehn Zentimeter von ihrem entfernt. Unbeholfen beugte er sich über das Bett. So unbeholfen, dass er beim leichtesten Anstupsen das Gleichgewicht verlieren würde. Falls er umkippte, würde sein Messer ihr zwar die Kehle aufritzen, vermutlich aber nichts Lebenswichtiges durchtrennen.

Allerdings war ihr der Gedanke, aufgeschlitzt zu werden, verhasst. Egal, welche Stelle es treffen mochte.

Außerdem würde das Mädchen ihr danach sofort eine Kugel in den Kopf jagen.

»Ihr habt ein Privatgrundstück überfallen«, sagte Jeremiah. »Habt unseren Vater erschossen. Die ganze verdammte Armee losgeschickt und ihn einfach abgeknallt, wie einen Hund. Ihr hirnlosen Feiglinge. Ihr habt ja keine Ahnung, was wir da vorbereitet haben, was alles geplant war. *Keine Ahnung*, stimmt's?«

»Ich höre«, sagte Rebecca. »Dann erzählt es mir doch.«

»*Was* sollen wir dir erzählen, du Schlampe?«

»Was passiert ist. Ich war ja nicht dabei.«

»Verdammte Lügnerin!«

Erneut spuckte er sie an. Sie hätte sich gern die Augen gerieben, wagte es aber nicht. Der Speichel, den der junge Mann vor einer Minute ausgespuckt hatte, saß immer noch feucht in ihrem Lidwinkel. »Wie heißt deine Schwester?«, fragte Rebecca. Sie konnte nur mit Mühe sprechen. Als sich ihr Kehlkopf bewegte, ritzte das Messer sie leicht, sodass sie das Gesicht verzog. »Au!«

Der Junge zog das Messer einen Zentimeter zurück. Für den Augenblick ein gutes Zeichen.

»Sie ist nicht meine Schwester, sondern meine Stiefmutter. Mein Vater hatte vier Ehefrauen.«

»Oh.«

Rebecca roch Orangen. Tausende von Orangen.

»Wir hau'n hier ab. Wir haben Geld, sichere Häuser – man wird uns nie finden. Und du wirst es nie ausplaudern. Du weißt es zwar noch nicht, aber du bist bereits tot.«

Jeremiah hatte sich mit der natürlichen Vorsicht eines jungen Mannes wieder ins Gleichgewicht gebracht, das Messer zwei weitere Zentimeter zurückgezogen und rutschte jetzt auf dem Bett vor. Keine routinierte Bewegung.

Auch das war nützlich.

»Klar«, sagte Rebecca.

»Wo ist der andere hin?«, fragte die junge Frau. »Wir haben zwei von euch einchecken sehen.«

»Der ist nicht mehr da«, erwiderte Rebecca. »Ist zurückgefahren.«

»Wohin?«

»Nach Seattle. Ich bin jetzt nicht mehr im Dienst.«

Ungeschickt umfasste die junge Frau die Neunmillimeter mit beiden Händen. Offenbar wusste sie nicht, wie man die Pistole gebrauchte. Sie hatte dunkelbraune Augen, sah wegen des eingefallenen Gesichts und der fahlen Haut aber nicht sonderlich hübsch aus. Trotz des langen Kleides konnte Rebecca erkennen, dass sie mindestens im sechsten Monat war. Sie wirkte eher beunruhigt als wütend, aber die Ohrfeige hatte Rebecca trotzdem wehgetan. Und ihre Finger zuckten leicht über den Abzug.

»Wann ist es bei dir so weit?«, fragte Rebecca und hätte sich nachträglich am liebsten auf die Zunge gebissen. Sie hätte es sich sparen sollen, der Frau die Schwangerschaft und damit den verstorbenen Ehemann ins Gedächtnis zu rufen.

»Du *Nutte*«, sagte die junge Frau. »Wir alle haben nur Gottes Werk verrichtet.«

»Halt die Klappe«, fuhr Jeremiah sie an. »Am besten, wir schneiden ihr jetzt die Kehle durch und machen, dass wir wegkommen. Wir werden im anderen Zimmer auf den Typ warten.«

Erneut glitt das Messer über Rebeccas Kehle, sodass weitere

Blutstropfen heraussickerten. Sie spürte, wie der Arm des jungen Mannes sich spannte. Als sie zum Fenster hinüberblickte, bemerkte sie hinter den Gardinen das grelle Flackern gelblicher Flammen.

»Da brennt was«, sagte sie.

Auf dem Geländer stapelte William vier Rollen Toilettenpapier aufeinander und ließ die Enden auf die hölzerne Plattform vor den Zimmern herunterbaumeln. Danach bespritzte er alle Papierschlangen mit einer Flüssigkeit, die nach Orangen roch. Er hatte die Flasche mit dem Kraftreiniger auf dem Karren des Zimmermädchens bei den Putzmitteln gefunden. Weiteres Toilettenpapier wickelte er um den unteren Teil des Geländers, sorgte aber dafür, dass zu Rebeccas Zimmertür ein gewisser Abstand blieb. Er wollte vermeiden, dass sie ins Zimmer zurückwichen. Sie sollten die Tür öffnen, das Feuer entdecken und zu flüchten versuchen – ohne Rebecca zu verletzen.

»Was, zum Teufel, tun Sie da?«, rief ein Mann ihm vom Parkplatz aus zu. William griff nach einem Streichholzbrief mit dem Aufdruck des Motels – glücklicherweise gab es immer noch Menschen, die Raucherzimmer buchten – und zündete die feuchten Papierrollen an, die nach Zitrusfrüchten dufteten. Die Folgen ließen nicht auf sich warten: Sofort schoss eine strahlend helle Stichflamme hoch, unmittelbar vor Rebeccas Zimmerfenster.

William hämmerte an die Tür. »Feuer! Alles raus hier! Sofort!«

Einige Sekunden, die sich quälend in die Länge zogen, presste er sich gegen die Mauer. Durch die Flammensäule hindurch warf er einen Blick auf die Straße und nach links, auf die Menschen, die auf dem Parkplatz herumwuselten. Mit offenen Mündern glotzten sie zu ihm hinauf. Er wagte es nicht, sie lauthals zum Verlassen des Geländes aufzufordern. Von Streifenwagen, Löschfahrzeugen oder sonstiger Verstärkung war nichts zu sehen. Der

Rauch sammelte sich zu einer dunklen Wolke und zog unter das Dach. Welche Dummheit hatte er da ausgeheckt?! Was, wenn das ganze Motel ausbrannte? Wie lange würde es dauern, bis der Geschäftsführer oder sonst wer mit dem Feuerlöscher gerannt kam, direkt in seine Schusslinie?

Vom Zimmer her hörte er schrilles, kindliches Gebrüll und einen heiseren Schrei, dann ging die Tür auf. William presste sich weiter gegen die Mauer. Eine Hand, die ein Stahlmesser umklammerte, glitt nach vorn und zog sich gleich darauf wieder zurück. Er hörte ein Gerangel und ein Scheppern, aber keinen Schuss. Sprühnebel drang durch die Tür nach draußen: Im Zimmer hatte sich die Sprinkler-Anlage eingeschaltet.

»Feuer!«, brüllte William. »Das Dach stürzt ein! Kommen Sie sofort heraus!«

Ein blonder junger Mann torkelte heraus, rieb sich Wasser aus den Augen und schwenkte das Messer so, als wolle er damit die Flammen vertreiben. Beide Hände an der SIG, vollführte William eine Vierteldrehung, kauerte sich nieder und zielte mitten auf den Oberkörper des blonden Mannes.

»FBI, lassen Sie das Messer fallen und strecken Sie die Hände hoch! Sofort!«

Zwar schossen die Flammen nicht mehr so hoch in die Luft, aber dichter Rauch hüllte sie beide ein.

»Heiliger Herrgott!«, rief der Junge, ohne das Messer fallen zu lassen. Er konnte weder William noch dessen Waffe sehen – der Rauch hatte das vom Wasser begonnene Werk vollendet. Als William auf den Abzug drückte und feuerte, stolperte der Junge blindlings nach vorn und entfernte sich dabei von der Tür. Die Messerklinge schwankte hin und her, wies erst nach vorne, dann nach unten.

»Lassen Sie sofort das Messer fallen!«

Zitternd ließ der Junge das Messer los, dessen Griff auf der hölzernen Plattform aufschlug und davon abprallte. Aus dem Zimmer drang der Schrei eines Mädchens, danach ein Schuss. Gleich darauf explodierte das Fenster nach außen, sodass sich die Glasscherben über den Jungen ergossen. »Heiliger Herrgott«, wimmerte er, während er auf die Knie sank.

Mit zerfetzter Bluse – sie war ihr bis unter die Schultern gerutscht – stolperte Rebecca heraus, die blonden Haarsträhnen ihrer Gegnerin fest im Griff. Sie zerrte die Frau im langen Pionierkleid auf die Plattform hinaus und schleuderte sie gegen das Eisengeländer und das aufgeschichtete Toilettenpapier, das immer noch brannte. Als die junge Frau dagegenprallte, fielen die flackernden, qualmenden Rollen auf die parkenden Wagen und den Asphalt hinunter. Rebecca und die Frau befanden sich jetzt in direkter Schusslinie zwischen William und dem jungen Mann, der sich hingekauert hatte. Sobald Rebecca es trotz der nassen Haarsträhnen vor ihrem Gesicht erkannt hatte, schwang sie mit den präzisen Bewegungen einer Tänzerin herum und stieß die Frau zu William hinüber. Er griff nach ihr, drehte ihr einen Arm auf den Rücken, zwang sie dazu, sich bäuchlings auf die hölzerne Plattform zu legen, und kniete sich auf sie. Zwar hielt die Frau nichts in den Händen, zerrte und kratzte jedoch nach Kräften an seinen Hosenbeinen. Als er ihr sein Knie so fest ins Rückgrat drückte, dass ihre Wirbel knackten, stöhnte sie auf und rührte sich nicht mehr.

»Wo ist die Waffe?«, rief er.

Der Rauch verzog sich.

Mit weit aufgerissenen, geröteten Augen warf der Junge einen Blick zur Seite und streckte die Hände vor. Sofort kickte Rebecca sein Messer so weit unter das Geländer, dass es auf den Parkplatz fiel. Danach trat sie ihm heftig gegen die Hüfte, was ihn erneut auf den Rücken warf, und zielte mit dem nackten, blutenden Fuß direkt auf seine Leistengegend. Er krümmte sich wie ein Wurm zusammen, wobei er abwechselnd stöhnte und brüllte. Sie wälzte ihn in den Glasscherben herum und drehte ihm beide Hände auf den Rücken.

Auf der anderen Seite der Plattform tauchte der Geschäftsführer des Motels auf und machte sich daran, das Feuer in Schaum zu ertränken. »Gottverdammte Scheiße!«, fluchte er. »Wollen Sie mein Motel abfackeln?!«

»FBI«, sagte William und rieb sich die Augen.

»Ich hab die Polizei verständigt, Sie Arschgesicht. Und auch die Feuerwehr ...«

»Hast du die Handschellen dabei?«, rief Rebecca zu William herüber. Als der Junge hochschnellte und sich zu wehren versuchte, versetzte sie ihm einen kräftigen Hieb auf den Hinterkopf und drückte sein Gesicht in die Glasscherben, während sie ihr Knie gegen seinen Rücken stemmte. William löste die Handschellen vom Gürtel und warf sie Rebecca zu, die sie trotz des herumschwenkenden Schaumstrahls auffing und dem Jungen anlegte. Dabei fiel William auf, wie ihre breiten, wohlgeformten, von Ruß verschmierten Schultern glänzten. Mit dem tropfnassen, zerzausten Haar, dem schwarzen BH, der unter der zerrissenen Bluse hervorlugte, und den halb auf die Hüften gerutschten Hosen, über denen ein rosa Sliprand blitzte, sah sie wirklich umwerfend aus.

Schließlich hob sie ihr Knie von den Lendenwirbeln des Jungen, sodass er Luft holen konnte.

Irgendwann ging dem Geschäftsführer der Schaum aus. Wütend schleuderte er den Feuerlöscher gegen die Wand. Er prallte ab und rollte davon. Alle waren mittlerweile von den zischenden, tropfenden Chemikalien durchtränkt.

»Geh behutsam mit der jungen Frau um, sie ist schwanger«, rief Rebecca zu William hinüber.

Sie hatte sich tatsächlich auf merkwürdige Weise zusammengerollt, schickte kurze Stoßgebete zum Himmel und stöhnte in den Pausen dazwischen. William wälzte sie vorsichtig auf die Seite.

Die Waffe. Als er sich weit vorbeugte, konnte er auf dem Fußboden in Rebeccas Zimmer, weit außerhalb jeder Reichweite, die Pistole ausmachen.

»Im Zimmer ist niemand mehr«, sagte Rebecca.

Auf dem Parkplatz unter ihnen setzten die Motelgäste ihre

Wagen zurück, um loszufahren. Der Geschäftsführer brüllte ihnen über das Geländer zu, sie hätten ihre Rechnungen noch nicht bezahlt.

Heftig atmend, stupste Rebecca mit dem Zeh eine angesengte, durchnässte Rolle Toilettenpapier an. »Was, zum Teufel, war das denn?«, fragte sie William.

»Modernste Taktik«, erwiderte er.

Sie holte tief Luft, zog die Bluse über die Schultern und bedachte ihn mit einem zuckersüßen Lächeln. »Du Mistkerl.«

Kapitel 30

Türkei/Irak

Über dem Zagros-Gebirge, dessen Klippen und Spalten sich schier endlos dahinzogen, prallte der Superhawk gegen eine Luftwand. Er erschauerte wie ein von einem Bolzenschuss getroffener Ochse und sackte einige hundert Fuß hinunter, bis die Drehflügel wieder brummten, durch die Luft schnitten und so viel Krach machten wie eine jamaikanische Steel Band. Fouad, der ein solches Geräusch noch nie gehört hatte, wurde blass und klammerte sich am Sicherheitsgurt seines Schleudersitzes fest. Der Sonderagent Orrin Fergus, der ihm gegenübersaß, gab ihm ein aufmunterndes Zeichen, indem er beide Daumen hochstreckte und sich danach auf die Nase klopfte. »Diese Scheiße ist schon fast vorbei«, brüllte er. »Wir kommen jetzt nach Diyala. Das ist eine irakische *Muhafazah*. Eine Provinz oder so was.«

»Ein Gouvernement«, sagte der Stabsfeldwebel zu Fouads Linken, ein stämmiger Mann mit gut ausgebildeten Muskeln, der etwa in Fouads Alter war. Er war voll herausgeputzt, trug die Kampfmontur der Flak und Wüstentarnung. Sein Helm war mit Funktelefon und Spezialbrille ausgestattet und der Rucksack mit zusammengefalteten Landkarten aus Plastik. Seine Satellitenverbindung, eine Standleitung, hielt ihn über alle Aktivitäten in diesem Gebiet auf dem Laufenden – auch wenn hier wenig los war. Er war eine Art Verbindungsmann und sah wie ein Samurai in Robotergestalt aus.

Der Besatzungschef kam nach hinten. »Wir landen in dreißig Minuten. Nehmt den grünen Eimer, wenn ihr unbedingt müsst. Kapitän Jeffries mag keine glitschigen Gänge.« Er nahm Fouad aufs Korn. »Ihre Premiere?«

Fouad nickte.

Mit dem Stiefel schob er Fouad den neben ihm stehenden Eimer zu.

»Werd schon klarkommen«, sagte Fouad und sah mit seinen großen dunklen Augen zu ihm auf.

Der Besatzungschef grinste und ging nach vorn, um wieder seine Position an den Geschützen einzunehmen.

»Der Bezirk Kifri gilt als Zentrum verborgener Minen und sonstiger Sprengkörper«, bemerkte der Stabsfeldwebel. »Jahrzehntelang ist es zwischen den Kurden und Sunniten hin und her gegangen. Das Nationaltier ist hier die gambische Ratte, denn sie wird zum Erschnüffeln von Minen und anderen Sprengkörpern eingesetzt. Sind muntere kleine Biester, arbeiten wie wahnsinnig. Als wir das letzte Mal hier durchkamen, drehte eine irakische Filmgesellschaft gerade ein Heldenepos über Araber, die den Persern vor vierzehnhundert Jahren eins auf die Mütze gegeben haben. Ziemlich große Sache. Und dann ist der Regisseur auf eine Splitterbombe der Alliierten getreten. Sie hat ihm das Bein abgerissen und auch den Kameramann erledigt. Scheiße. An dem Tag waren die ganz schön fertig.«

»Haben sie was gegen unsere Anwesenheit?«, fragte Fouad.

»Den meisten Leuten in Bagdad geht das am Arsch vorbei«, erwiderte der Stabsfeldwebel grinsend. »Und da sie als unsere Verbündeten gelten, stellen wir uns blind, wenn sie den Kurden in den Hintern treten.«

Orrin Fergus setzte sich neben Fouad und brüllte ihm ins Ohr: »In Kifri treffen wir uns mit dem Team von Tim Harris. Du wirst das Verhör für uns durchführen. Bei Harris' Akzent gucken die nur verständnislos. Wie kommst du mit dem örtlichen Dialekt zurecht?«

»Ich weiß es nicht.« Fouad traute sich selbst nicht über den Weg, und das lag nicht nur an seinem Magen. »Kann sein, dass sie hier Arabisch sprechen, aber es könnte auch Kurdisch, Türkisch und sogar Aramäisch oder Assyrisch sein. Wenn es Jeziden sind ...«

»Heutzutage sprechen hier die meisten Arabisch«, warf der Stabsfeldwebel ein. »Zumindest hat man uns das gesagt. Ich liebe Überraschungen, Sie nicht? – Wir werden es an Ort und Stelle herausfinden.«

»Falls wir Leichen entdecken, werde ich zu tun haben«, sagte Fergus. »Also halte Augen und Ohren offen. Wenn überhaupt, dann sprich mit den Einheimischen, ohne deine Karten aufzudecken. Soweit ich weiß, wartet in der Stadt ein Mann namens Tabrizi oder so auf uns. Ist nicht nötig, dass diese Leute irgendwas über uns erfahren. Da man uns keine MOPP-Ausrüstung gegeben hat, sondern nur Masken mit Schutzfiltern und BAMs, würde alles, was eine größere Entseuchungsaktion erfordert, unseren Aufbruch um zehn Minuten verzögern, denn so lange braucht die Besatzung zur Versiegelung der Kabine. Mit der Entseuchung werden wir warten müssen, bis wir wieder in Incirlik sind. Und falls wir tatsächlich verseucht sind oder uns verrückt verhalten – na ja, wie ich gehört habe, soll Kifri zu dieser Jahreszeit ganz schön sein.«

Fergus war auf biologische Kampfstoffe spezialisiert und hatte sich vor dem Dienst im FBI zum Gerichtsmediziner und Leichenbeschauer weitergebildet. Lautlos murmelte Fouad die Abkürzungen vor sich hin, die Fergus verwendet hatte. MOPP stand für *Mission Oriented Protective Posture*, die auf den jeweiligen Einsatz abgestimmte Schutzausrüstung, BAM für *Biological Agent Monitor*, das Kontrollgerät zur Analyse biologischer Wirkstoffe.

Der Superhawk begann über der Stadt zu kreisen.

»In fünf Minuten gehen wir runter«, verkündete der Kapitän. »Der Stabsfeldwebel ist für euch der Allmächtige. Wir gehen runter, landen kurz und sammeln euch später wieder ein. Auf seinen Befehl hin meldet ihr euch an Ort und Stelle zurück.«

Mit einem Nicken deutete Fouad an, dass er verstanden hatte, auch wenn der Pilot das nicht sehen konnte.

Der größte Teil von Kifri erinnerte an eine Ansammlung von Schuhschachteln, mit denen ungebärdige Kinder herumgebolzt hatten. Eingestürzte bräunliche Kuppeln und entkernte zweistöckige Häuser drängten sich um die Überreste eines Basars. Nur wenige Häuser und Gebäude standen überhaupt noch. Der sechs Jahre während Bürgerkrieg, die »ethnischen Säuberungen«, deren Opfer die Kurden gewesen waren, und die früheren Jahrzehnte der Tyrannei – Saddam hatte hier auch Phosphorbomben eingesetzt – hatten den größten Teil der Lebenskraft aus der Stadt herausgesogen. Als der Superhawk südliche Richtung einschlug, flog er über eine zerstörte militärische Einrichtung hinweg, die vom Krieg so gezeichnet war, dass sie an eine uralte Mondlandschaft erinnerte.

Das hier waren die Relikte einer kurzen Epoche, in der die Amerikaner davon geträumt hatten, die Welt vom Terrorismus zu befreien und ein Land nach dem anderen aus elender Tyrannei zu erlösen. Immer noch flogen einige Yankees hier ein und aus und im Land herum. Wenn überhaupt, unternahmen die Iraker nur sehr wenig, um sie davon abzuhalten. Schließlich war allgemein bekannt, dass die Amis nur wie harmlose Fliegen herumsummten.

Kifri war das Paradebeispiel für ein Krebsgeschwür, das sich aus Geschichte, Hass und dem Versuch, eine »Nation zu bilden«, entwickeln kann. Nationen kann man nicht einfach »bilden« – sie wachsen und wuchern wie Schimmelpilz. Der Irak, jetzt sich selbst überlassen, da in seiner Nachbarschaft ein neuer Krieg drohte, war ein einziges elendes Chaos. Inzwischen konzentrierten sich die internationalen Aktivitäten auf den Iran. Wegen dessen provozierender Atompolitik gingen jetzt die Vereinten Nationen, Europa, Russland und selbst China gegen den Iran vor – bislang noch mit diplomatischen Mitteln, die versteckte und offene Drohungen aber keineswegs ausschlossen. Die Amerikaner hatten sich für die Rolle des Juniorpartners entschieden, da bei ihren Verbündeten weit mehr auf dem Spiel stand; schließlich befanden diese sich in unmittelbarer Reichweite iranischer Raketen.

Da den Amerikanern die Lust auf regelrechte Kampfhandlungen im Irak vergangen war, konzentrierten sie sich dort auf Flüge zur taktischen Unterstützung und Aufklärung und sondierten dabei auch einige Gebiete mit dem Ziel, Informationen für ihre Geheimdienste zu beschaffen.

Fouad bemühte sich, ein Zittern zu unterdrücken. Fergus und der Stabsfeldwebel teilten sich eine Zigarette. Während der Superhawk weiter kreiste, brach die Sonne durch die Bullaugen des Kampfhubschraubers und zeichnete helle Rechtecke auf die Oberkörper der beiden.

Nachdem der Superhawk die Geschwindigkeit gedrosselt und auf dem Boden aufgesetzt hatte, löste der Stabsfeldwebel den Sicherheitsgurt, brachte sich ins Gleichgewicht und wies den Besatzungschef mit einer Geste an, die Luke zu öffnen. Die grelle Vormittagssonne blendete Fouad zunächst, doch dann erkannte er hellbraune Häuser, breite ungepflasterte Straßen, ausgetrocknete Schlaglöcher, Bombentrichter, zersplitterte Fenster unter zerbrochenen Holzläden, ein zweistöckiges Regierungsgebäude, irakische Wachsoldaten, die auf Steinstufen herumsaßen oder herumstanden, rauchten und sie beobachteten – und einen *Humvee*, einen gepanzerten militärischen Geländewagen mit langer Antenne, an der eine blau-gelbe Fahne flatterte.

Fergus fasste Fouad am Arm. »Los, gehen wir.«

Sie sprangen auf die unbefestigte Straße und rannten aus dem Schutz der Drehflügel auf freies Gelände. Ein Mann in Khakihemd und hellgrünen Cargohosen mit unzähligen Taschen eilte ebenso schnell auf sie zu, schüttelte Fouad die Hand und wirbelte gleich darauf herum, um den Piloten des Superhawk zuzuwinken. Um den Hals hatte er eine Kamera hängen. Fergus stellte den Rotschopf, der keine Kopfbedeckung trug, Fouad als Sonderagenten Tim Harris vom Diplomatischen Sicherheitsdienst vor. Er diene im Irak als Verbindungsmann zwischen FBI und CIA. Harris gehörte eindeutig zu BuDark.

Als der Pilot den Hubschrauber wieder startete, warf Fouad einen Blick über die Schulter.

»Willkommen in Kifri, Heimat der tapferen Trottel«, sagte Harris. »Derzeit haben wir hier eine trockene und nur leicht unangenehme Atmosphäre, gelegentlich auch *Verpiss-dich*-Kämpfe mit der örtlichen Schutzpolizei, aber keine Anzeichen für einen heraufziehenden Sturm. Wir dürfen jetzt stolz und mit offizieller Genehmigung Bagdads die blau-gelbe Fahne hissen, denn die wollen wissen, wer Anthrax dazu einsetzt, kurdische Juden in einer Stadt umzubringen, in der es eigentlich keine Kurden mehr geben dürfte, geschweige denn Juden.«

Der Stabsfeldwebel öffnete die Tür des Humvee und richtete das Geschütz aus. Er selbst hatte eine Maschinenpistole dabei, ein Sturmgewehr mit Ladestreifen, das wie ein abgeflachter Rammbock aussah. Harris war mit zwei Glocks bewaffnet. Eine steckte in seinem Schulterhalfter, die andere unter dem Hosenaufschlag über dem linken Stiefel. Der Humvee war mit einem ROAG ausgerüstet. ROAG stand für *Remotely Operated Autotargeting Gun*, ein Geschütz mit Fernsteuerung und automatischer Zielsuche. Das Zwanzigmillimeter-Schnellfeuergeschütz war auf dem Wagendach montiert und ähnelte einem kleinen stählernen Abwasserrohr.

Bei laufendem Motor kühlte der Humvee innen schnell ab. Seine Insassen waren von einem fünf Zentimeter dicken stoßfesten Stahlpanzer umgeben, was allerdings kaum ausreichte, auch nur einen alten Kurzstrecken-Granatwerfer ohne automatische Zielsuche abzuwehren, schon gar nicht die moderneren Panzerabwehrgeschütze, wie sie in diesen Regionen derzeit in Mode waren. Deren vorderlastige, von einem Stahlmantel umhüllte Zweistufenprojektile durchdrangen als Erstes die Panzerplatten und aktivierten danach die hintere Sprengladung. Drei UAVs, nicht bemannte Flugkörper – es waren Drohnen mit Selbststeuerung –, vermittelten aus einer Höhe von mehreren hundert Metern ständig neue Informationen. Als Harris den Humvee in Gang setzte, leuchteten am Armaturenbrett Anzeigen auf. Sensoren, die an das Sonarsystem eines U-Boots erinnerten, erfassten potenzielle Angriffsziele und pingten sie an. Insbesondere registrierten sie Echos hinter irgendwelchen Ecken. Auf dem Wagendach waren Geräte zur Schallauslotung montiert, die bewaffnete Kampfhandlungen einkreisen und genau lokalisieren konnten. Gleichzeitig koordinierten sie bei Bedarf die Abwehr aus der Luft mittels UAVs und Superhawk. Der Kampfhubschrauber war der einzige bemannte Flugkörper, der sie hier unterstützte.

Darüber hinaus war der Humvee mit einem Gefechtsleitsystem ausgestattet: Völlig selbstständig konnte der Wagen, sofern seine Fahrspur und die Antriebsräder intakt waren, zum Schauplatz von Kampfhandlungen fahren, während seine Insassen zur Passivität verurteilt waren. Zwangsläufig beschlich Fouad das Gefühl, der Humvee hätte Augen und Ohren und einen eigenen Willen. Im Dunst des Krieges hatten sich die Maschinen schneller weiterentwickelt als die Menschen.

Möglich, dass das große weiße Haus am Rande von Kifri früher recht komfortabel gewesen war. Es war ein quadratisch angelegter Bungalow aus Zementsteinen mit großem Atrium, der von – inzwischen demolierten – schwarzen Eisengittern umzäunt war. Vermutlich hatte sich auf der Innenseite des Zauns früher ein Kakteengarten befunden. Alle Gebäude der benachbarten Straßenzüge lagen in Schutt und Asche.

Der Humvee rumpelte über ein umgestürztes Tor und hielt an. Ein alter Mann, der ein zerschlissenes schmutziges Oberhemd trug und ein weißes Tuch um den Kopf geschlungen hatte, stand von der Veranda auf und hob den Arm.

Fergus stieg als Erster aus. Der Stabsfeldwebel war vorsichtiger. Er bewegte sich langsam und musterte alles ringsum mit kritischem Blick.

»Der Superhawk parkt jetzt, meine Herren«, verkündete er und klopfte auf seine Kopfhörer. »Wir haben genau fünfundvierzig Minuten. Und Sie wissen, dass ich Sie alle vor Ablauf dieser Frist hier weghole.«

Harris, dessen Kehlkopf auf und ab hüpfte, war der Letzte, der seine Tür öffnete.

Fouad folgte Fergus. Beide blieben am Humvee stehen.

Mit einem misstrauischen Blick auf den Rest der Gruppe ging der alte Mann mit der weißen Kopfbedeckung auf Fouad zu und streckte ihm vorsichtig die rechte Hand hin. »*As-salaamu aleikum*«, sagte er zur Begrüßung, umarmte Fouad und schnupperte an seinen Wangen. »Ich bin froh, dass Sie hier sind. Eine faule Sache, die hier geschehen ist. Wir müssen behutsam vorgehen. Es ist immer noch ein Totenhaus.«

Als weit entfernt, auf einer verlassenen Straße, ein Motor aufdröhnte, fuhren alle Köpfe herum. Umgeben von einer Staubwolke, rollte ein kleiner, mit Roststellen übersäter Subaru Forester auf das Tor zu. Ein gebräunter, stark behaarter Arm streckte sich aus dem Fenster und winkte. Der Stabsfeldwebel fasste sich so an die Kopfhörer, als wolle er ihm Informationen darüber entlocken, was da auf sie zukam. Er schürzte die Lippen. »Meine Herren, wie das Hauptbüro uns mitteilt, haben wir einen Gast, der mit Vollmachten ausgestattet ist.«

»Teufel noch mal, Kifri ist der letzte Ort, an dem ich Saddams verborgene Lager vermutet hätte«, sagte der große Mann mit dem riesigen Brustkorb, als er sich der Gruppe näherte. »Ich bin Edmond Beatty, Freunde nennen mich nur Beatty. Mit wem habe ich die Ehre?« Er streckte die Hand aus und zog die buschigen Augenbrauen hoch.

Der Stabsfeldwebel übernahm es, die Gruppe vorzustellen. Allerdings zog sich der ältere Iraker in den Schatten zurück und bedachte Beatty nur mit finsteren, ablehnenden Blicken.

»Beatty und ich kennen uns bereits«, erklärte Harris.

»Das Vergnügen beruht auf Gegenseitigkeit«, sagte Beatty.

Als Fouad ihm die Hand schüttelte, hatte er das Gefühl, dass ihm entscheidende Informationen fehlten – der historische Hintergrund dieser Begegnung. »Und weshalb sind Sie hier, Mr. Beatty?«, fragte er. In diesem Fall schien ihm dreistes Vorgehen angesagt, denn weder Harris noch Fergus schätzten den Mann, wie Fouad instinktiv spürte. Dagegen wirkte der

Stabsfeldwebel zwar verärgert, aber gleichzeitig schien er sich zu amüsieren.

»Ich bin Oberst im Ruhestand«, erklärte Beatty. »Hab während des Zweiten Golfkriegs im Irak gedient. Und bezeichnen Sie den Krieg in meiner Gegenwart bloß nie als *Krieg der Alliierten*. Hab ich nicht Recht, Freunde?«

»Oberst Beatty ist hier nicht nur Lokalkolorit«, warf Fergus ein. »Auf Veranlassung von sechs Senatoren hat das Außenministerium ihn damit beauftragt, weiter nach Saddams chemischen und biologischen Waffen zu suchen. Leider wurde dieser Auftrag bislang nicht wieder aufgehoben.«

»Ich hab über Buschfunk von diesem Pesthaus gehört«, sagte Beatty. »Wünschte, Sie hätten mich benachrichtigt, meine Herren. Dann wäre ich sofort hierher gefahren, hätte die Fakten ermittelt und den amerikanischen Steuerzahlern auf diese Weise viel Geld erspart. Superhawks sind kostspielige Dinger, brillante, intelligente Maschinchen. Übrigens ist Dr. Mirza Al-Tabrizi ein guter Bekannter von mir. Er vertritt die Schiiten in Kifri, deswegen gilt er bei der unterdrückten Mehrheit als eine Art Hohes Tier. Auch die Kurden scheinen ihn zu mögen, was ihn meiner Meinung nach nicht gerade zu einer objektiven Informationsquelle macht.«

Al-Tabrizi verschränkte die Arme und lehnte sich gegen eine verschlossene Tür.

»Wir würden es zu schätzen wissen, wenn Sie sich in diesem Fall mit der zweiten Geige begnügen, Sir«, sagte der Stabsfeldwebel mit gesenkter Stimme.

»In der Redensart heißt es: *die zweite Geige spielen*«, korrigierte ihn Beatty. »Im Übrigen bin ich hier schon länger als jeder andere amerikanische Soldat stationiert, und zwar ununterbrochen. Ein wahrer Gentleman gibt bei einer ehrenwerten Mission nie auf.« Er drehte sich zu Fouad um. »Sie sind ein Sonderagent des FBI, genau wie Fergus, stimmt's, Sir? Und irgendwie mit diesem Schattenbüro verbunden, wie es sich derzeit auch nennen mag, hab ich Recht?«

Ehe Fouad etwas erwidern konnte, baute Beatty sich in aggressiver Haltung vor ihm auf. »Hat man Sie als Übersetzer hierher beordert?«

»Es kann Ihnen egal sein, wer er ist, Beatty«, knurrte Harris. »Ist schon schlimm genug, dass Sie wissen, wer *wir* sind.«

Beatty wirbelte herum und blickte einem nach dem anderen ins Gesicht. »Ich spreche Kurdisch, Türkisch, Farsi, Urdu, Paschtu und Arabisch – sechs oder sieben Dialekte.«

»Und all diese Sprachen mit Tennessee-Akzent«, ergänzte Harris.

»Stimmt, aber im ganzen Land versteht man mich. Und wen wollen wir verhören? Zur Abwechslung mal irgendwelche lebenden Menschen?«

»Sie stehen bei unserer Mission nur im zweiten Glied, Sir«, entgegnete der Stabsfeldwebel mit mehr Nachdruck als zuvor. »Jede Hilfe, die Sie anzubieten haben, wissen wir zu schätzen, aber Sie haben hier nicht das Sagen.«

»Also gut, wer, zum Teufel, hat es dann? Hier vor Ort, meine ich.«

»Offenbar bin ich gemeint«, erwiderte Harris.

»Dann machen Sie doch voran!«, rief Beatty mit breitem Grinsen und schlug Harris auf den Rücken. »Ich bin auch bereit, Sie *Sir* zu nennen, und das ist sogar ehrlich gemeint. Sie müssen mir nur erklären, weshalb so weit im Norden plötzlich Anthrax auftaucht, verdammt noch mal.«

Im Haus war der Verwesungsgestank zwar penetrant, konnte sich wegen des kühlen, feuchten Luftzugs aber nicht voll entfalten und wirkte hier äußerst eigenartig. Gleichgültig sah Fouad zu, wie die Männer die leeren, mit Unrat übersäten Zimmer durchkämmten. Dieses seltsame Gefühl mangelnder Anteilnahme war ihm selbst zuwider. Tief in seinem Innern gab es etwas Widernatürliches, das seiner Mutter nicht gefallen hätte. Dagegen hätte es sein Vater wohl nur allzu gut nachvollziehen können. Und die Ausbildung in Quantico hatte diese innere Distanz nur noch verstärkt. *Wenn man derart schreckliche Dinge sieht, erkennt man das Leben als das, was es wirklich ist. Es macht einen wacher und stärker und gibt einem ein Gefühl von Überlegenheit. Man kann aushalten, was andere Menschen nicht ertragen können. Letztendlich ist es das, was junge Männer in den Krieg ziehen lässt.*

Von außen hatte das Haus besser ausgesehen. Die meisten Zimmer waren zum Himmel hin offen, im Dach gähnten Einschlaglöcher. Im Atrium stapelte sich zerbrochenes und verbranntes Mobiliar: Jemand hatte sich im Winter warm halten wollen.

Al-Tabrizi fasste Fouad an der Schulter. »Fühlen Sie sich bei mir wie zu Hause«, sagte er auf Arabisch. »Es gibt mir Trost, dass wenigstens gelegentlich *Muslime* mit diesen Männern sprechen und sie in ihre Schranken verweisen. Dieser Stier da drüben, Beatty, genießt bei uns keine Achtung. Um an Informationen zu kommen, hat er allzu oft Leute verschaukelt und mit doppelter Zunge gesprochen.«

»Ich hab das genau gehört, Sie alter Mistkerl«, rief Beatty herüber.

Al-Tabrizi achtete nicht auf ihn.

»Was hat Sie überhaupt hierher geführt?«, fragte Fouad den Alten.

»Um der Liebe Gottes willen hat ein frommer Mann ausnahmsweise eine Bemerkung fallen lassen. Auf sein Geheiß hin sind einige meiner Leute hierher gefahren und haben im Haus diese Kurden, diese Juden, tot aufgefunden. Später hat die Polizei Eis gebracht. Wären diese Toten Muslime gewesen, hätten wir sie bestattet.« Er zuckte die Achseln. »Vielleicht haben die Sunniten Experimente an unseren armen Juden durchgeführt, ich weiß es nicht. Die Sunniten haben keine Achtung vor dem Leben.«

»Amen«, sagte Beatty.

Sie durchquerten den Hof und gingen zum hinteren Teil des Hauses hinüber, in dem sich die Küche befand. Vor einem kleinen Stein und einem Mörser lehnte ein Pumpenschwengel in einer Ecke.

Nachdem Fergus Gummihandschuhe übergestreift hatte, holte er weitere Handschuhe aus dem Rücksack, außerdem Schutzmasken, die mit feinen Filtern und kleinen Blasebälgen aus Gummi ausgestattet waren, und eine Dose mit Nasensalbe. »Streift die Masken über und zieht sie fest«, sagte er, während er die Ausrüstungen verteilte.

»Nur die kurdischen Juden sind erkrankt«, bemerkte Al-Tabrizi, diesmal auf Englisch.

Auf dem Weg zu dem Raum, der hinten an die Küche angrenzte, stiegen sie über Glasscherben und leere Konservenbüchsen hinweg. Früher mochte dieses Kabuff als Werkstatt oder Speisekammer gedient haben. In der Mitte waren Eisblöcke so aufgestapelt, dass sie ein Iglu bildeten. Darüber lag eine Zeltplane, die fast über die Eisblöcke reichte, darauf eine Schicht von Eisschnee. Unter der Plane ragten nackte Füße hervor. Die Fersen lagen in Pfützen schmutzigen Eiswassers.

Der Stabsfeldwebel, der inzwischen Schutzhandschuhe und Schutzmaske trug, schlug die Hand vors Gesicht. Die Hände in die Hüften gestemmt, blieb Harris stehen und musterte die bleichen, runzligen Füße mit kritischem Blick.

Al-Tabrizi reichte Fouad die Speicherkassette einer uralten Kompaktkamera. »Wir haben viele Aufnahmen gemacht, ehe das Eis hier angeliefert wurde. Ein Hotel und eine Klinik haben das Eis zur Verfügung gestellt. Die Leute, die das hier veranlasst haben, sind vor zwei Tagen mit einem Lastwagen aus Kifri weggefahren. Auch von ihnen haben wir Fotos. Falls wir unabsichtlich irgendetwas am Tatort verändert haben, tut es mir leid, aber Sie müssen verstehen … Die Zeit drängte.«

»Also gut«, sagte Fergus, »fassen Sie mit an, meine Herren. Helfen Sie, eines der Opfer herauszuziehen.«

»Die können nur wenige Tage hier gewesen sein«, bemerkte Beatty mit halblauter Stimme. Offenbar trug die Atmosphäre dieses stinkenden eiskalten Raums dazu bei, sein Volumen zu dämpfen.

Fouad trat vor, um Harris und Fergus dabei zu helfen, einen

Leichnam unter den am nächsten gelegenen Eisblöcken hervor-zuziehen. Es war eine alte Frau, bis auf Unterwäsche nackt. Der Mund in dem maskenhaften Gesicht war wie zu einem lautlosen Schrei aufgerissen, die Zunge angeschwollen und schwarz.

»Die Opfer stammen nicht aus Kifri, sondern weiter aus dem Norden«, sagte Al-Tabrizi. »Einige Männer haben sie in Last-wagen hierher gebracht. Die Arbeiter, die angeheuert wurden, um diesen Raum zu säubern und herzurichten, haben es mir erzählt. Sie sagten, die Männer, die diese armen Seelen hier ab-geliefert haben, hätten sich damit gebrüstet, etwas zu besitzen, das nur Juden tötet. Sie hätten behauptet, der Planet werde bald judenfrei sein.«

»Mein Gott«, sagte Beatty.

Fergus untersuchte die Haut der Frau. Ihre Beine, der Rumpf und ein Arm waren mit großen schwarzen Schwären übersät. Er holte ein Diagnose-Utensil – ein winziges Kunststoffplättchen des Fabrikats MicroLumen – aus der Gürteltasche, zog einen rötlichen Streifen heraus, drehte den Kopf der Frau herum und rieb mit dem oberen Ende des Streifens über ihre Zunge. Da-nach prüfte er die Werte. Dasselbe tat er mit dem trockenen, ab-blätternden Schorf über einer der schwärzlichen Wunden an ihrer Brust. »Es ist Anthrax, das sowohl über die Lungen als auch über die Haut aufgenommen wurde«, sagte er und deutete auf die schwärzlichen Stellen und Flecken an ihrem Bauch und den Rippen. »Und auch über den Magen. Offenbar hat man sie ge-zwungen, etwas davon zu schlucken.« Mit finsterem Blick mus-terte er aus einigen Zentimetern Abstand die angezeigten Werte. »Ich erkenne Abwehrstoffe, einen Ödeme auslösenden Faktor und einen tödlichen Faktor, aber auch etwas Unbekanntes. Könnte sich um ein neues Plasmid handeln.« Er sah Al-Tabrizi an. »Ich muss Organproben entnehmen. Es wäre wohl besser, wenn Sie jetzt den Raum verlassen. Ich werde mein Bestes tun, um die Würde der Frau nicht anzutasten.«

»Ich bleibe«, erklärte Al-Tabrizi. »Es ist meine Pflicht. Außer-dem ist mir klar, dass diese Entnahmen notwendig sind.«

»Es geht darum, Sir, dass hier wahrscheinlich Bazillen freigesetzt werden, die durch die vegetative Mutation innerhalb der Organe des Opfers noch bösartiger und ansteckender sind als üblich«, sagte Fergus. »Bitte gehen Sie.«

Al-Tabrizi sah Fouad an. »Er ist ein guter Arzt«, versicherte Fouad dem Schiiten.

Sie blieben vor der Tür stehen und vergewisserten sich, dass ihre Schutzmasken fest schlossen.

»Ist das denn überhaupt möglich?«, fragte Beatty. »Kann man etwas Tödliches entwickeln, das nur Juden trifft? Und wie, zum Teufel, hätte Saddam eine derart große Sache so lange geheim halten können?«

»Wir sind uns ziemlich sicher, dass nicht Saddam dahintersteckt«, erwiderte Harris.

»Er hat Tonnen und Abertonnen von diesem Mist produzieren lassen. Wenn nicht er, wer, zum Teufel, dann? Verdammt noch mal, Jungs, das hier könnte doch genau die Sache sein, nach der wir alle gesucht haben. Meine Senatoren …«

»Sir, Sie dürfen mit niemandem darüber reden«, warnte ihn der Stabsfeldwebel. »Nicht einmal mit Ihren Senatoren.«

»Also, wie, zum Teufel … Ich bin Ihnen nicht unterstellt, mein Sohn.«

Der Stabsfeldwebel hob seine H & K. »Sir, man hat mich angewiesen, Ihre Anwesenheit zu tolerieren, damit ich Zugang zu allen Informationen habe, über die Sie möglicherweise verfügen; außerdem auch deshalb, weil wir nicht ein weiteres Parteiengerangel in Washington provozieren möchten. Aber der Oberbefehlshaber hat mir auch die Vollmacht erteilt, auf jeden Fall zu verhindern, dass diese Sache von irgendjemandem nach außen getragen wird, und das schließt Ihre Person ein. Habe ich Ihr Wort als Patriot und Armeeoffizier, dass Sie über alles, was Sie heute sehen und hören, absolutes Stillschweigen bewahren werden?«

Beattys Gesicht versteinerte. Er hob die Hand, die im Schutzhandschuh steckte, und achtete darauf, sie von Gesicht und Körper fern zu halten. »Wenn Sie's auf diese Tour machen wollen, dann schwöre ich's beim Grab meiner Mutter.«

Al-Tabrizi, der an einer Außentür stand, schnappte nach Luft und versuchte, seinen Mageninhalt bei sich zu behalten. Als Fergus aus der Totenkammer kam, ging Fouad zu ihm hinüber und fragte leise: »Kann man diese Menschen jetzt angemessen bestatten?«

»Man sollte sie einäschern«, erwiderte Fergus.

»Das widerspricht den Gebräuchen«, wandte Al-Tabrizi ein.

»Wenn Hunde sich an ihnen zu schaffen machen, könnte sich der Bazillus in der ganzen Stadt verbreiten.«

»Sir«, mischte sich der Stabsfeldwebel ein, »weder morgen noch übermorgen können wir hierher zurückkehren. Und mitnehmen können wir die Leichen auf keinen Fall. Wir sollten die hier üblichen Bestattungsrituale respektieren. Andernfalls könnte diese Sache weitere Aufmerksamkeit erregen.«

Harris deutete mit dem Kinn zu Al-Tabrizi hinüber. »Weisen Sie die Leichenbestatter an, Masken und klinische Handschuhe zu tragen und die Körper so tief zu vergraben, dass kein Hund sie aufstöbern kann.« Er zog einen Handschuh aus, griff in die Jackentasche, holte eine Tausenddollarnote heraus und reichte sie Al-Tabrizi. »Für die Ausgaben, Grabsteine oder was auch immer.«

Al-Tabrizi nahm das Geld an, vermied es jedoch, irgendjemanden dabei anzusehen. Über seine Wangen rannen Tränen, Tränen des Zorns und der Scham.

Als Beatty zu seinem Wagen zurückging, lief er einige Meter neben Fouad, Harris und Fergus her. »Mittlerweile ist es völlig gleichgültig geworden, was wir hier unternehmen, herschenken oder ausprobieren«, bemerkte er. »Die hätten zwanzig Jahre gebraucht, um sich in Demokratie zu üben, aber wir haben ihnen nur fünf gegeben. Als die Anhänger der Baath-Partei wieder aus ihren Löchern kamen und die Schiiten sich mit dem Iran verbündeten, haben wir in unserer himmlischen Einfalt die Sunniten unterstützt, mit Geld und mit Waffen. Und das hat die alte

Todesmaschinerie von neuem angekurbelt. Bei unserem Rückzug aus dem Irak haben wir das ganze Land am ausgestreckten Arm verhungern lassen, Gott sei uns allen gnädig.«

Der Stabsfeldwebel, der ihnen folgte, ging rückwärts, das Gesicht dem böse zugerichteten weißen Haus zugewandt. Beatty winkte ihnen zum Abschied kurz zu, stieg in seinen Subaru, legte einen Gang ein und schoss so davon, dass er eine Staubwolke hinterließ.

Über ihren Köpfen dröhnte der Superhawk heran und wirbelte bei der Landung ebenfalls viel Staub auf.

»Ich hasse diesen Staub«, sagte Fergus. »Überall könnten Sporen sein.« Aus der Hubschrauberwand zog er eine in Leinen gewickelte Plastikdose und wies sie auf die Spritzen hin, die bereits mit Gamma-Lysin aufgezogen waren. »Wir alle werden diese Spritzen stets bei uns haben, nur zur Sicherheit.«

Kapitel 31

Seattle, Medizinisches Zentrum Harborview

John Keller, der Leiter des FBI-Büros Seattle, gesellte sich am späten Abend zu William, der in Griffs Krankenzimmer saß. Keller drehte einen Metallstuhl zu sich herum, nahm rittlings darauf Platz und streckte die langen Beine so vor, dass er an eine Schnake erinnerte. Er war Ende fünfzig, mager, hatte die ausgeprägten Gesichtszüge eines Appalachen-Bewohners und große graue Augen. Er hätte gut und gern als besonders konservativer Buchhalter oder Leichenbestatter durchgehen können und wirkte selbst in besseren Zeiten eher wie William Griffins Vater als der Mann, der hinter den Plastikvorhängen im Krankenbett lag.

Während der ersten Minuten seines Besuches sprachen sie nur wenig. Griff hatte sich bislang nicht gerührt, nur sein Brustkorb hob und senkte sich ruckartig. »Soweit ich weiß, wird man ihn in einer Woche in eine Reha-Klinik verlegen«, sagte Keller.

»Das hat man mir auch gesagt, Sir.«

»Er wird's schaffen, er ist zäh. Ich habe schon mit vielen guten Agenten zusammengearbeitet, aber nie habe ich einen zäheren Burschen erlebt. Wir können es uns nicht leisten, einen Agenten wie Erwin Griffin zu verlieren.«

Keller dachte laut. Agenten waren hier ein und aus gegangen und hatten Griff in seinem Bett beobachtet. Und alle, ohne Ausnahme, hatten laut gedacht, als wollten sie ein Bekenntnis ablegen.

Keller sah William über die Schulter an. »Wie ich höre, sind Sie jeden Tag eine Stunde hier.«

»Ich warte darauf, dass die Dienstaufsicht meine vorläufige Suspendierung aufhebt.«

»Klar.« Keller lächelte. »Rose hat Sie mit einer wahren *Brandrede* verteidigt. Sie hat mir erzählt, dass sie jetzt tot wäre, wenn Sie sich nicht als Brandstifter betätigt hätten.«

»Ich darf über diese Sache nicht reden, Sir.«

»Jedenfalls war Ihr Vorgehen unorthodox.«

»Ja, Sir.«

Keller rappelte sich hoch und strich die mitternachtsblauen Hosen glatt. Da es im Zimmer sehr eng war, trat William zur Seite, als Keller mit großen Schritten zur Tür ging. Plötzlich blieb er stehen, drehte sich wieder um und streckte William die Hand hin. »Danke.«

»Sir?« William schüttelte sie.

»Wir brauchen gute Agenten. Ich möchte keinen einzigen verlieren.« Wie ein Schlitzohr grinsend, griff Keller in seine Jacke, zog einen rund einen Meter langen Streifen Toilettenpapier heraus, schlang ihn William um den Hals und machte schnell das Kreuzzeichen. »Möge es all deine Sünden wegwischen.« Zufrieden mit sich und der Welt schloss er die Tür hinter sich.

Genau wie Keller nahm William im Reitsitz auf dem Metallstuhl Platz und stützte das Kinn wie ein müder Hund auf die Lehne.

Griffs Gesicht, überschattet von einem mit vielen Schrauben verstärkten Stahlkäfig, sah wie ein von Pflasterstreifen zusammengehaltenes Schnittmuster aus. Das Visier des Sprengschutzanzugs hatte ihm die Nase und die Wangenknochen zerquetscht. Jetzt war alles nach oben gezogen und saß wieder dort, wo es hingehörte. Die Chirurgen hatten Teile sterilisierten Knorpels, vermengt mit Stammzellen aus Griffs Knochenmark, zwischen die Gesichtsknochen transplantiert. Unter den Nähten zeichneten sich an diesen Stelle kleine Höcker ab. Da man Griffs Nasenknorpel hatte entfernen müssen, wirkte sein Gesicht immer noch flach. Zur Rekonstruktion der Gesichtszüge würden später weitere Operationen nötig sein. Selbst wenn er bei Bewusstsein gewesen wäre, hätte er aufgrund der vielen Plastikröhrchen in seinem Mund nicht sprechen können.

»Komm schon, Griff«, sagte William. »Ich brauche ein paar Ratschläge, und zwar sofort.«

Griff schlug die Augen auf. Sein Blick schweifte zur Zimmerdecke, schwenkte aber weder nach rechts noch nach links. Gleich darauf schlossen die Augen sich wieder.

Griff war noch nicht zurück. Hier lag nur sein Körper, der nach Kräften kämpfte und darauf wartete, dass sein Besitzer zurückkehrte. Sein Körper, der – genau wie William – auf die Instanz wartete, die das Oberkommando hatte und an die er seit so vielen Jahren gewöhnt war.

Als Rebecca eine Stunde später mit zwei Pappbechern Kaffee in einer Trageschachtel auftauchte, schreckte William mit steifen Gliedern aus kurzem Schlaf hoch.

»Es ist vier Uhr früh«, sagte sie und starrte durch die Plastikvorhänge zu Griff hinüber. Im Halbschatten des Zimmers, das nur von einer kleinen Nachtleuchte erhellt wurde, funkelten Griffs Augen wie Onyx. »Man hält die Ehefrau des Patriarchen und seinen Sohn in Seatac fest. Da wir die beiden einkassiert haben, hat News dafür gesorgt, dass wir sie als Erste verhören können. Aber wir müssen vor acht Uhr früh rein und raus. Trink das hier. Und dann komm mit.«

»Aber ich bin doch vorläufig suspendiert.«

»Ist Keller dir etwa wie einem Haufen Hundekot aus dem Weg gegangen?«

»Nein.« William zog das Toilettenpapier aus der Jackentasche und ließ es flattern. »Das hier hat er mir um den Hals geschlungen.«

Als Rebecca lächelte, sah sie völlig verwandelt aus. Erneut tauchten die Grübchen auf, so hübsch, dass man sie allenfalls hätte vervolkommnen können, wenn man ihr zusätzlich die Schnurrhaare einer Katze verpasst hätte. Sie nahm das doppellagige Klopapier zwischen die Finger, hob es hoch, um daran zu schnuppern, und strich so darüber, als wäre es Samt. »Ein Hosenbandorden mit Fliederaroma. Willkommen im Dienst – du bist wieder bei uns.«

Kapitel 32

Im Herzen der USA

Wenn es überhaupt einen Ort gab, an dem Sam mit sich selbst und seinen Plänen einigermaßen im Reinen war, dann war es die offene Straße. Mit dem alten Dodge, an den der Pferdeanhänger gekoppelt war, fuhr er meilenweit die langen, flachen Straßen zwischen vereinzelten Felsenplateaus entlang, vorbei an grasbedeckten Hügeln, die hier und dort aus alkalihaltigen, mit Geröll übersäten Niederungen hervorragten, vorbei an gottverlassenen Städtchen, in deren Gossen nach heftigen Regenfällen olivgrünes Wasser schwappte. Durch all diese Landschaften schnitt das endlose Band aus brüchigem, verwittertem Asphalt. Und am Ende jeden Tages, wenn er wieder einen großen Abschnitt auf seiner Straßenkarte abhaken konnte, wartete in irgendeinem abgetakelten kleinen Motel ein spartanisch eingerichtetes Zimmer mit zerschlissenen Teppichen auf ihn.

Er bemühte sich, nicht an die Vergangenheit zu denken. All das, was sein Vater und sein Großvater mit ihrer Arbeit hatten aufbauen wollen, war jetzt dem Zerfall ausgeliefert, denn das von Angst und Habgier geprägte Land war aus den Fugen geraten und kreiste mehr und mehr nur noch um sich selbst. Zwangsläufig empfand er diese löcherigen, vernachlässigten Straßen als Symbol, das den Zustand Amerikas auf ehrlichste und treffendste Weise offenbarte. Das Symbol stand für ein Amerika, das sich in früheren Zeiten allzu sehr im Wohlleben gesonnt hatte und allzu selbstzufrieden gewesen war, um sich der Herausforderung zu stellen und dem Gegner ein wirklich intelligentes Spiel zu liefern. Und später, nach *9/11*, hatte Amerika sich so sehr der eigenen Paranoia und Bitterkeit hingegeben,

273

dass es gar nicht gemerkt hatte, wie es ins Verderben gelenkt wurde.

Kein Zufall, dass er um dieselbe Zeit in den Wäldern und Kleinstädten des Nordwestens – im Land der Exoten, denn hier waren sowohl gottlose Libertäre als auch die primitivste Sorte frömmlerischer Fanatiker heimisch – die nötigen Kenntnisse und das psychologische Einfühlungsvermögen erworben hatte, um den durch und durch überzeugten Antisemiten zu spielen.

Anfangs war es nur eine Rolle gewesen ... Er lernte die schlimmsten Orte der Welt kennen, eignete sich die Sprache der Einheimischen an, kleidete sich so wie sie, übernahm deren Sitten und Gebräuche, kasteite seinen weißhäutigen Körper – all das nichts anderes als Tricks eines patriotisch gesinnten Schauspielers, der sich selbst als perfekten Magier sah. Aber nach *9/11* hatte sich dies alles aufgrund wachsender Bitterkeit und innerer Leere bei ihm geändert. Nachdem er tief in die geistigen Kloaken Amerikas eingetaucht war, im Vertrauen auf seine Vorgesetzten unzählige Verbrechen begangen und sich für einen Einsatz gemeldet hatte, den selbst er nicht hatte ausführen können, hatte all das Gift ihn schließlich gezeichnet.

Und dann war *10/4* gekommen.

Und der Wahnsinn war erst richtig losgegangen.

Als Sam drei Tage unterwegs war, schaltete er irgendwann das Autoradio ein. Ein Auge auf die lange gerade Straße gerichtet, drückte er auf den Suchlauf und ließ ihn die ganze Bandbreite regionaler Rundfunkstationen sondieren, die auf Sendung waren. In jüngster Zeit hatte der Satellitenfunk ihnen das Wasser abgegraben, aber es gab immer noch einen festen Stamm dynamischer, resoluter Rundfunkmoderatoren, die sich in kleinen Steingebäuden jenseits der endlosen Kornfelder verbargen und volltönend Klatsch und Tratsch verbreiteten, dem mehr als zwanzig Millionen Amerikaner zuhörten, wie Sam bei der letzten Überprüfung festgestellt hatte.

Schließlich fand er den Sender, nach dem er gesucht hatte –

den *Pay for Pray*-Funk, der gebührenpflichtige Kirchenprogramme brachte.

»Inzwischen gilt es wieder als Verbrechen«, sagte ein Prediger mit dröhnender Bassstimme, »ein unschuldiges ungeborenes Kind zu töten. Aber wie viel schwerer wiegt das Verbrechen, eine Seele vom rechten Weg abzubringen und in die ewige Verdammnis zu führen? Wie viel schwerer wiegt das Verbrechen, einem Menschen den Ring der Sünde durch die Nase zu ziehen und ihn auf den elenden Irrweg zu zerren, der direkt in die ewige Hölle führt, zu unvorstellbaren Qualen im Fegefeuer, das niemals ausgeht? Wie viel schwerer wiegen die Sünde und das Verbrechen, die unsterbliche Seele eines Menschen in die Verdammnis zu führen? Das geschieht durch Verbreitung sündhafter Gedanken, durch Verbreitung des widerlichen Hasses der Freidenker. Und diese Freidenker sind die Menschen, die im Norden Amerikas an den Universitäten der Großstädte herangezüchtet wurden. Oder jene, die Tag für Tag in Fernsehen und Internet, in Büchern und Filmen ihrem teuflischen Irrglauben Gehör verschaffen. Um wie viel schwerer wiegt ein solches Verbrechen? Und ich frage euch: Warum ist *das* nicht verboten, warum steht *darauf* nicht die Todesstrafe? Aber das zu ändern, liegt immer noch in unserer Macht! Zentrum und Herzstück dieses Landes gehören uns! Nicht die nachgiebige Hand von Jesus Christus wird diese Leithammel, diese bösen Rammböcke des Teufels mit ihren Schlitzaugen und gewundenen Hörnern treffen, die unsere Herden vom rechten Weg abbringen. Nein, die harten, strengen Hände derjenigen, die Gottes eingeschworene, ergebene Diener sind, werden – und müssen! – das Urteil über sie fällen und mit dem Schwert der heiligen Wahrheit an ihnen vollstrecken ...«

Sam rieb sich die Augen, die heftig brannten. So viele Qualen, die ihn innerlich versengten. So viele Erinnerungen. So viel Kummer. Wie aufgeschichtete, geschürte Kohlen, von jenen entzündet, die den Namen Gottes im Munde führten, aber nicht auf sein Wort hörten. Allesamt Mörder und Sünder. Aber Sam kannte ein Mittel, das sie bestrafen und gleichzeitig kurieren würde.

Sam hatte wieder aufgetankt.

Kapitel 33

Irak

Fouad wollte der Gesichtsausdruck der toten Frau, die Miene ohnmächtigen Entsetzens, nicht mehr aus dem Kopf gehen. Wie sehr musste sie gelitten haben. Wieder einmal brachten Muslime unschuldige Menschen um. Zumindest war anzunehmen, dass die dafür Verantwortlichen Muslime waren. Er lehnte den Kopf gegen die Schutzwand der Hubschrauberkabine. Das leise Dröhnen der Motoren und der Wind lullten seinen Körper ein.

Draußen war der Tag der Nacht gewichen. Rote, grüne und weiße Lämpchen erhellten das Cockpit. Die behelmten Köpfe der Piloten hüpften leicht auf und ab. Fergus, der neben ihm saß, schlief fest. Harris, er begleitete sie zurück nach Incirlik, starrte fortwährend auf die Luke des Notausstiegs, als hätte er dort einen fernen Stern ausgemacht. Der Stabsfeldwebel wiegte sein Gewehr wie ein Baby in der Armbeuge. Die ganze Besatzung war im vorderen Teil des Superhawk versammelt, beugte sich über Gerätschaften oder war hinter den dicken Helmen und Brillen damit beschäftigt, das Terrain zu sondieren.

Fouad schloss die Augen. Als er sie wieder öffnete, bemerkte er, dass die Kabine in helles Licht getaucht war. Im Südosten ging die Sonne auf. Hatte er so lange geschlafen? Nein, das Licht hatte eine grelle, perlmuttgraue Tönung – unheimlich und völlig außergewöhnlich. Das war nicht die Sonne.

»Was, zum Teufel ...«, sagte der Stabsfeldwebel. »Haben wir ein Wetterleuchten?«, brüllte er nach vorne.

Das Licht pulsierte noch eine Weile und erstarb dann langsam, während es ein Spektrum grünlicher, orangefarbener, rötlicher und schließlich stumpfbrauner Farbschattierungen durchlief.

»Das war kein Wetterleuchten«, rief der Besatzungschef.

»Was war es dann? Und von wo ist es gekommen?« Der Stabsfeldwebel löste seinen Sicherheitsgurt und ging zum Cockpit vor, während er mit finsterem Blick auf den Kopfhörer klopfte. »Die Satellitenverbindung ist tot. Ich bekomme nichts mehr herein.«

»Wir landen kurz«, verkündete der Kopilot.

»Warum?«, brüllte Harris nach vorn.

»Das war eine nukleare Explosion«, erwiderte der Kapitän. »Zweihundert Kilometer entfernt, aber eindeutig eine nukleare Explosion. Dieser Hubschrauber ist zwar gepanzert, doch die Vorschriften für ITAR besagen, dass wir nach jedem Atomschlag landen müssen. Radarschirm drei zeigt eine Wolkendecke vor uns, also gehe ich besser sofort runter.« ITAR stand für *Iranian Tactical Area of Responsibility*, das taktische Einsatzgebiet Iran.

»Wir sind aber immer noch über dem Gebirge«, wandte der Stabsfeldwebel ein. »Da unten wartet ein außerordentlich geriffeltes Waschbrett auf uns.«

Fergus sah erst Fouad, dann Harris an. »Was kann das gewesen sein? Irgendwelche Vorschläge?«

»Jemand hat die Luftwaffenbasis Shahabad Kord ausgelöscht«, sagte Harris.

»Im nördlichen Gebiet Irans«, murmelte Fouad. Er hatte sich vorhin mit den Karten befasst. Sein Vater hatte ihm beigebracht, stets nachzusehen, wo man landen würde und was einen dort erwarten mochte.

»Das ist doch Unsinn«, widersprach der Stabsfeldwebel. »Wer würde so etwas tun? Israel?«

»In Shahabad Kord sind – oder waren – mehrere jederzeit einsatzbereite Mittelstreckenraketen stationiert«, erklärte Fergus. »Die Shahabs 7.«

Shahab. Sternschnuppe.

»Der Iran hat sie als letztes Druckmittel für Verhandlungen

benutzt. Es könnte Israel gewesen sein. Oder auch die NATO.«
Harris wirkte mitgenommen und gleichzeitig angewidert. »War
nur eine Frage der Zeit. Wir Glücklichen: Durften gerade erleben, wie Geschichte gemacht wird.«

Der Superhawk ging steil herunter. Erneut machten die Rotoren ein dröhnendes Geräusch, das an jamaikanische Steel Drums
erinnerte. Fouad konnte kaum fassen, was hier geschah und was
er darüber hörte.

Jetzt schmoren Muslime in nuklearem Feuer.

Er merkte, wie sich ihm der Magen umdrehte, und presste die
Lippen zusammen. Im Mund spürte er einen so scharfen, säuerlichen Geschmack, dass sich das Fleisch hinter den Zähnen zu-
sammenzog.

»Haltet euch fest«, rief der Pilot nach hinten. »Hat jemand
einen Michelin-Führer dabei? Wie wär's, wenn wir uns ein nettes
Hotel mit großem Parkplatz suchen und uns dann Hammel-
spieß und ein kühles Bier einverleiben?«

Fouad schloss die Augen und senkte den Kopf, um zu beten.

Kapitel 34

Wieder einmal bestand Rebecca Rose darauf, das Steuer zu übernehmen. Schweigend setzte sich William Griffin neben sie, legte die Hände um ein Knie und bemühte sich, entspannt zu wirken. Auf der Straße nach Süden herrschte aufgrund der frühen Morgenstunde nur schwacher Verkehr.

Das Morgenlicht tauchte das Bundesuntersuchungsgefängnis in dunkles Gold. Der V-förmig angelegte Gebäudekomplex, über Arkaden aus braunem Beton errichtet, bestand aus zwei Blöcken, die sich an der Spitze trafen. William kam die Anlage wie ein riesiges, von zwei gleich großen Legosteinen gekröntes Stück Schokoladentorte vor. »Irgendwie hübsch, findest du nicht?«, fragte er, während sie unter einer das V verbindenden Ziermauer hindurchfuhren und in den Schatten des imposanten Gebäudes gelangten.

»Hab noch nie ein hübsches Gefängnis gesehen«, erwiderte Rebecca trocken.

Nachdem sie ihre Ausweise durch schmale Öffnungen in dickem Sicherheitsglas geschoben hatten, wurden sie in einen rund sechs Meter langen Abschnitt des Bogenganges weitergeleitet, der mit Sensoren und Kontrollpunkten zur Probeentnahme ausgestattet war. Geruchssensoren checkten sie durch, danach tastete ein Scanner bei beiden die Iris ab. Sie hinterließen ihre Fingerabdrücke und Blutproben und öffneten die Münder zu einem Zellabstrich. Alle Werte wurden geprüft, in den Computer eingegeben, abgespeichert und mit einer ihnen nicht bekannten Anzahl von Datenbanken abgeglichen, die Bundesbehörden über Straftäter und unbescholtene Bürger angelegt hatten.

Seit zehn Jahren waren die meisten Bundesgefängnisse außerordentlich sensibel, was die politischen Altlasten ihrer Insassen und die Viren und Bakterien betraf, die diese Häftlinge mit sich herumschleppen mochten. Alle Besucher – selbst eingeschworene Sicherheitsbeamte – mussten sich seitdem nicht nur Sicherheitsprüfungen, sondern auch biologischen Tests unterziehen. Manche Gefängnisdirektoren betrachteten ihre Einrichtungen als ökologische Reservate, und die Verhinderung von Erkrankungen lag ihnen genauso am Herzen wie jede andere Sicherheitsmaßnahme.

»Sie beide sind nicht positiv, soweit es HIV, HCV, HPV, DDT – und den PhD betrifft«, witzelte der Sicherheitschef. »Allerdings hätten Sie sich um den Strafzettel für falsches Parken kümmern sollen«, sagte er zu William.

»Damals war ich ja erst sechzehn.«

»He, wir stehen auf derselben Seite wie Sie«, fuhr Rebecca den Sicherheitschef an.

»Klar doch. – Agent Griffin, offenbar ist bei Ihnen noch eine Sache mit der Dienstaufsicht offen. Wir haben einige Bedenken, ob Sie wirklich ein Agent im aktiven Dienst sind, wie es in der von Ihnen unterzeichneten eidesstattlichen Erklärung behauptet wird.«

»Ich verbürge mich für ihn«, sagte Rebecca. »Und wenn Sie möchten, dass ich einige Anrufe tätige, geben Sie mir einfach mein Handy zurück …«

»Wir sind derzeit nur besonders vorsichtig. Die jungen Leute vom Gehöft ziehen im Moment viel Aufmerksamkeit auf sich. Sie haben Glück, dass man Sie überhaupt zu denen vorlässt.«

»Wir leben in einem Zeitalter der Zusammenarbeit, oder nicht?«, fragte Rebecca, fasste William an der Schulter, steuerte ihn durch die stählernen Schwingtüren und danach nach links, in den Warteraum. Zehn Minuten später tauchte ihr Geleitschutz auf, eine kräftig gebaute Latina mit großen melancholischen Augen. Sie war wortkarg und hatte offenbar wenig Grund zur Fröhlichkeit. Außerdem beeindruckte sie es keineswegs, dass sie es hier mit Leuten vom FBI zu tun hatte.

Die Latina führte sie ins Innere, wobei sie zwei weitere Kontrollstellen aus Glas und Stahl passierten, und stellte sie einem jungen Aufseher mit stacheligen weißblonden Haaren und Tätowierungen an den Händen vor.

»Gefängnisdirektor Deiterley lässt Sie grüßen«, sagte der tätowierte Aufseher, las etwas von seinem Bildschirm ab und verglich es mit den Notizen auf seinem Klemmbrett. »Wir können Ihnen nur Zugang zu *einem* der Häftlinge verschaffen, zu Jeremiah Jedediah Chambers. Die schwangere Frau, die Sie sprechen wollten, Hagar Rachel Chambers, wurde zur Behandlung in eine medizinische Einrichtung verlegt. Sie können bis acht Uhr früh bleiben. Bundesvollzugsbeamte werden Chambers um neun Uhr abholen. Er ist dann nicht mehr Gast im Bundesuntersuchungsgefängnis Seatac.«

»Wer nimmt ihn in Gewahrsam? Und wohin bringt man ihn?«, fragte Rebecca.

»Es sind Leute vom ATF, glaube ich. Vielleicht auch Leute vom BDI, Ermittler des Bundesjustizministeriums. Wir dürfen nicht sagen, wohin man ihn bringt, wie Sie wahrscheinlich wissen.«

»Und das FBI hat keine Ansprüche angemeldet?«

»Nicht dass ich wüsste«, erwiderte der Weißblonde nach einem Blick auf sein Klemmbrett.

»Hat er um Rechtsbeistand gebeten?«

»Bisher nicht. Er ist ein richtiges Landei. Aber wir möchten, dass unseren Häftlingen, selbst den Blödmännern, alle Bürgerrechte gewährt werden, also hat man ihm einen VB zugeteilt – einen virtuellen Berater. Unseren nennen wir Max. Über den müssen Sie sich nicht den Kopf zerbrechen.«

Er öffnete die Tür zum Verhörzimmer.

»Wir sollten uns größte Mühe mit ihm geben«, murmelte Rebecca, als die Tür sich schloss und hinter ihnen zugesperrt wurde. »Ich glaube, News hat nicht damit gerechnet, die beiden so schnell wieder zu verlieren.«

»Verlieren?«

»Falls du es noch nicht bemerkt haben solltest: Wir befinden uns mitten in einem Zuständigkeitsgerangel, bei dem jeder mitmischt.« Sie nahmen an einem rechteckigen Tisch Platz.

Der Türöffner summte: In Begleitung von zwei Aufsehern kam Jeremiah Chambers herein, der an der Tür zwischen Gefängnistrakt und Verhörzone gewartet hatte. Nachdem einer seiner Begleiter auf eine Fernbedienung gedrückt hatte, senkte sich ein alter, schäbiger Plasmabildschirm von der Zimmerdecke auf die rechte Tischseite. Chambers wurde an den einzigen Stuhl ihnen gegenüber angekettet. Sein Haar war kurz geschoren; er trug die grell orangefarbene Häftlingskleidung und statt Schuhen Pantoffeln. Im Gesicht hatte er Verletzungen, die, wie William annahm, von ihrem Zusammenstoß herrührten. Sofort legte Chambers den Kopf auf den Tisch und schloss die Augen. Als ein Aufseher ihn an der Schulter packte und hart zudrückte, zuckte er zusammen, setzte sich aber trotzdem nicht aufrecht hin.

Der Bildschirm war inzwischen eingeschaltet und zeigte im Hintergrund ein Bücherregal voller juristischer Nachschlagewerke. Nach einer Überblendung tauchte davor eine Gestalt in dunklem Anzug auf.

»Ist das der virtuelle Rechtsbeistand?«, fragte Rebecca.

»Ja. Ma'am. Das Programm ist übrigens interaktiv«, erklärte der Weißblonde. »Ich werde beim Verhör dabeibleiben.«

»Ich habe nichts dagegen«, sagte Rebecca.

Auf sein Nicken hin verschwanden die anderen beiden Aufseher. Mit ironischer Zärtlichkeit streichelte der Weißblonde den Bildschirm. »Max ist besser als einige der Rechtsanwälte aus Fleisch und Blut.«

Der virtuelle Rechtsbeistand sah so aus, als wäre er etwa fünfundvierzig Jahre alt und gut betucht. Seine Augen blickten hellwach und strahlten etwas Beruhigendes, Vertrauen erweckendes aus. »Dem mir einstweilig zugeteilten Klienten werden Vergehen im Zusammenhang mit einem Angriff auf zwei FBI-Agenten vorgeworfen. Es wurde abgelehnt, den Häftling als Kronzeuge vor den Bundesgerichtshof zu laden, der für Fragen der Inneren

Sicherheit zuständig ist, und ihn im Gegenzug auf Kaution frei-
zulassen.«

»Das wusste ich nicht. Danke für die Information«, sagte
Rebecca. »Da steckt wieder mal das BDI dahinter, wahrscheinlich auch der Geheimdienst«, raunte sie William zu.

»Selbstverständlich habe ich bei der mittleren Instanz, dem
Landesgerichtshof in Olympia, Widerspruch dagegen eingelegt,
dass er vom Bundesgeheimdienst in Gewahrsam genommen
werden soll. Möglich, dass noch andere Verfahren – entweder offen oder insgeheim – gegen ihn in Vorbereitung sind. Ich rate
dem mir einstweilig zugeteilten Klienten, keine Fragen zu beantworten, bis ein regulärer Rechtsanwalt physisch zugegen ist und
dieser Rechtsanwalt in allen Einzelheiten über die anhängigen
Verfahren, von denen ich keine vollständige Kenntnis habe,
unterrichtet wurde.« Mit dem Ausdruck schwerwiegender Bedenken lehnte sich der virtuelle Anwalt zurück.

»Er ist fertig«, erklärte der Aufseher. »Nach dem ersten Wortschwall kommt normalerweise nicht mehr viel.«

Dieser Notbehelf von Pflichtverteidigung widerte William an,
doch er ließ sich nichts anmerken.

Jeremiah machte seiner Wut mit einem bitteren Lachen, dem
Lachen eines Zuchthäuslers, Luft. »Der ist doch nur ein Gespenst. Mir werden keine Rechte zugestanden.«

»Falls Sie nicht mehr wissen, wer wir sind, frischen Sie Ihr Ge-
dächtnis besser auf«, sagte Rebecca. »Sie haben gemeinsam mit
Ihrer Stiefmutter versucht, uns zu töten. Das hier ist William
Griffin. Sein Vater ist der Agent, der Ihren Vater erschossen hat.«

Jetzt hatte Rebecca Jeremiahs volle Aufmerksamkeit. Er setzte
sich auf und legte die gefesselten Hände auf den Tisch, während
sich sein Blick in Williams Augen bohrte.

»Williams Vater ist bei der Bombenexplosion ums Leben gekommen«, fuhr Rebecca fort und warf William aus den Augenwinkeln einen ebenso gebieterischen wie verschwörerischen
Blick zu. »Also haben Sie beide viel gemeinsam.«

Jeremiah rieb sich die Hände. »Wie, zum Beispiel, Unkraut

herauszurufen und Schädlinge umzubringen. Ich selbst schnappe immer jede Menge Käfer«, er tat so, als greife er nach einem Insekt und lasse es auf einen ganzen Haufen fallen. »Und dabei ist mir völlig egal, an welcher Getreideähre diese Schädlinge geknabbert haben. Sie müssen sterben. Alle.«

»Nun ja, wir sind jedenfalls nicht gestorben, Jeremiah. Vielleicht haben Sie sich bemüht, wie ein eiskalter Killer vorzugehen. Aber ich glaube, im Grunde wollten Sie nur reden und keinen Mord begehen. Sie wollten die Geschichte aus Ihrer Perspektive darstellen. Deshalb bin ich noch am Leben und heute Morgen hier. Und William ist hier, weil Sie's vermasselt haben und ins falsche Zimmer eingebrochen sind.«

Jeremiah runzelte die Brauen. »Sie wissen überhaupt nichts über mich.«

»Aber manches, was Sie in diesem Motelzimmer gesagt haben …«

»Alle Gespräche in diesem Zimmer werden aufgezeichnet«, meldete sich der virtuelle Rechtsbeistand. »Falls sich das Gesagte auf den Schauplatz einer angeblichen Auseinandersetzung bezieht, sollte mein Klient sich nicht dazu äußern.«

»Wir befinden uns hier nicht vor Gericht, Jeremiah«, sagte Rebecca. »Das hier ist im Moment noch kein offizielles Verhör.«

»Ich möchte meinen Klienten darüber belehren, dass nichts, was in diesem Zimmer gesagt wird, inoffiziell ist«, bemerkte der Rechtsbeistand.

»Die tun einem Drogen ins Essen«, sagte Jeremiah. »Alle Zellen sind verwanzt. Als die diese Mauern gebaut und den Fußboden verlegt haben, wurden Kabel durch den Zement gezogen. Wie ich gehört habe, sind überall Mikrofone und Kameras.«

Die Augen des Rechtsanwalts zuckten, aber er gab keinen Kommentar dazu ab.

»Ich war nur neugierig …«, sagte Rebecca.

»Wie fühlt man sich dabei?«, fuhr Jeremiah dazwischen, der William nicht aus den Augen gelassen hatte. »Mein Vater hat die ganze Welt für mich bedeutet. Er hat Söhne, Töchter und Enkel hinterlassen. Er hatte vier Ehefrauen, wissen Sie. Wir waren seine Herde … und er war unser Abraham. Sie können sich unser Leben ja überhaupt nicht vorstellen, wissen ja gar nicht, wie schön es war. Wir haben mit einem wahren Gottesmann zusammengelebt. Manche haben sogar behauptet, mein Vater *sei* Gott.«

»Mein Vater war knallhart«, sagte William. »Manchmal hat er mir das Leben zur Hölle gemacht.«

Jeremiahs Augen überzogen sich mit einem Schleier; er wandte den Blick ab. »Wir wollen doch nur, dass man uns in Ruhe lässt.«

»Mein Vater hat mich geschlagen, wenn ich seine Erwartungen nicht erfüllte«, sagte William. Das entsprach zwar kaum der Wahrheit, aber er hielt sich an das von Rebecca vorgegebene Drehbuch.

»Ich rate dem mir zugewiesenen Klienten, sich zu angeblichen Schlägereien nicht zu äußern«, meldete sich der virtuelle Rechtsbeistand auf Williams Stichwort hin.

Jeremiah hob den Blick. »Schön, dass Ihr Vater tot ist. Ein Schädling weniger.« Neugierig musterte er William mit zusammengekniffenen Augen. »Würden Sie mir nicht gern an die Gurgel gehen und wie einem Huhn den Hals umdrehen? Was für eine Familie …«

»Warum hat Chambers Ihnen befohlen, das Gehöft zu verlassen? Warum durften Sie nicht bleiben?«, fragte Rebecca.

»Mein Vater hat mir nie richtig getraut, wenn's um wichtige Dinge ging«, warf William ein.

Rebecca, die fasziniert beobachtete, welche Spannung sich zwischen Jeremiah und William aufbaute, faltete die Hände.

»Also, das ist ja echt traurig«, erwiderte Jeremiah mit bemerkenswert glaubwürdiger Lebensweisheit und Anteilnahme. »Mein Vater war streng, aber gerecht. Wir mussten uns zwar an harte Regeln halten, aber er lobte uns auch, wenn wir uns gut machten.«

»Wer hat Ihren Vater auf dem Hof besucht?«

»Schafe, die nach Futter suchten. Menschen, die zu ihm pilgerten.«

Rebecca öffnete ihre kleine Aktenmappe und zog ein Foto heraus, das einen Tintenstrahldrucker zeigte. »Wer hat die Drucker zum Hof herausgebracht?«

Während Jeremiah das Foto musterte, verzog sich der Schleier über seinen Augen, und er kniff die Lippen zusammen.

»Jemand ist doch aufs Gehöft gekommen und hat Ihrem Vater einige Drucker gebracht«, hakte Rebecca nach.

»Wir haben Prospekte gedruckt. Ich wollte mir Kenntnisse aneignen, um irgendwann eine eigene Druckerei aufzumachen.«

»Eine gute Ausbildung ist sehr nützlich, sofern man irgendwo da draußen Arbeit sucht«, bemerkte Rebecca. »Aber Ihnen ist die Außenwelt doch völlig gleichgültig. Wie oft haben diese Leute Sie besucht?«

Jeremiah kicherte. »Die sind Schlange gestanden. Wir haben sie wie die Fliegen verscheuchen müssen. Sie haben ja keine Ahnung.«

»Es war nur einer«, sagte Rebecca.

Jeremiah starrte in eine Ecke.

»Er hat Beutel mit Hefe mitgebracht«, fuhr Rebecca fort. »Und das Material für Feuerwerkskörper.«

»Wir haben Feuerwerkskörper gestopft und sie verkauft, genau wie die Indianer.«

»Was soll Hefe in Feuerwerkskörpern?«, fragte Rebecca.

Jeremiah legte den Kopf schräg und zwinkerte William zu. »Die quasselt die ganze Zeit.«

William verschränkte die Arme. »Die Schwerarbeit überlasse ich ihr, ich höre nur zu.«

Rebecca zog kurz einen Flunsch in Williams Richtung. »Warum haben Sie über das ganze Gehöft Hefe verstreut, Jeremiah?«

»Angeblich Hefe«, warf der Rechtsbeistand ein.

»Wir haben viel gebacken.«

»Haben Sie fürs Backen die Hefe verwendet, die der Besucher mitgebracht hat?«

Jeremiah schüttelte den Kopf und beugte sich so weit vor, dass seine Ketten rasselnd auf den Tisch fielen. »Ich bin froh, dass Ihr Vater tot ist. Hoffe nur, dass sich Ihre Brüder und Schwestern die Augen aus dem Kopf heulen.«

»Ich bin ein Einzelkind. – Ihr Vater hat Ihnen nicht vertraut, stimmt's?«, schoss William zurück. »Er hat Ihnen nicht zugetraut, den Hof zu verteidigen, deshalb hat er Sie fortgeschickt. Woran lag das?«

»Er hat uns geliebt. Er hatte seine Kinder lieb. Gott hat ihm verraten, dass man ihn entdeckt hatte. Und dass wir bald alle vereinigten Speichellecker Satans am Hals haben würden. Die Bullen vom FBI. Wir wollten nicht fortgehen, aber wir haben uns an seinen Plan gehalten.«

»Nun ja, jetzt ist es jedenfalls aus und vorbei, und das wollte ich Sie auch wissen lassen«, sagte Rebecca. »Ihr Besucher – der Mann, der die Drucker brachte – war nämlich ein verdeckt arbeitender FBI-Agent. *Wir* haben ihn zum Hof geschickt. Er hat Ihren Vater verschaukelt. Was seid ihr doch für Lackel! Das FBI hat euch dazu überredet, völlig nutzlose Dinge zu tun, um euch danach wegen terroristischer Aktivitäten dranzukriegen. Wirklich süß!« Rebecca beugte sich vor. »Wissen Sie, was eine Polizeifalle ist, Jeremiah? Man kann jemanden so zu einer Straftat provozieren, dass er selbst das Beweismaterial gegen sich liefert. Ihr Vater ist darauf reingefallen. Und jetzt sind Sie alle auf dem besten Weg in die staatliche Sicherheitsverwahrung, tief hinein. Niemand von uns wird je wieder was von Ihnen hören. Sie werden weder Schlagzeilen machen, noch wird es Gerichtsverfahren oder Berufungsverhandlungen geben. Sie sind von Gott Verdammte, so viel steht fest.«

Einen Moment lang zeichnete sich nackte Angst auf Jeremiahs Gesicht ab. Fast hatte William Mitleid mit ihm. »Die Hefe war nur für Testzwecke«, sagte Jeremiah, um Selbstbeherrschung bemüht. »Wir haben die Feuerwerkskörper nicht mit *Hefe* geladen. Schließlich sind die Schafe eingegangen, nicht wahr?«

»Möchten Sie, dass ich unseren Agenten hinzuziehe? Ein

Anruf genügt, dann ist er morgen hier. Derzeit genießt er einen wohlverdienten Urlaub. In Flordia. Würden Sie ihn überhaupt erkennen? Ich glaube nicht, dass Sie ihm schon mal begegnet sind.«

»Morgen bin ich nicht mehr hier.« Jeremiah ließ den Blick zur verriegelten Tür schweifen.

»Hat Ihr Vater Sie in diese Diskussionen eingeweiht?«, legte William nach. »Hat er Ihnen vertraut?«

»Wir alle waren bei verschiedenen Besprechungen dabei«, sagte Jeremiah mit Nachdruck.

»Dann beweisen Sie's mir. Sagen Sie uns, wie er aussah, dann glauben wir Ihnen vielleicht«, fuhr William fort. Rebecca zwickte ihn kräftig ins Knie: Er war zu schnell zu weit gegangen.

Doch es funktionierte.

»Er war groß. Größer als Sie.« Er deutete auf William.

»Ein *großer* Kerl, Jeremiah? Mehr haben Sie dazu nicht zu sagen?«, erwiderte Rebecca in verächtlichem Ton.

»Er hatte blondes Haar, aschblondes Haar, und hellblonde, von der Sonne gebleichte Strähnen, anders als dieser *Freak* da drüben.« Er wandte sich dem Aufseher zu, wobei seine Ketten klirrten. »Hat Stiefel und Jeans getragen. Mehr … mehr fällt mir dazu nicht ein, aber ich war dabei!«

»Sagen Sie uns, ob er irgendetwas Auffälliges an sich hatte, Jeremiah.« Rebecca wagte einen weiteren Vorstoß. »Wenn Sie uns nicht sagen können, wie er aussah, wissen wir, dass Ihr Vater Ihnen nicht über den Weg getraut hat.«

Im Gesicht des jungen Mannes arbeitete es vor Konzentration, die sich in innere Qual verwandelte. Er runzelte die Stirn, als wolle ihm ein Fisch aus den Händen schlüpfen. »Das eine Auge war blau, das andere grün«, rief er plötzlich. »Ich war *dabei*.«

Rebecca ließ ihn nicht vom Haken, sondern hämmerte mit ihren Fragen weiter auf ihn ein. »Was glaubten Sie erreichen zu können? Etwas Großartiges, das die Welt verändern würde? Was, zum Teufel, wollen Sie mir da eigentlich erzählen? Ihr seid doch nur ein Haufen von geistig Unterbelichteten, die man auf dem

Hof wie Tiere aufgezogen hat. Woher, zum Teufel, habt ihr die Hoffnung genommen, uns *schaden* zu können?«

»Wir wurden ausgebildet! Ich hab gelernt, Geräte miteinander zu vernetzen und die Drucker einzurichten, als sie geliefert wurden. Andere von uns haben gelernt, Sprengsätze zu basteln und Feuerwerkskörper damit zu bestücken. Wir haben unzählige Kisten damit voll gepackt, schon seit einem Jahr. Genügend Dinger, um alle Juden in einer Großstadt umzubringen. Wo sind jetzt all diese Kisten, hä? Erzählen *Sie's* mir!«

»Haben Sie die Feuerwerkskörper etwa mit *Anthrax* versehen, Jeremiah?«, fragte Rebecca mit weit aufgerissenen Augen und offenem Mund.

Jeremiah lehnte sich lächelnd zurück.

»Hat man Ihnen gesagt, es sei Anthrax?«, fragte Rebecca.

Er verzog das Gesicht zu einer hässlichen, hinterhältigen Grimasse. »Jedenfalls sind die Schafe gestorben, das werden Sie schon noch erfahren.«

»Jeremiah, wenn Sie wirklich Anthrax eingesetzt haben, warum sind *Sie* dann nicht gestorben?«

William spürte, wie sich sein Bauch spannte.

»Sie haben ja nicht die geringste Ahnung«, erwiderte Jeremiah. »Wir haben Masken getragen.«

Rebecca rutschte mit dem Stuhl zurück. »Was für Masken? Rote Stirnbänder? Was war mit Ihrer Haut? Wurden Sie alle geimpft?«

»Von so was halten wir nichts. Gott schützt die Menschen, die sein Werk verrichten.«

»Ach ja? Wenn Sie wirklich Anthrax eingesetzt hätten, wären Sie inzwischen tot, und zwar alle.«

Jeremiah schüttelte heftig den Kopf. »Hinterher haben wir ja alles sauber gemacht und verbrannt. Sie werden nie was finden.«

»Wir haben keine Spuren von Anthrax entdeckt. Sie sind hier derjenige, der keine Ahnung hat.«

Rebecca berührte Williams Arm: *Ich gebe jetzt den Ball an dich ab.* Er sprang ein, obwohl er bei dieser Geschichte inzwischen nicht mehr durchblickte. Was war frei erfunden, was die entsetzliche Wahrheit?

»Wir haben euch eine Falle gestellt, Jeremiah, euch allen. Anthrax war nie im Spiel. Welche faustdicken Lügen hat Ihr Vater denn sonst noch geschluckt?«

»Warten Sie nur ab. Ich sage nichts mehr dazu.« Jeremiahs Gesicht, das Selbstzweifel und Verwirrung verriet, zuckte. »Ich glaube Ihnen gar nichts. – Hören Sie«, begann er gleich darauf zu jammern, »an manches kann ich mich einfach nicht mehr erinnern! Die tun mir irgendwelches Zeug ins Essen. Dieser Ort macht mich verrückt. Vielleicht bin ich ja wirklich krank. Würden die mir helfen, wenn ich krank wäre? Ich glaube, ich brauche einen Arzt. Und einen Rechtsanwalt.«

»Wir sind hier fertig«, sagte der virtuelle Rechtsbeistand. Auf dem Bildschirm begann der Hintergrund rot aufzublinken. »Sie dürfen die Befragung meines Klienten nicht fortsetzen. Bei jedem weiteren Verhör muss ein Rechtsanwalt physisch präsent sein.«

Der Aufseher hatte sich mittlerweile so weit wie möglich vom Tisch zurückgezogen.

Rebecca stand auf. »Besorgen Sie dem Jungen als Erstes einen Arzt und dann einen Rechtsanwalt«, wies sie den Aufseher an. »Und lassen Sie ihn auf *Anthrax* untersuchen«, setzte sie bissig nach.

Sobald sie das Untersuchungsgefängnis verlassen hatten, griff Rebecca zum Handy. Vom Parkplatz aus rief sie drei Leute an: Hiram Newsome in Virginia, John Keller und einen Arzt namens Bobby Keel. Danach verstaute sie das Handy in der Jackentasche und holte ein Taschentuch heraus, um sich das Gesicht abzuwischen.

»Alles in Ordnung mit dir?«, fragte William.

»Geht schon wieder. – Das ist doch Quatsch: Anthrax ein Jahr lang in einer staubigen alten Scheune verpacken und das überleben? Ich glaube ihm kein Wort davon.«

»Können wir's uns leisten, ihm nicht zu glauben?«

»Ich *kenne* Anthrax, William. Das Anthrax, mit dem wir 2001 zu tun hatten, besaß eine Milliarde Sporen pro Gramm und war so fein, dass es sich wie Gas verhielt. Es verteilte sich *überall.*«

»Vielleicht ist Jeremiah schlauer, als er aussieht, und hat uns verarscht: unsere Geschichte aufgegriffen und den eigenen Senf dazu beigesteuert.«

Rebecca schüttelte den Kopf. »Vielleicht haben die einen Umweg gemacht und zunächst nur einen Ersatzstoff verwendet. Kann sein, dass der Hof nur Testzwecken diente.«

»Wer ist Bobby Keel?«

»Ein Spezialist für Tierseuchen. Wir müssen in Erfahrung bringen, ob sich irgendein Schaf in der Nähe des Gehöfts mit Milzbrand infiziert hat.« Sie schloss die Fahrertür auf. »Ein großer blonder Mann, der ein blaues und ein grünes Auge hat. – Wie wär's jetzt mit Frühstück?« Ihre Hände waren so nervös wie die eines ehemaligen Rauchers, der nach Zigaretten sucht – der Droge, die Polizisten nach Alkohol die liebste ist. Gleich darauf drehte sie den Schlüssel im Zündschloss herum und schaltete das Radio ein. Sie bekamen gerade noch den letzten Teil der Nachrichten mit.

»Bislang hat das Weiße Haus nicht bestätigt, dass die überall in der Welt von Seismografen registrierten Erschütterungen auf eine thermonukleare Explosion im nördlichen Iran zurückzuführen sind. Offenbar hat ein Sprecher des Außenministeriums behauptet, die Sprengung großer Munitionslager könne ähnliche Effekte und Messwerte bewirken, doch Waffenexperten bestreiten das.«

Rebecca spannte die Hände ums Lenkrad.

»Irgendwie rückt es das, was wir tun, in eine realistische Perspektive, nicht? Anthrax hat fünf Menschen in den USA getötet. Ich frage mich, wie viele Menschen jetzt da draußen sterben mögen, im Iran – *oder wo auch immer, verdammt noch mal?!*« Jedes der letzten, laut herausgebrüllten Wörter begleitete sie mit einem Schlag auf das Lenkrad. »Diese Sache wird alle Ressourcen in Anspruch nehmen«, setzte sie leiser nach. »Wird jeden ablenken. Wir sind geliefert.« Sie senkte den Kopf über das Lenkrad. »Scheiße.«

»Ich kann fahren«, bot William kurz darauf an.

»Dann fahr, *verdammt noch mal!*«

Sie hielt mitten auf der Durchfahrt an und stellte den Motor ab, damit sie die Plätze tauschen konnten. William beobachtete sie aus den Augenwinkeln heraus. Sie bemühte sich, nicht an den Fingernägeln zu kauen. Unter dem blätternden Nagellack war schon das rohe Fleisch zu sehen.

Kapitel 35

Silesia, Ohio

Er hatte vor, anständige Amerikaner wie unwissende Schafe ins Verderben zu führen, indem er eine neue amerikanische Massenvernichtungswaffe an ihnen ausprobierte. Nur zu diesem Zweck fuhr er zu einer kleinen abgewrackten Stadt im Mittleren Westen, die an den Ufern des endlosen, den Gezeiten unterworfenen Meeres aus roter Tinte gestrandet war. Anders ausgedrückt: Die jungen Leute waren fortgezogen, da sie hier keine Arbeit fanden, und die Alten fristeten ihr Dasein als Bettler am Straßenrand.

In der Kleinstadt, die er für sein Vorhaben ausgewählt hatte, waren früher einmal fünfzehntausend Menschen zu Hause gewesen. Aber selbst für Sams zorniges Herz, das Herz eines Fanatikers, wären das allzu viele Opfer gewesen.

Jetzt lebten hier nur noch fünftausend Menschen, in etwa die richtige Anzahl.

Es war gegen neunzehn Uhr dreißig und der Parkplatz des Gasthauses fast leer. Sam stellte den Laster samt Anhänger so ab, dass er zwei Parkbuchten einnahm, stieg aus und streckte sich. Der Mond war am Himmel aufgezogen, eine Sichel, die eine Handbreit über der flachen Silhouette der Kleinstadt hing. In den schäbigen Vierteln am Stadtrand war alles ruhig. Das einstöckige Gasthaus aus Ziegelsteinen hob sich als Quelle freundlichen Lichts vom allgemeinen Trübsinn der Lagerhäuser und Getreidesilos ab. Draußen leuchteten die orangeroten Neonreklamen für Bier, drinnen Lampen, deren goldener Schein durch die winzigen Fenster auf den Vorhof drang.

Sam hatte zwar Hunger, aber es war ihm ziemlich egal, ob er im Gasthaus noch etwas zu essen bekommen würde. Auf der Fahrt hierher hatte er gegen eine wahre Flut düsterer Gedanken und Zweifel ankämpfen müssen. Jetzt brauchte er etwas, das ihn davon ablenkte. Etwas, das für den Augenblick alles überlagern würde, was er verloren hatte. Den warmen, bereitwilligen Druck eines anderen Körpers, eine kurze Zeit des Vergessens.

Er trat ein und blieb an der Tür stehen. An der Theke saßen vier Frauen, die längst nicht mehr nach ihrem Märchenprinzen Ausschau hielten. Das Einzige, was sie sich jetzt noch wünschten, war das, was auch Sam herbeisehnte: eine Nacht ohne allzu große Einsamkeit.

Ob sie noch jung waren oder schon mittleren Alters, spielte für Sam eigentlich keine Rolle. Ihm kam es nur darauf an, die kleine Maschinerie in seinem Gehirn endlich abstellen und eine Nacht gut schlafen zu können.

Morgen wartete ein arbeitsreicher Tag auf ihn.

Griff hatte die Augen geöffnet und versuchte die Lippen zu bewegen, soweit das zu erkennen war. Aber er konnte noch nicht wieder sprechen, und das würde wohl auch noch Tage, wenn nicht Wochen, so bleiben. Allerdings konnte er den rechten Arm und die Hand heben, sodass einer der Agenten, die bei ihm Wache hielten, einen Notizblock aufs Bett gelegt und einen großen Filzschreiber an Griffs Hand befestigt hatte. Die Kritzeleien, die sie bislang von ihm erhalten hatten, hatte jemand mit Klebstreifen neben den medizinischen Überwachungsgeräten an der Wand befestigt. Sie zeigten wesentliche Fortschritte: Das Gekritzel hatte sich mit der Zeit in einzelne Großbuchstaben verwandelt.

Inzwischen schien Griffs Kraft zurückzukehren. Da ihm bewusst war, dass William sich im Zimmer befand, machte er leise, aber wild entschlossen Grunzgeräusche. Nachdem William den Notizblock hochgehalten hatte, damit Griff ihn sehen konnte, malte er, so um Selbstbeherrschung bemüht, dass an seinen Wangen Schweißtropfen herunterrannen, mit großen Blockbuchstaben ein einziges Wort auf die Seite:

WATSON?

William sah seinem Vater ins linke Auge, da nur dieses Lebenszeichen erkennen ließ, und sagte: »Sie ist tot, Vater.«

Griff blickte zur Zimmerdecke hinauf und blinzelte. Selbst wenn sein Gesicht Gefühle hätte ausdrücken können, hätte er sie zu unterdrücken versucht, wie William wusste. Erst später hätte er sie herausgelassen, wenn er allein war und ihn niemand dabei beobachten konnte.

Als Griff seinen Sohn wieder ansah, blätterte William zu einer neuen Seite um. Diesmal kritzelte Griff zwei Wörter, ohne Abstand dazwischen zu lassen:

WASGEFUNDEN

»Fabrikationsanlagen für Feuerwerkskörper, Beutel mit Hefe, Tintenstrahldrucker«, sagte William.

VID?

»Wir haben die Videos geborgen und sie uns alle angesehen, falls du das meinst.«

WARUMDU

»Heißt das, du möchtest wissen, warum ich hier bin?«

Griff nickte und zuckte gleich darauf zusammen.

»Die Sonderagentin Rose hat mich unter ihre Fittiche genommmen. Aus Mitgefühl mit dir.« Er lächelte.

REB

»Richtig. Rebecca Rose.«

DRCKER SHR WCHTG

»Das ist uns klar, Vater.«

NEWS

»Meinst du Hiram Newsome? Er leitet unsere Operation.«

Griff schüttelte den Kopf, schrieb nochmals ein N und gleich darauf

EUES UBR JUDEN

William überlegte kurz. »Derzeit prüfen wir das, was jemand dem Patriarchen über den Mord an Juden erzählt hat. Wir arbeiten nicht allein an dem Fall.«

Griff schloss das gesunde Auge und drückte es fest zu, während das andere offen blieb. Danach sah er William wieder an und kritzelte mit schnellen, energischen Strichen

JUDEN A-BOMBE?

»Du hast gehört, wie sich Agenten über den Iran unterhalten haben?«

Griff nickte.

»Also willst du wissen, ob die Israelis im Iran eine Bombe abgeworfen haben? Derzeit können wir aus niemandem eine eindeutige Antwort herausholen.«

IRRSINN, schrieb Griff.

»Allerdings.«

ARUM HEF

»Das verstehe ich nicht.«

Griff malte schnell noch ein W und ein E.

WARUM HEFE

»Vielleicht, um die Verbreitung eines biologischen Wirkstoffs zu testen.«

NTHRX

»Möglich.«

NTHRX GEF

»Nein. In der Scheune haben wir bislang keine Spuren von Anthrax entdecken können, übrigens auch nirgendwo sonst.« Ihnen war schon fast das Papier ausgegangen. »Du solltest dich jetzt ausruhen, Vater.«

Mit wütendem Blick schüttelte Griff den Kopf.

»Jetzt jagst du mir Angst ein, Griff. Wenn du so weitermachst, wirst du dich noch in *Donovans Gehirn* oder so was verwandeln«, scherzte William.

Griff starrte weiter finster vor sich hin.

William zuckte die Achseln, drehte den Block um, riss die Kartonverstärkung ab und schlug die Rückseiten auf, sodass Griff weitere leere Blätter zur Verfügung standen, mal abgesehen von den Stellen, wo sich der Filzschreiber durchgedrückt hatte.

ZEUGNI

»Ja, Vater, ich hab meine FBI-Zeugnisse erhalten.«

EINSATZBEAMT?

»Nein, derzeit nicht. Man hat mich hierher geschickt, um auf dich aufzupassen. Wie gesagt, die Agentin Rose hat mich unter ihre Fittiche genommen, ich arbeite mit ihr zusammen. Ich … habe da eine Sache mit brennendem Toilettenpapier angestellt, es war ein Ablenkungsmanöver …« Er fragte sich, wie viel von dieser Geschichte Griff zumutbar war. »Es hat auch geklappt, aber jetzt überprüft mich …«

Griff schüttelte den Kopf und blickte weiter finster vor sich hin.

»Du hast Recht, das ist jetzt nicht wichtig.« William rutschte nahe an den Plastikgesichtsschutz seines Vaters heran.

ESIA

»Was bedeutet das, Vater?«

Es folgte ein weiteres ESIA. Griff versuchte Geräusche zu machen, was ihn erschöpfte.

OHI

Der letzte Buchstabe begann als U. Griff verband ihn oben mit einem Querbalken, sodass er wie ein umgedrehter Hut aussah.

»Soll das OHIO heißen?«

Wieder ein kurzes Nicken, gefolgt von einem Zucken. Es war das einzige Mienenspiel, das Griff derzeit beherrschte.

LEBEN RE

Griff drückte den Filzschreiber so gegen Williams Hand, dass er dort einen schwarzen Strich hinterließ, und versuchte, nach Williams Fingern zu greifen. Gleich darauf schloss sich das gesunde Auge, während sich die Hand kurz verkrampfte und wieder lockerte.

Willliam blieb sitzen. An seinen Wangen rannen Tränen herunter, die er nicht zurückhalten konnte, denn er empfand so vieles und völlig Widersprüchliches für diesen gebrochenen Mann mit dem ungebrochenen Geist.

Der Büroleiter Keller und Rebecca traten ins Krankenzimmer. »Morgen früh nehmen wir an einer Besprechung der verschiedenen Dienste teil«, erklärte Keller und reichte William eine Plastikmappe. »Sie bilden mit Rebecca ein Einsatzteam.«

»Man hat dich vollständig vom Haken gelassen«, sagte Rebecca. »Offenbar gibt es in der Disziplinarstelle jemanden, der deine Denkweise mag.«

»Dabei ist sie nicht mal so abartig, dass sie zur Legendenbildung taugt«, bemerkte Keller trocken. »Hat unser Michelin-Männchen sich schon zum Reden entschlossen?« Er deutete auf die an der Wand aufgereihten Kritzeleien.

»Er ist neugierig.« William zeigte ihnen den Notizblock.

Keller ging kurz die beschriebenen Vorder- und Rückseiten

durch. »Ich glaube, die hängen wir besser nicht auf.« Er nahm William den Block aus der Hand und verstaute ihn in seinem Aktenkoffer. »Bis wir herausgefunden haben, worum es wirklich geht, bleibt das unter uns. Alle, die nicht durch den Sicherheitscheck der Zentrale gegangen sind, selbst Kollegen, dürfen nicht eingeweiht werden. Und das schließt auch Griff mit ein. Was, zum Teufel, ist das hier?« Er deutete auf die beiden Blätter, auf denen ESIA und das mit einem plumpen Querbalken verzierte OHIO zu lesen war.

»Ich weiß es nicht«, erwiderte William. »Er ist plötzlich eingeschlafen.«

»ESIA könnte ASIA, Asien, bedeuten«, überlegte Keller.

Pflegepersonal und Ärzte kamen herein und sagten, sie sollten jetzt gehen. Man werde Griff fortbringen, um weitere Computertomografien bei ihm durchzuführen.

Kapitel 37

Nördlicher Irak, nahe der türkischen Grenze

Mittlerweile hatte Fouad schon zwanzig oder dreißig Runden um den Superhawk gedreht – das Mitzählen hatte er aufgegeben. Und jedes Mal hatte er die rissigen Schollen auf dem vernachlässigten Feld gemustert, das aufgeschichtete uralte Stroh, das sich mit der klumpigen, lehmhaltigen Muttererde vermischt hatte, und das Gebirge ringsum. Ein *außerordentlich gerieffeltes Waschbrett* hatte der Stabsfeldwebel die Gegend genannt. Fouad kannte diese Berge nicht beim Namen, er wusste nicht einmal, ob sie überhaupt welche hatten. Obwohl er die Landkarten studiert hatte, wusste er nur sehr wenig über diesen Teil der Welt. Er war auch nichts anderes als irgendein unwissender Amerikaner. Zwar beherrschte er viele der hier gebräuchlichen Sprachen, aber er sprach nicht wie die Einheimischen, war mit den örtlichen Redewendungen und Traditionen nicht vertraut. Er hätte nicht einmal sagen können, ob dieses unergiebige Feld im zerklüfteten Hochland, das sicher unter vielen Mühen bestellt worden war, erst seit Jahren oder schon seit Jahrzehnten so verlassen dalag.

Wegen des harten, eisigen Schnees prickelten seine Wangen. Für eine derartige Kälte waren sie alle nicht richtig angezogen. Jetzt, wo die Sonne zum Horizont sank, kühlte die Luft schnell ab.

Was, wenn es schließlich so weit gekommen ist, dass die Fanatiker gesiegt haben und es heißt: Der Islam gegen den Westen? ... Der Westen, das bin ich, denn das sind jetzt meine Leute ... Dann bleibt dem Westen nichts anderes übrig, als den Nahen Osten mit einem Flammenmeer zu überziehen. So wie ein allzu oft gestoche-

ner Löwe ein Hornissennest zerstört und all seine verrückten, dummen Bewohner tötet.

Wo werde ich dann stehen? Überall um mich herum nur Ungläubige. Wer bin ich, mich völlig allein auf ihre Seite zu stellen, während die Umma im Sterben liegt?

Fergus stapfte zu ihm hinüber. Eine Weile sagten sie gar nichts, schüttelten sich nur angesichts des heftigen Schneefalls und sahen zu, wie die Sonne an Kraft verlor und hinter gelben Wolkenfetzen verschwand, die von den nahen Gipfeln wie flauschige Flügel herübertrieben.

»Der Stabsfeldwebel hat mir mitgeteilt, dass der Vogel wieder oben flattert«, sagte Fergus.

»Der Vogel?«

»Die Satellitenverbindung. Wir empfangen wieder Instruktionen. Werden bald aufbrechen.« Fergus ließ den Blick über die Furchen voller Erdschollen gleiten. »Ich kann gar nicht fassen, dass sich jemand die Mühe gemacht hat, das Land hier zu pflügen. Wer mag den Pflug gezogen haben? Sherpas?«

Harris gesellte sich zu ihnen. »Na, halten Sie ein Schwätzchen, meine Herren?«

»Ich hab ihn gerade gefragt, wie lange er schon beim FBI ist.«

»Noch nicht lange«, erwiderte Fouad. »Das hier ist mein erster Einsatz.«

»Du meine Güte«, sagte Harris. »Für das FBI ist das nicht gerade ein typisches Verfahren, oder? Beim Diplomatischen Sicherheitsdienst schicken sie die Neulinge mittlerweile direkt in die schlimmsten Krisengebiete. Die dürfen sich dann im Feuer bewähren.«

Fergus grinste. »Die Bewerbungslisten sind ein Glücksspiel, stimmt's?«

»Sie haben's erfasst. Man bewirbt sich für den Standort Paris und bekommt die *Stans*.«

Fouad blickte von einem zum anderen. »Die *Stans*?«

»Usbekistan, Kasachstan, Turkmenistan, Pakistan«, erklärte Harris. »Meine Frau war völlig *entzückt* von Pakistan. Dort kam unser erstes Kind auf die Welt. Sechs Monate später haben wir uns scheiden lassen. Ich hatte mich nämlich für Frankfurt beworben und wurde nach Tadschikistan versetzt.«

»Ach, Scheidung«, sagte Fergus. »Das ist für wahre Patrioten doch unerheblich.«

»Ich möchte nach Hause, mich unter meine Decke verkriechen und nicht nach draußen sehen«, bemerkte Harris. »Wenn man jeden Tag neun Stunden lang ständig nur Angst hat, tut einem das regelrecht weh. Der Kopf pocht, Rücken und Hals sind so angespannt wie Sprungfedern, und man möchte scheißen, aber die Schließmuskeln sind so eng, als hätte ein Schraubstock sie zusammengepresst. Ständig frage ich mich dabei, wann und wo die nächste Bombe hochgeht, denn ich möchte nicht, dass es mich mittendrin erwischt, wenn ich mich gerade aufs Klo gehockt habe.«

Fergus lachte und schlug die Arme gegeneinander.

»Scheiß auf Anthrax«, sagte Harris, der bei diesem Wind kaum zu verstehen war. »Das ist doch nur Pipifax.«

»Ich frage mich, wann Beatty wohl endgültig aus dem Irak verschwindet«, sagte Fergus. »Eine solche Hingabe an die Sache ist bewundernswert.«

»Er ist ein Arschloch«, bemerkte Harris. »Ich habe ihn hassen gelernt, als ich vor acht Jahren hier gearbeitet habe.«

»Er scheint aber eine gewisse Menschlichkeit zu haben und Anteil an anderen zu nehmen«, meinte Fouad.

»Haben Sie je *Apocalypse Now* gesehen?«, fragte Harris. Beide kannten den Film, Fergus hatte ihn fünf- oder sechsmal gesehen. »Ich denke an die Szene, in der Robert Duvall – wie, zum Teufel, hieß er doch gleich in der Rolle? – zu dem verwundeten, um Wasser bettelnden Schlitzauge hinübergeht und zu Martin Sheen sagt, jeder Soldat, der seine Eingeweide mit bloßen Händen zurückhalte, sei ein Held. Jedenfalls gibt er dem Schlitzauge die eigene Feldflasche – er bespritzt ihn mit Wasser –, und dann erzählt ihm ein junger Soldat irgendwas von rechtschaffenen Regungen. Und Duvall wirft die Flasche weg, ehe das Schlitzauge einen Schluck trinken kann. Schnurstracks. Genau das ist Amerika: jede Menge rechtschaffener Gefühlsregungen, und dann verlieren wir das Interesse und ziehen uns zurück. Wir kehren nach Hause zurück, verdammt noch mal, und lassen die Menschen da draußen verbluten.«

»Beatty ist nicht gegangen«, wandte Fouad ein.

»Er hängt da immer noch herum, um irgendetwas Idiotisches zu beweisen«, sagte Harris. »Das ändert auch nichts, scheiß drauf.«

»Wo möchten Sie denn jetzt am liebsten hin?«, fragte Fergus mit trockenem Lächeln.

»Nach Hause«, erwiderte Harris.

»Ich auch. Und du, Fred?«

»Ich schließe mich tapfer dem Mehrheitsvotum an«, sagte Fouad. Irgendwie waren bei ihm innerer Aufruhr und Angst in Übermut oder sogar Leichtsinn umgeschlagen. Er hatte keine Ahnung, was ihnen in den nächsten Stunden zustoßen mochte. »Ich bin ein junger Agent ohne jede Erfahrung. Und trotzdem bin ich jetzt hier, zusammen mit euch gestandenen Yankees, und das nur, weil ich eine seltsame Sprache beherrsche. Und wir alle sind uns unserer Sterblichkeit deutlich bewusst. Aber irgendwann, in ferner Zukunft, werden wir in irgendeiner Kneipe ein Bier zusammen trinken, miteinander lachen und gute Freunde sein.«

Harris sah Fergus viel sagend an. »Sie trinken Bier, Fred?«

»Bekanntermaßen, wie ich zu meiner Schande gestehen muss. Allerdings habe ich in der Akademie nicht getrunken, denn mein Vater hätte sicher davon gehört.«

»Ist Ihr Vater ein strenggläubiger Mann?«

»Nein, eigentlich nicht besonders strenggläubig. Aber er trinkt keinen Alkohol.«

»Also, wenn das Anthrax nicht aus diesen Regionen stammt, woher dann?«, fragte Harris Fergus.

»Anthrax gibt's überall«, erwiderte er. »Aber in diesem Fall geht es um ganz besonderes Zeug. Derzeit nimmt man an, dass es eine hauseigene amerikanische Mischung ist. Etwas, was wir Herrn und Frau Mustermann daheim lange Zeit vorenthalten haben, ist die Tatsache, dass man früher an vielen Orten der USA mit Anthrax gearbeitet hat. In Landwirtschaftlichen Hochschulen, in der Waffenforschung während des Zweiten Weltkriegs – Teufel noch mal, damals setzte jedes pharmazeutische Unternehmen und jede Universität mit Rüstungsaufträgen Anthrax ein. Allein schon innerhalb der Vereinigten Staaten haben wir Reste bis zu leer stehenden Lagerhäusern und alten Hochschullaboren zurückverfolgen können. Oder auch bis zu Firmen, die Materialien und Gerätschaften für wissenschaftlichen Bedarf verkaufen. Mich kann nichts mehr erschüttern.«

»Wer in Amerika will denn immer noch Juden umbringen?«, fragte Fouad. »Sind wir hinter Nazis oder amerikanischen Faschisten her?«

Harris und Fergus wirkten sofort ernüchtert.

»Ich frage Sie, wer in Amerika würde solches Anthrax herstellen wollen, das nur Juden umbringt?«

Ohne zu antworten, blickten die beiden Männer zu Boden und scharrten mit den Füßen.

»Also nimmt jemand an, dass amerikanische Muslime dahinterstecken?«

Von der Kabine des Superhawk brüllte der Stabsfeldwebel etwas herüber, das der Wind fast verschluckte. »Wir brechen auf, meine Herren. Alle zurück an Bord!«

»Wer, zum Teufel, auch dahinterstecken mag, so etwas ist völlig unmöglich«, sagte Fergus zu Fouad, während sie über das zerklüftete Feld zurückgingen. »Es gibt keine genetischen Marker oder Rezeptoren, die Juden aussondern. Einen solchen Bazillus, der nur bei Juden wirkt, kann man einfach nicht heranzüchten. Das ist eine wissenschaftliche Unmöglichkeit.«

»Was wollen die dann erreichen?«

»Irgendjemand verbreitet Lügen, liefert radikalen Islamisten Proben und erzählt ihnen ein ekelhaftes Märchen. Wir müssen in Erfahrung bringen, wer es ist. Und natürlich würden wir auch gern wissen, warum er das macht.« Wegen des von den Rotoren verursachten Luftzugs musste Fergus seine Kopfbedeckung festhalten. Harris half Fouad hinauf, danach zog Fouad Fergus hoch.

»Verdammt, ihr wisst doch, was die Fanatiker in dieser Region wahrscheinlich tun würden«, sagte Fergus. »Die würden sechs Juden ohne Ansehen der Person zusammentreiben und ihnen eine tödliche Dosis verpassen. Aber warum einen doppelten Schuss ins Blaue abgeben und Anthrax, wie geschehen, an gläubigen Muslimen ausprobieren? Nach deren eigenen Maßstäben wäre das doch eine Gräueltat.«

Fouad sah von einem zum anderen. Beide erwiderten seinen Blick, als wollten sie durch das Erforschen dieser dunklen jungen Augen seine ganze Wesensart, seine ethnische Besonderheit und die psychische Disposition des ganzen Islam ausloten.

»Sechs kurdische Juden«, murmelte Harris. »Und vor einem Jahr sieben Schiiten, die in Bagdad tot aufgefunden wurden.«

»Sunniten würde es nichts ausmachen, sowohl Juden als auch Schiiten umzubringen«, bemerkte Fergus.

»Und jetzt wissen Sie wahrscheinlich genauso viel wie wir«, sagte Harris zu Fouad. »Je mehr man weiß, desto weniger Sinn ergibt es.«

Der Stabsfeldwebel begrüßte sie an Bord und grinste erleichtert. »Scheiß auf das hier, werfen wir den Motor an«, sagte er. Sie nahmen die alten Plätze ein und gurteten sich fest.

»Wenn man Anthrax nicht so modifizieren kann, dass es nur Juden umbringt, kann man es dann vielleicht so verändern, dass sich fanatische Muslime dadurch täuschen lassen, naiv wie sie sind?«, fragte Fouad und zeigte sein treuherzigstes Lächeln.

Fergus schnaubte. Harris ließ den Blick durch den Hubschrauber schweifen. »Wollen Sie damit die Intelligenz unserer Gegner in Frage stellen, Fred?«, fragte er.

»Vielleicht will jemand naive Fanatiker auf diese Weise davon überzeugen, dass es doch noch eine Möglichkeit gibt, einen schon lange andauernden Krieg zu gewinnen«, sagte Fouad. »Und sie dazu bringen, viel Geld dafür zu bezahlen.«

»Ein kostspieliges Täuschungsmanöver«, bemerkte Fergus ebenso anerkennend wie sarkastisch.

Der Stabsfeldwebel hörte der Diskussion zwar aufmerksam zu, war aber nicht mit dem Herzen dabei. »Die ganze Welt muss sich ändern«, warf er ein.

»Wenn Fred Recht hat, würde der Verkauf von solchem Anthrax, das angeblich nur Juden tötet, keine große Krise heraufbeschwören, oder?«, fragte Harris. »Das wäre so ähnlich wie der Verkauf von explosivem Quecksilber an die Serben. Das hat Slobodan Milosevic glatt sechs Millionen Dollar gekostet – für einen angeblich hoch wirksamen Sprengstoff, der nicht mal existiert.«

»Aber diese amerikanischen Lieferanten sind keine Idioten, wenn sie ein solches Anthrax beschaffen oder modifizieren können. Wem sonst noch würden sie Geld dafür aus der Nase ziehen? Fanatikern mit ähnlichem Hass«, spekulierte Fouad.

»Und wer wäre das?«, fragte Harris.

»Ich denke nur laut«, erwiderte Fouad.

»Unser Fred glaubt, dass wir womöglich noch kein vollständiges Bild von der Sache haben«, warf Fergus ein. »Vielleicht denken wir allzu vereinfachend.«

»Da kann ich nur ja und Amen sagen«, bemerkte Harris. »Was diesen Teil der Welt betrifft, ist das von jeher unser Problem.«

Nachdem der Stabsfeldwebel die Luke geschlossen hatte, stieg der Hubschrauber von dem alten Feld auf, tauchte in den Schneesturm ein und drehte sofort in westliche Richtung ab, um ohne Umwege in die Türkei zu fliegen.

Fouad schloss die Augen wieder und befand sich bald mitten in einem plastischen Traum, in dem es um kranke und sterbende Rinder mit höchst einfühlsamen, schmerzerfüllten Augen ging. Die Rinder begannen um sich zu treten und riesige Ölfässer umzustoßen. Er hörte schnell aufeinander folgende Geräusche, schepperndes Metall. Als er hochfuhr und erwachte, sah er, wie Fergus nach vorne sackte. Harris hatte den Gang durchquert und versuchte hektisch, mit seinen Händen das Blut zu stillen, das aus Fergus' Brustkorb schoss. Der Stabsfeldwebel warf ihnen gelassen feuerfeste Schutzjacken zu. »Nach vorne«, wies er sie an. »Da ist der Panzer dicker.«

Fouad fuchtelte mit den Armen herum, um in die Schutzjacke zu schlüpfen. Danach half er Harris dabei, Fergus nach vorne zu schleppen. Der Stabsfeldwebel öffnete einen Erste-Hilfe-Kasten und warf ihnen in Plastik verpackte Kompressen und Aderpressen zu. »Macht das auf, bindet die Wunde ab und drückt die Dinger auf alle Stellen, wo Blut ist.«

»Zum Teufel damit«, brüllte Harris zurück. »Er stirbt!«

Das Blut schoss in heftigen Strahlen aus Fergus heraus, der auf dem Boden lag. Er verblutete. Seine flehend nach oben gestreckten Hände zitterten unkontrolliert, die Lippen im kalkweißen Gesicht waren blau angelaufen. Obwohl es nichts mehr nützen würde, machte sich Fouad an die Arbeit und half Harris. Beide waren in Blut getränkt.

Der Superhawk brüllte auf, drehte sich und legte sich auf die Seite. »Wir sind wieder unter Beschuss!«, rief der Kopilot. Dröhnend aktivierte der Hubschrauber seine Abwehr und schoss von beiden Seiten aus Feuergarben und Metallfolien zur Störung des Radars ab.

»*Tango Victor Charlie,* Alarmstufe rot, wir verlieren die Kontrolle. Die Skorpione haben uns erwischt, und wir können sie nicht abschütteln.«

»Scheißdreck«, sagte der Stabsfeldwebel und krümmte sich zusammen.

Die Kabine zischte wie eine riesige Schlange und füllte sich mit Rauch und Flammen.

Kapitel 38

Silesia, Ohio

Am nördlichen Ende eines hübschen kleinen Parks stellte Sam den Laster am Straßenrand ab. Der Park lag im Südwesten der Stadt, rund sechs Kilometer von dem Bezirk mit den Lagerhäusern und der kleinen Kneipe entfernt. An der Bar hatte er Darly Fields aufgegabelt, zweiundvierzig Jahre alt, geschieden, Mutter von zwei Kindern, gegenwärtig im Lebensmittelhandel beschäftigt und für Pflege und Wartung des firmeneigenen Netzwerks zuständig.

Sobald er ausgestiegen war, spazierte Sam mit einer kleinen, an einem Stock befestigten Fahne durch den Park, um die Windrichtung zu prüfen. Was ihm auffiel, trug er in den Stadtplan von Silesia ein. Am südlichen Ende des Parks hatte er bereits drei Kirchen gezählt, alle von mittlerer Größe.

Der Wind war träge und für diese Jahreszeit recht warm und trocken: gute Bedingungen für sein Vorhaben. Nur eine Meile vom Park entfernt lag eine große Bäckerei der Kette *Town Talk*, direkt in Windrichtung. Im Umkreis von Silesia gab es drei Bäckereien, die Brot in den ganzen Bundesstaat ausführten, außerdem zwölf Lebensmittelgeschäfte und natürlich die Silos und Lagerhäuser.

Wieder und wieder hatte der Patriarch ihm in Anwesenheit seiner Frauen und Söhne von seinen Plänen für die Endzeit erzählt, sollten die vereinigten Speichellecker des Satans über sie kommen: »Wir beide, Gott und ich, haben uns etwas wirklich Verblüffendes ausgedacht«, hatte er gesagt.

Und das traf auch zu, allerdings spielte es jetzt keine Rolle mehr. Bewegliche Hindernisse kann man wegräumen, fest installierte umgehen und ehrgeizige Pläne für fünf oder sechs Zielobjekte auf die beiden wichtigsten reduzieren – plus Silesia, natürlich. Anfangs hatte Sam gehofft, alles bis zum vierten Juli, dem amerikanischen Nationalfeiertag, fertig zu haben, doch in den letzten beiden Jahren war der Monat Juli vergangen, ohne dass die wesentlichen Ausrüstungen, Verträge und das Personal unter Dach und Fach waren.

Jetzt musste der Schlag in drei Stufen erfolgen: Als Erstes kam die Demonstration, als Zweites, spätestens zwei Monate danach, der Vorstoß in die erste Stadt, als Drittes – in der dafür geeigneten Jahreszeit – der Angriff auf das schwierigste Ziel, das am wenigsten zugänglich war.

Nachdem jetzt die größte Hitze des Tages vorbei war, empfahl es sich nicht, die erste Flammensäule seiner Mission heute noch zu entzünden. Er würde bis morgen warten. Und falls der kommende Morgen sich als ungünstig herausstellen sollte, weil sich der Wind gedreht hatte und nicht in Stadtrichtung wehte, würde er sein Vorhaben auf übermorgen verschieben. Allerdings würde er nicht ewig warten können. Genau wie der Patriarch würde sich Sam ein wenig auf die Hilfe Gottes verlassen müssen.

Während Sam über die kurz geschorenen bräunlichen Rasenflächen spazierte, die hier und da von alten Eichen überschattet wurden, strich er sich das Haar zurück und achtete darauf, eine stoische Miene zu bewahren. In jüngster Zeit neigten seine Gesichtszüge dazu, vor Konzentration einen starren, finsteren Ausdruck anzunehmen. Er bekam an den falschen Stellen Falten. Bald würde ihm niemand mehr trauen. Nicht, dass es irgendwie wichtig war. Vielleicht würde er sogar noch als wahrer John Brown enden. Als der Mann mit dem Adlerauge, der immer noch an die Rechtschaffenheit der eigenen Mission glaubt, während Flammen seinen Kopf umhüllen – ein Rechtgläubiger, wie so viele der frömmlerischen, heuchlerischen Arschlöcher, in deren Windrichtung sich diese neue amerikanische Massenvernichtungswaffe bald ausbreiten würde.

Gott würde sie nicht schützen. Sie hörten nicht mehr auf ihn, hatten es vielleicht nie getan.

Falls seine Instinkte ihn nicht täuschten, würde es ein schöner ruhiger Morgen werden, mit einer ganz leichten Brise aus Nordwest.

William hatte sich gerade fertig rasiert, als Rebecca an seine Zimmertür klopfte.

Sie waren in ein Motel umgezogen, das in der Innenstadt lag. Die Zimmer hier waren zwar kleiner als in Everett, aber inzwischen war William das auch lieber, denn dann musste er nicht so vieles im Blick behalten. Allerdings waren die Zimmer hier auch nicht so sauber wie die vorigen.

»Bin gleich so weit«, rief er.

William band sich die Krawatte um, verstaute seine SIG im Halfter, vergewisserte sich, dass der Erkennungsmechanismus der Waffe aktiviert war, schlüpfte ins Jackett und prüfte das Schalt-Display des Lynx, das mit einem Aufleuchten der Ziffern 1-1-2 anzeigte, dass er betriebsbereit war. Danach löste er den Sperrriegel und öffnete die Tür.

In einer Hand hielt Rebecca einen Aktendeckel, in der anderen ihr Handy. »Munition«, sagte sie. »Um unsere Existenz zu rechtfertigen. Wie schon vermutet, haben wir ATF, BTI und offenbar auch Homeland Security verärgert. Das gesamte Triumvirat. Glücklicherweise kocht die Suppe nur noch auf Sparflamme – derzeit schert sich niemand sonderlich um den Patriarchen oder um Anthrax.«

»Das hast du ja schon einmal erlebt«, bemerkte William, während er ihr durch den Gang folgte. Sie traten durch die Glastür und gingen zum FBI-Van hinüber, der am Straßenrand abgestellt war.

»Tja«, sagte Rebecca. »Da hast du Recht.«

Bürochef Keller saß am Kopfende des Besprechungstisches. Als Versammlungsraum diente das Büro des Generalstaatsanwalts, der für den westlichen Bezirk des Bundesstaats Washington zuständig war. Sie befanden sich im zehnten Stock des neuen Gebäudes der Inneren Sicherheit, aber feuchter Nebel trübte den Ausblick auf Seattles Innenstadt und zwei Sportstadien.

Keller stand auf und bat um ihre Aufmerksamkeit, indem er mit den Fingerknöcheln auf den Tisch klopfte. »Freundlicherweise hat uns der Generalstaatsanwalt für diese Zusammenkunft sein Büro überlassen«, sagte er. »Derzeit befindet er sich in Washington D.C. und kämpft um seinen Job. Aber er hat mir persönlich mitgeteilt, er hoffe, dass wir in dieser Zeit weltweiten Aufruhrs innerhalb der verschiedenen Dienste und untereinander die überaus herzlichen Beziehungen beibehalten.«

Mehrere der um den langen Holztisch Versammelten kicherten.

»Die Zeiten ändern sich, aber ein Verbrechen ist immer noch ein Verbrechen«, führ Keller fort. »Und wir sind hier, um unsere Kenntnisse miteinander auszutauschen und manche Einzelheiten dessen, was bis gestern noch Schlagzeilen gemacht hat, miteinander aufzuklären.«

Geraschel. Die meisten Anwesenden mussten dringend anderswo hin, um wichtige Dinge zu erledigen, wie sie deutlich zeigten. Rebecca kamen sie wie kleine Jungs vor, die im Büro des Schuldirektors warteten. Sie schob den Aktendeckel auf der polierten Tischplatte hin und her und blickte zu William hinüber, der ruhig und still neben ihr saß.

»Warum bist du immer so gelassen?«, zischte sie ihm zu, während Keller eine Kaffeekanne und Pappbecher herumgehen ließ.

»Weil du sicher gleich ein Kaninchen aus dem Hut zaubern wirst«, erwiderte er flüsternd mit einem Blick auf ihren Aktendeckel. »Ich bin nur neugierig darauf, welche Art von Kaninchen das sein wird.«

»Vielleicht habe ich ja gar keine Kaninchen«, erwiderte Rebecca. »Kann sein, dass mir all meine kleinen Häschen gerade ausgegangen sind.«

Keller stellte die einzelnen Agenten und Vertreter der verschiedenen Abteilungen vor. Rebecca erkannte David Grange wieder, den Agenten des Diplomatischen Sicherheitsdienstes – den Mann mit dem Boxergesicht, über den sie sich auf dem Gehöft des Patriarchen so geärgert hatte. Den neuen stellvertretenden Leiter der für den Westen zuständigen ATF-Abteilung, Samuel Conklin, sah sie heute zum ersten Mal. Er war schon weit jenseits des mittleren Alters, hatte Hamsterbacken und einen nervösen Blick. Zu ihrer Verblüffung stellte Rebecca fest, dass als einzige andere Frau in dieser Runde auch eine untergeordnete Vertreterin der CPSC, der *Consumer Product Safety Commission*, geladen war. Sie hatte sich ein wenig verspätet und neben Rebecca Platz genommen. Lächelnd reichte sie Rebecca eine Visitenkarte, der zu entnehmen war, dass sie Sarah North hieß. Das schwarze Haar der molligen Frau war zu einem Pagenkopf geschnitten. Mit ihrem rötlichen Gesicht wirkte sie angespannt und sah so aus, als hätte sie sich gerade irgendein barbarisches Make-up abgeschrubbt und in dieses enge braune Kostüm gezwängt.

Ihre Anwesenheit stimmte Rebecca nicht gerade zuversichtlich.

»Der Geheimdienst hat es abgelehnt, an der heutigen Besprechung teilzunehmen«, erklärte Keller trocken. »Es gibt da gewisse Dinge von internationalem Gewicht, mit denen er sich unverzüglich befassen muss.«

»Genau wie wir«, warf Grange ein.

Keller reagierte mit seinem berühmten rätselhaften Lächeln. »Ich habe mir gedacht, dass am besten der stellvertretende ATF-Leiter Samuel Conklin das Gespräch eröffnet.«

Conklin baute einen Stapel von Computerausdrucken vor sich auf, fummelte an seinem Handy herum und verzog das Gesicht. Dann erhob er sich von seinem Platz und stützte die Arme auf den Tisch. »Als Erstes möchte ich dem FBI zur Ergreifung des Patriarchen gratulieren. Damit ist ein wichtiger Fall abgeschlossen. Meine aufrichtige Anteilnahme gilt den Agenten, die dabei schwer verletzt wurden oder ums Leben gekommen sind. Als wir über die Überwachung des Patriarchen und später über die Tragödie informiert wurden, haben ATF und DS in dieser für das FBI schwierigen Zeit ihre Unterstützung angeboten. Wer will da noch behaupten, es gäbe keine Zusammenarbeit? Wir alle haben gute Arbeit geleistet, als wir das Beweismaterial gesichert und uns die Überreste des Gehöfts gründlich vorgenommen haben. Sehr lehrreich. Es war eine neue Art der Fusion von Diensten, die jetzt ATFs lange Liste von Kooperationen vervollständigt. Da außerdem die Möglichkeit besteht, dass der Fall des Patriarchen uns Hinweise auf einen anderen, älteren Fall gibt – ich meine die Verbreitung von Anthrax in den USA im Jahre 2001 –, hat der Bundesjustizminister uns die Leitung einer Reihe von Ermittlungen übertragen, bei denen wir uns auf die Muster stützen, die wir aufgrund der bisher vom stellvertretenden FBI-Leiter Newsome koordinierten Aktivitäten ausmachen konnten. Es tut uns leid, dass wir Newsome und seine Agenten nicht über unsere Beteiligung und den Führungswechsel informiert haben – wir wollten wirklich niemanden ausbooten –, aber der Bundesjustizminister und die Präsidentin haben nicht viel Zutrauen zum FBI, wie allgemein bekannt ist.«

Grange sperrte leicht den Mund auf und blickte durchs Fenster auf den Nebel.

»Sie haben in all dem alten Mist eine Blume gewittert und beschlossen, sie zu pflücken«, bemerkte Rebecca.

»Nun ja, Ma'am, wir haben eine Rose gerochen«, witzelte Conklin. »Und das FBI hat zweifellos einen Misthaufen abzutragen.«

Keller, dessen Gesicht rot angelaufen war, streckte die Hand hoch. Seine Geste reichte aus, Conklin zu einem Nicken und einem Versuch der Besänftigung zu bewegen. »Ich selbst war gar nicht in Washington und habe weder das Ansinnen vorgetragen noch die Anweisungen erteilt. Ich erläutere hier nur, was geschehen ist, überbringe die Botschaft.«

»Dann lassen Sie uns die Botschaft hören«, sagte Keller.

»Wir hatten bislang bei jedem Schritt mit heftigem Gegenwind zu kämpfen. Ich habe den Justizminister persönlich darüber informiert, dass der Vorstoß des verantwortlichen Sonderagenten Erwin Griffin zur Scheune des Patriarchen voreilig und letztendlich kontraproduktiv war, sofern es die Sicherung von möglicherweise entscheidendem Beweismaterial betrifft.«

»Er hatte seine Gründe«, warf William ein, dessen Gesicht sich jetzt ebenfalls rötete.

»Sicher«, bemerkte Conklin. »Darüber hinaus war der Patriarch vorgewarnt und hat es geschafft, seine Familie in alle Windrichtungen zu zerstreuen, ehe das FBI oder örtliche Vollstreckungsbeamte einen wirksamen Polizeikordon errichten konnten. Aus welchen Gründen auch immer: Jedenfalls hatte Erwin Griffin dies nicht vorausgesehen und war darauf nicht vorbereitet. Seitdem ATF und Homeland Security mit der Sache befasst sind, haben wir mit Hilfe von Bundesvollzugsbeamten neun von zweiundzwanzig flüchtigen Familienangehörigen des Patriarchen verhaften können, in drei Bundesstaaten. Zwei Familienmitglieder wurden von den Agenten Rose und Griffin junior im Bundesstaat Washington festgenommen, und zwar nach einem unnötig riskanten Handgemenge.«

»Nicht *Sie* haben die beiden aufgespürt«, bemerkte Grange, »sondern *die Sie*!«

Rebecca richtete den Blick auf Granges Lippen und Nase.

»Um der Farce noch eins draufzusetzen, nämlich eine Schmierenkomödie, mussten wir aufgrund eines vorangegangenen stümperhaften Verhörs Jeremiah Jedediah Chambers, einen der Söhne des Patriarchen, im Beisein eines schlecht bezahlten und völlig inkompetenten Pflichtverteidigers vernehmen. Auch das hat uns das FBI vermasselt. Allerdings haben meine Agenten das Wenige, das wir dabei in Erfahrung bringen konnten, weiterverfolgt. Und dabei sind wir darauf gestoßen, dass die Agentin Rose sich in einen weiteren Fall eingemischt hat – in den Mord an einem Streifenbeamten der Highway-Patrouille in Arizona. ATF und Homeland Security haben Kopien der in diesem Fall vorliegenden Laborergebnisse angefordert und sie heute Morgen erhalten.«

»Hat man uns diese Ergebnisse schon zugestellt, Agentin Rose?«, fragte Keller.

»Nein, Sir.« Rebecca hatte eine Hand zur Faust geballt und unter dem Tisch verborgen, aber die Knöchel der anderen Hand waren vor Anspannung weiß angelaufen. »Auf diese Ergebnisse bin ich gespannt.«

Trotz seiner scharfen Zunge fühlte sich Conklin keineswegs wohl in seiner Rolle. Er gehörte noch zur alten Schule, und es gefiel ihm gar nicht, Agenten, die er als Kollegen betrachtete, zur Schnecke machen zu müssen. Dennoch hatte er nicht vor, der Sache die Schärfe zu nehmen. »Die örtlichen Behörden in Arizona haben ATF gern unterstützt, denn offenbar hat das FBI sich ihnen gegenüber mit solcher Höflichkeit und solchem beruflichen Respekt verhalten, wie man es vom Büro gewohnt ist. Außerdem haben wir heute erfahren, dass die Agentin Rose zwei überaus wichtige Beweisstücke an sich genommen hat, um sie in Virginia analysieren zu lassen. Also haben auch wir mit Erlaubnis des Bundesjustizministeriums die Ergebnisse angefordert und unsere eigenen Schlüsse daraus gezogen.«

Keller sah Rebecca an, die sehr still und mit erstarrter Miene dasaß. *Spiel – Zug – Schachmatt.*

Williams Emotionen lagen bis auf ein fast kindliches Erstaunen angesichts dieser verkehrten Welt auf Eis. Noch vor kurzem war er in Quantico gewesen und hatte sich verzweifelt bemüht, nichts zu vermasseln und Oberwasser in einem endlos weiten Meer zu behalten. Und jetzt sah es ganz so aus, als werde er zusammen mit einigen der besten FBI-Agenten ins Vergessen versinken.

»In normalen Zeiten wäre all das vielleicht durchgegangen, ohne besondere Aufmerksamkeit zu erregen«, fuhr Conklin fort. »Vielleicht hätten die einzelnen Dienste in üblicher Manier vors Scheunentor gepisst – Entschuldigung, meine Damen – und die Dinge hinter den Kulissen bereinigt. Aber wir leben nicht in normalen Zeiten.«

»Samuel, wenn Sie nur der Bote sind«, unterbrach Keller, »dann lassen Sie uns die Botschaft doch einfach hören.«

»Die Botschaft lautet: Wir haben ein leeres Feuerzeug erwischt, ein Zippo ohne Feuerstein, ohne Füllung, ohne Flamme. Wir haben gar nichts in der Hand. Oh, natürlich gibt es auch interessante Ergebnisse: Wir haben einen international gesuchten Schwerverbrecher eliminiert. Aber das hat nichts mit Anthrax zu tun und erfordert ganz sicher keine weiteren Ermittlungen. Und keine Aktionen, die über den allgemeinen Abschluss des Falls und das Verfassen von Berichten hinausgehen.«

»Was hat man gefunden?«, fragte Rebecca.

»Auf dem Gehöft des Patriarchen gibt es nirgendwo auch nur eine Spur von Anthrax, weder in der Scheune noch im Wald. Und ja, Agentin Rose, wir haben unsere Leichenspürhunde ausgeschickt und graben derzeit alle verdächtigen Stellen in der Umgebung des Hofes auf. Entgegen dem, was Jeremiah behauptet hat, sind wir auf keine toten Schafe gestoßen. Und wir gehen auch nicht davon aus, dass wir noch welche finden werden. Es wäre geradezu untertrieben, Jeremiah Chambers und Hagar Chambers als nutzlose Zeugen zu bezeichnen. Sie können sich ja kaum an den eigenen Namen erinnern. Das sind geistig minderbemittelte Idioten. Und ob das an der Inzucht liegt oder daran, dass der Patriarch sie verprügelt und indoktriniert hat, kann niemand sagen. Denen ist nicht einmal klar, ob sie Lügen erzählen oder die Wahrheit sagen. Es stimmt zwar, dass Hagar Chambers schwanger ist, aber der Patriarch ist nicht der Vater dieses Kindes. Wir müssen noch verschiedene Dinge miteinander abgleichen, vermuten jedoch, dass der Erzeuger nicht aus dem Kreis der Familie stammt. Also ist das Baby wenigstens keine Frucht von Inzest.«

»Und wie steht's in Arizona?«, fragte Keller.

»Auf unsere Bitte hin hat man dort die dreihundert Drucker, die sich auf dem Lastwagen befanden, konfisziert und untersucht. Es wurden keine Spuren von Anthrax gefunden, weder an den Druckern noch in den recycelten Tintenkartuschen, die dabeilagen.«

Rebecca hustete. Sie fühlte sich so, als wäre ihren Lungen der Sauerstoff ausgegangen.

»Jedenfalls ist nirgendwo Anthrax aufgetaucht und folglich auch kein zusätzliches Beweismaterial, das für irgendeinen von uns von Interesse wäre«, schloss Conklin. »Danke, John. Das war's von meiner Seite.«

»Vielleicht hat jemand die Familie des Patriarchen dafür eingespannt, eine Anthrax-Attacke *vorzubereiten*«, sagte William. »Man hätte die Hefe dazu einsetzen können, die …«

»BT ist allgemein zugänglich. Es verhält sich ganz ähnlich wie Anthrax, lässt sich leicht kultivieren und ist völlig legal. Wenn ich Anthrax verbreiten wollte, würde ich für jeden Testlauf BT benutzen. Bei derartigen Komplotten reicht Hefe als Teststoff einfach nicht aus«, erwiderte Conklin und blickte traurig auf seine Fingerknöchel. »Wir haben nichts in der Hand.«

Bedächtig öffnete Rebecca ihren Aktendeckel. »Denen war aber klar, dass wir bei BT die Spur zurückverfolgen würden. Frank Chao, einer unserer besten Analytiker, ist auf die Idee gekommen, einige der scheinbar unverbundenen Ermittlungsergebnisse miteinander zu verbinden. Er hat die DNA der Blutprobe aus Arizona mit der DNA von Hagar Chambers' ungeborenem Kind verglichen und festgestellt, dass sie übereinstimmen. Ich habe den Vaterschaftsbeweis dabei, in dieser Mappe. Der unbekannte Täter, der unseren Streifenpolizisten in Arizona erschossen hat, war auch im Bundesstaat Washington und hat dort ein siebzehnjähriges Mädchen geschwängert, direkt vor der Nase ihres bejahrten Gatten. Und höchstwahrscheinlich hat der Streifenpolizist ihn angehalten, als er gerade auf dem Rückweg zum Hof des Patriarchen war, um dort eine Ladung Tintenstrahldrucker abzuliefern.«

Kurzfristig entschloss sich Conklin zur Versöhnlichkeit. »Das ist ja interessant. Wir werden Arizona auf jeden Fall mitteilen, dass die DNA übereinstimmt.« Er bedachte Rebecca mit einem herzlichen Lächeln, ohne dass der überaus kühle Ausdruck aus seinen Augen wich.

Sie nickte.

»Möglich, dass die sich da draußen bei wöchentlichen Orgien im Wald aufgegeilt haben. Möglich, dass sie völlig hirnverbrannte Fanatiker waren und vorhatten, Millionen von nationalsozialistischen Propagandaschriften zu drucken und unter die Leute zu bringen. Auch möglich, dass sie mit Hefe herumexperimentiert und sie überall verstreut haben, um eine eigene Sauerteigkreation zu entwickeln.«

»Eigentlich sind das ja Bakterien«, warf Sarah North ein.

Conklin starrte über den Tisch hinweg, als rede er mit der hinteren Wand. »Niemand weiß, was sie wirklich vorhatten. Dennoch gibt es nach wie vor nichts Schlüssiges, das uns zum Handeln zwingt, Agentin Rose. Schon gar nicht in Anbetracht der internationalen Krise, in der wir alle Kräfte bündeln müssen.«

Grange wollte sich Gehör verschaffen, doch Keller kam ihm zuvor, indem er die Hand hob. »Der FBI-Direktor hat mir die Anweisungen des Justizministers übermittelt«, sagte er. »Hiram Newsome wurde dafür gemaßregelt, dass er Mittel des Büros ohne offizielle Genehmigung eingesetzt hat. Die Agentin Rebecca Rose wird nach Baltimore versetzt. Gleichzeitig leitet unsere Dienstaufsicht ein Ermittlungsverfahren gegen sie ein, um zu prüfen, ob alternative Handlungsmöglichkeiten bestanden haben. Der Sonderagent William Griffin wird seinen Dienst in der Stelle antreten, für die er für die Dauer seiner Probezeit ursprünglich vorgesehen war, in … äh … New Jersey. Im Namen des FBI-Direktors soll ich mich bei den Kollegen der anderen Dienste entschuldigen. In Kürze werden unsere höheren Dienststellen Verbindung miteinander aufnehmen.«

»Ich würde gern etwas sagen«, warf Rebecca ein.

»Es wäre mir lieber, Sie würden darauf verzichten«, erwiderte Keller. »Ms. North, derzeit sind weitere Klageschriften gegen die Familie des Patriarchen in Vorbereitung. Man hat mich beauftragt, Ihnen als Vertreterin des Ausschusses für Verbraucherschutz unser Beweismaterial zur Verfügung zu stellen, und zwar im Hinblick darauf, ein Verfahren wegen illegaler Herstellung von Feuerwerkskörpern einzuleiten.«

Sarah North, deren Hände zitterten, erhob sich von ihrem Platz. »Ja, Sir.«

Nachdem sie das Besprechungszimmer verlassen hatten, ging Rebecca Keller nach. William, der in diskretem Abstand folgte, bekam das geflüsterte Gespräch bis auf den Anfang mit.

»Die Ereignisse im Iran haben alles überschattet, Rebecca«, sagte Keller. »Zu unserem Glück, wie ich sagen muss, denn so wird dieses Spielchen bei den allgemeinen Ermittlungen im Hauptbüro kaum verfangen. Vielleicht schaffen wir's, inmitten dieses größeren Sturms unseren Boden zu behaupten. Allerdings steckt Hiram Newsome nach wie vor tief im Schlamassel. Reden Sie mit ihm – und ich meine: wirklich ernsthaft –, ehe Sie auch nur daran denken, noch mehr Mühe auf diesen Fall zu verschwenden.«

»Mach ich«, erwiderte Rebecca. »Wieso haben wir überhaupt so viel Aufmerksamkeit erregt? Wenn wir doch solche Versager sind, meine ich ...«

»Soll ich raten? Nach Meinung von Grange wurde BuDark zu dem Zweck geschaffen, eine ganz bestimmte Spur zu verfolgen. Und Ihre Ermittlungen sahen nach einem viel versprechenden Nebengleis aus. Oh, noch etwas: Offenbar hat man einen Hubschrauber in den Irak geschickt, damit dort etwas untersucht wird, das BuDark interessiert. Der Hubschrauber erlebte die Explosion in Shahabad Kord aus einem Abstand von hundert Kilometern mit, konnte im Zagros-Gebirge sicher zwischenlanden, wurde später jedoch von Iranern oder Irakern abgeschossen, ehe er in die Türkei zurückkehren konnte. Wir hatten zwei Agenten an Bord. Einer von ihnen war ein Dolmetscher – ich glaube, Sie kennen ihn, William. Er heißt Fouad Al-Husam.«

»Was haben die im Irak gemacht?«, fragte William.

Keller zuckte die Achseln. »Unser Hauptbüro wirft dem

Diplomatischen Sicherheitsdienst vor, dass er unsere Agenten abwirbt und dann auf irgendwelche sinnlosen, aber tödlichen Missionen schickt. Deswegen gibt es derzeit viel böses Blut. Ich glaube, für Anthrax wird sich auf Jahre hinaus kaum noch jemand begeistern lassen.«

Keller drehte sich um und legte William die Hand auf die Schulter. »Wir kümmern uns schon um Griff. Haltet die Köpfe aus der Schusslinie heraus und denkt vor allem an die eigene Berufslaufbahn. Alle beide!«

Kapitel 40

Nördlicher Irak

Beladen mit einem Rucksack und einem Beutel voller Lebensmittelvorräte, stieg Fouad die Hügel hinunter, gefolgt von Harris, der eine Pistole in der Hand hielt. Das braune Flachland vor ihnen war mit gelben Staubhosen überzogen. In östlicher und nördlicher Richtung warfen blaugraue Wolken lange Schatten über die rötlich gefärbten Berge. Die Landschaft wirkte öde, aber gleichzeitig auch schön. Hier draußen gab es nichts, wo man sich hätte verstecken können. Besser, man blieb in felsigem Gebiet.

Sobald sie sich vergewissert hatten, dass es außer ihnen keine Überlebenden gab, waren sie aus dem Umkreis des zerstörten Superhawk geflüchtet. Sie rechneten damit, dass diejenigen, die sie abgeschossen hatten, versuchen würden, sie hier aufzuspüren und zu töten.

Von Fouads Hüftschnalle baumelte der kleine Alukoffer herunter, der die Gewebeproben aus Kifri enthielt. Er schaltete das Funkgerät ein, das in Brusthöhe an seiner kugelsicheren Weste befestigt war, und drehte sich gleich darauf zu Harris um. Ihre analog vermittelten Funksprüche wurden gestört, und auch die digital vermittelten Signale kamen nicht durch, und das war in Anbetracht dessen, dass sie diese Signale unmittelbar an zehn unterschiedliche Satellitenverbindungen weitergaben, doch recht verblüffend. Irgendjemand setzte offenbar Störfolien, Störsender, Zerhacker, Heißluftballons, andere Flugobjekte oder sogar andere Satelliten dazu ein, die grundlegende Kommunikation in der ganzen Region lahm zu legen. Wahrscheinlich die Russen, aber auch die Türken mochten daran beteiligt sein.

Wenn im eigenen Hinterhof eine Atombombe hochgeht, neigt man zu solchen Maßnahmen.

Oder aber das Funkgerät hatte einfach seinen Geist aufgegeben. Das M2-Ortungssystem an seinem Gürtel taugte ebenfalls zu nichts, es funktionierte nur die Hälfte der Zeit.

Ihre letzte Hoffnung bestand in dem C-SARB-Chip, der ihre Position und Flugzeug-Kennung in unregelmäßigen Abständen sekundenschnell und verschlüsselt an die eigenen Leute übermittelte. Feindselige Spürhunde würden darin nur ein kosmisches Rauschen erkennen – oder gar nichts hören.

Als Harris ihn eingeholt hatte, holte Fouad eine Wasserflasche aus dem Rucksack und reichte sie ihm. Harris versuchte, alle Richtungen gleichzeitig im Auge zu behalten. Offensichtlich tat ihm der gebrochene Arm weh, der nahe an der Brust in einer Schlinge hing, aber jetzt war nicht die richtige Zeit, sich mit Schmerztabletten zu betäuben. Sie hatten Lebensmittel für etwa eine Woche dabei. Das Wasser würde höchstens für zwei oder drei Tage reichen.

Harris nahm einen Schluck aus der Flasche. »Die werden uns finden«, sagte er. »Für die ist das hier wie ein Tagesausflug aufs Land, um Blümchen zu pflücken. Sie werden uns vom Wrack aus bis hierher verfolgen. Dann töten sie uns, machen Fotos und breiten unsere kopflosen Kadaver in der Wüste zum Trocknen aus. So beschissen ist unsere Lage.«

Fouad schätzte ihre Überlebenschancen auch nicht viel zuversichtlicher ein.

Sie hatten Fergus und so viele Ausrüstungsgegenstände wie möglich aus den rauchenden Trümmern des Superhawk gezogen. Den Stabsfeldwebel, den Kapitän, den Kopiloten und Besatzungschef sowie zwei andere Mannschaftsangehörige, die Fouad nicht namentlich kannte, hatten sie nicht bergen können, genauso wenig wie die stärkeren Waffen und die meisten Hilfsmittel zum Überleben. Der erste Einschlag hatte das vordere Schott und den Boden unter Fergus, Harris und Fouad aufgerissen und in den hinteren Teil der Kabine katapultiert, und das hatte sie gerettet, als der Hubschrauber schließlich von einem Felsblock abgeprallt war und sich in einen anderen hineingepflügt hatte. Fouad hatte all das nur noch nebelhaft im Gedächtnis. Manche Erinnerungen kehrten jetzt zurück, aber im Augenblick waren sie einfach nicht wichtig.

Noch während sie sich in der Luft befanden, war Fergus gestorben. Später hatten sie hastig ein Grab ausgehoben und es mit einer Luke abgedeckt – mehr konnten sie unter diesen Umständen nicht tun.

»Also, Wanderer«, sagte Harris und versuchte sich aufrecht hinzustellen. »Wie wär's, wenn wir uns irgendwo wie pelzige kleine Nagetiere verstecken?«

Fouad blickte auf seinen Kompass und die Himmelskarte aus einem ganzen Kartensortiment. Am Vorabend hatte er sich, nachdem er Harris die Armschlinge angelegt hatte, die Sterne angesehen. Der Hubschrauber hatte sich noch nicht weit von dem kargen Feld in der Hochebene entfernt, als sie abgeschossen worden waren. Oder doch? Fouad hatte während des Flugs ein Nickerchen gemacht. Dennoch glaubte er, bis auf zwanzig oder dreißig Kilometer genau bestimmen zu können, wo sie sich derzeit befanden – jedenfalls hoffte er es.

In einer solchen Lage musste man sich an jeden Strohhalm klammern.

»Nimm du die Decke«, sagte Fouad kamerdaschaftlich zu Harris, der inzwischen zitterte. »Schlaf. Ich halte Wache.«

»Ich werd deswegen nicht mit dir streiten.« Harris suchte sich einen mit Sand verkrusteten Platz neben einem großen Geröllblock, legte sich vorsichtig hin und zog die silberne Thermodecke über sich. Die Sonne hatte den Zenit bereits überschritten, sodass die trockene Luft rasch abkühlte. Fouads Kehle schmerzte, außerdem taten ihm die Beine weh, und er spürte die Enge im gequetschten Brustkorb. Wenn er tief durchatmete oder auf die rechte Seite drückte, stach es ihm in die Lunge. Höchstwahrscheinlich waren Rippen gebrochen. Letztendlich war er jetzt doch froh über das außerordentlich harte

Fitness-Training in Quantico. *Den Schmerz besiegen,* hatte Pete Farrow es genannt.

»Hast du irgendeine Ahnung, wo wir sein könnten?«, rief Harris von seinem Lager neben dem Geröllblock herüber.

»Immer noch im Irak. Aber es ist kein Ort in der Nähe, den wir namentlich kennen würden.« Er ging zu Harris hinüber, hielt ihm die Karte hin und deutete auf ein Rechteck, das sich über mehrere Zentimeter erstreckte. »Irgendwo hier.«

»Sehr gut«, sagte Harris. »Wirklich fantastisch. Da können wir ja völlig beruhigt sein.«

»Schlaf jetzt.«

Harris salutierte und legte sich stöhnend wieder hin.

»Scheiße, Scheiße, Scheiße!«, hörte Fouad ihn wenige Minuten später brüllen. Harris schlurfte an ihm vorbei und und bürstete sich mit dem gesunden Arm die Hose ab. »Ein Skorpion«, erklärte er. »Hat meine Hose erwischt, aber nicht mein Bein. Scheiß drauf. Scheiß drauf, zur Hölle damit! Wusstest du, dass die Skorpione hier draußen zytotoxisches Gift produzieren? Wie Einsiedlerspinnen. Bewirkt Hämolyse, Nekrose, Gelenkversteifung, Nierenversagen – man kann dadurch sogar den Verstand verlieren. Wirklich sehr übel.« Seine Augen waren rot umrändert, das Gesicht sah heiß und fiebrig aus. Einige Sekunden lang hüpfte er von einem Fuß auf den anderen, dann atmete er zischend aus und verlor fast die Kontrolle über seinen Körper, als er auf ein Knie niedersank.

»Du hast wieder mal Glück gehabt«, bemerkte Fouad.

»Tja, Glück. – Glaubst du, irgendjemand interessiert sich für das, was hier drin ist?« Er reckte die Hand und klopfte auf den Alukoffer.

»Im Angedenken an Fergus, den Stabsfeldwebel und die anderen sage ich: Ja.«

»Hast du je erfahren, wie der Stabsfeldwebel heißt?«, fragte Harris.

»Nein.«

»Warte, ich hab's hier.« Harris zog die Duplikate der Plaketten heraus, die im Hubschrauber an der hinteren Luke gehangen hatten, ging sie mit einer Hand durch und las den eingravierten Namen oberhalb des Kennungschips. »Jerry Walton. Himmelherrgott, wir sind genauso erledigt wie Jerry Walton.«

»Setz dich hin und sei still.« Fouad klopfte auf den Boden neben sich. »Vielleicht haben die Nachtsichtgeräte.«

»Ich will keine Schmerztablette nehmen«, erklärte Harris. »Möchte einen klaren Kopf haben, wenn die uns umbringen.«

»Sch – sch.«

»Verdammt noch mal, es tut weh!« Harris hockte sich neben ihn. Beide blickten zum Himmel über der Ebene hinauf. Nach kurzer Zeit legte Harris sich wieder auf den Rücken und fiel in unruhigen Schlaf. Inzwischen hatten sich die letzten Staubhosen verzogen. In wenigen Minuten würde die Sonne untergehen. Bald würden sich die Dämmerung und danach die Nacht über sie senken.

Mit Hilfe des Kompasses prüfte Fouad hastig die Himmelsrichtungen. Danach breitete er die Rucksackklappe auf dem Boden aus und kniete sich darauf, um zu beten, denn damit musste er vor Sonnenuntergang beginnen. Irgendwann würde er die nicht verrichteten Gebete nachholen müssen. Das Beten war für ihn weit mehr als ein Ventil für alle Anspannungen des Tages, weit mehr als eine religiöse Pflicht. Es konnte Wunder wirken, indem es ihm neue Kräfte verlieh. Er sprach vier *Raka'at*.

Wenige Minuten später hörte Fouad Harris im Schlaf leise fluchen. Das war eine Entweihung seines Gebets, aber was ließ sich daran ändern? Sein Gefährte hatte Schmerzen. Fouad beendete seine Gebete und sprach noch ein *Ya Latif*. Während es dunkler wurde und die Ebene sich mit einem Grauschleier überzog, sagte Fouad leise: »*Du, der Du auch den ungeborenen Kindern im Mutterschoß Güte erweist, lass Deine Güte und Gnade auch über uns walten, wie es Deiner Freigebigkeit und Deinem Erbarmen entspricht. O Du, der Du der Barmherzigste …*«

Er betete nicht oft darum, aus der Not erlöst zu werden, denn er war der Meinung, dass Gott – ungeachtet seiner tiefen und verlässlichen Liebe – sich um vieles kümmern musste und man ihn mit den eigenen kleinen Nöten und Sorgen nicht belästigen sollte. Das hatte sein Vater ihn gelehrt, auch wenn Fouads Mutter behauptet hatte, Gott werde nie müde, einem zuzuhören. Doch jetzt war eindeutig die Zeit gekommen, in der er Gottes Hilfe und Führung dringend brauchte.

Sobald sich die Nacht über die Ebene gesenkt hatte, würden sie es nicht mehr riskieren können, irgendeine Lampe einzuschalten. Also würden sie die Skorpione nicht rechtzeitig erkennen können.

Kapitel 41

Seattle

»Ich bin nicht mehr dein Boss«, sagte Rebecca. »Du zahlst die erste Runde.«

»Aber du bist immer noch Dienstälteste«, erwiderte William, was ihm einen ebenso verletzlichen wie wütenden Blick von ihr einbrachte. Sie wandte sich wieder der Speise- und Getränkekarte der Bar zu.

»Jedenfalls bin ich für jemanden meines Alters und meiner beruflichen Erfahrung wirklich ausgehungert«, bemerkte sie mit bemühter Munterkeit.

»Das hab ich doch überhaupt nicht so gemeint.« William lächelte ihren Spiegelbildern hinter dem Bataillon von Flaschen voll bernsteinfarbener, grüner, blauer und farbloser Flüssigkeiten zu. »Wir könnten uns all das reinziehen und einen ganzen Abend lang ins Vergessen abtauchen. Leute in blauen Uniformen tun das häufig.«*

»Erzähl mir mehr über die Menschen in Blau.«

»Also gut. *Wir sind rar gesät. Es ist ein Blau, das uns steht. Und wir schützen jeden, wenn's geht.* – Übrigens hatte ich einen Einsatzpartner, als ich in der AUOK Dienst tat …«

»In der Abteilung zur Untersuchung Organisierter Kriminalität«, sagte Rebecca. »Gleich nachdem die Sitte dich rausgeworfen hatte. Und deshalb bist du später beim FBI gelandet, der Vereinigung der Sonderagenten.«

---

* *blue people* im Original; Wortspiel: blue people ist ein Spitzname für Polizisten, bezeichnet aber auch melancholische Menschen. – *Anm. d. Übers.*

»Zum Teil schon. Aber der Ruf meines Vaters ist mir so vorausgeeilt wie Cyranos Nase.«

»Cyrano? War das ein Pate der Mafia?«

»Cyrano de Bergerac. Er hatte eine riesige Nase und ist zum Mond geflogen. Du weißt doch, wer Cyrano ist: Er schrieb die Briefe für einen Kerl, der in Roxanne verliebt war. Nur war er selbst auch in Roxanne verliebt, das war ja das Tragische.«

Du willst mich wohl verarschen, besagte Rebeccas Blick.

»Ein Film mit Steve Martin und Darryl Hannah«, sagte er.

»Ach so.« Rebecca hob ihr Martiniglas. »Auf die romantische Poesie und große Nasen. Erzähl mir von deinem Einsatzpartner. Wie war er denn so?«

»Es war eine Sie. Nach Dienstschluss hingen wir oft miteinander herum und schmiedeten Pläne, wie wir unser Renommee in der Abteilung verbessern könnten. Wir waren beide ziemliche Randfiguren.«

»Keine Senkrechtstarter?«

»Wir konnten unseren Instinkten nicht richtig trauen, dazu waren wir von Natur aus einfach zu menschenfreundlich.«

»Schlechtes Omen.« Rebecca klopfte auf die Theke und bestellte für jeden noch einen Martini. »Diese Runde geht auf mich.«

»Danke. – Jedenfalls war das einerseits gut, andererseits schlecht. Soweit es Verhöre betraf, waren wir gut. Gemeinsam konnten wir einem Täter so sanft und mühelos auf den Zahn fühlen, dass er nicht einmal merkte, wie wir ihm ein Wahrheitsserum injizierten, das ihn zum Reden brachte. Meine Partnerin war eine gute Psychologin. Große braune Augen, füllig, wirkte irgendwie wie eine Mama aus dem Mittelmeerraum. Die *Paten,* wie du sie nennst – auch die Russen, weniger die Kambodschaner und Vietnamesen –, wollten sich nur noch mitteilen und ihr Innerstes nach außen kehren. *Na also,* pflegte sie zu sagen und deren Handgelenke zu streicheln, wenn sie die Geständnisse unterzeichneten. Aber weniger gut waren wir darin, sie in die Mangel zu nehmen und sofort festzunageln.«

»Schlecht für einen Polizisten«, sagte Rebecca. »Aber gut für die Seele.«

»Meine Partnerin hieß Karen Truslow. Stammte aus einer wohlhabenden Familie, die im nördlichen Teil des Bundesstaats New York lebte. Doch zum Entsetzen ihrer Leute schlug sie aus der Art und entschloss sich zum Polizeidienst. Wir haben viel Zeit im Heck von Vans damit zugebracht, Telefongespräche abzuhören. Und wenn wir nicht viel zu tun hatten, haben wir ein Lexikon von beleidigenden Bezeichnungen für Polizisten erstellt. Als Menschen in blauer Uniform durften wir selbst sie benutzen, aber niemand sonst. *Bulle* geht ja gerade noch, aber *Bullenschwein, Plattfußindianer, Polizeiarsch* oder sonstiges, was ein Schurke in der Dick-Tracy-Serie sagen würde, ist eine tödliche Beleidigung.«

»Du mochtest deine Kollegin«, sagte Rebecca. »Aber sie ist auf tragische Weise ums Leben gekommen, und jetzt hältst du die Erinnerung an sie hoch und hast Schuldgefühle.«

»Nein, sie ist immer noch in der Abteilung zur Untersuchung Organisierter Kriminalität beschäftigt. *Sie* hat mir empfohlen, zum FBI zu gehen. Hat gesagt, dort seien nicht so verkorkste Polizisten; mit denen könne man klarkommen.«

»Was glatt gelogen ist«, bemerkte Rebecca. »Ich bin total verkorkst. Aber warte nur ab. Ich bin schon länger im Dienst, deshalb habe ich so viele Falten und bin so zerschlissen wie alte Jeans.«

»Jetzt fischst du nach Komplimenten«, sagte William.

»Das heißt, du glaubst, ich wolle dich anmachen.« Rebecca drehte sich auf dem Barhocker um. »Du glaubst, ich hätte es nötig, dieser männlichen, großen, breiten Brust ein Kompliment zu entlocken ... oder was auch immer. Mein Gott, es braucht nicht viel, mich betrunken zu machen. Aber sag mir was, du Grünschnabel. Schließlich hast du mich im Nachthemd gesehen, William Griffin. Ist für mich schon alles aus und vorbei?«

»Du bist nur erschöpft.«

Ihr Gesicht erschlaffte. »Ich bin weg vom Fenster. Ich bin erledigt. Ich werde zurück an meinen Schreibtisch kriechen und für den Rest meiner Dienstzeit Papiere hin und her schieben. Werde mit blau verfärbten Haaren in Rente gehen, wenn mein Bauch mir bis unter die Knie hängt, und davon träumen, Aktenschränke zu füllen. Werde eine alte Vettel in zerschlissener Blaujacke sein.«

William schüttelte den Kopf. »Lass uns zahlen.«

»Du fühlst dich nicht wohl in meiner Gesellschaft.«

»Ich fühl mich nicht wohl, wenn der Alkohol aus mir spricht und sich mit einer Frau unterhält, die aus lauter Wut Männer anmacht.«

»Wie bitte?«

William konnte keine ernste Miene mehr bewahren. »Ich bin auch erschöpft.«

»Du bist halb durchsichtig. Milchig blau. Ich kann dich kaum noch sehen.« Rebecca wedelte mit der Hand vor seinem Gesicht herum. »Agent Griffin, bist du das?«

»Möchten Sie noch was bestellen?«, fragte die Bedienung hinter der Theke, eine schlanke Brünette mit riesigen Augen.

»Was zu essen«, erwiderte Rebecca. »Wir nehmen die Hähnchenschlegel, die Buffalo Wings.«

»Bei uns heißen sie Engelsflügel«, bemerkte die Bedienung. »Scharf, mild oder einfach nur langweilig und ohne alles?«

»Scharf«, erwiderte Rebecca. »Wie Oliven in Parmesan. Oder ein Teller mit Ziegenkäse. All das sind Sachen, die ausgehungerten und deprimierten Blaujacken gut schmecken.«

»Dann empfehle ich *Blue Cheese Dip* für die Flügel.«

»In Ordnung.«

Die Bedienung fragte, ob sie noch etwas trinken wollten. Rebecca bestellte Mineralwasser, William Tomatensaft.

»Dir wird diese Sache keine Probleme bescheren«, sagte Rebecca. »Es wird einfach eine leere Stelle ohne irgendwelche Angaben in deinem Führungszeugnis bleiben. Du wirst nach New Jersey gehen und so tun, als wäre nichts geschehen.«

»Und dort Toilettenpapier abfackeln.«

»Nein, ganz im Ernst. Fang noch mal von vorne an.«

»Aber die Sache haben wir uns doch nicht bloß eingebildet, oder? Etwas geht da vor. Etwas Schlimmes.«

»Natürlich ist das nicht nur Einbildung. Würde Hiram Newsome dich auf Abwege führen?«

»Jedenfalls weiß ich, dass *du's* nicht tun würdest.«

»Na ja, das ist wirklich schade für dich.« Sie nahm das Glas Mineralwasser und leerte es in einem Zug. »Ich trinke selten so viel«, sagte sie. »Nur Weißwein zum Abendessen. Ich habe nämlich einen empfindlichen Magen. Und Darm.« Sie setzte ihr Glas mit lautem Knall ab; ein Eiswürfel flog auf die Theke. »Über Biohacker wissen wir schon seit mindestens 2000 Bescheid, aber in den letzten zehn Jahren haben sie sich unvorstellbar weit verbreitet und immer mehr Einfluss bekommen. Sie haben Journale, Websites, sie tauschen kleine Geschäftstricks miteinander aus. Inzwischen kann man für fünf Riesen einen Gen-Sequencer bei eBay kaufen. Mit Hilfe von Online-Rezepten kann man selbst die gewünschte RNA oder DNA herstellen. Und das bedeutet, dass man auch Viren in die Welt setzen kann – echte, keine Computerviren –, einschließlich Pocken- und Ebola-Viren. Man kann Plasmide schaffen, die ganz normale Bakterien in Killer verwandeln. Wahrscheinlich war Amerithrax einer der ersten Biohacker, die zu Killern wurden. Nur waren wir zu blind, um das zu erkennen. Und jetzt ist so was international verbreitet. Es werden Menschen sterben, ohne dass wir es verhindern können. Derzeit konzentrieren wir uns auf eine einzige nukleare Explosion und jagen immer noch alten Albträumen hinterher. Aber irgendein verrücktes Arschloch, dem Atombomben scheißegal sind, hat etwas vor, was Hunderte Millionen von Menschen töten könnte. Und in sechs Monaten oder auch in zwölf – falls einer von uns dann noch lebt – wird die Dienstaufsicht des FBI uns zusammenstauchen und darüber aussagen lassen, wie das FBI eine weitere Superchance vermasselt hat. Und die kleinen Tiere im Abgeordnetenhaus werden sich an unseren Kadavern laben – falls von denen noch jemand am Leben ist. Vielleicht hab ich mich bis dahin in die Frühverrentung verdrücke und ertrinke beim Fischen in einem See in Minnesota. Aber dir, lieber Junge, wird das nicht helfen.«

»Quatsch«, sagte William.

»Du wagst es, einer betrunkenen deprimierten Lady zu widersprechen?«, fragte Rebecca mit eindringlichem Blick.

»Das sind keine angenehmen Zukunftsaussichten. Wie soll man tausend Computerfreaks mit Killerinstinkten dingfest machen?«

»Ich will ja auch nur einen finden – einen einzigen – und ein Exempel an ihm statuieren.« Ihr Handy meldete sich. Sie setzte eine Lesebrille auf – William sah das bei ihr zum ersten Mal –, hielt das kleine Display auf Armlänge von sich weg und las den Text. »Mein Gott!«

»Was ist los?«

»Sie haben Hiram Newsome geschasst. Der Direktor ist dabei, das FBI von den altbewährten Schnüfflern zu säubern.« Als sie die Nachricht über den kleinen Bildschirm laufen ließ, wurde ihr Gesicht grau. »Ich muss mal für kleine Mädchen.«

Während William allein an der Theke saß, kam das Essen, aber ihm war der Appetit vergangen. Dennoch griff er nach einem Hähnchenschlegel und tunkte ihn, da er Blue Cheese verabscheute, in seinen Tomatensaft, weil er hoffte, das werde ihm ein bisschen die Schärfe nehmen. Das war ein Irrtum, aber dafür sorgte das Bratenfett dafür, dass der Saft jetzt ungenießbar war.

Zehn Minuten später kehrte Rebecca zurück. »Hab mir den Finger in den Hals gesteckt und alles wieder ausgekotzt«, teilte sie ihm mit. »Ein alter Trick aus meiner Studienzeit, wenn wir uns besoffen haben. Du solltest das auch tun.«

William schüttelte den Kopf. Noch nie hatte er Rebecca Rose so aufgelöst gesehen. Selbst damals nicht, als ihre Bluse halb zerfetzt war, die Sprinkleranlage sie völlig durchnässt hatte und sie einen Ringkampf mit einem Mann geführt hatte, der fünfundzwanzig Jahre jünger war als sie. Es machte ihn innerlich ganz krank.

»Haben Sie Kaffee da?«, rief Rebecca der Bedienung zu.

»Immer«, erwiderte sie vom anderen Ende der Theke her.

»Wir werden jetzt diverse Anrufe tätigen«, erklärte Rebecca. »Du redest mit New Jersey und teilst denen mit, dass du auf dem Weg bist. Schlag keine Wellen. Und erwähne in deinem Lebenslauf bloß nicht News oder mich.«

»Ist die Sache schon offiziell?«

»Reuters und AP haben's verbreitet. Keller hat es sicher kommen sehen.«

Die Bedienung brachte zwei Becher und eine Kaffeekanne aus rostfreiem Stahl. »Ich tu doch alles für Leute, die schlecht drauf sind«, sagte sie und zwinkerte William zu.

Kapitel 42

Silesia, Ohio

Als der Morgen heraufdämmerte, spazierte Sam durch den Park, um ein letztes Mal zu überprüfen, aus welcher Richtung der Wind wehte. Klarer Himmel. Ein leichtes, nach Gras duftendes Lüftchen aus Nordwest, vier oder fünf Knoten: mildes, ideales Wetter. Die Dispersionswolke würde schön aussehen, ein anmutiger Fächer, der sich langsam über mindestens acht Quadratkilometer der Stadt Silesia senken würde. Dass die Town-Talk-Bäckerei unmittelbar im Zentrum der Wolke liegen würde, war seiner Meinung nach ein Vorteil.

Um diese Art von Botschaft – seine ganz persönliche Botschaft – zu verbreiten, musste man große Fleischmengen in ihrer Substanz verändern. Verdorbenes Fleisch, das anderes Fleisch tötete.

Fleisch erzeugt weiteres Fleisch. Rohes Fleisch infiziert in seiner Verdorbenheit weiteres Fleisch. Am Ende werden sie sich alle in bloßes Fleisch verwandeln.

Das hier ist im Vergleich dazu eine freundliche Tat.

In übler, unentschlossener Stimmung kehrte er zum Lastwagen zurück. Er hatte so heftige Attacken von Zweifel, dass sich in seinem Kopf alles drehte. Aus dem Handschuhfach des Wagens holte er eine in Folie gewickelte Packung mit Ginkgo-Biloba-Kapseln, schluckte drei und spülte mit Mineralwasser nach. Bloßer Aberglaube, wie er annahm. Er konnte nicht mal sicher sein, dass er sich angesteckt hatte. Aber was, wenn er tatsächlich infiziert war? Dann würde ihn die eigene Motivation, die eigene Überzeugung, selbst eine psychisch bedingte Nervenkrise aus der Bahn werfen können. Dabei brauchte er nur noch ein paar

Wochen Zeit. Danach würde sich ein gnädiger Vorhang über ihn senken, und er würde sich in das Schicksal ergeben können, dass er so vielen anderen Menschen zugedacht hatte und an ihnen vollstrecken würde.

Erneut nahm er sich die Flugtickets und das Plastikpäckchen mit Pässen vor. Von Cleveland nach New York, von New York nach Jordanien und von Jordanien mit einer Chartermaschine nach Dschidda. Die RFID – mit Funkfrequenz arbeitende Identitätsmarkierungen, die medizinische wie persönliche Informationen und sogar DNA-Marker enthielten, hatte er in all seinen Pässen umfrisiert. Für die Homeland Security und jede ausländische Regierung, die ihn überprüfte, würde er ein anderer Mann sein, der auf keiner Fahndungsliste stand.

Als Erwachsener hatte er sein persönlichstes und geheimstes Merkmal, den tollen genetischen Zufall, den er seiner Mutter verdankte, als eine Art Rückversicherung meistens vor anderen verborgen; angesichts einer komplizierten Welt, in der die meisten Menschen vor den schrecklich neugierigen Behörden kaum noch etwas geheim halten konnten, hatte er auf diese Weise im Notfall noch ein Ass im Ärmel.

Natürlich bestand immer noch ein Restrisiko, allerdings ein erheblich reduziertes.

Ein Auge blau, das andere grün. Wer konnte das ahnen?

Er setzte zurück und zurrte die Plane über dem Anhänger fest. Danach kletterte er hinauf und inspizierte durch die weite Öffnung im Dach den »Wasserwerfer«. Jedes Abschussrohr war mit einem Plastikdeckel verschlossen, der zusätzlich mit Klebeband gesichert war. Er öffnete die Hecktür, schlängelte sich an der Abschussanlage vorbei und entfernte alle Deckel, wobei er darauf achtete, nicht gegen die Rohre zu stoßen. Die spätsommerliche Luft war trocken, aber nicht zu trocken. Statische Aufladungen würden wahrscheinlich kein Problem darstellen, aber man konnte nie wissen.

Danach nahm er das Steuergerät für die Abschussanlage, ein Schaltkästchen, aus der Verpackung und verkabelte es mit der

Basis der Anlage. Als er einen Kippschalter der Steuerung umlegte und den Pointer über die zwanzig angeschlossenen Kontaktpunkte gleiten ließ, leuchteten unten an jedem Rohr rote Dioden auf, flackerten und verblassten bald darauf.

Zum Abschuss reichte es, den Schalter umzulegen und die Kontakte zu aktivieren.

Sam löste das Anschlusskabel, rollte es zusammen, klebte es mit Velcro unten am Schaltkästchen fest und verstaute das Gerät im Wagensitz. Mit steifen Beinen und zitternden Händen entkoppelte er den Anhänger, lenkte die kalibrierte Stützverstrebung unter die Achse und manövrierte den Anhänger einige Zentimeter zurück, bis er im gewünschten Winkel stand. Noch in der letzten Minute vor dem Abschuss würde er den Anhänger leicht herumdrehen und – je nach Windrichtung und Windstärke – ein paar Grad nach rechts oder links dirigieren können. Die nötigen Parameter hatte er schon vor Monaten berechnet.

Der Park war fast menschenleer. Ganz hinten entdeckte er einen älteren Mann, der seinen weißen Scotchterrier Gassi führte. Es würde ein paarmal laut knallen und kreischende Geräusche geben. Danach würden Sterne auf einen Schlag am Himmel explodieren und ein Muster bilden. Die Glaskügelchen, Lehmbrocken und das Talkumpuder würden wohl schneller niedergehen als die eigentliche Sprengladung, sanft auf einige Dächer prasseln und durch die Regenrinnen nach unten sickern.

Er war schon im Lastwagen, als ihm die Äste am Straßenrand auffielen: Sie schaukelten viel heftiger als ihm lieb sein konnte. Mit gerunzelter Stirn blickte er durch die Windschutzscheibe, machte die Tür auf und streckte einen Finger in die auffrischende Brise. Der Wind hatte sich gedreht und blies mit zehn bis fünfzehn Knoten aus südlicher Richtung. Selbst wenn er den Anhänger in einen entsprechenden Winkel manövrierte: Wenn er die Sprengladung jetzt abschoss, konnte es passieren, dass sich der Wind erneut drehte. Und dann würde die giftige Streuwolke sich lediglich über die Kornfelder und unbebauten Parzellen nördlich der Stadt ergießen.

Er kehrte zum Lastwagen zurück und wartete eine Stunde. Nach sechzig Minuten drehte der Wind sich immer noch hin und her – unmögliche Bedingungen für sein Vorhaben. Er schaltete das Radio ein: Für die nächsten ein, zwei Tage sagte die örtliche Wetterstation Turbulenzen voraus. Möglicherweise bedeute das eine vorübergehende Schlechtwetterfront und Regenschauer am späten Abend.

Sam schloss die Augen. Danach zog er die Antenne des Schaltkästchens ein, stieg aus, kuppelte den Anhänger wieder in Normalstellung ein und verstaute die kalibrierte Stützverstrebung.

Gott wollte es nicht zulassen. Jedenfalls nicht jetzt, nicht an diesem Morgen.

Nach all der Zeit muss ich endlich zuhören. Muss Geduld bewahren.

Kapitel 43

Man sagt, dass
Man sagt, dass dann, wenn der vordere Teil des Gehirns gegen den hinteren Teil gedrückt wird
(M a n sagt das gar nicht; wer redet hier überhaupt?)
Man sagt, dass das Bewusstsein, wenn so etwas geschieht, sich in den Hirnstamm zurückzieht, in die Wirbelsäule wandert und in deinem Arsch landet. Ich kann überhaupt nichts riechen, nur diesen fortwährenden Gestank von saurem Blut und Scheiße. Alles wäre eigentlich ganz egal, wenn ich bloß etwas anderes riechen könnte. Aber eigentlich habe ich ja gar keine Nase mehr, oder? Also ist das was, das man als Phantomglied, Phantomorgan oder so ähnlich bezeichnet. Und vielleicht ist es dasselbe mit meinem Gehirn. Jetzt, wo es zerquetscht ist, ist es ein Phantomgehirn und kann wehtun, stechen oder Albträume für real halten und tun, was immer ihm gefällt, verdammt noch mal.
Was für ein Schlamassel!

»Hallo, Agent Griffin.«
Das war jemand, den er wahrscheinlich nicht kannte. Stand vor dem Bett und blockierte die Sicht auf den interessanten Teil des Zimmers, den Teil mit dem Fernseher. Wenn der Fernseher ausgeschaltet und die Sicht darauf nicht verstellt war, konnte er auf diesem uralten leeren Bildschirm alles, was er wollte, nochmals abspulen lassen. Normalerweise führte er sich einfach Szenen von den ersten Verabredungen mit Mädchen vor Augen, die Zeit in der High School. Rief sich ins Gedächtnis, wie sie sich nach dem Schulabschluss besoffen hatten, in

den Autounfall geraten waren, bei dem seine zukünftige Ehefrau beinahe ums Leben gekommen wäre. Wie sie im Straßengraben neben dem Wagen lachend und weinend auf und ab marschiert waren und danach die Bierflaschen und die noch halb volle Flasche Wild Turkey Bourbon vergraben hatten, ehe der Sheriff auftauchte. Das war in Silesia, Ohio gewesen, Gott habe das Kaff selig.

Nein, stimmt ja gar nicht. Du bist mal durch Silesia durchgefahren, aber der Unfall ist nicht dort passiert. Jemand steht vor dem Fernsehschirm, und jetzt kann ich nicht mehr deutlich sehen, wo wir diesen Unfall hatten, Georgina und ich, als wir noch jung waren. William ist nie so dumm oder so wild gewesen. Jedenfalls hat er mir nie von so was erzählt.

Es war gar nicht in Silesia, Ohio, es war in …

»Hallo Griff, ich bin's, Kerry Markham, Deputy Markham. Ich bin hier, weil ich Ihnen sagen möchte …«

Die kommen pünktlich jede Stunde hier vorbei, um mich zu kontrollieren. Ich liege denen als grässliches Schicksal auf der Seele. Während ich ins tiefe Meer abtauche, ist ein Anker an meinen Fuß gekettet.

Was, zum Teufel, ist in Silesia passiert? Es war der vierte Juli, und die haben Feuerwerk entzündet. Nein. Das hab ich ja gar nicht gesehen.

Kerry Markham. An die jüngsten Ereignisse kann ich mich noch erinnern, das sollte ich nutzen. Ich kann den Fernseher jetzt sehen. Da sind Georgina und ich am Stadtrand von Duluth. Ich hatte Recht. Es war gar nicht in Ohio.

Kerry Markham redete immer noch. Griff beschloss, zur Abwechslung mal zuzuhören. »Es tut mir leid. Mein Gott, es tut mir wirklich leid, dass es Sie und all die anderen Leute getroffen hat. Ich wünschte, er hätte mich gleich am Anfang umgelegt, mich anstelle von Ihnen erwischt. Die Bombe und all das. Das hat die ganze Zeit an mir genagt und mich leicht verrückt gemacht, falls Sie wissen, was ich damit sagen will. Ich verliere derzeit so leicht den Faden. Ich dachte, wenn ich das nur wieder in Ordnung bringen könnte … würde ich alles wieder bekommen. Mein *Mojo*, meine alte Stärke und Kraft.«

Also, was, zum Teufel, soll das mit Silesia? Ich weiß nur noch, dass es da viele Kirchen gab. Als wir durch den Ort gefahren sind, hat Georgina im Triple-A-System recherchiert und mir erzählt, dass das Guinness-Buch der Rekorde Silesia als die Stadt aufführt, in der es mehr Kirchen pro Einwohner gibt als irgendwo sonst im Land. Das ist schon verblüffend; man würde doch annehmen, dass es eher irgendwo im Süden so ist. Ich sollte das notieren.

Griff nahm den großen Filzschreiber in die Hand.

ESIA SILESIA OHIO

kritzelte er auf den Schreibblock.

Dieser Mann, Kerry Markham – der Farbe der Uniform nach gehörte er zum Büro des Sheriffs in Snohomish County – griff danach und musterte die Notiz. »In letzter Zeit hab ich mir auch viel notiert, damit ich am Ball bleibe«, bemerkte Markham. »Weil ich so leicht den Faden verliere.« Er rieb sich den Hals und kicherte. »Eigentlich dürfte es doch nicht sein, dass ich schon so früh, in so jungem Alter, den Verstand verliere, oder? Meinen Verstand und das Gedächtnis.«

Als der Filzschreiber zu Boden fiel, begann Griff wieder, auf den leeren Fernsehschirm zu starren, bis eine Krankenschwester hereinkam, sah, wohin er blickte, und den Fernseher einschaltete.

Inzwischen war der Deputy schon wieder verschwunden.

Griffs Gedanken vernebelten sich. Seine Hand kritzelte Unentwirrbares, bis die Krankenschwester ihm den Filzschreiber und den Block wegnahm und auf den Tisch legte.

»Das reicht jetzt«, sagte sie.

William nahm auf einem Stuhl im Krankenzimmer Platz und sah den Stapel der jüngsten Kritzeleien und Wortfetzen durch. Rebecca war auf dem Gang; sie hatte die letzten zwei Stunden herumtelefoniert. Beide hatten ausgecheckt, die Reisetaschen waren gepackt, und sie befanden sich auf »Abruf« – wie es Griff früher genannt hatte, wenn man einsatzbereit war.

Griff lag mit dem Plastikschutz über dem Gesicht da. Sein Mund war endlich frei von Röhren. Neue Tupfen blassgrüner Heilsalbe, die das Zellwachstum anregen sollten, waren über seine Wangen und die Nase verteilt. Die Finger seines hochgebundenen Arms zuckten, was nach Auskunft der Ärzte ein gutes Zeichen war, aber die Hand des freien Arms war zur Faust geballt und lag wie ein toter Käfer da.

William berührte die Faust.

»Silesia, Ohio – was bedeutet das, Griff?«

Griff blickte in Williams Richtung. »Kirchen«, sagte er und sah sofort wieder auf den Fernseher, der knapp unter der Zimmerdecke angebracht und ohne Ton lief. Als Griffs Lippen sich bewegten, schob William das Gesicht in Griffs Blickrichtung. »Hallo, Griff?«

»Ausschalten«, sagte Griff so leise, dass es nicht einmal ein Flüstern war.

»Den Fernseher? Klar.« William benutzte die Fernbedienung am Bettrand, um das Gerät auszuschalten. Griff starrte weiter auf den leeren Bildschirm.

Wäre das Gesicht seines Vaters fähig gewesen, Mienenspiele zu zeigen, hätte er jetzt vielleicht vor Konzentration die Stirn gerunzelt, wie William annahm. So viel war seinen Augen anzusehen.

»Zerrissen«, flüsterte Griff. Seine Hand entspannte sich und begann sich zu bewegen. Die Augen wanderten nach links, zur Hand. Gleich darauf sah er William zum ersten Mal an. »Karte.«

»Zerrissene Karte«, sagte William.

»In der Scheune. Silesia.«

»Karte von Silesia … in der Scheune.«

»Kirchen«, sagte Griff und starrte wieder auf den Fernsehschirm.

»Möchtest du, dass ich den Fernseher einschalte?«

»Nein.«

»Möchtest du schlafen?«

Rebecca kam ins Zimmer und stellte sich neben William. Griff schien es gar nicht zu registrieren. Er löste die Faust und wackelte mit den Fingern. »Schreiben.«

William legte ihm den Filzschreiber in die Hand und gab ihm den Schreibblock zurück. Griff begann zu kritzeln. »Das Sprechen tut ihm noch weh«, sagte William.

»Ich frag mich, was ihm nicht wehtut«, bemerkte Rebecca.

JDEN SILESIA 0 schrieb Griff.

»Juden«, sagte William.

Griff zog einen deutlich zu erkennenden Schrägstrich durch das 0, um klar zu machen, dass er eine Null meinte. Null Juden in Silesia.

»Und weiter?«

CHRSTN schrieb Griff. Und gleich darauf JDEN.

»Christen und Juden.«

X SIE ALLE

»Sie meinen damit wohl kaum, dass man sie alle küssen soll, oder?« Rebecca rückte näher heran. »Griff, ich möchte Ihnen gern sagen, was wir zu wissen glauben. Malen Sie einfach einen Schrägstrich, wenn Sie zustimmen, und einen Kreis, wenn Sie anderer Meinung sind, einverstanden?«

Griff malte einen Schrägstrich.

»Sie glauben also, dass der Patriarch schlicht und einfach Juden töten wollte. Wo auch immer.«

Ein Schrägstrich, gefolgt von AUCH CHRSTN.

»Ohne Ansehen der Person«, sagte William.

Ein Schrägstrich, danach ein Kreis. Griffs ganzer Arm zitterte mittlerweile so, dass das Geschriebene jetzt noch schwerer zu lesen war.

JDEN CHRSTN

»Also gut«, sagte Rebecca und starrte mit gerunzelter Stirn und konzentriertem Blick auf das Blatt.

ALLE

Inzwischen schrieb Griff schon auf der Bettdecke weiter. William hielt Griffs Hand zurück und ersetzte den Block durch einen neuen, den er einer Schachtel unter dem Bett entnahm.

JDEN CHRSTN

»Das schließt offenbar alle ein, Griff«, sagte William. »Wie kommt Silesia dabei ins Spiel?«

JDEN AUS ANST FAMIL

Gleich darauf: ALLE AUCH KNDER JDEN

»Kapiert.«

Danach: SILESIA DIE MEISTN KIRCHN

Unmittelbar unter dem Haaransatz war Griffs Stirn mit Schweißperlen übersät. Bis auf die Augen und Lippen war es der einzige Teil des Gesichts, der nicht mit Heilsalbe überzogen war.

»Also gut: Silesia«, sagte William. »Hat die meisten ... hat die größte Anzahl von Kirchen.«

Mit schnellen, jetzt festen Strichen, die eine halbe Seite füllten, schrieb Griff

NAH DRAN

»Nah dran, aber noch nicht ins Schwarze getroffen«, sagte William. »Der Patriarch hat Juden und Christen gehasst. So weit kann ich dir folgen, das kann ich dir abnehmen. Er wollte jede Menge Hass verbreiten, stimmt's, Griff?«

WARUM KARTE

»Gute Frage«, sagte William. »Auf dem Video ist sie zwar nicht zu sehen, aber schließlich war die Übertragung ja oft gestört.«

Der Filzschreiber ging hin und her, aber es war nur noch Gekritzel auszumachen.

»Griff?«, fragte Rebecca.

Er konnte die Augen nicht mehr offen halten, um auf den Fernseher zu blicken. Vielleicht war das auch besser so. Der leere Bildschirm saugte sein Gedächtnis auf. Er wusste nicht, ob sein Sohn und die Frau noch da waren oder nicht. Die Frau kam ihm bekannt vor. Er fragte sich, ob sie vielleicht seine Frau war. Nein, wahrscheinlich nicht. Zu jung.

Das Komische war, dass seine Erinnerungen in so großen Teilen ausfielen. Er spürte förmlich, wie sie sich aus seinem Gedächtnis lösten. Der ganze Vorgang war fast angenehm. Das

Schlechte verabschiedete sich genauso von ihm wie das Gute. Das, was ihn gepiesackt hatte, genau wie das, was ihm ein Hochgefühl gegeben hatte. Und die älteren Erinnerungen verblassten am schnellsten.

»Er schläft.«

Vor dem Krankenhaus schüttelte Rebecca William die Hand. In dem trüben Licht wirkte sie zehn Jahre älter als am Vortag. »Oh«, sagte sie. »Gib mir noch deine Quittungen.«

Er griff in die Jackentasche und reichte ihr den Umschlag.

»Das FBI will immer Papiere sehen, auf denen alles einzeln aufgeführt ist. Die Männer vergessen die Belege meistens. Ich kümmere mich darum.«

»Falls es dir weitere Probleme beschert …«

»Nein. Du wurdest einfach mitgeschleift. Danke dafür, dass du so gut mitgespielt hast. Ich freu mich, dass es deinem Vater von Tag zu Tag besser geht. Das ist eigentlich ziemlich erstaunlich.«

»Was hat er deiner Meinung nach sagen wollen – aufgeschrieben, meine ich?«

»Versprengte Erinnerungen.«

»Was, wenn es wirklich etwas mit dem Anthrax zu tun hat?«

»Du hast den Mann gehört: Es gibt kein Anthrax. Erspar dir Kummer und sieh zu, dass du mit deinem Job vorankommst.«

»Aber du hast doch gesagt, es sei nicht bloße Einbildung. Wie kannst du einfach so aufgeben? Egal, was sie im Hauptbüro sagen.«

Rebecca streckte den Arm hoch und fasste ihn bei der Schulter. »Werde bloß nie erwachsen.«

William schüttelte den Kopf. »Die Gefahr besteht wohl kaum.«

Sie stieg ins Taxi, und er schloss die Tür für sie. Während der Wagen die Straße hinunterfuhr, warf sie keinen Blick zurück.

Das war's also, dachte er.

Welch ein Wirrwarr.

Kapitel 44

Nördlicher Irak

Fouads Mutter hatte konfuse Ansichten über den Zwölften Imam gehabt, gespeist von Märchen, die ihr die Großmutter erzählt hatte, und den Geschichten, die sie vielen Büchern und Pamphleten entnommen und sowohl in persischer als auch arabischer Sprache gelesen hatte. »Ja, es stimmt, wir erzählen uns Sagen und Legenden, die vom Exil und vom Warten handeln«, hatte sie einmal gesagt. »Aber was kann das schon schaden?«

Im Lauf der Jahre, die sie in London und den USA verbracht hatte, waren ihre Geschichten immer kunstvoller geworden. Stets hatte sie ihre Erzählungen mit derselben Formulierung begonnen: »Derzeit lebt dieser schöne kleine Junge – gesegnet sei er, Friede sei mit ihm – tagein, tagaus in einem Haus aus Elfenbein und kostbaren Steinen hoch droben auf einem Berg. Seinem Äußeren nach ist er erst fünf Jahre alt, was ein Wunder ist! Doch inzwischen sind schon viele Jahrhunderte vergangen, und die Tauben und muslimischen Dschinns beschützen ihn und bringen den Dörfern und Städten Botschaften von ihm und nehmen Gebete mit zurück. Tag für Tag schreitet er den Umkreis dieses Anwesens ab, das kein Satellit, kein Pilot jemals sehen kann. Und auch kein Flugzeugpassagier. Kein Auge kann dieses Anwesen erblicken, so nahe es auch herankommen mag. Und da oben auf dem Berg ist die Luft so dünn, dass jeder, der in diese Höhe hinaufsteigt, bei seiner Rückkehr alles Geschehene vergessen haben wird. In seinen Gedanken wird jede Erinnerung daran getilgt sein, bis auf den wunderbaren Eindruck, den ein Kind voller Weisheit auf ihn gemacht hat. Ein Kind, das darauf wartet, unter dem Banner al-Mahdis – Friede sei mit ihm und seinen

Nachkommen – die Herrschaft anzutreten. All das haben mir Menschen berichtet, denen ich glaube. Aber dein Vater glaubt ihnen natürlich nicht.«

Sie hatte Fouad auch andere Legenden erzählt, Geschichten über Jesus, der nicht am Kreuz gestorben sei, sondern dessen unzerstörbarer Kern an einem anderen, geschützten Ort auf eine kommende Zeit warte. »Manche sagen, es sei dort wie in diesem Schattenreich zwischen Tod und Leben, allerdings angenehm und schön.« Sie hatte auch davon zu erzählen gewusst, dass Jesus – Friede sei mit ihm – den kleinen Jungen häufig besuchte. Und dann aßen die beiden Mandelkuchen, tranken Kaffee und gesüßten Tee miteinander und lauschten dem Flügelschlag der Tauben und dem Kreischen der Falken und Adler, die ständig über dem Anwesen kreisten. Dann hatte sie die Geschichte noch ergänzt: Auch alle großen Propheten und Männer der Geschichte, die auf ihre Wiederkehr warteten, besuchten den kleinen Jungen, der bis auf den Propheten – Segen und Friede sei mit ihm und seinen Nachkommen – der Größte unter ihnen sei. Sie hatte das Leben dort als ein wundervolles und niemals endendes Gartenfest geschildert, bei dem auch Buddha, Zarathustra und andere Prominente zu Gast waren – Friede sei mit ihnen allen.

Kurz vor ihrem Tod hatte ihr die Alzheimer-Krankheit all diese Geschichten geraubt, und sie hatte weder Fouad noch seinen Vater erkannt. Eine Krankenpflegerin hatte sie versorgt. Einige Monate vor dem Ende hatte sie stundenlang in ein Telefon gesprochen, das nicht angeschlossen gewesen war, und sich mit Verwandten unterhalten, die Fouad nie kennen gelernt hatte, weil sie längst tot waren.

Fouad war zwölf Jahre alt gewesen, als sie gestorben war. Mit dem Gedächtnis seiner Mutter war auch Fouads eh schon angeschlagenes Vertrauen in ihre Geschichten geschwunden. Nur den Kern dieser Legenden hatte er im Herzen bewahrt – den Glauben an Gott und das Gebet. Aber nicht an die Märchen.

Er schob sich mit dem Rücken gegen Harris, der unter der Thermodecke lag und wieder stöhnte, allerdings nicht besonders laut. Wenn Harris wach war, machten ihn die dumpfen, pochenden Schmerzen in Arm und Brustkorb fast verrückt. Die Schmerztabletten schienen kaum zu helfen.

Als Fouad den Morgen heraufdämmern sah, stellte er sich an den Geröllblock und lehnte sich dagegen. Inzwischen waren auf der Ebene, noch weit entfernt, Gestalten zu sehen, die von einer Windhose zur nächsten wanderten. Sie erinnerten ihn an Ameisen zwischen riesigen Seidengespinsten.

Solange es kühl war, würde ihr Wasser noch reichen. Und sie hatten jede Menge zu essen dabei. Aber all das würde keine Rolle mehr spielen, falls die Gestalten da drüben, auf der Ebene, sie entdeckten. Im Mondlicht waren zwei Männer an ihnen vorbeigekommen, nur fünfzig oder sechzig Meter entfernt. Zweifellos hatten sie, ausgehend von den Trümmern des Superhawk, eine Spur verfolgt. Fouad hatte das Schlurfen von Füßen in leichtem Schuhwerk und leise Gespräche auf Farsi gehört.

Deshalb wagte er jetzt nicht, seinen Platz zu verlassen, um zu beten. »*Allahu Akbar. Allahu Akbar*«, sagte er lautlos. Aber das Gebet war ohne die entsprechenden Bewegungen nicht vollständig, also hörte er auf und gelobte stillschweigend, diese Gebete, alle ausgelassenen Gebete, nachzuholen, sobald er einen Ort und Zeit dafür fand. Gott hatte Verständnis und vergab alles.

Fouads Vater war ein strenger, ernster Mann gewesen. Zweifellos hatte er an vielen Intrigen teilgehabt, vielleicht war er sogar jetzt in eine dunkle Sache verstrickt. Dennoch hatte sein Vater das Gebet als unschätzbar wertvolle Gnade im Leben eines Menschen bezeichnet, als den Augenblick, in dem alles andere verblasste und die Seele zur Ruhe kam und Verbindung mit dem alleinigen, einzig wahren Gott aufnahm.

Während der Jahre in Washington D.C. waren sie täglich zur Moschee gegangen und hatten dort gemeinsam gebetet, bis Fouad auf eine Schule in Maryland geschickt worden war.

In den letzten Jugendjahren hatte er das Beten einige Monate lang aufgegeben, jedoch bald festgestellt, dass ihm die Wohltat, sein Herz zu öffnen, fehlte.

Ob man seinen Vater wohl darüber informiert hatte, dass er vermisst wurde?

Harris lag still da. Während er sich zu ihm hinüberrollte, hob Fouad die Decke vorsichtig an, damit er sie seinem Gefährten nicht wegzog. Doch dann merkte er, dass Harris wach war. Sein Gesicht war vom Fieber gerötet.

»Hörst du das?«, flüsterte er. Anfangs hörte Fouad nur den Wind, dann ein Dröhnen in der Ferne, wie von einem großen Motor.

»Aktivier den C-SARB-Chip«, sagte Harris.

Fouad sah sich um, um sicherzugehen, dass ihnen niemand auf den Fersen war. Aber die Gestalten auf der Ebene gingen auf eine andere Anhöhe zu, die ein paar Kilometer westlich lag. Er schaltete das Signal ein.

»Halte Ausschau«, sagte Harris. »Wird ein großes Ding sein. Die werden … ich weiß nicht genau, was … Vermutlich führen sie einen Aufklärungsflug in der Atmosphäre durch und entnehmen Proben, um radioaktiven Niederschlag aufzuspüren. Ein großer Hubschrauber oder ein Flugzeug, begleitet von Jagdfliegern, vielleicht vom Typ F-18 oder F-22. Ich glaube nicht, dass sie nur wegen uns hierher geflogen sind.«

»Sch«, machte Fouad. »Natürlich werden die uns hier rausholen. Du bist wertvoll, genau wie die Proben.«

»Wer, zum Teufel, schert sich schon um ein paar tote Kurden? Die kommen nur, um den radioaktiven Niederschlag jenseits des Iran zu messen.«

Fouad drehte sich um, blickte nach oben und entdeckte den Flieger. Wie Harris angenommen hatte, war es ein sehr großer und schwer bewaffneter Kampfhubschrauber. Er kam aus westlicher Richtung, ging kurz und arrogant ein Stück über den einsamen Gestalten auf der Ebene herunter, aber beschoss sie nicht. Gleich darauf beschleunigte er wieder und flog auf die Hügel zu. Andere Flugzeuge konnte Fouad weder sehen noch hören. Er kroch auf den Rand des Felsvorsprungs zu und ließ Harris im

Schatten des großen Geröllblocks zurück. Jetzt war das Risiko am größten, wie Fouad klar war. Er deaktivierte den C-SARB-Chip nicht, blieb aber, an den Boden gedrückt, in Deckung. Möglich, dass die Gegner in der Nähe Wachposten zurückgelassen hatten, die nur darauf warteten, dass jemand Fouad und Harris zu bergen versuchte.

Während er den immer noch einige Kilometer entfernten Hubschrauber beobachtete, fielen Fouad weitere Einzelheiten der Geschichte ein, die seine Mutter ihm erzählt hatte. »Da dieser mit besonderen Gaben gesegnete Junge dem großen König Angst machte, schickte er Soldaten aus, die alles nach ihm absuchten. Aber sie fanden ihn weder unter der Erde noch in den Städten oder auf den Bergen. Die Tauben verbargen ihn vor jedermanns Blicken, die Dschinns verliehen ihm Unsichtbarkeit, und manchmal konnte selbst sein Vater, der Elfte Imam – Friede sei mit ihm und seinen Nachkommen –, den Jungen nicht aufspüren, wenn er ins Spiel vertieft war ...«

Der C-SARB-Chip würde den Hubschrauber durch sein Signal hierher lenken. Bis zur letzten Minute würde Fouad versuchen, sich so unsichtbar zu machen wie der kleine Junge aus dem Märchen.

Gleich darauf hörte er ein Geräusch, als hätte jemand auf ein kleines Tier getreten. Als Fouad über die Schulter sah, rechnete er damit, einen Raubvogel mit irgendeiner Beute in den Klauen zu erblicken – eine irrationale Hoffnung. Ein Fetzen leichten Stoffs tauchte über dem aufragenden Hügelkamm auf, der ihren Felsvorsprung barg, nur wenige Meter von dem großen Geröllblock entfernt. Mit gezückter Pistole kroch Fouad auf dem Schotter zwischen den Felsen entlang. In den Morgenstunden hatte er nach einem Platz zum Beten Ausschau gehalten und dieses Gebiet dabei gründlich in Augenschein genommen; daher wusste er noch, wo man sich hier am besten verstecken konnte. Die Pistole durfte er nur im äußersten Notfall benutzen, denn damit würde er die Aufmerksamkeit auf sich ziehen. Deshalb zog er das Messer aus der Scheide an seiner Wade.

Ein großer, knochiger, bärtiger Mann in zerlumptem Wüsten-tarnanzug, der sich bis jetzt geduckt hatte, stand auf. Um seinen Kopf hatte er ein schmutziges Tuch geschlungen, das im Nacken herunterbaumelte. Seine Miene drückte grässliche Befriedigung aus. Er sah aus wie ein Metzger, dem die Arbeit Spaß machte. Er streckte Harris' abgetrennten Kopf hoch und begann auf und ab zu hüpfen, vollführte stolz und triumphierend ein Tänzchen. Dabei sang er auf Farsi leise ein Lied vor sich hin, so leise, dass Fouad den Text nicht verstehen konnte.

Er hatte Fouad den Rücken zugewandt.

Fouad verließ die Deckung und rannte hinüber, packte die Hand, in welcher der Mann das Messer hielt, unten am Gelenk, drehte ihm Hand und Arm um und warf ihn schnell zu Boden, auf den Rücken, so wie er es gelernt hatte. Dessen langes, gezacktes Messer flog zur Seite. Der Mann war so verblüfft, dass er nicht einmal ein leises Geräusch hervorbrachte, so wie Harris es von sich gegeben hatte. Als er Fouads Gesicht sah, schien er anzunehmen, er sei ein Freund, der sich einen Scherz erlaubte, indem er mit einem Kampfgenossen einen Ringkampf anfing. Und tatsächlich lächelte Fouad ihm beruhigend zu. Während er dem Mann eine Hand über den Mund legte, stieß er mit der anderen zu. Er ließ sein Messer direkt hinter den hervorstehenden Adamsapfel des Mannes gleiten, drehte es seitwärts, zog es hoch und drehte es nochmals herum. Der Mann zitterte wie ein Lamm und starrte in stillem Entsetzen nach oben. Er verlor zwar viel Blut, aber es sickerte in einem steten Strom heraus, ohne heftige Spritzer oder Strahlen.

Nach und nach nahm das Gesicht des Sterbenden einen schläfrigen, gelassenen Ausdruck an. Das Zittern legte sich, stattdessen zuckte er nur noch leicht.

Fouad empfand nichts, bis auf einen unbestimmten Ekel vor einer Tat, die so dumm und bösartig gewesen war wie das Verhalten eines Idioten, der Kätzchen oder Vögel quält. Sein Vater hatte wenig übrig für die Anhänger des *Dschihad* oder jene in der *Umma*, die sie unterstützten. »Die werden noch dafür sorgen, dass wir alle umgebracht werden«, hatte er nach *9/11* beim Abendessen geknurrt. »Denen liegt weder der Islam noch Allah am Herzen. Sie sind wie Schakale, die am Fuß eines Tigers herumknabbern.«

Jetzt verstand Fouad, was er gemeint hatte. Er zog das Messer heraus. Der Mann, der aus Freude über die vollbrachte Tat gegrinst und getanzt hatte, wirkte jetzt im Frieden mit sich, zeigte den Ausdruck, der dadurch ausgelöst wird, dass alles Blut aus dem Gehirn gewichen ist. Seine Augen sanken ein. Harris' Kopf war zwei Meter weiter gerollt und lag mit dem Gesicht nach unten auf dem Boden, ein schrecklicher Anblick.

Wenige Minuten später, als die Rotoren des Hubschraubers viel Wind machten, verließ Fouad sein Opfer und stolperte über die Felsen, um Harris' Kopf wieder mit dem Körper zu vereinen. Er schwenkte die Arme und begann zu weinen.

Innerlich fühlte er sich ganz leer. Selbst als die große Maschine landete, kam es ihm so vor, als wäre er völlig und für alle Zeiten auf sich gestellt. Er konnte sich das Gesicht seiner Mutter nicht mehr vor Augen rufen. Gott war nicht bei ihm und würde es auch nie wieder sein.

Kapitel 45

Sam ließ den Pointer über die elektrischen Kontakte gleiten.

Die Feuersäule stieg in den jungen Morgen empor, kurz und mit viel Rauch. In einer Höhe von etwas mehr als sechshundert Metern explodierten zwanzig Raketen über dem kleinen Park und erblühten zu Sternen. Sie bildeten eine gekrümmte Linie, deren höchster Punkt im Osten, der niedrigste im Norden lag.

Da nach den lauten Explosionen sofort wieder Ruhe und Stille einkehrte, ging Sam nicht davon aus, dass es viel Aufregung geben würde. Und sicher würde nichts die Aufmerksamkeit auf *ihn* lenken. Bestimmt hatten nur wenige Menschen die Blitze vor der Morgendämmerung gesehen und sich darüber gewundert. Möglich, dass ein paar Leute die Polizei benachrichtigten und die einen Bericht aufgenommen hatte. Vielleicht würde die Polizei auch einen Streifenwagen losschicken, um nach dem Rechten zu sehen.

Sam schloss das Verdeck über dem Anhänger, streifte die Schutzmaske über, zurrte sie fest und setzte sich hinter das Lenkrad des Dodge. Einige Minuten lang fuhr er direkt in den Wind hinein, dann schlug er einen Bogen darum, nahm die Schnellstraße und wandte sich nach Osten.

Er biss die Zähne zusammen und stellte sich vor, wie die Wolkenfetzen mit dem unsichtbaren, überaus feinen Staub über Silesia niedergingen; wie sie dahintrieben, sich senkten, wieder emporstiegen, sich meilenweit verteilten und den Staub niederregnen ließen. Einige Menschen, nicht viele, würden hören, wie die Glaskügelchen auf ihre Hausdächer prasselten.

Ein kleines Geschenk, zugedacht den Zornigen, den Selbstgerechten, den religiösen Fanatikern, den Ungeheuern. Ein Geschenk, das aus winzigen Teilchen bestand.

Es war so einfach gewesen.

Und es hatte funktioniert.

Erinnerungen **Dritter Teil**

Kapitel 46

Trenton, New Jersey · Oktober

Inmitten von sechs ständig wachsenden Haufen aussortierten Mülls stand William Griffin in einer Tiefgarage und wischte sich mit dem Ärmel über die Stirn. Er konnte nicht unter die Schutzmaske greifen, um sich die Nase zu schnäuzen, die fortwährend lief. Weder die Maske noch jede Menge Creme vermochten den Gestank zu überdecken. In dem zwölfstöckigen Gebäude über der Garage waren drei Restaurants und zweiundfünfzig gewerbliche Unternehmen untergebracht, die jeden Tag mindestens vier Tonnen Müll produzierten. Durch drei Müllschlucker – Rutschen in den Keller – wurde der Abfall in drei große Müllcontainer befördert, die aufgereiht in einer durch Ketten abgesicherten Nische standen. Alle zwei Tage wurde der Müll abgeholt. Da der Müll jetzt schon fast zwei Tage lagerte, quollen die Container bereits über. Und irgendwo in den Haufen würden sie vielleicht auf einen Kaffeebecher aus Pappe, abgenagte Hühnerknochen, einen Kassenzettel, ein Photo oder einen versehentlich nicht geschredderten Papierstoß stoßen, die in archäologischer Hinsicht eine enge Verbindung miteinander eingegangen waren, und dabei genau den richtigen Satz von DNA oder Fingerabdrücke finden, um damit vier kriminelle Thais des Prostitutionsgeschäfts mit Minderjährigen zu überführen. Gegenwärtig befanden sich die Thais im Gewahrsam des Grenzschutzes.

Zehnjährige Prostituierte.

Neunjährige.

Fünfjährige.

Schon nach zwei Monaten in New Jersey war William jedes

Hochgefühl abhanden gekommen. Das hier war grässliche Arbeit, Schweinearbeit. Man wollte die Einzelheiten darüber, wie das Leben spielte und woraus es bestand, am liebsten gar nicht wissen, sofern man nicht ein hart gesottener Polizist war – und selbst dann tat es einem hinterher leid. Und wie mager die Belohnungen dafür auch sein mochten – dass man Kinder sah, die in die Lebensbedingungen zurückgeschickt wurden, die ihre Eltern von Anfang an als unerträglich empfunden hatten –, die Arbeit musste getan werden. Damit die Kollegen Achtung vor einem bewahrten.

Die Anzahl erfolgreicher Festnahmen und Strafverfolgungen würde nie der Zahl der vermuteten Verbrechen entsprechen. Aber sobald man solche Dinge gründlich und aus eigener Anschauung kannte, gab es kein Zurück mehr. Die Tür würde sich niemals schließen. Wie in einem Krieg ging der Teamgeist des Einsatzkommandos über alles.

Und das galt besonders in diesen letzten Phasen der politischen Zermürbung.

William hatte die Überschrift inmitten der Online-Schlagzeilen der *New York Times* gelesen:

SENAT UND ABGEORDNETENHAUS
VERHÄNGEN TODESURTEIL ÜBER FBI

William nahm einen langen Stock, um in dem Papierabfall aus den Büros herumzustochern, den er auf der linken Seite deponiert hatte. Die kalte Neonbeleuchtung der Tiefgarage sorgte dafür, dass alles, was man durch die Schutzmasken hindurch sehen konnte, widerlich aussah. Manche Agenten trugen dicht abschließende Skibrillen, Tyvek-Anzüge aus Polyethylenfasern und eine komplette Luftfilterausrüstung, wenn sie durch diesen Müll wateten, der zusätzlich durch unsortierte Essensreste der Restaurants verseucht war – widergesetzlich, wie sich herausgestellt hatte. Tierischer Abfall sollte eigentlich in einem speziellen Müllschlucker gesammelt werden, später zu einer Wiederverwertungsanlage befördert werden und in Form winziger Seifenstücke für den Hotelbedarf in den Kreislauf zurückkehren. Aber der tierische Abfall war mit Gemüseresten und sogar altem Öl vermischt, und die ganze Ladung war zusammen mit dem Müll aus den Büros und Wohnungen in den Containern gelandet. Schon vor langer Zeit hatte William sich eine grundlegende Polizistenweisheit zu Eigen gemacht: Manche Menschen, nein, eigentlich sehr viele, zeigten in ihrem Leben kaum mehr Verantwortungsgefühl und Schuldbewusstsein als irgendein Käfer. Sie waren nur darauf aus, ihre zufällig notwendigen Gänge auf ein Minimum an Entfernung und Mühe zu beschränken, und hofften, damit durchzukommen. Ihnen ging es in erster Linie darum, schnell nach Hause zurückzukehren, sich vor ihren Fernseher mit Satellitenschüssel zu hocken oder Rabatte für Waren zu erwerben, indem sie sich vertraglich verpflichteten, sich auch noch nachts, im Schlaf, von Werbung berieseln zu lassen.

Aufgrund der fünf Jahre im New Yorker Polizeidienst sah William das Leben schon seit längerem ziemlich düster, aber bisher war es ein konzentrierter Blick gewesen. Jetzt, ganz unten in der dünnen FBI-Hierarchie Newarks, verwischte sich dieser Blick mehr und mehr und hatte zahlreiche Facetten. Es war der Blick einer zerquetschten Fliege. Aber so war es nun mal. Die besten Jobs waren auch die schwierigsten. Jedenfalls versuchte er sich das einzureden, wenn die Schinderei überhand nahm. Warum sollte irgendjemand Vergnügen daran finden, hier herumzuwühlen und solche Arbeit zu verrichten? Da war es ja fast noch besser, im Büro des Leichenbeschauers zu arbeiten und verwesende Kadaver zu sezieren.

»He, Tracer, alter Spürhund, gerade hatte ich meine sentimentalen fünf Minuten«, rief er über die Abfallberge hinweg Tracy Warnow zu, der in etwa so gebaut und so alt war wie er. Vor ein paar Wochen hatte man sie die *Blues Brothers* getauft, doch der Name hatte nicht gezündet, denn keiner von ihnen sah wie Jim Belushi aus.

Fast jeder hier kannte William nur als *TP*, Toilettenpapier. Und Warnow wurde nur Tracer, Spürhund, genannt.

»Lass mich daran teilhaben«, sagte Warnow. »Auch wenn's mir die Tränen in die Augen treibt, kann's nicht schlimmer sein als diese Scheiße.«

»Wobei würdest du lieber mitmachen: bei einer Autopsie oder bei einer Müllsondierung?«

»Bei einer Autopsie, da muss ich gar nicht erst überlegen. Jetzt erzähl mir mal, was das hier ist: Tier, Pflanze oder Mineral?«

William ging um den Papierberg herum und starrte zusammen mit Warnow über den stählernen Rand eines Müllcontainers. Auf dessen Boden klebte eine fettige graue Masse, die sich einfach nicht lösen lassen wollte.

»Schwamm, glaube ich«, meinte William schließlich. »Dem gefällt es hier unten, sieht so aus, als fühle er sich wohl.«

»Würde es unser Leben irgendwie leichter machen, wenn er seine Geheimnisse preisgeben würde?«, fragte Warnow.

»Tüte für alle Fälle ein paar Kubikzentimeter ein. Falls die Masse von einem Menschen stammt, können wir die Proben an die Polizei in Trenton weiterleiten.«

»Ich hab drei Jahre Dienst in New Orleans getan«, bemerkte Davis Gorton, ein teiggesichtiger Mann in den Vierzigern. Er war ein gewissenhafter Gerichtsmediziner, den sie aus Pennsylvania ausgeliehen hatten. »Im Sommer sah nach zwei Tagen alles so aus. Man konnte eine Nutte nicht mehr von einem Schweinekadaver unterscheiden.«

»Sucht ihr nach unbespielten DVDs?«, rief ein Ermittler der Polizeidienststelle Trenton. »Hier drüben liegt ein ganzer Stapel. Sieht so aus, als hätte sie jemand in denselben Müllschacht geworfen, den auch die Thais benutzt haben.«

»Am besten alles eintüten«, sagte Gorton. »Macht mir Spaß, den ganzen Tag Scheiben abzuspulen.«

William hob den Arm, damit sich der Ärmel zurückschob und er auf die Uhr sehen konnte. Es war ein Uhr früh. Sie würden noch nach Sonnenaufgang hier sein. Kaffee half da nicht. Manche Agenten nahmen Zak-Hepsin, eine legale Variante von Tartrat, aber William mochte die Nebenwirkungen nicht, die – zumindest bei ihm – auch bedeuteten, dass er zwei Tage lang einen schlaffen Schwanz hatte. Nicht, dass er in den letzten Wochen viele Gelegenheiten gehabt hätte, in dieser Hinsicht zu versagen.

»Kaffeepause, TP.«

William hatte den stellvertretenden Chef des FBI-Außenbüros Trenton, Gavin North, nicht die Rampe zur Tiefgarage herunterkommen sehen. Er deutete mit dem Arm auf die Müllhaufen. »Verlängern Sie die Qual nicht noch, Sir. Geben Sie uns noch ein paar Stunden. Bis fünf Uhr früh haben wir alles aussortiert.«

»Sie können sich ja kaum noch auf den Beinen halten und die anderen auch nicht. Im ersten Stock haben wir in einem leer stehenden Restaurant einen Pausenraum eingerichtet. Da gibt's Kaffe und ein paar Feldbetten, falls jemand ein Nickerchen machen möchte.« North schwenkte die Hand und pfiff laut. »Das gilt für alle! Eine halbe Stunde.«

Verglichen mit der Tiefgarage war der leer stehende Raum im ersten Stock, der zwar kaum möbliert war, aber sauber roch, ein stilles Paradies. Tresen, Raumteiler und alle Tische bis auf einen waren daraus entfernt worden. Hinten ragten aus einer mit Fettflecken übersäten Wand sanitäre Installationen und Vorrichtungen für die Küche. Zusammengeflicktes Linoleum zeigte, bis wohin sich das Restaurant früher erstreckt hatte. Im hinteren Bereich gab es auch eine Toilette, allerdings waren deren Lampen kaputt, sodass William im Dunkeln pinkeln musste.

Mit geschlossenen Augen legte er sich danach rücklings auf drei Plastikstühle, doch er schaffte es nicht, sich wirklich zu entspannen. Vor kurzem hatte er Formulare unterzeichnet, damit sein Vater wegen seiner Invalidität in ein Pflegeheim verlegt werden konnte – und dabei ging es nicht um einen vorübergehenden Genesungsaufenthalt. Griff war nicht mehr der Vater, den er

361

kannte. Er war nur noch eine leere Hülle, die von jetzt auf nachher lebte, obwohl er sich in körperlicher Hinsicht durchaus erholte. Aber die Erinnerungen an alles, was vor mehr als ein paar Monaten passiert war, waren wie ausgelöscht. Sporadisch tauchte einiges wieder auf und mündete in kurze Gespräche, doch schon nach wenigen Sekunden oder Minuten wirkte alles, was Griff sagte, wieder konfus, und man konnte sich keinen Reim darauf machen.

Und dennoch war Griff glücklicher, als William ihn je erlebt hatte. »Es tut die ganze Zeit weh«, hatte er seinem Sohn in der vergangenen Woche erzählt. »Aber der Schmerz ist nur äußerlich. Diese Art von Schmerz kann ich verkraften.«

Tracer Warnow breitete eine Zeitung aus und sagte: »Hört mal her. Senator Josephson tritt einen Gaul, der eh schon tot am Boden liegt.«

»Wir sind noch nicht tot«, entgegnete William mit seinem besten Monty-Python-Akzent.

»Hört doch mal zu. Das ist besser als Kaffee.«

»Ich will's nicht hören«, erklärte Gorton.

»Bringt das Blut in Wallung.«

»Reich's mal rüber«, sagte William müde.

»Du hast doch dein Handy mit Internetzugang dabei. Sieh selbst nach. Ich ziehe Zeitungen vor. Die gehören noch zu einer Zeit, als alles zivilisierter war.«

William holte sein Handy aus der Jackentasche und scannte die Schlagzeilen von AP und Reuters ein. Über Josephson fand er nichts, stattdessen lauter Nachrichten über die Invasion in Saudi-Arabien. »Hier ist was, das euch das Herz erwärmen wird. ANTI-SAUDISCHE STREITKRÄFTE RÜCKEN NACH RIAD VOR: TAUSENDE FLÜCHTEN.«

»Die Mistkerle treten einen Wirbelsturm los«, bemerkte Gordon. »Mekka ist als Nächstes dran. Heraushalten, kann ich da nur sagen. Ich möchte nicht, dass mein Sohn bei der Verteidigung von König Abdullah fällt.«

William rief weitere Schlagzeilen auf:

GESUNDHEITSMINISTERIUM OHIO GEHT VON
ZUFÄLLIGER HÄUFUNG DER AMNESIE AUS.
IM ÖSTLICHEN BEZIRK SAN DIEGO
BRENNEN TAUSENDE VON HEKTAR. BRÄNDE NOCH
NICHT EINGEDÄMMT. NACH REGENGÜSSEN KÖNNTEN
ÜBERSCHWEMMUNGEN FOLGEN.

Die ganze Welt geht zum Teufel«, grummelte Gorton leise vor
sich hin. Er hatte den letzten hier verbliebenen Picknicktisch
herausgeholt und sich darauf ausgestreckt.

Mit gerunzelter Stirn legte William den Finger auf die Schlagzeile über Ohio. Die Quellendaten besagten, dass der Bericht
vom Vortag und aus Cleveland stammte.

*In Silesia, Ohio, sowie in mindestens fünf Nachbargemeinden
können sich Hunderte von Einwohnern offenbar nicht mehr genau
an Ereignisse erinnern, die vor Jahren oder auch nur vor Monaten
passiert sind. Ein kleiner Teil der Betroffenen zeigt alle Symptome
fortgeschrittener Demenz. Die vielfältigen Ausprägungen der
Krankheit geben den Ärzten Rätsel auf, doch nach Aussage von
Dr. Jackie Soames vom Nationalen Institut für Allergien und an-
steckende Krankheiten scheinen alle Symptome auf Defekte in der
Verarbeitung von Erinnerungen zurückzuführen zu sein. »Offenbar«, so Dr. Soames, »ist das Kurzzeitgedächtnis nicht betroffen.
Unsere Patienten funktionieren in der Hinsicht, dass sie alltägliche
Dinge bewältigen können. Sie können sogar Arbeiten verrichten,
die kein Langzeitgedächtnis erfordern. Allerdings wissen die meisten nur noch wenig von der eigenen Geschichte, soweit es die letzten
Jahre betrifft. Ihnen ist nicht einmal klar, warum sie leben, wo sie
leben oder wie sie zu eigenen Familien gekommen sind.«
Die Hypothesen zu den Ursachen der Krankheit weichen stark
von einander ab. Während einige Wissenschaftler von einer neuen,
bislang unbekannten Virusinfektion ausgehen, glauben andere,
dass es sich hier um eine Variante von BSE handele, allgemein als
›Rinderwahnsinn‹ bekannt …*

William hätte jetzt gern Rebecca angerufen, aber worauf soll-

363

ten sie ein erneutes Eingreifen stützen? War das alles nur ein Zufall? Der Verlust des Gedächtnisses konnte mit Anthrax nichts zu tun haben, da war er sicher.

Er kniff sich in die Nase, um ein Niesen zu unterdrücken, und las danach den Artikel über die Brände im Bezirk San Diego.

»He, Agent Griffin! TP!«

Als er den Kopf hob, sah er Tom Hartland, den Leiter des Newarker FBI-Büros, in der offenen Glastür des leeren Restaurants stehen. »Die Aufseher gewähren Ihnen eine Gnadenfrist. Sie haben einen Freifahrtschein nach Quantico.«

William blickte zu Gordon hinüber, der blöde grinste und neidisch den Kopf schüttelte. Hartland geleitete William zur Straße und zu einem Stabswagen, einem Lincoln, der am gelb markierten Straßenrand wartete.

»Steigen Sie ein.« Hartland schloss den Wagen auf und stieg auf der Fahrerseite ein. »Sagen Sie, Griffin, was wissen Sie eigentlich über Raketen mit Festkörpertreibstoff?«

Kapitel 47

Bethesda, Maryland

Rebecca Rose blieb auf der Steinterrasse vor dem Haus stehen, zupfte ihren langen Kaschmirschal zurecht – ein Luxus, den sie sich am ersten frischen Herbsttag geleistet hatte – und drückte auf den elfenbeinfarbenen Klingelknopf. Hinter der holzgetäfelten Tür schlug eine Glocke an, und sofort begann ein Hund zu bellen. Sie hob einen weißen Papierbeutel mit der Schokoladenschachtel der Marke *See* an, denn Alph neigte dazu, an neuen Gästen hochzuspringen.

Nancy Newsome öffnete die Eingangstür und hielt gleichzeitig einen mittelgroßen Springerspaniel zurück. Sie war silberblond, hatte ein breites Gesicht mit scharfer Nase und hellblauen Augen, angenehme Rundungen und trug selbst zu dieser Abendstunde ein maßgeschneidertes rosafarbenes Kostüm. Sie strahlte über das ganze Gesicht. »Wie schön, dich zu sehen, Rebecca! Hiram hat sich so darauf gefreut. Er ist in seinem Arbeitszimmer.«

Alph war außer sich vor Begrüßungsfreude. Rebecca streichelte ihn, umarmte Nancy kurz und streckte ihr den Beutel hin. »Am besten nur in kleinen Portionen essen.«

»Wie gemein von dir«, sagte Nancy mit verschwörerischer Miene. »Immer, wenn er mir auf die Nerven geht, werde ich ihm das unter die Nase halten. Er wird es zu schätzen wissen. Hiram, meine ich, nicht Alph.« Mit einem weiteren strahlenden Lächeln führte sie Rebecca durch die Vorhalle (klassischer Kolonialstil) und über elegante Perserteppiche (allerdings amerikanischen Fabrikats) ins Arbeitszimmer. »Er wird nur herauskommen, wenn ich ihm sage, dass du's bist.« Sie verzog kritisch die Lippen. »Er sitzt schon seit fünfzehn Uhr an Computer und

Telefon. Ich gebe euch beiden zehn Minuten, dann serviere ich das Abendessen. Schmorbraten. Nur Hausmannskost für einfache Leute.«

»Das möchte ich auf keinen Fall verpassen«, sagte Rebecca. Alph blieb ihr pflichtbewusst auf den Fersen. Der erste Überschwang hatte sich mittlerweile zwar ein wenig gelegt, aber er war mehr als bereit, ihr Gesellschaft zu leisten.

Hiram saß halb im Dunkeln. Ein alter Kathodenstrahl-Bildschirm tauchte sein Gesicht in bleiches Mondlicht. Mit einer Hand hielt er sich einen Telefonhörer ans Ohr, mit der anderen schob er eine Funkmaus auf einem Schaumstoffpolster hin und her, das so alt war, dass die Ränder sich bereits aufgerollt hatten. Der Schreibtisch war mit Stapeln von Computerausdrucken übersät, die lose nach Rubriken sortiert waren: Zeitungsberichte, E-Mails, Kopien irgendwelcher Texte. Das übrige Zimmer – dunkle Holztäfelungen, dazu passendes Mobiliar aus Ahorn, weiße Wände, als Beleuchtung Kristallkugeln in Messingfassungen – war makellos aufgeräumt. Überall an den Wänden hingen Plaketten, gerahmte Fotos und Urkunden.

Als Alph das Bein seines Herrchens mit der Nase anstupste, blickte Hiram auf. Sein Gesicht wirkte so unglücklich wie das eines erzürnten Zeus – wahrscheinlich trug er schon den ganzen Nachmittag diese Miene zur Schau. »Ich bin in der Warteschleife. Ach, was soll's.« Er knallte den Hörer auf. »Hast du Josephsons Geschwätz gehört?«

»Guten Abend, News.« Rebecca zog sich einen zweiten Stuhl heran, um Platz zu nehmen. »Hab's zu vermeiden versucht.«

Mit finsterem Blick drehte Hiram sich auf dem Schreibtischsessel herum. »Dieser Hurensohn. Dieser Sohn einer Schlampe mit Hängebusen und Schweinebauch, die den Männern den Schwanz lutscht.«

»Ganz richtig, Sir.« Rebecca grinste voller Einverständnis.

Plötzlich streckte Hiram den Arm zum Schreibtisch aus und griff nach einem Blatt Papier. »Lies das. Es ist unser Todesurteil.«

Sie hielt den Computerausdruck unter eine Lampe.

»*Wir befinden uns am Ende einer langen, schrecklichen Epoche, in der die bürgerlichen Freiheiten aufgehoben und unterdrückt wurden. Geheime Gerichte, geheime Akten – und all das verbunden mit einer wahren Flut konfuser Ideen, die in keiner Weise dazu beigetragen haben, Amerika zu schützen, wie 10/4 mehr als bewiesen hat. Als wichtigste nationale Einrichtung der Strafverfolgung trägt das FBI eine Mitschuld an vielen Übertretungen der Gesetze, und ich glaube, es ist längst an der Zeit, diesem Treiben ein Ende zu setzen. Mein Vorschlag besteht darin, das FBI von seiner Basis, der Heimstatt radikaler Indoktrination, zu trennen und die talentiertesten und am wenigsten mit Schuld belasteten FBI-Agenten in eine neue Behörde zu übernehmen, die an der Westküste angesiedelt ist. Sie müssen in eine Behörde eingegliedert werden, die den größten persönlichen Einsatz auch tatsächlich verdient und ihn zu würdigen weiß. Eine Behörde, die damit Schluss macht, ihre Mitarbeiter ständig zur Verletzung von Bürgerrechten und Rachefeldzügen zu verführen, weil höhere Etagen mit gewissen politischen Ideen zufällig nicht einverstanden sind.*«

»Dummschwätzer«, sagte Hiram, als sie das Blatt senkte. »Was, zum Teufel, sollte das Büro denn in San Francisco tun?«

»Zumindest würden unsere Diensträume hübsch aussehen.«

Hiram schnaubte. Er nahm ihr das Blatt aus der Hand und las mit trauriger Stimme Josephsons letzten Satz vor: »*In den Aktivitäten des FBI ist eine kleine Zäsur zu erwarten.* Oh, die Mäuse werden auf dem Tisch tanzen, Rebecca, wenn die Katze aus dem Haus ist. Lass es mich höflich formulieren, ehe Nancy mit Seife und einem Spucknapf hier auftaucht: Als Nation stecken wir bis zum Hals in der Scheiße.«

»Aber an manchen Vorwürfen ist was dran«, entgegnete Rebecca.

»Das macht's noch schlimmer«, schoss er zurück. »Papas Lederriemen tut noch mehr weh, wenn man den Keks tatsächlich stibitzt hat.«

Alph legte die Pfoten auf Hirams Knie, starrte seinem Herrchen mit seelenvollem Blick in die Augen und drückte sein hündisches Mitgefühl mit leisem Jaulen aus.« »Josephson ist nur der Hahn, der auf dem Mist kräht. Die Präsidentin ist diejenige, die uns den Todesstoß versetzt. Heute hat sie unseren Direktor einbestellt und ihm den Laufpass gegeben. Es ist zum Heulen. *Das Vertrauen sei zerrüttet.* Also, wer ist als Nächster dran?«

Rebecca war den ganzen Nachmittag in der Hauptgeschäftsstelle gewesen. »Ich hab dir Unterlagen mitgebracht, die du dir ansehen solltest. Eine faire Warnung von einigen alten Freunden.« Sie reichte ihm einen Schnellhefter.

Er zog eine Augenbraue hoch, ohne den Hefter entgegenzunehmen. Schließlich griff er danach, löste die Verriegelung und murmelte: »Zu viel Papier, verdammt noch mal.«

Nancy tauchte an der Tür auf. »Wird Senator Josephson mit uns essen?«, fragte sie schelmisch. »Ich höre nämlich dauernd seinen Namen und frage mich, was er zum Schmorbraten trinken möchte – Bier oder Wein?«

»Irischen Whiskey«, erwiderte Hiram, in die Dokumente vertieft. »Nur noch eine Minute, Nancy.«

»Der Tisch ist gedeckt, Hiram.«

»Sei mir nicht böse. Auf mich ist sowieso schon die ganze Welt böse.«

»Armer Junge.« Nancy tauschte einen verständnisinnigen Blick – von Frau zu Frau – mit Rebecca und zog sich zurück.

»Das hier sind interne Unterlagen des Personalbüros, Ergebnisse von Sicherheitsüberprüfungen, Rebecca. Wie bist du da rangekommen?«

Anstatt etwas zu erwidern, sah Rebecca ihn nur lieb und unschuldig an.

Mit großen Augen blätterte Hiram die Unterlagen durch. »Heiliger Samuel Adams, nach deren Angaben hat die Hälfte der Leute, mit denen ich zusammenarbeite, Dreck am Stecken.«

Rebecca beugte sich vor. »Die halten nach jemandem Ausschau, der nicht mit beiden Händen im Dreck steckt. Nach jemandem, der das, was er anfängt, auch zu Ende bringen kann, und den Leuten die Köpfe zurechtrückt, aber es müssen die richtigen Köpfe sein. Und das alles mit bewährtem Charme.«

Hiram wurde blass.

»Ich hab so was läuten gehört«, fuhr sie fort. »Allerdings weiß niemand, ob an den Gerüchten was dran ist.«

Als das Telefon klingelte, fuhr Hiram zusammen und setzte sich auf. Er sah aus, als werde man ihn gleich erschießen.

»Machen Sie sich auf was gefasst, Sir!«

Es bimmelte ein zweites Mal. Hirams Lippen zuckten. »Ich mach's nicht«, erklärte er nachdrücklich. Ein drittes Läuten. »Ich will keine Beerdigung leiten. Ich bin doch kein Leichenbestatter, verdammt noch mal.« Als das Telefon zum vierten Mal bimmelte, sah Hiram so aus, als sinniere er über den leichtesten Ausweg – einfach tot umzufallen. »Scheiße.«

»Geh ans Telefon, Hiram«, rief Nancy aus dem Esszimmer.

Hiram barg die Stirn in der gut gepolsterten Hand, rollte mit dem Stuhl zurück zum Schreibtisch, nahm ab und hörte einen Augenblick zu. »Ja, Frau Präsidentin«, sagte er schließlich.

Rebecca nahm ihm den Schnellhefter aus der Hand, zog den Messingschirm von dem kleinen Kamin weg und warf die Dokumente in das hell lodernde Feuer. Gleich darauf ging sie ins Esszimmer, wo Nancy gerade einen großen Schmorbraten samt Kartoffeln, Karotten und Zwiebeln auf den Tisch mit der Damastdecke gestellt hatte.

Ein Tablett mit gefüllten Kristallgläsern balancierend, schob sich Nancy durch die Küchentür. »Holunderwein?«, fragte sie scherzhaft und reichte Rebecca ein Glas Scotch. »Verzeih mir meine großen Ohren, ich hab was gegens Fluchen, meine Liebe, das weißt du ja, aber was, zum Teufel, haben die mit meinem Mann vor? Ich hab's nämlich wirklich genossen, ihn in den letzten Monaten um mich herum zu haben.«

Rebecca konnte ihr nichts Tröstliches erwidern.

»Wenn die ihn wieder einstellen und er die Leiter herauffällt, werde ich dann überhaupt noch was von ihm sehen?« Nancy ließ sich auf den nächsten Stuhl plumpsen. »Ich erinnere mich noch an Alice Sessions, das ist ewig lange her. Aber ich weiß noch, was man ihrem Mann angetan hat. Falls die Präsidentin Hiram ohne Rücksprache mit den anderen Leitenden auserkoren hat, wird das Personalbüro die langen Messer wetzen. Hiram ist ein gesunder Mann, aber diese Sache könnte jedem einen Herzinfarkt bescheren.« Mit Tränen in den Augen streckte sie die Hand aus. »Gib mir das, verdammt noch mal.«

Rebecca reichte Nancy das Glas Scotch, das sie auf einen Zug leerte.

Das Abendessen dauerte nicht lange, und der Schmorbraten musste zweimal wieder aufgewärmt werden. Sie aßen schnell, fast wortlos, und sofort danach zog sich Hiram ins Arbeitszimmer zurück, um weitere Anrufe zu tätigen.

Nancy bestand darauf, dass Rebecca noch auf ein Glas Portwein blieb. Als sie im Wohnzimmer saß, merkte sie, dass sie immer noch verkabelt, immer noch mit dem Netz verbunden und lokalisierbar war, falls jemand sie suchte. Sie schaltete ihren Lynx ab und blickte auf ihr Handy: fünf Anrufe, alle vom selben Anschluss aus getätigt. Sie überprüfte die Nummer: Die Anrufe kamen aus Israel.

Rebecca hatte das Handy gerade ausgeschaltet, als Nancy zurückkehrte. »Kümmere dich gar nicht um mich, Liebes«, sagte sie leicht beschwipst und stellte ein Glas kalifornischen Portwein vom Weingut Ficklin auf dem Tisch neben Rebecca ab. »Ich weiß, was dieser Blick bedeutet. Es gibt da eine Sache, die keinen Aufschub duldet.«

Rebecca nahm einen Schluck Portwein. »Welch ein Abend, nicht wahr?«

»Allerdings. Du kannst das Gästezimmer benutzen, gleich rechts hinter dem Eingang, da ist es ruhig. Ich vertreibe daraus jeden Tag die Wanzen.«

»Danke.«

Der Telefonanschluss in Jerusalem gehörte Ehud Halevy, der früher als internationaler Gaststudent die Akademie in Quantico besucht hatte und jetzt israelischer Polizeioffizier war, Brigadegeneral. In Israel verwendete die Polizei das ganze Spektrum militärischer Dienstgrade. Rebecca war vor zehn Jahren als Ausbilderin in Quantico und für Ehuds Kurs zuständig gewesen. Sie rechnete nach, wie spät es jetzt in Israel war: vier Uhr früh. Aber er hatte seine Nachricht erst vor einer halben Stunde hinterlassen.

Sie kam sofort zu der Nummer durch. Der General war hellwach. »Danke, Agentin Rose, dass Sie gleich zurückrufen. Tut mir leid, dass wir nicht schon früher Verbindung miteinander aufgenommen haben. Jetzt eilt die Sache. Warum hat mich niemand über BuDark ins Bild gesetzt?«

»Ich weiß selbst nicht viel darüber, Ehud. Worum geht's?«

»Wir sind auf etwas Entsetzliches gestoßen, über das Sie bestimmt Bescheid wussten. Haben wir nicht vor zehn Jahren beim FBI über Anthrax, amerikanisches Anthrax, diskutiert? Jetzt ist es hier aufgetaucht, in Israel, in den Händen islamischer Terroristen. Sie wollten es in Jerusalem einsetzen, Agentin Rose. In *Jerusalem*!«

»Erzählen Sie mir bitte so viel wie möglich darüber, General.«

»Es handelt sich um Feuerwerksraketen, die mit einem Privatflugzeug hier reingebracht wurden. Von einer Gruppe, die vom Irak und von Syrien aus agiert, aber ihre Mittel aus Amerika erhält. Einige Männer, die wir festnehmen konnten, haben gesungen. Es ist eine unglaubliche Geschichte. Derzeit analysieren wir noch, was wir gefunden haben. Und das wird dauern, da wir so viele Vorsichtsmaßnahmen treffen müssen. Wie konnten Sie das nur zulassen? Hat sich Amerika zu einem riesigen Seuchenherd entwickelt, zu einer Eiterbeule, die jetzt aufplatzt?«

»Hören Sie, Ehud, was wissen Sie über die Verbindung nach Amerika?«

»Einige haben uns erzählt, der Verbindungsmann sei groß, blond und ein stiller Typ. Er beschränkt den Kontakt mit anderen auf ein Minimum, aber manche behaupten, er sei ein Frauenheld. Er hat ein blaues und ein grünes Auge, verbirgt das aber manchmal durch Kontaktlinsen. Er ist sehr vorsichtig und hält sich nicht mehr in Israel auf, falls er überhaupt je hier war. Das ist alles, was wir in Erfahrung bringen konnten.«

Rebecca setzte sich aufs Bett und beugte sich vor. Ihr war speiübel. »Kann ich Sie jederzeit unter dieser Nummer erreichen?«

»Ja. Kann sein, dass ich nie wieder Schlaf finde, Agentin Rose.«

»Ich danke Ihnen für Ihr Vertrauen, General. Lassen Sie mich hier einige Nachforschungen anstellen.«

»Ich hoffe nur, dass Ihr FBI und die amerikanische Regierung *uns* vertrauen, Agentin Rose. Selbstverständlich haben wir den Ministerpräsidenten und die Knesset informiert. Die führen derzeit Gespräche mit Ihrem Außenministerium. Wir brauchen sehr bald Antworten, schließlich haben wir nur eine einzige Gruppe festgenommen. Was, wenn es weitere gibt?«

Mit aschfahlem Gesicht verließ Rebecca das Gästezimmer. Nancy war auf dem Sessel eingeschlafen. Als sie hörte, dass Hiram im Arbeitszimmer immer noch telefonierte, schlug sie mit der Faust gegen die schwere Tür.

Kapitel 48

Ein Polizeiwagen holte William von dem winzigen Flughafen vor Ort ab. Die Fahrerin, eine junge Streifenbeamtin der Landespolizei Ohio, beförderte schon seit zwei Tagen Dienstreisende hin und zurück und wirkte sehr angespannt. »Die sagen uns gar nichts. Muss eine ziemlich große Sache sein.«

Jedenfalls so groß, dass man ihn von der Müllsondierung abgezogen hatte.

Schweigend musterte er die Wohnbezirke mit ihren bescheidenen, aber sauberen und gepflegten Häusern. Auffällig war nur, dass die Gärten in jedem Straßenzug überwuchert waren. Außerdem bemerkte er zwei oder drei ausgebrannte Häuser und fragte sich, ob das für einen Ort dieser Größe normal war. Während des Fluges hatte er sich Berichte über Silesia aus dem Netz heruntergeladen. Bekannt war der Ort vor allem wegen seines Getreidehandels, seiner Bäckereien und der hier gepflegten deutschen Küche, darüber hinaus wegen der großen Zahl von Kirchen.

Auch das Wenige, das über Silesias gesundheitliche Krisensituation zugänglich war, hatte er gelesen, und es hatte ihm Kopfzerbrechen bereitet, denn er konnte diese Berichte in kein zwingendes Erklärungsmodell einordnen.

Im Warren K. Schonmeyer-Park war ein großes gelbes Zelt aufgebaut. Drei Streifenwagen der Landespolizei, drei Wagen der Ortspolizei, ein großer Van des FBI und ein Sattelschlepperanhänger der Kriminalpolizei waren neben dem Zelt im Gras abgestellt. Stromkabel und Schläuche führten zu einem Toilettenhäuschen aus Backstein, das die Polizei mit Gelbband abgesperrt hatte.

Nachdem die Beamtin angehalten hatte, stieg William aus und entdeckte dabei George Matty aus seinem Kurs in Quantico, den Agenten aus Mississippi. Er stand an einer Zeltecke bei einer offenen Klappe. William bedankte sich bei seiner Fahrerin, die gleich darauf den Kofferraum aufmachte, seine kleine Reisetasche herausholte und danach den Streifenwagen zurücksetzte und wendete, um weitere Fahrten zum Flughafen zu machen.

Über das Stoppelgras ging William durch die frische Nachmittagsluft auf das Zelt zu. Als er einem Haufen Hundekot auswich, grinste Matty. »Hundekacke beseitigen ist Bürgerpflicht, Agent Griffin«, rief er hinüber. »Die da liegt schon seit zwei Tagen herum und wartet auf einen arglosen Blödmann.« Er streckte die Hand aus, die William kräftig schüttelte. »Ich bin der mit diesem Fall beauftragte Agent. Ein glücklicher Zufall, meine ich.«

William vermutete, dass es mehr als das war. Matty hatte in den Monaten seit Quantico abgenommen und auch ein wenig von seinem schleppenden Akzent abgelegt. Er trug einen grauen Anzug, schwarze Laufschuhe und sah wie ein ordentlicher FBI-Agent aus, durch und durch der tüchtige Ermittler. William nahm an, dass er, verglichen mit Matty, immer noch recht zerknautscht wirkte.

»Wie ist Cincinnati denn so?«

»Steinig«, sagte Matty. »Eine nette Stadt an einem Abhang, der sich ewig hinzieht. Tolle Arbeitsumgebung. Ich hasse die Stadt. Silesia ist besser, nur erinnert sich hier niemand daran, wo er seine Schlüssel gelassen hat.« Er grinste abfällig. »Das macht Vernehmungen nicht gerade leicht.«

»Du hast mich aus einer Müllsondierung herausgeholt. Dafür hast du bei mir was gut.«

Matty geleitete ihn zum Zelt. »Als wir eine Mitteilung über Papprähren und Spuren von Polybutadien erhielten, kamen uns sofort die Verbindungen des Patriarchen in den Sinn, und wir sind so schnell wie der Teufel von Cincinatti hierher gefahren. Ich habe dem stellvertretenden Chef vom Dienst erzählt, dass einer meiner Studienkollegen zusammen mit Rebecca Rose die

Feuerwerkskörper des Patriarchen untersucht hat. Ich glaube, er kommt mit der Agentin Rose nicht gut aus, deshalb hat er mir aufgetragen, dich hierher zu holen.«

»Zeig's mir«, sagte William. Matty nahm ihn zu einem Klapptisch mit, auf dem neben einem kleinen tragbaren Spektralanalysegerät zehn Plastikkästen mit durchsichtigen Deckeln aufgereiht waren. Alle waren mit Bruchstücken aufgeweichter Pappe gefüllt, die man auf sauberem weißem Papier wieder zusammengesetzt hatte. Zwar fehlten einige Teile, aber schon nach einem kurzen Blick erkannte William, dass jede Pappröhre in unversehrtem Zustand einen Durchmesser von etwa fünf bis siebeneinhalb Zentimetern und eine Länge von knapp vierzig Zentimetern haben musste.

»Eine kleine alte Lady, die unter Schlafstörungen leidet, hat bei der Polizei angerufen und sich beschwert«, erklärte Matty. »Sie sagte, es habe eines Morgens in aller Herrgottsfrühe etwa ein Dutzend Mal grell geblitzt, unmittelbar über dem Park und der Stadt. Sie war draußen auf ihrer Veranda und sagt, sie habe mitgezählt. Zwei Monate später fand ein Polizeibeamter, der nach Drogenkonsum im Park Ausschau hielt, Teile von Feuerwerkskörpern – Röhren – auf dem Dach genau dieser Bedürfnisanstalt.« Durch eine windgepeitschte Öffnung in der Zeltplane deutete Matty auf den kleinen Backsteinbau. »Insgesamt haben wir die Überreste von zehn Röhren geborgen, die vom Toilettenhäuschen bis zum Parkplatz einer Kirche unmittelbar vor dem Park verstreut waren.«

William musterte die Kästen. »Vom Team, das für biologische Gefahrenstoffe zuständig ist?«

»Selbstverständlich. Wir haben den Polizeibeamten und alle Einheimischen, die diese Bruchstücke berührt haben, unter Beobachtung gestellt und Tests durchgeführt. Sicher stirbst du fast vor Neugier zu erfahren … ob wir Anthrax gefunden haben.«

»Allerdings.«

»Nun ja, wir werden jedenfalls nicht sterben und auch sonst niemand, jedenfalls nicht daran. Es gab Rückstände von Perchlorat,

Polybuten-1, Aluminiumpulver, Glaskügelchen, Talkum, feinem weißen Sand und – das wird dir bekannt vorkommen …« Matty sah ihn herausfordernd an.

»Hefe.«

»Verdammt, du bist doch schlauer, als ich dich in Erinnerung hatte. Also, kannst du mir sagen, warum wir hier sind? Warum irgendjemand sich die Mühe machen sollte, Feuerwerkskörper voller Hefe über einer kleinen Stadt zu zünden?«

»Welche Art von Hefe?«

»Ganz normale. Ich bin kein Experte, aber sie ist ziemlich fein.«

»Hat die Wärme die Bakterienkultur der Hefe zerstört?«

»Nach den Aussagen unserer Analytiker nicht. Sie rekultivieren gerade Teile davon in Cincinnati. Ich würde sagen: Der größte Teil explodierte unmittelbar nach Abschuss der Raketen und verbreitete sich danach vom Startpunkt aus, nicht weit vom Straßenrand dort drüben entfernt. Sind diese Röhren so wie die Dinger, die die Familie des Patriarchen gestopft hat?«

William nickte. »Sehen ganz danach aus. Habt ihr irgendwelche Hypothesen, was das Motiv betrifft?«

»Die Kinder des Patriarchen toben quer durch Amerika, schießen ihre verdammten Feuerwerkskörper mit Hefe ab und teilen uns auf diese Weise mit, dass sie genauso leicht Anthrax einsetzen könnten. Und dann folgen Erpressungsversuche.«

William runzelte die Stirn. »Das würde zwar viel erklären, aber wir haben bislang kein Wort von irgendwelchen anderen Vorfällen dieser Art gehört.«

»Dann waren das hier vielleicht Blindgänger. Möglich, dass sie nicht so wie vorgesehen funktioniert haben. Mir sitzt mein Büroleiter im Nacken, damit wir auch ein Stück vom Kuchen des Patriarchen abbekommen. Wenn du die Verbindung zu dessen Fall bekräftigst, könntest du mir hier wirklich zu einem guten Start verhelfen.«

William ging an den Kästen entlang. Hefe auf dem Gehöft, Dutzende Pfunde, über die Bäume verstreut. Hefe in den Druckerkartuschen. Überall Hefe, aber kein Anthrax – nicht einmal BT oder ein anderer, besser passender Ersatz für Anthrax.

»Könnt ihr einschätzen, in welcher Höhe die Raketen explodiert sind?«, fragte William.

»Irgendwo zwischen rund hundertfünfzig und neunhundert Metern.«

»Ich nehme an, ihr habt schon überprüft, ob es irgendwelche Kirchen weißer Rassisten in der Stadt gibt?«

»Es gibt keine. Und auch keine Nazis. Nur Schnitzel.«

»Wie steht's mit dir – bist du hier schon zur Kirche gegangen?«

»Noch nicht, aber man hat hier jede Menge Auswahl.«

»Gibt's auch Synagogen?«

»Nicht eine.«

»Hat jemand überprüft, wie weit die Hefe sich ausgebreitet haben könnte?«

»Warum? Ist doch nur Hefe.« Matty grinste. »Vielleicht löst sie bei unseren jungen Damen Juckreiz an pikanten Stellen aus. Macht dir das Kopfzerbrechen?«

William zuckte die Achseln. »Im Krankenbett hat mein Vater Silesia erwähnt.«

Matty spannte sich an wie ein Rennpferd an der Startlinie. »In welchem Zusammenhang?«

»Möglich, dass sich eine Karte von Silesia oder ein Fragment davon in der Scheune des Patriarchen befunden hat. Griff hat uns gebeten, Silesia zu überprüfen. Die Karte wird im abschließenden Bericht nicht mehr erwähnt, weil kein Anthrax gefunden wurde, niemand daraus schlau wurde und … Nun ja, am Aspekt der Feuerwerkskörper bestand kein Interesse. Griff hat uns erzählt, es gebe hier sehr viele Kirchen. Offenbar nahm er an, es könne ein Motiv sein. Der Patriarch habe vielleicht vorgehabt, sowohl Juden als auch Anhänger der christlichen Hauptkonfessionen zu töten.«

»Das interessiert mich, darauf kannst du wetten.«

»Ich weiß nicht, ob jemand die Kritzeleien meines Vaters aufgehoben hat. Ich bezweifle es.«

»Klingt nach einem bösen Patzer.«

»Na ja, jetzt schon. Aber damals hatten wir keine weiteren Anhaltspunkte.«

»Warum hast du dich nicht selbst der Sache angenommen?«

»Unser Auftrag wurde uns entzogen, das weißt du doch.«

Matty nickte. »Die Frage ist nur: Reicht das hier aus, um den Fall neu aufzurollen?«

»Ich würde wirklich gern wissen, wieso jemand Spaß daran hat, Hefe durch die Gegend zu schießen.«

»Könnten wir deinen Vater nochmals befragen?«

»Du kannst es versuchen. Seine Gedanken kommen und gehen. An vieles kann er sich nicht mehr erinnern.«

»Er weiß nicht, wo er seine Schlüssel gelassen hat? Das ist ein typisches Muster. Das ist auch dem Deputy passiert, der den Patriarchen als Erster überprüft hat. Er ist jetzt wegen Arbeitsunfähigkeit beurlaubt. Ist aber gut drauf, soweit ich weiß.«

Hören Sie, an manches kann ich mich einfach nicht mehr erinnern! Die tun mir irgendwelches Zeug ins Essen. Dieser Ort macht mich verrückt.

Jeremiah Chambers, der Sohn des Patriarchen ...

Griff. Und jetzt auch noch der stellvertretende Sheriff von Snohomish County. William versuchte sich an dessen Namen zu erinnern ... Markham, Kerry Markham.

Ohne einen Muskel zu bewegen, blieb William vor dem Tisch und den Kästen stehen. Er empfand nur eine böse Vorahnung; das Gefühl ähnelte einem schlechten Gewissen wegen eines Fehlers, den er erst noch machen würde. Matty beobachtete ihn.

»Kann ich mich im Anhänger niederlassen? Oder hier?«, fragte William. »Ich würde gern einige Anrufe machen.«

»Solange du alle Informationen mit uns teilst – und ich meine *alle* –, bist du in unserem kleinen Zirkus herzlich willkommen.« Matty griff in die Jackentasche und reichte William eine grüne Flasche mit Ginkgo-Biloba-Tabletten. »Versuch die mal. Die ganze Stadt lutscht die wie Bonbons.«

Kapitel 49

Luftwaffenstützpunkt Incirlik, Türkei

Fouad sah seine Mutter weit entfernt in den Felsen stehen. Sein Vater deutete zu ihr hinüber und lächelte. Der Dschinn fegte in blauen und roten Windhosen um sie herum. »Sie erfindet das alles«, sagte sein Vater. »Es gibt nichts, zu dem wir heimkehren könnten, keine Bettdecken, kein heißes Wasser, keine Schokolade, nichts, was uns trösten könnte, und keiner von uns kann sich verstecken, stimmt's? Beide werden wir erneut töten. Märchen gibt's nicht, nur ein verrücktes Verlangen nach Gott.«

Selbstverständlich träumte er. Doch obwohl er unter sich das Bett und den um seine Rippen gewickelten Verband spürte, konnte er seinen Vater, seine Mutter und die Felsen immer noch sehen. Durch den aufreißenden, von den Schmerzmitteln ausgelösten Nebel gerieten nach und nach die dunklen Umrisse des Zimmers in sein Blickfeld. An einer Wand hing das Foto eines Hubschraubers, über seinem Bett ein weiteres, das eine A-10 Warthog zeigte. Das waren seine Dschinns. Sie hatten ihn aus der Wüste geborgen.

Als sich sein hausinterner Apparat meldete, stieg er aus dem Bett, um abzunehmen. Es war David Grange, der seinerzeit an Bord des Rettungshubschraubers gewesen war. Grange lud ihn zu einem spätabendlichen Kaffee in die Messe ein. Fouad tat die Brust nicht sonderlich weh. Als er sich anzog, spürte er nur ein paar Stiche.

Die Messe war hell erleuchtet und fast menschenleer. Unter einer Betondecke, die ein ganzes Football-Feld hätte überdachen können, standen zweihundert Aluminiumtische in ordentlichen Reihen. David Grange – er war klein, hatte eine Nase wie ein

Mops und neigte zur Fülligkeit – schüttelte Fouad die Hand und fragte ihn, ob er Kakao oder Kaffee wolle.

»Bitte Tee mit Milch«, sagte Fouad. An den langen Theken vorbei ging Grange zum Ausschank der Cafeteria und kehrte mit zwei Tassen zurück. Eine stellte er vor Fouad auf den Tisch.

»Sie haben Trune und Dillinger wahnsinnig beeindruckt«, bemerkte Grange. »Und auch meine Wenigkeit. Wer hat sonst noch mit Ihnen gesprochen?«

»Die Ärzte. Die Offiziere, mit denen ich den Einsatz abschließend besprochen habe.«

»Sie haben da draußen Bemerkenswertes geleistet. Sie haben uns geholfen, ein großes Stück des Puzzles zusammenzusetzen. Haben Sie irgendeine Ahnung, was derzeit passiert? Was in den letzten Tagen passiert ist?«

»Nein, ich war ziemlich neben der Spur. Ich träume immer noch davon.«

»Nun ja, so was passiert nach einem Trauma. Wir befördern Sie ein paar Stufen nach oben. Derzeit balgen sich alle darum, ein Stück vom iranischen Atomkuchen abzubekommen. Aber …« Grange musterte Fouad mit belustigtem Blick. »Es war ein Unfall. Die Iraner haben ihre Sprengköpfe in Shahabad Kord verlegt und einen dabei gezündet. Derzeit ist es noch nicht offiziell, weil manche unserer Generale diese Karte bis zum Letzten ausspielen möchten. Aber im Vergleich zu dem, was *wir* verfolgen, ist es nichts weiter als das Zischen eines feuchten Streichholzes. Sie wirken leicht benommen. Können Sie mir noch folgen, Fouad?«

Grange sprach seinen Namen völlig korrekt aus.

»Mir geht's gut«, sagte Fouad. »Was ist denn passiert?«

»Vermutlich hat Israel eine Anthrax-Attacke durchkreuzt. Wir sind ja davon ausgegangen, dass es jemand auf Juden, vielleicht auch Jerusalem, abgesehen hat, also kam das nicht weiter überraschend. Aber Behörden des Vatikans und Interpol haben einen Ring von Dschihadisten gesprengt, die einen Biowaffenangriff auf Rom vorbereiteten. Ihre Sprengladung haben die nie erhalten, weil der Nachschub unterbrochen war. Trotzdem ist es schlimmer, als wir dachten. Jemand hat es auf religiöse Zentren abgesehen. Auf alle. Wir wissen zwar nicht, warum, aber jetzt ist uns zumindest klar, wer dahintersteckt. Wir konnten einen der Verschwörer identifizieren, vielleicht sogar den wichtigsten Drahtzieher.« Grange stand auf. »Trinken Sie aus. Ich werde Sie mit einigen großartigen jungen Männern bekannt machen, die ganz wild darauf sind, Sie kennen zu lernen.«

Kapitel 50

Washington D.C.

Rebecca saß neben Hiram in der Limousine. Gemeinsam mit dem designierten FBI-Direktor zum Hauptbüro zu fahren, hätte ihr früher Herzklopfen bereitet, aber jetzt war sie nur müde bis in die Knochen und krank vor Sorge.

Es wird passieren, und diesmal wird's noch schlimmer werden.

Es ist etwas Neues, eine Erfindung oder Variante, die niemand hat vorhersehen können. Mein Gott, mittlerweile verfügen selbst High Schools und Junior Colleges über Syntheseapparate – Gen-Assembler – und können aus eigener Kraft Viren in die Welt setzen.

Ihre Gedanken überschlugen sich, denn sie versuchte alle Möglichkeiten durchzuspielen.

Zwei Grünschnäbel des FBI, die auf den Klappsitzen Platz genommen hatten, bedachten sie mit ihren schönsten kritischen Blicken. Den ganzen Tag lang und fast die ganze Nacht hatte Rebecca Anrufe getätigt und ihre Verbindungen spielen lassen. Ihr Handy meldete sich.

Der Anruf kam von Frank Chao aus Quantico.

»Was gibt's, Frank?« Sie zog sich in die Ecke ihres Sitzes zurück.

»Sag du's mir. Ich versuche ja nur, dir zu helfen und einen Gefallen zu tun. Aber was ich hier vorliegen habe, ist schon seltsam. Hab keinen Treffer in irgendeiner Verbrecherdatei gelandet, und ich bin alle durchgegangen. Allerdings hab ich einige recht ausgefallene DNA-Untersuchungen angestellt. Und deine Blutprobe aus Arizona bestätigt nicht nur, dass diese Person der Vater des ungeborenen Kindes ist, das die Frau des Patriarchen erwartet … Sie könnte auch zu jemandem passen, der bei 9/11 ums Leben gekommen ist.«

»Du willst mich wohl auf den Arm nehmen.«

»Nein. Ich hab einen Treffer auf der hypothetischen DNA-Liste erzielt, der Liste von Passern, die erstellt wurde, um Menschen bei der Suche nach ihren Verwandten im World Trade Center zu helfen. Zufällig gibt's die Datenbank immer noch, mit einem Verweis auf die *9/11*-Datenbank des Memorial Park, aber ohne solide Grundlage will ich die nicht kontaktieren.«

»Was meinst du mit hypothetisch?«

»Das statistische Spektrum von DNA-Markern, die Opfer repräsentieren könnten. Die Verwandten vermisster Personen haben den Gerichtsmedizinern DNA-Proben gegeben, und zwar den Teams, die sich mit der mikrobiologischen Diagnostik von Gewebeproben befasst haben. Diese Gewebeproben wurden in Kühlwagen im Memorial Park aufbewahrt. Natürlich sind uns diese Datenbanken nicht zugänglich.«

»Ich weiß.«

»In jenen Fällen, bei denen es nicht möglich war, die DNA aus Haarbürsten, Zahnbürsten, durch Biopsien oder sonstige Verfahren zu gewinnen und mit Opfern abzugleichen, hat ein Forscher in einem speziell beauftragten Unternehmen ein statistisches Spektrum von Markern ausgetüftelt und generiert, um sie mit lebenden Verwandten von Opfern oder auch stark beeinträchtigten Gewebeproben von Opfern abzugleichen. Hitze, Wasser, Verwesung haben manchen Proben nämlich schlimm zugesetzt. Manche solcher Proben hat man aus den Mägen von Waschbären und Ratten geborgen, die den Schauplatz der Katastrophe nach frischen Leichenteilen durchstöberten. Dort, wo der Schutt hingebracht wurde, hat man Fallen aufgestellt und …«

»Das hätte ich gar nicht wissen müssen, Frank.«

»Tut mir leid.«

»Du hast also eine Übereinstimmung mit einem *hypothetischen Opfer von 9/11* vorliegen.«

»Richtig.«

»Also könnte uns das zu einem Verwandten führen«, sagte

Rebecca. »Oder auch zu einem statistischen Niemand – einer Fehlprojektion.«

»Beides ist möglich.«

»Also gut. Lass uns den Memorial Park kontaktieren.«

»Meinst du *uns* oder nur mich? Das ist nämlich sakrosanktes Territorium, Rebecca. Lieber würde ich mit jeder anderen Datenbank weitermachen, ob Militär, Krankenhauspersonal oder sonst was, ehe ich den Memorial Park angehe.«

Rebecca drückte die Augen fest zu. Derzeit hatten sie keinen guten Stand. Und wenn sie etwas derart Kühnes versuchten …

»Wie lange wird das dauern?«

»Ein paar Tage. Eine Woche, wenn man mir keinen Vorzugsstatus bei der Rechnerzeit einräumt. Und das wird man nicht, wie du weißt. Ich kann meine Suchläufe immer nur dazwischenschieben, wenn gerade Kapazität frei ist.«

Den Leichnam des Streifenpolizisten aus Arizona hatte jemand vom Wagen weggezerrt. Und der Handschuh war ein Fabrikat von Hatch Friskmaster gewesen, ein bei der Polizei gängiges Modell.

»Konzentrier dich auf die Einrichtungen der Strafverfolgung, Frank. Beschränk dich auf die Anfänger und Hochschulabsolventen der letzten zwanzig Jahre.«

»Hast du bestimmte Gründe dafür?«

»Es ist mehr als ein bloßes Gefühl, aber weniger als eine Gewissheit.«

»Das reicht mir schon.«

Sie steckte ihr Handy in die Tasche, holte es aber gleich wieder heraus, schaltete es aus und zeigte es den Agenten, die Hirman flankierten.

»Danke«, sagte der links sitzende Agent mit zusammengepresstem Kiefer. »Ist Ihr Lynx aktiviert?«

»Nein«, erwiderte Hiram gereizt. »Wir sind nicht mit dem Netz verbunden.«

Kapitel 51

William ging an der Seite des jungen Arztes durch die Turnhalle der High School. Hier waren Betten und mobile Raumteiler für die Hunderte von Patienten aufgestellt, die in der Klinik keinen Platz mehr gefunden hatten. Der Arzt hatte trüben Augen, da er stundenlang Tests eingeleitet oder selbst durchgeführt hatte. William hatte ihm nichts von dem erzählt, was er selbst in den letzten drei Stunden erfahren hatte, denn es war ihm völlig klar, dass alles, was er zu wissen glaubte, vermutlich falsch war. Er wollte nur zuhören.

»Es muss wohl der größte Ausbruch einer solchen Krankheit sein, von dem ich je gehört habe. Wir erhalten einen Befund nach dem anderen, und jeder weist dieselben Indikationen auf: Die CT-Scans zeigen das Anfangsstadium von schwammartigen krankhaften Veränderungen im Hirn. Wir können im Labor Prione isolieren, die offenbar fähig sind, die Gewebekulturen zu verändern. All das bestätigt die klinischen Symptome: den geistigen und in einigen Fällen auch physischen Verfall der Patienten. Aber Hunderte solcher Fälle in einer einzigen Kleinstadt? Deren Zahl jeden Tag um zwanzig oder dreißig Neuerkrankungen wächst? Ganz zu schweigen von der Verbreitung im ganzen Bezirk … und jetzt auch im Bundesstaat.«

Der Arzt zog einen Vorhang zur Seite und gab William den Blick auf eine Frau mittleren Alters frei. Sie saß aufrecht auf ihrem Feldbett und las ein altes, zerfleddertes *Smithsonian*-Journal. Mit verwirrtem Lächeln und unruhigem Blick sah sie auf.

»Guten Abend, Mrs. Miller«, sagte der Arzt.

»Guten Abend.«

Es war drei Uhr nachmittags.

»Wir haben uns gestern kennen gelernt«, fuhr der Arzt fort.

»Ja, das weiß ich noch.«

»Das hier ist William, er arbeitet bei der Regierung, Mrs. Miller.«

»Kann er mir helfen, meinen Mann zu finden?«

»Ihr Mann wartet zu Hause auf Sie.«

»Oh.«

»Können Sie mir sagen, wo Sie geboren sind?«

»Nein«, erwiderte sie mit stechendem Blick. »Haben Sie meine Geburtsurkunde denn nicht gefunden?«

»Erinnern Sie sich an Ihre Kinder, Mrs. Miller?«

»Ja, ich habe Kinder.« Sie ließ den Blick suchend zwischen William und dem Arzt hin und her schweifen, wie eine Schauspielerin, die auf ein Stichwort aus den Kulissen hofft.

»Und wie heißen Ihre Kinder?«

»Ich hab's aufgeschrieben. Selbstverständlich weiß ich, wie meine Kinder heißen. Sehen Sie mal.« Sie nahm ein Notizbuch von einem Metalltisch und begann darin zu blättern. »Hier steht's. Nicholas, Susan und Karl.«

»Danke. Und Ihre Religion? In welche Kirche gehen Sie?«

Erneut zog sie das Notizbuch heran. »Es ist die Erste Evangelisch-Lutherische Kirche von Ohio. Mein Mann ist Diakon und mein jüngster Sohn singt im Kirchenchor.«

»Danke, Mrs. Miller.«

»Ich möchte bald nach Hause, Herr Doktor.«

»Wir tun unser Bestes. In zwei Stunden komme ich noch mal vorbei, um zu sehen, wie's Ihnen geht. Brauchen Sie noch Zeitschriften oder Bücher?«

»Nein, danke«, erwiderte sie lächelnd. »Diese reichen völlig.«

Der Arzt zog den Vorhang wieder zu und ging auf die Doppeltür am Ende der Turnhalle zu. Dabei hielt er Mrs. Millers Patientenkarte mit den biografischen Daten so, dass William sie lesen konnte. »Viele unserer Patienten haben angefangen, sich Notizen zu machen, um ihre Symptome vor ihren Familien geheim zu halten. Gestern habe ich Mrs. Millers Notizbuch gegen das Notizbuch einer Frau ausgetauscht, die ihr gegenüber auf der anderen Seite des Ganges liegt. Mrs. Miller gehört der südlichen Baptistenkirche an, Agent Griffin. Und diese Zeitschriften und Bücher haben wir ihr bereits vor einer Woche gegeben. Sie hat sie schon mindestens drei- oder viermal gelesen, aber für sie sind sie immer wieder neu. Manche unserer Patienten besitzen tragbare DVD-Player. Sie sehen sich immer wieder dieselben Filme an – falls ihnen noch einfällt, wie man die Player bedient.«

William blickte den Gang hinunter und lauschte auf die Stille. Die meisten Patienten wirkten zufrieden, sogar glücklich.

»Für das, was wir hier erleben, gibt es meines Wissens keinen Präzedenzfall«, sagte der Arzt. »Es handelt sich um eine Kombination aus Alzheimer und Creutzfeldt-Jakob. Und wie eine Variante von Creutzfeldt-Jakob trifft diese Krankheit jedes Alter. Allerdings schreitet sie sehr schnell voran – nicht im Laufe mehrerer Jahre, sondern innerhalb von Wochen oder Monaten. Und sie ist epidemisch. Vielleicht haben wir in einigen Wochen schon drei- oder viertausend Fälle zu betreuen. Wir können die Patienten nicht nach Hause entlassen, sie können nicht arbeiten, sie spazieren einfach davon, wenn wir sie nicht Tag und Nacht überwachen. Das erfordert eine Pflege rund um die Uhr; eigentlich müsste auf jeden Patienten eine Krankenschwester oder ein Pfleger kommen. Wir sind jetzt schon überfordert, aber unser Bezirk ist nicht gut bei Kasse, und föderale Finanzspritzen für diese hohen Pflegestufen kann man vergessen. Aber wir wollen hier gar nicht vom Geld reden. Wo, zum Teufel, sollen wir so viel *Pflegepersonal* auftreiben?«

Kapitel 52

Charles Cahill, der scheidende FBI-Direktor, war ein klein gewachsener, eleganter Mann mit einem Helm vorzeitig ergrauter und inzwischen weißer Haare, einer kurzen, breiten Nase und makellosen Zähnen. Er drückte erst Hiram, dann Rebecca fest die Hand und führte sie den Gang entlang zum Zentrum, das im fünften Stock lag. »Glückwunsch, Hiram. Ich hätte mir keine bessere Wahl vorstellen können.«

Hiram schüttelte den Kopf. »Ich hab mich noch nicht mit der Präsidentin getroffen und den Fleischwolf noch vor mir – die politische Überprüfung und Bestätigung im Amt.«

»Oh, man wird Sie im Amt bestätigen, keine Frage«, erwiderte Cahill. »Die Blödmänner im Radio nennen Sie jetzt schon einen liberalen Möchtegern-Geschäftlhuber, der speziell damit beauftragt ist, das FBI zu demontieren. Damit können Sie bei Josephson Pluspunkte sammeln.« Er zwinkerte Rebecca zu. Cahill war jünger als Hiram, sah aber älter aus. Er war bekannt für seine zweifarbigen Schuhe: Stets trug er auf Hochglanz polierte, weiß-braune Modelle.

Das Zentrum für Strategische Informationen und Operationen – kurz SIOC oder auch nur ZENTRUM genannt – war vor drei Jahren gründlich renoviert worden. Damals hatte man so viele Diensträume in den sechsten Stock verlegen müssen, dass es in der vierten und fünften Etage nur noch halb präsent gewesen war. Jetzt hatte das FBI endlich wieder eine Kommandozentrale, die tatsächlich so wirkte, wie sie in manchem mit großem Budget gedrehten Agententhriller dargestellt wurde: ein Büro über zwei Etagen, Wände aus Glas und glänzendem Stahl, schwebende Daten- und Videoprojektionen, die gespenstisch durch den Raum kreisen, Zugang zu einer rund um die Uhr arbeitenden Datenbank. Und diese Datenbank betreuten Analysten, die sich bei ihren Recherchen und Bearbeitungen auf alle Informationen stützen konnten, die irgendwo in der Welt in den Netzen verfügbar waren.

Als Cahill sich der Tür zum SIOC näherte, ging sie automatisch auf. Der dahinter liegende Raum war menschenleer und wirkte wie eine dunkle Höhle. »Bis zur nächsten Besprechung habe ich noch ein paar Minuten Zeit und gedacht, ich nehme Sie am besten mit hierher«, sagte Cahill, während er im Raum umherging und mit der Hand über die Ledersessel strich. Er lächelte. »Dieser Ort kann einen zu dem Glauben verführen, man wisse alles, was es zu wissen gibt.«

»Wo sollen wir uns hinsetzen? Rebecca ist in diesem Fall federführend.«

»Das habe ich gehört.« Cahill setzte sich auf einen der Stühle im Auditorium und überließ es Hiram, den Thron einzunehmen – einen großen schwarzen Sessel, der auf einem dreistufigen Podest stand und den besten Blick auf alle Displays bot. Rebecca begab sich an einer Stelle ins Scheinwerferlicht, wo sich der zweite Zirkusring hätte befinden können – der Raum war fast so groß. »Da fühlt man sich wie ein kleines Mädchen, das gleich ein Gedicht vortragen soll, stimmt's?«, fragte Cahill.

»Wir könnten einen Ortswechsel vornehmen«, schlug Hiram vor.

»Kein Gedanke daran. Hier zu sitzen trägt mehr als alles andere dazu bei, unsere Probleme zu begreifen. Wir wollten doch so gern Filmstars sein. Und wenn wir nicht irgendwas unternehmen, und zwar schnell, werden wir schon sehr bald nur noch Statisten in stummen Rollen sein. Rebecca, lassen Sie sich von all dem Pomp nur nicht so beeindrucken, dass es Ihnen die Sprache verschlägt.«

»Ich habe meine Unterlagen in den Datalogger eingegeben. Eigentlich müssten sie gleich auftauchen.«

»Hier sind sie schon«, sagte Cahill. »Meine letzte Chance, alles von oben bis unten und von rechts nach links zu steuern. News, da, nehmen Sie – man kapiert schnell, wie der Zauberstab funktioniert.« Er hielt eine kleine silberne Fernbedienung hoch.

»Nein, Sir«, erwiderte Hiram. »Jetzt ist Rebecca mit ihrem Auftritt dran.«

»Also gut«, sagte Cahill. »Fangen Sie an.«

»Amerithrax war ein ausgeflippter Blödmann, meine Herren«, erklärte sie. »Verglichen mit dem, was uns derzeit beschäftigt, war das, was er diesem Land angetan hat, eine Bagatelle.«

Ein Videofilm und Dias zeigten Schafe, Kühe, Paviane, Langschwanzaffen und Schimpansen, die einen schrecklichen Tod starben. Rebecca referierte über die Erzeugung von antibiotikaresistentem Anthrax in der früheren Sowjetunion und erläuterte grafische Darstellungen der mit der Windrichtung korrelierenden Häufung von Todesfällen bei Mensch und Tier während der Katastrophe von Swerdlowsk im Jahre 1979. Damals war aus einer Fabrik, die biologische Kampfstoffe erzeugte, pulverfeines Anthrax entwichen. Als Nächstes präsentierte sie Unterlagen über die amerikanischen Waffenexperten, auf die sich der Verdacht des FBI in den Jahren nach *Amerithrax* konzentriert hatte. Diesen Teil schloss sie mit den Worten ab: »Verglichen mit den Tausenden von Tonnen, die in Russland erzeugt und zur Wiederauferstehungsinsel im Aralsee geschafft wurden, sind die fünf Briefe, die 2001 in den USA verschickt wurden, nicht schlimmer als ein Mückenstich für einen Elefanten. Aber der Elefant zuckte zusammen, und das Ganze wurde für uns verdammt kostspielig. Für einen ausgeflippten Blödmann ging Amerithrax überaus effizient vor. Wir haben ihn nie gefasst. Und jetzt nehmen wir an, dass er – oder jemand mit seinem Wissen und seiner Erfahrung – wieder aufgetaucht ist. Wir glauben, dass er und seine Partner versuchen, unseren Widersachern im Nahen Osten genetisch modifiziertes Anthrax zu verkaufen. Nicht unbedingt, damit sie es gegen uns einsetzen – obwohl das natürlich auch eine Möglichkeit wäre –, sondern damit sie es gegeneinander einsetzen.

Die Israelis haben vor kurzem eine Gruppe festgenommen und eingebuchtet, die mit primitiven, aber wirkungsvollen Biowaffen ausgerüstet war. Offenbar stammten diese Biowaffen aus den USA. Verpackt in Feuerwerksraketen, die gemäß der Beschreibung der Israelis mit jenen übereinstimmen, die unserer Annahme nach auf dem Gehöft von Robert Chambers, dem Patriarchen, hergestellt wurden.

Es kann sein, dass unser neuer Amerithrax einen besonders verlockenden Köder benutzt. Er behauptet, dass die mit Anthrax gefüllten Feuerwerksraketen genetisch modifizierte Bakterien befördern, die nur Juden schaden. Offenbar hat er es geschafft, mehrere islamische Extremisten davon zu überzeugen. Sie haben die von ihm gelieferten Bakterien an zwei Orten im Irak getestet, in Bagdad und in Kifri. Wurde gerade vom Netzservice BuDarks gemeldet«, fügte Rebecca hinzu und hob den Bick. »Einer unserer Agenten, Fouad Al-Husam, wurde im Norden Iraks abgeschossen, hat aber überlebt und wurde geborgen. Er hatte Autopsieproben dabei und hat sie bei einer medizinisch-diagnostischen Einheit unserer Armee abgeliefert, die in der Türkei stationiert ist. Die Proben stammen von den Leichen kurdischer Juden, die Sporen von Anthrax ausgesetzt waren. Als Todesursache wurde bei ihnen waffentaugliches, genetisch modifiziertes Anthrax vom Typ Ames festgestellt. Wir nehmen an, dass *Sunniten* diese Opfer eingesperrt und mit den Bakterien infiziert haben. Sunniten, die in dieser Region operieren. Militante, die Verbindung zu einem Drahtzieher und Geldgeber namens Ibrahim Al-Hitti haben.«

Cahill nickte. »Das ist der jüngste Stand der Ermittlungen. Fahren Sie fort, Agentin Rose.«

»Zwar hält kein Experte die Herstellung eines Bakteriums für möglich, das nur eine einzige ethnische Gruppe trifft, aber wir können nicht ausschließen, dass das Anthrax aufgrund irgendwelcher genetischer Modifizierungen selektiv wirkt. Aus den in Kifri entnommenen Proben haben wir ein Genom isoliert und kartiert.«

Von Rebeccas Standort aus gesehen, tauchten rechts und in der Mitte grafische Darstellungen auf, die eine DNA-Doppelhelix und zwei kleinere kreisförmige Satelliten zeigten. »In beiden Proben, der ersten aus Bagdad und der zweiten aus Kifri, wurden Gene gefunden, die künstlich in einen von zwei kleinen DNA-Ringen, in ein Plasmid, eingeschleust worden waren. Gene, die Biolumineszenz kodieren. Sie entfalten ihre Wirksamkeit aufgrund der Aktivierung toxischer Gene. Unsere Experten sagen, dass die Wunden der Opfer von Bagdad aufgrund dieser Gene im Dunkeln geleuchtet haben müssen – erst rot und später, kurz vor ihrem Tod, grün. Seltsamerweise sind diese Gene bei den Proben aus Kifri nicht aktiviert worden. Im Unterschied dazu wurden in das Anthrax aus Kifri, es ist ein modifizierter Ames-Stamm, unbekannte Gene ins Hauptchromosom eingefügt. Es könnte sich dabei um wirkungslose ›Attrappen‹ handeln, deren einziger Zweck darin bestand, die von Al-Hitti beauftragten Wissenschaftler hinters Licht zu führen. Allerdings können wir nicht ausschließen, dass sie tatsächlich eine destruktive Wirkung entfalten können. Wir wissen es einfach nicht – noch nicht.«

»Verfügen wir über Teile dieser Proben, sodass wir selbst Analysen durchführen könnten?«, fragte Cahill.

»Nein. Die Proben aus Bagdad werden derzeit in Europa untersucht. Und die Proben aus Kifri befinden sich in der Türkei. Was die Proben aus Israel betrifft … Na ja, im Augenblick ist das Verhältnis zwischen Israel und uns recht eisig – und das liegt nicht nur an Shahabad Kord.« Sie blickte auf.

»Israel hat viele Gründe, sich aufzuregen«, bemerkte Cahill. »Die Geheimdienste dort haben genauso versagt wie unsere. Fahren Sie fort, Agentin Rose.«

»Möglich, dass unser Hauptverdächtiger in die Ermordung eines Streifenpolizisten in Arizona verwickelt ist. Er hat DNA-Spuren – Blut, Speichel, Schweiß und Hautzellen – am Tatort hinterlassen. Sowohl im Fall des Patriarchen als auch bei der gescheiterten Bio-Attacke in Israel liegt eine Täterbeschreibung vor: Der Hauptverdächtige und Drahtzieher soll ein großer blonder Amerikaner sein, der ein blaues und ein grünes Auge hat. Offenbar hat er mit einer der Ehefrauen des Patriarchen ein Kind gezeugt.«

»Hm.« Cahill legte eine Hand aufs Kinn.

»Der Abgleich seiner Merkmale mit den verfügbaren DNA-Datenbanken ist noch nicht abgeschlossen.« Rebecca hatte nicht vor, die mangelnde Übereinstimmung zwischen der DNA seiner Hautzellen und der seines Blutes zu erwähnen, schon gar nicht die Verbindung zu 9/11. Diese Dinge würde sie erst zur Sprache bringen, wenn solidere Erkenntnisse vorlagen.

»Für wie alt halten wir den Tatverdächtigen?«, fragte Cahill.

»Es spricht vieles dafür, dass er zwischen fünfundvierzig und fünfundfünfzig ist.«

»Also ein erfahrener Bursche«, sinnierte Cahill. »Schafft es, im Nahen Osten herumzukommen und die Leute in Bagdad zu verschaukeln. Das heißt: Er muss die Umgangssprache der Einheimischen beherrschen, zumindest Arabisch … und eine gefährliche Redegabe und Überzeugungskraft besitzen. Soweit ich weiß, passt das zu keinem Profil, das das FBI von Amerithrax konstruiert hat.« Er setzte sich auf und beugte sich vor. »Teufel noch mal, wenn Sie ihn finden, sollten Sie ihn anwerben. News, was soll ich Ihrer Meinung nach unternehmen?«

»Geben Sie Rebecca die Vollmacht, die Ermittlungen wieder aufzunehmen, die ich im April genehmigt habe. Aufgrund der internationalen Verbindungen ist dieser Fall eine überaus heiße Kartoffel.«

»Das FBI ist derzeit ein brutzelndes Steak *inmitten* von heißen Kartoffeln. Wobei einige heißer sind als die anderen. Agentin Rose, verzeihen Sie mir meine Offenheit, aber Ihre Puzzleteilchen liegen zu weit auseinander, sie ergeben keine Verbindung. Israel hat bis auf Hörensagen – ich meine die Aussagen einiger Tatverdächtiger unter Zwang – keine Beweise für eine Verbindung nach Amerika. Noch nie habe ich mich auf Geständnisse verlassen, die aufgrund von Folter erpresst wurden. Ich akzeptiere, dass im Irak Anthrax nachgewiesen wurde, aber vielleicht hat dort jemand Saddams alte Lagerbestände aufgetan, verdammt noch mal.«

»Saddam hat niemals den Ames-Stamm des *bacillus anthracis* eingesetzt«, widersprach Rebecca.

Cahill zuckte die Achseln. »Wir haben nicht mal Beweise dafür, dass die Israelis tatsächlich Anthrax in den Feuerwerksraketen gefunden haben. Weder im Bundesstaat Washington noch in Arizona wurde Anthrax entdeckt. Also, worin besteht hier die Verbindung zu Amerithrax? Wenn bei uns neues Anthrax erzeugt wird, warum können wir dann nicht einmal eine Spur davon entdecken? Und wie sollen die Lieferungen durch die schärfsten Sicherheitsvorkehrungen der Neuzeit hindurch an ihr Ziel gelangen?«

Jetzt war es an Hiram, sich einzuschalten. »Der Diplomatische Sicherheitsdienst und andere Dienste machen mit Hilfe von BuDark bereits einen großen Vorstoß in Übersee, und unsere Agenten stecken mittendrin. Das Hauptbüro des FBI kann von hier aus Unterstützung leisten. Falls BuDark die Sache schaukelt, kann die Wiederaufnahme der Ermittlungen unsere Position nur verbessern, Charles. Seitdem der Diplomatische Sicherheitsdienst und die CIA angefangen haben, den Berichten über das Auftauchen von Anthrax im Nahen Osten nachzugehen, arbeitet BuDark im direkten Auftrag der Präsidentin. Das FBI sollte deren Initiative für alle sichtbar unterstützen. Wir müssen zukunftsorientiert denken.«

Cahill hatte sein bestes Pokergesicht aufgesetzt, aber Rebeccas Hoffnungen schwanden. Er machte nicht einmal Anstalten, nach dem Köder zu schnappen.

»Wir reden hier von Tintenstrahldruckern, stimmt's?« Er schüttelte den Kopf. »Selbst vor meiner Zeit als FBI-Direktor habe ich nie viel Vertrauen in diese Theorie gesetzt. Im vergangenen Frühjahr ließ ich Hiram seine Karten ausspielen und habe zusehen müssen, wie Sie beide erneut abgeschossen wurden. In mehr als einer Hinsicht zählt Anthrax zu den *bad news* – und das ist nicht als witzige Anspielung gemeint, Hiram.«

Er stand auf, spazierte um die kreisförmig angelegten Sitzreihen herum, ging die kurze Treppe hinunter und blieb vor Rebecca stehen. »Ich habe mich eingehend mit dem Amerithrax-Fall befasst, ich gehörte nämlich der Gruppe an, die gegen Hatfill ermittelt hat. 2003 bin ich sogar nach Zimbabwe geflogen, um einen fünfundzwanzig Jahre zurückliegenden Ausbruch von Anthrax zu untersuchen. Zehntausend Menschen waren seinerzeit infiziert, fast zweihundert starben. Möglich, dass die rhodesische Regierung im Zusammenhang mit dem *COAST-Projekt* in diese Sache verwickelt war, aber nach all der Zeit war das nicht mehr festzustellen. Hatfill war ein Cowboy mit afrikanischen Verbindungen, einem großen Ego und einem eindrucksvollen beruflichen Werdegang. Weder ihm noch sonst jemandem konnten wir *Amerithrax* anhängen, aber das heißt nicht, dass wir falsch lagen. Letztendlich ist es überaus enttäuschend für uns ausgegangen.«

Cahill sah zu Rebecca empor, die immer noch im Scheinwerferlicht stand. »Ich räume ein, dass diese Sache in gewisser Weise an das COAST-Projekt erinnert. Damals wurden Bakterien modifiziert und giftige Stoffe entwickelt, um Apartheidgegner zu töten und dabei gezielt gegen Schwarze vorzugehen oder auch ihre Zeugungs- und Gebärfähigkeit zu beeinträchtigen, um die schwarze Bevölkerung längerfristig von Nachschub und Versorgung abzuschneiden. Nach wie vor könnte ich wetten, dass Amerithrax irgendein verrückter Meister der Waffenproduktion ist, der in Südafrika oder Rhodesien ausgebildet wurde. Ich würde Hiram wirklich gern zufrieden stellen – vielleicht erhöht er dann meine Rente –, aber, offen gesagt, sehe ich da noch immer keinen Zusammenhang. Rücken Sie die Teilchen dieses Puzzles näher aneinander heran. Finden Sie Anthrax, das bei uns in den USA erzeugt wird. Sobald News das Ruder offiziell übernommen hat, kann er Risiken eingehen, so viel er will. Aber derzeit bin *ich* noch im Amt. Und ich sage: Es liegen keine schlüssigen Beweise vor.«

Hiram geleitete Rebecca zur Tiefgarage. »Vielleicht hat Senator Josephson doch Recht«, sagte er. »Vielleicht stecken wir in einer solchen Gedankenschleife, dass wir immer wieder alles vermasseln.«

»Was ist, wenn uns nicht mal ein paar Wochen oder ein ganzer Monat bleibt?«, entgegnete Rebecca, die vor Wut schäumte. Sie griff in ihre Handtasche und schaltete ihr Handy ein. Für den Fall, dass Frank anrief – oder sonst einer, der noch Mut genug hatte, mit ihr zusammenzuarbeiten.

Hiram glitt auf den Sitz und machte ihr Platz. »Wir sind noch nicht fertig damit.« Er starrte auf die Sitzlehnen. »Ich werde alles auf eine Karte setzen, meine Karriere, diesen Fall, alles.«

Rebecca verspürte keinen Drang, sich dazu zu äußern und Hiram noch mehr zu belasten. Er wusste ebenso gut wie sie, was auf dem Spiel stand.

»Wir tappen mit unseren Erkenntnissen zwar in dichtem Nebel herum, dennoch geht's hier ja nicht um bloße Einbildungen.« Er beugte sich zum Chauffeur vor. »Verbinden Sie mich mit Kelly Schein im Weißen Haus, der Stabsleiterin der Präsidentin.«

Die beiden Agenten, die sie bei der Hinfahrt begleitet hatten, eilten herbei, um zu ihnen in die Limousine zu steigen, doch Hiram winkte ab. »Wir kommen schon klar«, verkündete er und zog die schwere Wagentür zu. Während die Limousine sich in Bewegung setzte, blieben sie bestürzt und wütend draußen stehen, wie durch die zentimeterdicken kugelsicheren Scheiben zu sehen war.

»Ich glaube, mir traut hier niemand, Rebecca«, sagte Hiram. »Die Präsidentin hat mich dazu auserkoren, Cahill zu ersetzen, und jetzt fragen die sich: warum? Vielleicht haben die Dummschwätzer im Radio Recht, und ich bin wirklich ein Verräter.«

Als Rebeccas Handy sich meldete, fluchte sie lautlos und zog es aus der Tasche.

»Was bist du eigentlich – eine Zentrale für schlechte Nachrichten?«, fragte Hiram.

Sie hatte zwei Nachrichten. Die erste Kopfzeile auf dem Display besagte, dass eine SMS von Frank Chao, Akademie Quantico, eingegangen war. *Ziemlich irre Sache,* hatte Frank als Betreff angegeben. *Ruf möglichst schnell zurück.*

Die zweite Nachricht bestand aus einer verbalen und einer schriftlichen Mitteilung samt einer grafischen Darstellung. Die schriftliche Mitteilung umfasste zwölf Namen, von denen sie acht wiedererkannte. All diese Leute waren Agenten oder Strafverfolgungsbeamte, die sich vor oder während der Scheunenexplosion auf dem Gehöft des Patriarchen aufgehalten hatten, einschließlich Erwin Griffin und Cap Benson. Unter der Namensliste stand: *Langzeitgedächtnis. Teilweise Demenz. Auf Gehöft Substanzen ausgesetzt.*

Die Grafik stellte offenbar Verteilungsmuster dar, die als Raster über einen Stadtplan gelegt waren – den Stadtplan von Silesia in Ohio. Mit dem elektronischen Pfeil ging Rebecca das ganze Schaubild durch. In eine grau schraffierte parabolische Wolke, die sich über fast zehn Kilometer erstreckte, auch über die Stadtgrenzen hinaus, waren Hunderte roter Punkte eingefügt. Dutzende weiterer purpurroter Punkte waren rund um die Wolke verteilt. Bezeichnungen fehlten.

»Das hat Griffs Sohn geschickt.« Sie zeigte Hiram das Schaubild und die Namensliste. Danach hörten sie die verbale Mitteilung ab.

»*Rebecca, es handelt sich nicht um Anthrax. Das ist nur ein Täuschungsmanöver*«, sagte William mit heiserer Stimme. »*Es hat weitaus schlimmeres Potenzial. Wer der Täter auch sein mag, er will niemanden töten. Vielleicht ist er gar kein Terrorist. Wahrscheinlich geht es ihm nicht mal um Terror. Er hat's auf unsere Erinnerungen abgesehen. Er möchte, dass wir alles vergessen.*«

Der Chauffeur unterbrach sie über die interne Sprechanlage. »Ich habe Kelly Schein am Apparat, Sir.«

Kapitel 53

Haddsch-Straße, zehn Kilometer vor Mekka

Drei Lastwagen, Volvos, fuhren vor einem Kontrollpunkt der sogenannten *Befreiungsfront Hijaz* vor. Hinter dem kleinen Konvoi war die zwölfspurige Schnellstraße fast leer. Vor ihm kontrollierte ein Pulk gereizter, aufsässiger und bewaffneter Vertreter der Spezies Mensch die Straße.

In einer Woche würden Pendelbusse, Taxis und überladene Pritschenwagen voller Pilger die Schnellstraße verstopfen. Die Invasoren versuchten mit aller Macht, sich trotz des Krieges auf diese Menschenflut vorzubereiten. Schließlich würden sie wahrscheinlich bald als neue Herren den Haddsch, die Pilgerreise nach Mekka, regulieren. Es war kaum eine Woche her, dass das letzte Mitglied der saudischen Königsfamilie von Riad nach Paris abgeflogen war. König Abdullah war während des Fluges gestorben ... An Altersschwäche, behaupteten die Insider. An gebrochenem Herzen, behaupteten andere.

Zerlumpte Soldaten in allen nur denkbaren Uniformen, von Tarnanzügen mit Dschungelmustern bis zu modernen Ausrüstungen für Wüstengefechte, stellten sich in einer Reihe auf, um die Durchsuchung zu überwachen. Manche hatten simple Schrotflinten dabei, andere fuchtelten mit Pistolen herum. Nur wenige bärtige Männer waren mit modernen Sturmwaffen ausgerüstet, zweiteilige Raketenwerfer, die Tausende von Dollar gekostet haben mussten. Alle taten zumindest so, als wollten sie den Zugang zu den Gebieten beschränken, die sie zu kontrollieren behaupteten. Für künftige Pilger ein Albtraum.

Sam musterte sich im Spiegel der Sonnenblende. Sein Haar war jetzt schwarz, mit Spuren von Grau. Er hatte seine Haut mit

Coppertone Plus eingefärbt und die Augenlider und Wangen mit Walnuss-Saft eingerieben. Gerade aufgrund der beiden unterschiedlichen Farbschattierungen wirkte sein Äußeres glaubhaft. Sollten sie ihn herausgreifen und gründlich untersuchen – was in diesem Land, in dem Krieg und Angst herrschten, nicht ungewöhnlich war –, würden sie feststellen, dass er beschnitten war. Und zwar nicht aufgrund eines klinischen Eingriffs, sondern mittels eines Rasiermessers, das den ganzen Schaft bearbeitet hatte. So war es beim Ritual des *El-sekh*, der sogenannten Häutung, üblich. Man ließ überhaupt keine Vorhaut stehen, sodass sich der gehäutete Schwanz im erigierten Zustand wie eine Schlange dehnte. Und das war etwas, das ein Nicht-Muslim sich niemals wünschen oder erdulden würde. Schon vor Jahren hatte er diese Operation an sich selbst durchgeführt. Vor seinem Dienst im FBI, als er im Irak für zivilgesellschaftliche Organisationen gearbeitet hatte, war er damit bei zahlreichen gründlichen Überprüfungen durchgekommen.

Seine Augen brannten, da sich feine Staubkörnchen unter die Kontaktlinsen geschoben hatten. Er zupfte seine *Ghutrah* und das lockere Gewand zurecht und lehnte sich auf dem Sitz zurück. Sollten die Israelis nur machen. Ihr Arabisch war besser als seines.

Fünf Wachsoldaten lösten sich aus dem Pulk und kamen herüber. Sie waren noch jung und standen unter Strom, grinsten jedoch breit. Vom zweiten Lastwagen aus lauschte Sam dem lauten, gereizten Wortwechsel, der jedoch bald einem freundlicheren Ton wich. Er hatte unter den Siedlerkindern eine gute Auswahl getroffen. Wer konnte einen sephardischen Juden schon von einem Araber unterscheiden?

Der Fahrer des ersten Lastwagens zeigte die Papiere vor, die Sam in Tel Aviv an alle ausgehändigt hatte. Sie belegten, dass ihre Inhaber zu den jemenitischen und irakischen Flügeln der Rebellion gehörten. Ibrahim Al-Hitti hatte diese Dokumente schon vor einem Jahr besorgt, allerdings für eine völlig anders geartete Operation. Aufgrund der Reaktion der fünf Soldaten, die die Dokumente lächelnd herumreichten, fragte Sam sich einen Augenblick, ob die Passierscheine und Genehmigungen womöglich allzu perfekt waren. Für seinen Geschmack wirkten die Soldaten zu beeindruckt, sogar aufgeregt und neugierig zu erfahren, wer diese wichtigen Reisenden sein mochten.

Sam schloss die Augen und hörte nur zu. *Ja, wir haben Utensilien für Feierlichkeiten und Arzneimittel dabei, Gott sei für seine Gnade und Freigebigkeit gedankt. Nein, keine Waffen. Wir unterstützen die Befreiungsfront Hijaz mit friedlichen Mitteln.* Offenbar minderte das den Respekt der Wachsoldaten. Er hörte ein paarmal das englische Wort *ancillaries,* Hilfstruppen. Die Wachsoldaten fragten, ob die Männer zur Unterstützung der Sache je Waffen getragen hätten. Der Fahrer des ersten Lastwagens verneinte verlegen und unterwürfig. Das trug ein Übriges dazu bei, das Hochgefühl der Soldaten zu dämpfen. Da diese Reisenden keine Krieger waren, musste man ihnen auch keinen besonderen Respekt erweisen. Sie schwenkten die Arme und fuchtelten mit den Händen. Gleich darauf gingen sie zum zweiten Lastwagen hinüber und musterten Sam und seine drei Gefährten durch das heruntergelassene Fenster.

Als Obergewand trug Sam eine hellgraue, leicht verschmutzte *Thobe,* darunter *Sirwals,* locker sitzende Baumwollhosen. Die anderen Männer in den Lastwagen hatten weiße Gewänder an, darüber *Bischts,* lange, mit Stickereien gesäumte Westen aus dunkler Baumwolle. Alle hatten sich mit den üblichen Kopfbedeckungen ausgestattet, rot-weißen oder schlicht weißen *Ghutras,* die um den Hals drapiert waren. Schlichte schwarze Kordeln, *Agals,* und *Tagiyas,* weiße Kappen, verhinderten, dass die Tücher verrutschten.

Sie hätten ungelernte Arbeiter oder Wanderarbeiter sein können, wen interessierte das schon. Jedenfalls waren sie keine Soldaten. Inzwischen war jedes Gespräch verstummt.

Nachdem die Männer ausgestiegen waren, wurden die Lastwagen gefilzt. Keine Waffen. Nur Feuerwerkskörper, sicher und ordentlich verpackt. Einige Soldaten sprangen auf die Ladeflächen, zwängten sich zwischen die mit Plastik umhüllten Pakete, die auf Stahlpaletten geschichtet waren, und überprüften hin und wieder eines, indem sie mit dem Messer durch Plastikhüllen und Pappe stachen, um hineinzusehen. Sie fragten die Männer, ob sie Alkohol dabeihätten. Nur medizinischen Alkohol zum Einreiben, den man nicht trinken könne. Nein, sie hätten auch keine Narkotika oder starke Schmerzmittel im Gepäck. Solche Dinge würden mit anderen Lieferungen folgen.

In der Regel konfiszierten die Aufständischen trinkbaren Alkohol, genau wie Drogen, denn es wurde hart gekämpft, und die Soldaten hatten Entspannung nötig.

Hatten sie wenigstens *Qat* dabei, den leicht berauschenden Kautabak?

Die Jemeniten im Pulk, der inzwischen um die Lastwagen herumstand, drängten nach vorn, wurden jedoch enttäuscht. Nein, die Reisenden hatten weder *Qat* noch Tabak dabei.

Nach der Kontrolle, die eine ganze Stunde dauerte, verwiesen die Wachsoldaten die Männer an drei Iraker, Sunniten in adretten Uniformen, die weitere zehn Minuten unschlüssig herumdiskutierten: Sicher, die Reisenden waren mit wichtigen Vollmachten ausgestattet, aber das waren auch die Verantwortlichen an diesem Kontrollpunkt. Allerdings sei schon bald mit dem endgültigen Sieg zu rechnen, dem ehrenvollen Sieg, zu dem sie alle beitragen würden. Vielleicht sei jetzt die rechte Zeit gekommen, sich als großmütig zu erweisen, selbst gegenüber diesen Muslimen, Hilfsarbeitern verschiedener Nationalitäten – seit Wochen die Ersten, mit denen sie zu tun hatten. Es werde viele Kranke und Verletzte geben, und da auch bald der Haddsch beginne, brauche man dringend Arzneimittel und andere Waren.

Die Wachsoldaten legten ihre Meinungsverschiedenheiten noch vor Sonnenuntergang bei, damit sie die Gebetsrituale vollziehen konnten. Die Reisenden und ihre Fahrer schlossen sich ihnen an und breiteten ihre Gebetsteppiche im Sand und Geröll neben der Schnellstraße aus. Sam empfand innerlich einen stechenden Schmerz, als er das Ritual mitmachte. *Sie versuchen, mit Gott zu sprechen.*

Als die Sonne hinter dem Horizont versank, kehrten sie zu den Lastwagen zurück und wurden weitergewinkt. Die Wachsoldaten entzündeten Lagerfeuer und zogen das Kochgeschirr aus roten Plastikbeuteln heraus.

Der Pulk teilte sich, schob die provisorischen Holzbarrieren und leeren Stahltrommeln zur Seite, sodass der Konvoi hindurchfahren und zur letzten Etappe der Straße nach Mekka aufbrechen konnte.

Kapitel 54

Der Sonderagent Brian Botnik konnte beim Feuerwehrchef des Riverside County mitfahren. Der Luftstrom, der durch einen Fensterspalt in den Lastwagen drang, übersäte dessen Haare mit grauen Flocken. »Dem Wetter nach könnte es eher Frühsommer sein«, bemerkte er. »Wegen der Großbrände sind viele tausend Tonnen Rußflocken in der Luft. Heute Abend könnte es weitere Blitzschläge geben. Verdammt verrückt.«

Bald würde die größte Tageshitze erreicht sein. In einer Höhe von mehreren tausend Metern war der Himmel im Osten mit strahlend weißen Wolken überzogen. Von den großen Brandstellen stieg weiße Asche hoch und setzte sich nach und nach so an der Windschutzscheibe fest, dass sie kaum noch etwas sahen. Ein Wasserstrahl und die Scheibenwischer konnten dagegen wenig ausrichten: Sie verwandelten den Belag lediglich in eine schmierige Masse. Infolge des Staubs und der Asche, die der Wind von den Hügeln herübertrug, war der Himmel orangerot gefärbt.

Heftiger Niederschlag hatte in den letzten sechs Jahren dafür gesorgt, dass genügend Brennmaterial zur Verfügung stand, um zehn über fünf Bezirke verteilte Großbrände zu nähren: Tagelang hatten auf den Hügeln die Hartlaubbäume, kalifornischen Eichen, Kreosot- und Wüstensalbei-Büsche gebrannt. Immer noch lag ätzender Kohlenstaub in der Luft.

Durch einen klaren Streifen der verschmierten Scheibe spähte der Feuerwehrchef auf die Straße. »Als wir bei der Scheune ankamen, wusste ich sofort, dass wir auf etwas Seltsames gestoßen waren. Jetzt heißt es überall, das Hauptgebäude habe den Brand wie durch ein Wunder überstanden. Von wegen Wunder: Wir haben unsere Löschwagen am Ende der Straße aufgebaut und das Haus gerettet, genau wie die meisten Außengebäude.«

Im Bezirk Riverside war der Sheriff gleichzeitig für die Untersuchung ungewöhnlicher Todesfälle zuständig und musste sich derzeit noch um Brandopfer kümmern. Da die Brände in den Bezirken San Diego und Riverside weitgehend unter Kontrolle waren, hatte sich Clay Sinclair, Riversides Feuerwehrchef, angeboten, Botnik zum Weingut hinauszufahren. Sinclairs Aufgabe bestand jetzt vor allem darin, die Brandherde zu überwachen, um ein erneutes Aufflackern der Feuer zu verhindern – und Kongressabgeordnete (er nannte sie *Gaffer*) bei ihren Erkundungsreisen zu begleiten.

»Was ist mit dem Eigentümer?«, fragte Botnik.

»Er muss schon seit Jahren allein gelebt haben. Man hat ihn im Haus entdeckt. Der Mann hat einen auffällig großen Kopf und ist geistig irgendwie behindert. Wirklich ein trauriger Fall.«

»Hat er irgendetwas gesagt?«

»Nein, er hat kein Wort von sich gegeben. Irgendwann ist ein Rechtsanwalt aufgetaucht, aber ich glaube, die hatten schon seit Jahren keinen Kontakt mehr miteinander. Jedenfalls hat der Bursche den Anwalt nicht wiedererkannt. Der hat daraufhin nur die Achseln gezuckt, ein paar Worte gesagt und ist gleich wieder abgefahren. Ist auch nicht wiedergekommen. Seltsame Sache. Soweit ich weiß, war das früher eine Weinkellerei. Aber in der Scheune stehen jede Menge PC-Drucker herum … Einer der Beamten, die dem Sheriff unterstellt sind, hat gewisse Übereinstimmungen mit einem anderen Fall festgestellt: In Arizona wurde ja ein Streifenpolizist während eines Einsatzes erschossen, bei dem ein Lastwagen voller Epsons eine wichtige Rolle spielte. Der Sheriff war der Ansicht, es könne da eine Verbindung geben. Da die Fälle in zwei verschiedenen Bundesstaaten angesiedelt sind und möglicherweise mit Drogenhandel oder Schmuggel zu tun haben, sind wir beide davon ausgegangen, dass das FBI interessiert sein könnte. Also haben wir das Büro in San Diego angerufen, aber die Leute dort haben nur abgewinkt. Nur Sie haben irgendein Interesse gezeigt. Hier, setzen Sie die auf. Es ist immer noch ziemlich schlimm.« Er reichte Botnik eine Atemschutzmaske.

Botnik streifte sich die Maske so über, dass sie Mund und Nase bedeckte. Nachdem er Oberstleutnant Jack Gerber von der Inneren Sicherheit des Bundesstaats Arizona über sein Vorhaben informiert hatte – das war eine Sache der Höflichkeit –, war er an diesem Morgen mit einem Regionalflugzeug aus Phoenix hier gelandet. Bewusst hatte er keinen Kontakt mit Rebecca Rose aufgenommen. Das würde er dem Chef vom Dienst im FBI-Büro Phoenix überlassen, wenn es nötig sein sollte – falls überhaupt. Für seinen Geschmack tobten im Hauptbüro derzeit allzu heftige politische Richtungskämpfe.

Kein Wunder, dass das FBI-Büro San Diego diese Sache ignoriert hatte. All diese Großbrände waren nicht durch Brandstiftung, sondern durch Blitzschläge ausgelöst worden. Höhere Gewalt. Kein Verbrechen. Nicht wert, dass man sich damit befasste. Außerdem hatten die Feuer in den fünf Bezirken mehrere pharmazeutische Labore in Brand gesetzt, und jeder war vollauf damit beschäftigt.

»Da draußen hält ein Verwaltungsbeamter aus dem Büro des Sheriffs die Stellung. Sorgt dafür, dass dort niemand plündert, und habt ein Auge auf den Burschen mit dem großen Kopf. Zu dessen eigener Sicherheit, sagen wir.«

Botnik sah auf das Display seines Handys. *Tommy Juan Battista Juarez.* Geburtsdatum: 27. April 1985. Eltern 2000 verstorben. Kein Schulabschluss, keine Hochschulausbildung. Lehre bei den Eltern auf dem Weingut. Keine Vorstrafen.

»Es gibt dort immer noch viele Gerätschaften zur Weinerzeugung – und natürlich die Sachen in der Scheune.«

»Hat sich dort schon jemand umgesehen?«

»Nur unsere Feuerwehrleute. Außer diesem Mann haben wir niemanden entdecken können.«

Der Feuerwehrchef lenkte den Lastwagen auf eine kleine

Straße, die durch ein Gehölz mit verbrannten und verkrüppelten Eichen führte. »Ich glaube, es hat sich noch keiner den ganzen Gebäudekomplex angesehen.«

Der Brand hatte die Eichen offenbar nach dem Zufallsprinzip vernichtet. An Stellen mit hohem Unterholz hatte das Feuer eine Temperatur von fast tausend Grad entwickelt. Manche Eichen, die zusammengeschrumpelt und zu Stümpfen niedergebrannt waren, sahen wie weißlich graue Wurzelzwerge aus.

Als sie sich dem im spanischen Stil gebauten Wohnhaus näherten, blickte Botnik aus dem Wagenfenster und entdeckte die breiten Parallelspuren der Löschwagen, Rinnsale aus Wasser und Matsch, Stiefelspuren und die Schlangenlinien der Wasserschläuche, die sich in den immer noch feuchten Sand gegraben hatten. Hier hatten die Feuerwehrleute sich hingestellt und das Anwesen von Tommy Juarez davor bewahrt, ebenfalls Opfer des Höllenfeuers zu werden, das die Hügel verzehrt hatte – und mehr als vierhundert Häuser und Ranches.

Der dem Sheriff unterstellte Verwaltungsbeamte, ein jugendlicher, ernsthafter Mann Mitte zwanzig, empfing sie an der Auffahrt. Der Feuerwehrchef stellte Botnik vor.

»Der Besitzer ist immer noch da drinnen«, teilte der Beamte ihnen mit. »Geistig ist er ziemlich minderbemittelt. Manchmal kommt er ans Fenster und lächelt. Woraus der Sheriff nicht schlau wird, sind diese Sachen im Lagerhaus und in der Scheune.«

Sie stiegen die Treppe hinauf und blieben im Schatten der Veranda stehen. Botnik klopfte an die Eingangstür. »Ich bin Agent des FBI, Mr. Juarez, und möchte mit Ihnen über den Brand reden.«

Keine Antwort. Da die Tür nicht abgeschlossen war und einen Spalt aufstand, trat Botnik seine Schuhe an der zerschlissenen Gummimatte ab, stieß die Tür weit auf und ging ins Haus. Am Ende eines mit Abfall übersäten gefliesten Ganges entdeckte er links einen Torbogen, hinter dem das Wohnzimmer lag. Rechterhand führte ein zweiter Torbogen zur Küche. »Mr. Juarez?«

Als aus der Küche ein dumpfer Schlag und Geraschel zu hören waren, griff Botnik nach der Pistole, die noch im Halfter steckte. So kurz, als wäre nur eine Wolke vorübergezogen, verdunkelte sich das vom Rauch geschwärzte Licht, das durch das Tor aus der Küche drang.

»Mr. Juarez? Ich bin FBI-Agent und heiße Botnik. Darf ich Ihnen ein paar Fragen stellen?«

Als ein Stuhl auf seinen Laufrollen quietschte, ging Botnik auf die Küche zu. Durch den Torbogen konnte er einen Kühlschrank, eine Frühstückstheke und einen schönen Gasherd erkennen, der bestimmt teuer gewesen, jetzt aber von Essensresten verkrustet war. Der Stuhl quietschte erneut.

Botnik wagte einen Blick um die Ecke: Der Mann mit dem großen Kopf saß am Küchentisch und starrte teilnahmslos über einen kleinen Stapel wissenschaftlicher Zeitschriften hinweg vor sich hin. Er trug einen Schlafanzug. Botnik kam er wie eine seltsame kleine Gliederpuppe vor, die zu kaschieren versucht, was in ihrem Inneren abhanden gekommen ist.

»Komm rein, Sam«, sagte die Gliederpuppe. »Ich hab inzwischen einiges an Lektüre nachgeholt, muss aber oft ein Wörterbuch benutzen. Nimm Platz. Ich hab über dich ›nachgedacht‹.« Beim letzten Wort malte er Gänsefüßchen in die Luft. »Wenn ich mich doch nur daran erinnern könnte, was wir eigentlich vorhatten.« Er wandte den Blick zur Seite und sah zuerst auf Botniks Arm, dann auf dessen Gesicht. »Du bist doch Sam, oder nicht?«

Vom Gang aus beobachteten der Verwaltungsbeamte und der Feuerwehrchef die Szene. »Sind Sie Tommy Juarez?«, fragte Botnik.

Der Mann mit dem großen Kopf hob eine Schulter und lächelte.

»Mr. Juarez, dürfen wir uns auf Ihrem Grundstück mal umsehen? Nur, um sicherzustellen, dass keine Gefahr mehr droht?«

Tommy zuckte erneut die Achseln, diesmal hob er dabei beide Schultern. »Spricht wohl nichts dagegen«, erwiderte er, während sich tiefe Falten in seine Stirn gruben. »Ich kann sowieso nichts mehr zum Laufen bringen, es ist alles kaputt.«

Zusammen mit dem Feuerwehrchef und dem Verwaltungsbeamten ging Botnik zur Scheune hinüber. Das Feuer hatte eine Seite des Gebäudes angesengt und an einer Ecke so geschwelt, dass heiße Luft ins Innere gedrungen war. Durch eine angekohlte Tür traten sie in einen Albtraum aus Asche und geschmolzenem Inventar. Überall waren die Vorhänge aus transparentem Tyvek so zusammengeschrumpelt, dass sie sich in grotesken Formen wanden. Auf vielen Tischen – es mussten Dutzende, nein Hunderte sein – thronten Tintenstrahldrucker, die zu unbegreiflichen Mustern aufgereiht waren. Nahe der vom Feuer zerstörten Wand und der Stelle, wo der Schwelbrand die Ecke erfasst hatte, waren die Drucker so zusammengeschmolzen, dass sie wie missgestaltete Köpfe mit weit aufgerissenen Mündern aussahen, die ihre Eingeweide – das Kabelgewirr – hinter sich herschleppten. An einem Ende der Scheune waren Teile zerbrochener Glasplatten in Plastikbottiche gefallen oder hineingeworfen worden. An verschiedenen Stellen des mit Abfall übersäten Betonbodens hatten sich aufgrund der Löscharbeiten Wasserpfützen gesammelt.

Kein Papier, keine Kartons mit Druckerzeugnissen – und nur dieser eine Mann. Das hier war offensichtlich weder die Zentrale eines hinterwäldlerischen Pornorings noch irgendeine Verlagsanstalt.

»Eine solche Weinkellerei ist mir noch nicht untergekommen«, bemerkte Sinclair.

Das Lagerhaus wies Spuren von Schwelbränden auf, und die Metallverkleidungen waren auf zwei Seiten verzogen, doch das Innere war unversehrt. Botnik ging zwischen zwei riesigen stählernen Gärtanks hindurch und bis zum oberen Absatz der Treppe. Über die Schulter warf er einen Blick auf die beiden Männer, die an der großen Stahltür stehen geblieben waren.

»Bleiben Sie, wo Sie sind«, warnte er sie.

»Ich bin schon unten gewesen«, sagte der Verwaltungsbeamte. »Dort ist eine Art Labor. In Weinkellereien durchaus üblich.«

»Hier ist seit Jahren kein Wein mehr gekeltert worden«, entgegnete Sinclair. »Früher hat's hier viele Weinkellereien gegeben. Ich habe einige inspiziert.«

Hinter den großen Stahlbehältern baumelten ganze Reihen von Atemfiltern und Sauerstoffapparaten von Gestellen herunter. Ein Gewirr von Rohren führte vom Dach zu komplizierten Filteranlagen im hinteren Bereich. Waren das sogenannte Hochleistungsfilter-Filter, die fast hundert Prozent aller Teilchen, ob Staub, Pollen oder Bakterien, aus der Luft absorbieren konnten? Botnik, der immer noch oben auf der Treppe stand, bückte sich, um einen Pappkarton aufzuhebeln, der zwar Wasserflecken aufwies, aber nicht Hitze und Feuer ausgesetzt gewesen war. Er war mit Plastikhandschuhen gefüllt. Unter einer verzogenen Metallverkleidung waren zwei Beutel mit Ganzkörper-Schutzanzügen verborgen. Außerdem hatte jemand ganze Stapel von Schuhüberziehern aus Plastik auf die Seite geschoben. Nicht gerade die übliche Ausstattung einer Weinkellerei.

»Bleiben Sie einfach da, wo Sie sind«, wiederholte er.

Als er die Holztreppe hinunterstieg, schlug ihm die kühle Luft entgegen, die sich dort unten gesammelt hatte. Der Kohlegestank wich einem säuerlich blumigen Geruch. Schon vor Tagen war im Keller der Strom ausgefallen. Er schaltete seine Taschenlampe ein und ließ den hellen Lichtkegel über die Reihen alter Fässer gleiten, die sich unter der gewölbten Decke bis nach hinten erstreckten.

Er fragte sich, ob die Atemschutzmaske ausreichen würde, und ging vorsichtig zu der offenen Tür auf der linken Seite hinüber. Hier hörten die Fußspuren des Verwaltungsbeamten auf. Er richtete den Lichtstrahl auf das Chaos hinter der Tür. Irgendjemand, vielleicht Juarez, musste hier wie in blinder Wut herumgetobt haben, denn das Inventar war zu Boden gezerrt und zertrümmert worden.

Botnik kannte sich in Biologie zwar nicht wirklich aus, aber das hier war offenbar ein gut ausgestattetes Labor gewesen. Im FBI-Büro Phoenix waren regelmäßig Mitteilungen über Materialien, Chemikalien und Gerätschaften eingegangen, die für Bioterroristen nützlich sein konnten. In den zertrümmerten und mit Staub bedeckten Gegenständen auf dem Fußboden erkannte Botnik zahlreiche der aufgelisteten Objekte wieder. Er kniete sich neben ein graues emailliertes Gehäuse, dessen Seiten so eingedellt waren, als hätte sie jemand eingetreten, und las das Etikett auf der Rückseite: *Simugenetischer Sequenzierer*. Die hier gebündelten Plastikrohre führten zu Gefäßen und Gläsern, die auf einem – mittlerweile umgestürzten – Tisch gestanden hatten. Auf einem der zerschmetterten Gefäße klebte ein Etikett mit der Aufschrift *Aufbereitete Rückstände von Nucleinsäure: Zytosin*. Andere Gefäße hatten früher Tyrosin, Guanin, Uracil und Adenin enthalten, Bestandteile von DNA und RNA.

Zur Arbeit eines Weinerzeugers gehörte es nicht, DNA-Moleküle zu rekombinieren oder zu replizieren.

Botnik presste sich die Maske näher ans Gesicht, holte den WAGD-Marker heraus, schraubte die Verschlusskappe ab und versuchte dabei, den Atem anzuhalten. Danach stieß er in den hinteren Bereich des unterirdischen Labors vor. Dort hatte jemand ein riesiges Gehäuse mit Kunststoff- und Stahlverkleidungen und Löchern, durch die man mit Handschuhen ins Innere greifen konnte, mit einer Axt bearbeitet, sodass jetzt dessen Innenleben sichtbar war: flache Schalen, Schubfächer, Gummischläuche, Ventilatoren und schwarze Handschuhe, die in äußeren Öffnungen hingen. Eine wirklich heiße Anlage, raffiniert ausgetüftelt und kompakt. Die Axt steckte immer noch in der rechten Seite.

Botnik fuhr mit dem Marker über eine frei liegende Platte und achtete dabei darauf, sich nicht an Metallzacken oder zerfetztem Kunststoff zu schneiden. Die feuchte Zunge des Markers leckte über eine dünne Staubschicht.

Danach zog er sich vorsichtig zurück, schlug einen Bogen um die zertrümmerten Glasgefäße und blieb am Treppenaufgang stehen. Er stand kurz vor einer Ohnmacht, hatte aber immer noch Angst, die so dringend benötigte Luft einzuatmen.

Nach zwei Minuten meldete der WAGD-Marker mit einem hellen Läuten, dass ein Analyseergebnis vorlag.

Gleich darauf quietschte der Marker kurz und schrill auf – ein Geräusch, das Botnik als genauso unerwünscht und unheimlich empfand wie das Zischen einer wütenden Kobra. Es war das Geräusch, das man auf keinen Fall hören wollte: die Warnung vor biologischen Gefahrenstoffen. Botnik warf einen Blick auf das Analysegerät.

WAGD – *We're All Gonna Die* ...

»Nachweis von Anthrax-Sporen«, meldete die blecherne Stimme. »Verlassen Sie die Örtlichkeiten und halten Sie sich dabei an die Richtlinien der Regierung und Ihrer Ausbildung. Ich wiederhole: Nachweis von Anthrax-Sporen. Bitte wenden Sie sich sofort an Experten für biologische Gefahrenstoffe.«

Botnik rannte die Treppe hoch und an den beiden Männern vorbei, die oben warteten. »Sofort raus hier!«, brüllte er, nach Luft ringend. »Sofort ins Freie!«

Als er im rauchgeschwärzten Sonnenlicht stand und an seiner Schutzmaske herumfummelte, fiel ihm wieder ein, wer er war und was er hier wollte. Nach einigen qualvollen Atemzügen, bei denen er sich krümmte, bekam er nach und nach wieder Luft.

Sinclair und der Verwaltungsbeamte sahen zu ihm herüber. »Mein Gott, was *ist* denn da unten?«, fragte der Feuerwehrchef.

Botnik winkte nur ab, gab einen allgemeinen Alarmcode in das Funkgerät an seinem Arm ein und machte den ersten von zwei Anrufen. »Fassen Sie mich nicht an!«, warnte er die Männer, als sie näher kamen. Sobald sich am anderen Ende der Leitung automatische Anrufbeantworter gemeldet hatten, wählte er die geheimen Notrufnummern des FBI, die speziell für biologisch bedingte Gefahrensituationen eingerichtet worden waren. »Kommen Sie nicht in meine Nähe. – Sie«, er deutete auf den Verwaltungsbeamten, »bleiben hier und warten auf die Experten für Gefahrenstoffe, verstanden?«

»Um was, zum Teufel, geht's denn überhaupt?«

»Sie sind kontaminiert. Verlassen Sie das Grundstück nicht. Fordern Sie Verstärkung an. Vermeiden Sie Körperkontakt. Halten Sie Abstand zu allen anderen Beamten oder Zivilpersonen, fassen Sie niemanden an. Ausgenommen sind nur die Experten für Gefahrenstoffe und ärztliches Personal. Wir werden dieses ganze Gehöft, Weingut oder was es auch sein mag von der Außenwelt abriegeln. Die Experten bringen Gamma-Lysin und Antibiotika mit, also werden wir's überstehen. Aber wir alle müssen untersucht und behandelt werden. Und lassen Sie Juarez *nirgendwohin*. Sorgen Sie dafür, dass er im Haus bleibt. Haben Sie das verstanden?«

Der Verwaltungsbeamte sah so aus, als könne er jeden Augenblick in Ohnmacht fallen. Der Feuerwehrchef zog sich mit abwehrend vorgestreckten Händen und offenem Mund von den beiden anderen zurück: »Ist ja nicht zu fassen.«

Während Botnik auf die Verstärkung und die Gefahrenstoffexperten wartete, suchte er das Gelände hinter dem Lagerhaus und einen Pfad ab. Er bemühte sich, nicht zu hyperventilieren, und fragte sich dabei, ob er – gleich nach dem Verwaltungsbeamten – der Hauptbetroffene war, der Paria, den die Experten warnend mit Kreisen markieren würden, wenn sie die Epizentren der Verseuchung auf tödliche Folgen und Erkrankungswahrscheinlichkeiten vermaßen. *Scheiß auf die Ausbildung:* Er konnte jetzt nicht einfach die Ruhe bewahren und den Mund halten, denn dann würde er ausrasten.

Was, zum Teufel, hatte dieser Wasserkopf, Mr. Tommy Juarez, all die Jahre hier draußen im Hinterland getrieben?

In Quantico hatten sie in seinem Wohnheim Wetten darauf abgeschlossen, wer von ihnen im FBI-Dienst als Erster zu Ruhm und Ehre gelangen würde. Der angehende Agent Brian Botnik hatte sich dabei stets im Hintergrund gehalten und es den größeren und dreisteren Kollegen überlassen, um das künftige Recht auf Angeberei zu wetteifern. Derweil hatte er nur gehofft, beim körperlichen Training und bei den Schießübungen so gut abzuschneiden, dass er Wochenendurlaub bekam und vielleicht sogar ein Mädchen fand, mit dem er sich verabreden konnte.

Während er sich zwang, Lippen und Wangen so ruhig zu halten, dass die Schutzmaske nicht verrutschte, und sein Hochgefühl zu unterdrücken versuchte, begann er heiser zu brüllen. »Wir haben ihn!«, rief er über das verbrannte Stoppelfeld hinweg. »Endlich haben wir ihn! Heilige Mutter Gottes, ich danke dir!«

Er warf die Faust in die Luft und trampelte auf dem mit Asche übersäten Boden herum.

»Wir haben Amerithrax!«

Kapitel 55

Spider-Argus-Komplex, Virginia

»Und für wen, bitte, ist das?«

Jane Rowland reichte die schriftliche Bitte um Netzrecherche an ihren Chef beim Nachrichtendienst des FBI weiter. Der Boss des Spider-Argus-Komplexes war Gabe Wrigley, ein vierzigjähriger Mann mit dickem Hintern und Teigtaschengesicht, der zerknitterte braune Anzüge trug und stets geistesabwesend wirkte. Rowland hatte mit ihrem Probeeinsatz einen Volltreffer gelandet: Der Spider-Argus-Komplex, untergebracht in einem alten Marinestützpunkt am Potomac, war, was Netzrecherche betraf, die wichtigste Stelle des FBI. Und bislang hatte sie sich für einen Neuling sehr gut gemacht. »Spezielles Gesuch von Frank Chao in Quantico und von Rebecca Rose«, erwiderte Jane. »Sie arbeiten mit Hiram Newsome zusammen.«

Wrigley war einer der klügsten Menschen, die sie je getroffen hatte, mal abgesehen von seinen sozialen Umgangsformen, aber sie fragte sich, wie er jemals das körperliche Training in Quantico hatte schaffen können. Vielleicht hatten sie ihn durch eine Ausnahmeregelung davon befreit, wie auch manche Techniker und Übersetzer, die sich in ihren Hinterzimmern nur im Wörterdschungel bewähren mussten.

Er bedachte sie mit seiner besten *Da-bin-ich-aber-beeindruckt*-Miene. »Und Sie wollen … was? Eine feinere Übersetzung vornehmen?«

»Jedenfalls eine, die besser ist als die automatische. Aber ich brauche mehr Zeit und weitere Quellen, um das zu bearbeiten. Mindestens einen Tag Vorzugszugang zum internationalen

Argus-Netz. Vierundzwanzig Stunden lang. Ich verspreche, nicht zu schlafen.«

»Ich bitte Sie, holde Maid, warum denn das?«

»Weil's hier um eine unheimliche Sache geht. Näheres kann ich Ihnen noch nicht sagen, weil ich mir selbst nicht sicher bin, ob ich's verstehe.«

Wrigley sah sie so an, als hätte sie nicht alle Tassen im Schrank, lächelte aber gleich darauf. Bedächtig und vorsichtig. Beide waren sie für ihre Macken bekannt.

»Rebecca Rose hat mich gebeten, nach etwas zu suchen«, fuhr sie fort. »Ich glaube, ich hab's gefunden. Aber ich muss sicherstellen, dass wir nicht verschaukelt werden. Falls die Sache stimmt, ist sie überaus wichtig. Und falls sie sich als Schwindel entpuppt, kann ich's denen ersparen, Zeit darauf zu verschwenden, nicht wahr?«

Wrigley schob den Stuhl zurück. »Wird man Newsome im Amt bestätigen?«

»Wie soll ich das wissen?«

»Ist er ein Typ, der die bei uns versammelten Begabungen und Fähigkeiten zu schätzen weiß? Jemand, von dem anzunehmen ist, dass er uns gegen die einfallenden Horden von Barbaren verteidigen wird?«

Jane Rowland schüttelte den Kopf. »Auch darauf weiß ich keine Antwort. Das hier ist ein gespenstischer Ort. Und er wird jeden Monat gespenstischer.«*

»Es gibt kein Zurück«, sagte Wrigley. »Wie sollte uns jemand all unser Wissen verzeihen?« Er musterte sie eingehend. Gleich darauf drückte er einen Stempel auf den Aktendeckel, streckte die Hand hoch, krümmte einen Finger und schob ihn so nach unten, als wolle er eine Zugpfeife auslösen. »Tuut, tuut, Agentin Rowland. Was soll's. Gleis neunundzwanzig.«

---

* gespenstisch: im Original spooky = Wortspiel. *Spooky* = unheimlich, gespenstisch; *spook* = Slangausdruck für einen Schnüffler vom Geheimdienst – *Anm. d. Übers.*

»Danke, Gabe.« Jane ließ ihn in seinem Kabuff allein, ehe er seine Meinung ändern konnte.

Als sie wieder am eigenen Schreibtisch saß, tippte sie ihren neuen Zugangscode ein, gab ihre Anfragen in die Top-Prioritätsliste des Argus-Systems ein und sah zu, wie sie sofort an die fünfte Stelle aufrückten. Damit wurden zehn Millionen kleine Jäger aktiviert, die sich durch das stündlich zusammengefasste Protokoll Tausender verschiedener Signale und Pfade zu den ursprünglichen Quellen der Datenpakete zurückarbeiten würden – Datenpakete, die durch Hunderte von Servern weitergeleitet worden waren, wobei alle Pfade letztendlich bei einem einzigen Internet Service Provider und einem einzigen Nutzer zusammenliefen. Das allgegenwärtige Argus-Auge und Spider, der Webmaster, der seine Fäden wie eine Spinne durchs Netz zog, würden sich trotz aller aktivierten Firewalls und anderer Vorsichtsmaßnahmen so lange vortasten, bis sie wussten, wer und wo dieser Nutzer war.

Verblüffend, wenn man darüber nachdachte. Und manchmal brachte es sogar was.

Sobald die Quelle bestätigt war, würde Jane Rowland in den »Wörterdschungel« vorstoßen müssen und die erbeuteten Seiten an zwei Übersetzerinnen weiterleiten, die beide mit der modernen israelischen Umgangssprache vertraut waren.

Jane lagen jetzt zwei leicht verschlüsselte Seiten vor, persönliche Mitteilungen, die sich auf eine Begegnung in Kiryat Shimona, rund fünf Kilometer vor der libanesischen Grenze, bezogen. Es ging dabei um einen geheimnisvollen, vermutlich männlichen Besucher, der offenbar viele interessante Eigenschaften und körperliche Attribute besaß, darunter verschiedenfarbige Augen. Eines war blau, das andere grün. Die rund hundertfünfzig Wörter des ernsten Prosatextes offenbarten den inneren Konflikt und die gleichzeitige Verzückung einer einsamen verheirateten Siedlerfrau in Israel; immer noch war sie aufgrund einer Zwangsumsiedlung traumatisiert: Auf Regierungsbeschluss hin hatte sie ihr Haus im Gaza-Streifen verlassen müssen. Alles gut und schön, aber das automatische Übersetzungsprogramm hatte zweifellos irgendetwas durcheinander gebracht.

Gemäß dieser maschinellen Übersetzung, die wie üblich mit Anmerkungen und prozentualen Angaben der Textzuverlässigkeit versehen war, hatte die einsame Ehefrau bewundernd und mit leichtem Ekel etwas Seltsames erwähnt:

Ein *Phallus* oder *Penis* (umgangssprachlicher Ausdruck; Textzuverlässigkeit = 78%), der *wie der nackte Aal eines Nomaden (oder auch Stammesangehörigen) völlig gehäutet war* (Textzuverlässigkeit = 56%).

Was, zum Teufel, sollte das denn bedeuten?

Kapitel 56

Secure Strategic Support Command (SSSC)
Außenposten DAGMAR, Jordanien

Fouad Al-Hasam wartete nervös am Ende des spartanischen Betonkorridors. Rechts und links von ihm hatten britische und amerikanische Heeresoffiziere des Außenpostens Habtachtstellung eingenommen. Sie strahlten eine Selbstsicherheit aus, die ihm fehlte und womöglich immer fehlen würde.

Hier, in den fernen Ausläufern der jordanischen Wüste, hatte Fouad – es war erst drei Tage her – Einzelheiten über die multilaterale logistische Unterstützung der Aufständischen erfahren, die Riad, Dschidda und Mekka besetzt hatten. Was fast die ganze Welt als spontane Rebellion von Muslimen gegen korrupte Saudis betrachtete, ergab jetzt ein sehr viel komplexeres Bild, vielleicht sogar ein Bild, das der Realität entsprach (wie sollte er wissen, wie viel man ihm anvertraute?). Demnach war die scheinbar spontane Flut muslimischen Zorns sehr wohl kanalisiert worden: In dem gemeinsamen Bemühen, dem politischen Wandel den Weg zu ebnen und sich dennoch die Ölreserven der Welt zu sichern, hatten andere Nationen diese Wut geschürt, teilweise sogar entzündet, und dafür gesorgt, dass sie sich auf ein bestimmtes Ziel richtete.

Genau wie Fouad es sich schon vor vielen Monaten zusammengereimt hatte.

Manche Leute bezeichneten diese Strategie als »kontrolliertes Abfackeln«, um einen größeren Weltbrand zu verhindern.

Selbst die Chinesen und Inder hatten sich dieser konzertierten Aktion insgeheim angeschlossen. In der Hoffnung, sich dadurch die Energievorräte zu sichern, die sie für das kontinuierliche Wachstum ihrer boomenden Volkswirtschaften so dringend brauchten.

Nur die Russen hatten sich nach – stillschweigender – anfänglicher Unterstützung knurrend in ihre Höhlen verzogen, verärgert darüber, dass ihr Vorhaben, die Europäische Union und die Vereinigten Staaten an den Rand zu drängen, jetzt durchkreuzt war.

Doch letztendlich lief alles darauf hinaus, dass Muslime andere Muslime mit Waffen töteten, die ihnen vor allem von Nicht-Muslimen geliefert wurden. Mit direkter Hilfe Ägyptens und der Türkei – beide hatten früher einmal den Zugang zu Mekka kontrolliert – und in gewissem Maße auch Jordaniens entstand in Saudi-Arabien derzeit eine provisorische Verwaltung für die Region Hijaz, die sich größtenteils auf jemenitische und omanische Truppen stützte. Aber nicht nur. Vielleicht war es die größte Ironie der Geschichte in diesem keineswegs viel versprechenden Jahrhundert, dass auch irakische Truppen beteiligt waren.

Was Fouad in den letzten zehn Tagen erfahren hatte, verschaffte ihm einerseits Durchblick, andererseits fraß es an ihm. Die Muslime hatten ihr Schicksal nicht selbst in der Hand. Eigentlich hatten sie diese Chance schon vor Jahrhunderten eingebüßt.

Im Iran besaßen die regierenden Muslime noch ein Minimum an Würde und Kontrolle, aber das bedeutete nicht viel: Der Iran war ein Land, das nachweislich mehr und mehr dem Wahnsinn anheim fiel. Dort befahlen Geistliche, auf Tausende von protestierenden Demonstranten, vor allem auf junge Studenten, zu schießen und Bomben auf sie zu werfen. Über den internationalen Druck setzten sie sich hinweg und verlegten ihre wenigen Atomraketen zu Standorten, wo sie auf israelische, türkische oder europäische Ziele abgefeuert werden konnten.

Letztendlich konnte der Westen nur hoffen, dass diese Waffen größtenteils einen Bluff darstellten und die einzige funktionierende Atomwaffe in iranischem Besitz tatsächlich in Shahabad Kord hochgegangen war – warum auch immer. Fouad war dabei Augenzeuge gewesen.

Der Wahnsinn, der im vergangenen Jahrhundert begonnen hatte, steuerte auf einen Höhepunkt zu. Und Fouad steckte mittendrin, saß auf einem explodierenden Pulverfass, das noch viel übler war als alles, was sein Vater und Großvater sich je hätten vorstellen können.

»Hier kommen die Jungs«, sagte der britische Oberst zu Fouads Linken und lächelte ermutigend. »Die Besten und Schlausten in Ihren Reihen, würde ich behaupten.«

Die ›Jungs‹, alle hatten junge, aber harte Gesichter, marschierten mit rhythmischem Schritt in vier Fünferreihen durch den Gang. Sie waren die ersten jener Soldaten, die manche Leute die *Janitscharen* nannten, was Fouad als beleidigend empfand. Mit dieser Bezeichnung spielten sie auf die christlichen Kinder aus dem Balkan an, die man im Osmanischen Reich dazu ausgebildet hatte, türkischen Herren zu dienen. Aus der ursprünglichen Liste von hundert Kandidaten hatten Führungsoffiziere von BuDark diese Soldaten ausgewählt. Als Fouad zum ersten Mal von dem Programm gehört hatte, das frühere Waisenkinder in die USA verpflanzte, war es ihm noch völlig unglaublich vorgekommen. Mittlerweile wusste er, dass solche Projekte zwangsläufig entstanden, weil Amerika sie dringend brauchte.

Die Reihen der Soldaten mit den schönen, bartlosen, braunen Gesichtern kamen auf ihn zu, blieben im Abstand von drei Metern mit (nicht ganz perfekter) militärischer Präzision vor ihm stehen und imitierten die Haltung der anderen Offiziere.

Genau wie Fouad dienten diese Soldaten BuDark, einer vorgeblich nicht-militärischen Organisation. Sie nahmen Habachtstellung ein. Bei manchen hüpfte der Adamsapfel auf und nieder, die Augen zuckten.

Fouad lächelte kurz, aber gleich darauf erstarrte sein Gesicht zu einem Ausdruck, der Unvoreingenommenheit und Würde ausdrücken sollte. Diese Männer würden zu ihm aufsehen, hatte man ihm gesagt. Er hatte einen Kampf miterlebt, sie nicht. Er beherrschte viele Sprachen, sie höchstens zwei oder drei. Er war ein Vollblutagent, er hatte getötet, sie nicht. Aber sie hatten eine intensivere Kampfausbildung genossen als Fouad. Und wenn ihnen das bewusst wurde, würden sie schwer zu befehligen sein.

Auf dieses Kräftemessen freute sich Fouad keineswegs, doch ihm blieb keine Wahl.

Die Würfel waren gefallen.

Jeder dieser jungen Männer war während des Zweiten Golfkriegs aus dem Irak oder aus Afghanistan herausgeholt worden. Sie stellten eine handverlesene Gruppe von Waisenkindern dar, die man in verschiedenen Städten oder auf dem Land gefunden hatte. Armeeoffiziere im aktiven Dienst hatten sie adoptiert und in die eigenen Familien aufgenommen. Sie waren in besonderen Verhältnissen groß geworden und in Virginia, Georgia oder Kalifornien zur Schule gegangen. Sie hatten das Äquivalent von High School-Abschlüssen erworben und danach in unterschiedlichen Studienfächern ihren Bachelor gemacht, doch gleichzeitig hatte man sie auch in Fort Benning ausgebildet und dabei den Schwerpunkt auf geheime Operationen gelegt.

Eine noch sorgfältiger ausgewählte Schar absolvierte derzeit die Ausbildung an strategischen Stützpunkten der militärischen Elite in der Türkei, und wenn ihre Feldeinsätze begannen, würde einer von ihnen Fouad wahrscheinlich ersetzen. Aber derzeit und für die nächsten fünf, sechs Monate war es an ihm, mit dieser Gruppe zu arbeiten. Alles Teil eines großen Experiments.

Fouad vermutete, dass man sie vielleicht in den Iran schicken würde, damit sie dort geheimdienstliche Operationen durchführten. Es sprach einiges dafür. Aber ebenso gut war es vorstellbar, dass man sie an ein oder zwei Schlüsselstellungen in Mekka oder Mekkas Umgebung stationieren würde. Über diese Möglichkeit hatte man ihn bereits informiert.

Die jungen Muslime ließen die Blicke über die Reihe ernster weißer Gesichter schweifen und konzentrierten sich gleich darauf – wie vorhergesehen – auf Fouad.

»Willkommen in Jordanien«, sagte er. Sie nickten einmütig, ließen aber keine Gefühle erkennen, obwohl es für sie eine emotionsgeladene Situation sein musste. Seit zehn oder mehr Jahren war es das erste Mal, dass sie sich in der Nähe ihrer Herkunftsländer aufhielten.

Nicht nur wegen dieser Männer, sondern auch wegen der Offiziere ringsum setzte Fouad seine Ansprache auf Arabisch fort. »Es ist unsere Pflicht, die wunderbare, gesegnete Kultur des Islam in einer Zeit grausamer Prüfungen zu bewahren und zu mehren. Gott ist groß.«

»Allahu Akhbar«, wiederholten die jungen Männer.

»Letztendlich dienen wir keinem Herrn außer Gott. Und so Gott will, wird der Islam in unserer modernen Welt neu erblühen, mit unserer Hilfe eine neue Ordnung hervorbringen, Macht erlangen und zu neuen Höhen vorstoßen. Unsere Wiedergeburt hat begonnen.«

Genau das hatte man der ganzen Gruppe auch in den ausländischen Schulen beigebracht: Der größte Triumph des Islam stehe noch bevor, denn der Westen sei kein Feind, sondern ein Verbündeter. Diese jungen Männer, diese Gegenbeispiele für Janitscharen, blickten keineswegs erstaunt drein. Nichts deutete darauf hin, dass es ihnen an Überzeugung mangelte.

Die eigenen Worte stießen Fouad wie Galle auf. Doch ihm war klar – wie es auch seinem Vater klar gewesen war –, dass dies der einzige gangbare Weg war.

Die erstarrten Männer rechts und links von ihm – die Männer, die andere ausbildeten, beobachteten und beurteilten – wussten, wie heikel die Situation war. Doch sie waren jetzt gefordert: Diese experimentellen Waffen im großen Kampf der Kulturen musste man erproben, um zukünftigen Operationen, bei denen sogar noch mehr auf dem Spiel stand, den Weg zu bereiten. Es würden Fehler passieren. Besser sie passierten jetzt, damit man sie später vermeiden konnte.

Endlich erkannte Fouad Al-Husam BuDark beim wirklichen Namen:

Sie waren die Erlöser.

Und gleichzeitig die Verräter.

Kapitel 57

Ein Wohnhaus in Maryland

Kelly Schein, die Stabsleiterin des Weißen Hauses, war eine pummelige, reizlose Frau Ende vierzig mit stierem Blick und wenig ausgeprägter Kinnpartie. Ihr Umgangston war so schroff, dass er vielen in der Hauptstadt gegen den Strich ging. Insgesamt betrachtet, spielte das allerdings keine große Rolle, denn derzeit war sie die zweitmächtigste Person der ganzen Welt. Trotzdem war sie nicht glücklich.

Während sie die steinernen Stufen zur lang gestreckten Veranda der Villa Buckler emporstieg, blickte sie über die Schulter auf die kleine Prozession, die ihr folgte: Drei sehr ernsthafte und wachsame Geheimdienstagenten gingen Hiram Newsome und Rebecca Rose voraus, die an der schönen antiken Kirschholztür zu ihr stießen. Die beiden zählten zu den ersten Gästen dieser eigenartigen, überraschend einberufenen Abendgesellschaft.

»Sicher wären Sie alle viel lieber im Weißen Haus«, sagte Schein. »Leider ist es voller gemeiner kleiner Wanzen. Erst letzte Woche haben wir sie entdeckt. Niemand hat sich dazu bekannt, sie hereingeschmuggelt zu haben, so eine Überraschung aber auch. Sie sitzen im Farbanstrich, Herrgott noch mal – winzige flache Übertragungsgeräte. Hunderte, vielleicht auch Tausende. Jemand, der einen entsprechenden Empfänger in einer Zeitschrift versteckt, könnte einfach so hereinspazieren und sich die Gespräche einer ganzen Woche sichern. Diese Sache wirft den Zeitplan der Präsidentin völlig über den Haufen.« Sie sah Newsome an. »Jedenfalls hoffe ich, dass Sie nichts davon wussten. Nicht mal so viel, um darüber zu kichern.«

Manche Leute im FBI-Hauptbüro hatten Schein als die Person

im Weißen Haus herausgedeutet, die Hirams Ernennung zum FBI-Direktor den größten Widerstand entgegensetzte.

Newsome schüttelte den Kopf. »Nein, Ma'am. Ich habe ja gar nicht die Zeit, mich mit Romanen zu befassen.«

Schein sah ihn nochmals skeptisch an. »Die Präsidentin bringt den Leiter der Nationalen Sicherheit mit. – Ihr FBI-Team wird sich hier versammeln, ehe die Präsidentin eintrifft. Sie haben eine halbe Stunde.« Schein steckte den Schlüssel in die große Tür. »Die Treffen höchster Sicherheitsstufe halten wir nach dem Zufallsprinzip in irgendeinem Privathaus in Georgetown ab. Jedes Mal woanders. Ist die Einstellung, die eigene Partei über alles zu stellen, nicht eine tolle Sache?!«

»Sie glauben also, dass die Regierung des Vorgängers die Verwanzung veranlasst hat?«, fragte Newsome so widerspenstig, dass sich sein Kinn verdoppelte, wenn nicht verdreifachte.

Schein lächelte, wobei ihre großen, ebenmäßigen Zähne sichtbar wurden, und setzte eine Brille mit runden Gläsern auf. »Ich bezweifle, dass diese Leute schlau genug waren zu erkennen, was da vor sich ging. Denken Sie doch nur mal an den ganzen übrigen Schlamassel, den sie uns hinterlassen haben und den wir jetzt bereinigen müssen.«

Rebecca folgte Newsome ins geräumige Wohnzimmer. Im Haus war es ruhig und ein bisschen kühl. Eine Zusammenkunft mit der Präsidentin hatte sie sich ganz anders vorgestellt: formeller, glamouröser. Im *Oval Office* oder dem Zimmer, in dem Lagebesprechungen abgehalten wurden. In Anwesenheit von knallharten Generälen, die schwer an Tonnen von Lametta – so hieß es doch? – zu schleppen hatten. Jedenfalls eine ganze Sammlung von Orden und Tapferkeitsmedaillen. Eine riesige, einschüchternde Bühne. Keine menschenleere Villa mit auserlesenem antikem Mobiliar auf einem rund vier Hektar großen Grundstück.

Ein großes auffallendes Gemälde in Erd-, Blau-, Grün- und Goldtönen – sie hielt es für ein Original – hing im Foyer über der Treppe, die zum zweiten Stock führte. Auf Rebecca wirkte die ausgemergelte, völlig nackte Frau auf dem Bild wie ein KZ-

Opfer. Sie suchte nach der Signatur des Künstlers, *Klimt* stand in einer Ecke, und wandte sich schaudernd ab.

Schein zog das Jackett aus und drapierte es über einen Stuhl mit hoher Lehne. »Von Ihrer Seite liegen mir fünf weitere Anmeldungen für diese nette kleine Zusammenkunft vor«, erklärte sie. »Außer Ihnen beiden sind es meines Wissens vier Agenten und eine Zivilperson.«

Newsome bestätigte es.

»Aus allen Landesteilen«, fuhr Schein fort. »Einige noch jung, andere alt. Ich nehme an, alle haben Teile dieses Puzzles zusammengetragen.«

»Ja, Ma'am.«

»Ist es das, was das FBI am besten kann? Puzzles zusammensetzen?«, fragte Schein mit unbewegtem Gesicht.

»Hin und wieder schon«, erwiderte Newsome mit schweren Augenlidern.

»Warum hat der frühere FBI-Direktor Sie geschasst, News?«, fragte Schein, während sie einen riesigen Ledersessel ausprobierte. Sie hopste auf und ab und rutschte darin so herum, als wolle sie testen, wie viel Platz und Bequemlichkeit der Sessel einem größeren Menschen bot. Newsome zog weder die Jacke aus, noch setzte er sich, so als rechne er jederzeit mit der Aufforderung, das Zimmer zu verlassen. Es gefiel ihm nicht, dass sie ihn bei seinem Spitznamen genannt hatte.

»Ich nehme an, es war der letzte Versuch, Lasten vom Rettungsboot abzuwerfen«, sagte er schließlich.

Schein lächelte erneut, diesmal ehrlich belustigt. »Die Präsidentin dachte sich, dass die Eigennützigsten die Nützlichsten und Engagiertesten schnell abservieren würden. Sieht so aus, als hätte sie Recht gehabt. Sie kommen ursprünglich aus Boston, sind aber mit dreizehn Jahren nach Virginia gezogen, stimmt's?«

»Ja. Ma'am.«

Schein sah Rebecca an. »Sie sind im Hauptbüro in Washington D.C. mit Fällen des Bioterrorismus beauftragt, haben aber viel Zeit als Ausbilderin in Quantico verbracht, nicht wahr?«

425

»Richtig«, erwiderte Rebecca. Draußen auf dem Rasen landete soeben ein großer Hubschrauber.

»Wussten Sie, dass ich vor langer Zeit auch Agentin werden wollte?«, fragte Schein.

Rebecca zog die Augenbrauen hoch. »Nein, Ma'am.«

»Musste früh abbrechen, wegen schlechter Augen. Und ich schaffe keinen Klimmzug, auch wenn mein Leben davon abhinge. Wollte Sie nur wissen lassen, Agentin Rose, dass Senator Josephson nicht für uns alle spricht.«

Weitere Geheimdienstagenten strömten durch die Eingangstür herein. »Im Umkreis des Grundstücks ist alles gesichert«, meldete ein hoch aufgeschossener Mann in langem schwarzem Mantel. Er sah Rebecca an. »Marine 1 ist gelandet. Wir sind mit der Überprüfung der Gästeliste fertig, Mrs. Schein. Die anderen warten in der Küche.«

»Danke, Ernest. Sie sollen hereinkommen und ihre Plätze einnehmen, ehe die Präsidentin auftaucht.«

In engem Kreis wurden Klappstühle im Wohnzimmer aufgebaut. Schein erhob sich aus dem großen Ledersessel und stellte sich daneben.

Durch die hintere Diele marschierten Jane Rowland, Frank Chao und ein großer, blasser Mann herein, so dünn wie ein Skelett. Rebecca kannte ihn nicht persönlich, nahm jedoch an, dass es Williams Kontaktperson war, Dr. Daniel Wheatstone, der weltbeste Experte für Hefe, gestern von Oregon hierher geflogen. William war noch in Ohio und wartete darauf, dass ein Flugzeug aus dem stürmischen Cincinnati nach Washington starten konnte.

Nachdem man sie zu ihren Plätzen geführt hatte, folgten sie Scheins Beispiel und stellten sich dahinter auf. Alle wirkten nervös, Rowland zitterte sogar. Sie hatten keine Zeit für einen Probedurchlauf gehabt und mussten sich völlig unvorbereitet einer Situation stellen, die an einen Roman von Agatha Christie erinnerte.

Ernest fasste sich ans Ohr, drehte sich um und verkündete: »Meine Damen und Herren, die Präsidentin der Vereinigten Staaten.«

Bei der persönlichen Begegnung wirkte Eve Carol Larsen nicht ganz so groß, wie Rebecca gedacht hatte, aber für ihre Länge von einem Meter vierundsiebzig gut proportioniert. Wie immer trug sie Grau, dazu eine rote Bluse und eine schwarze Opalnadel, deren Stein, wie sie in Interviews oft erzählt hatte, ihr Großvater, ein Weltenbummler, vor dem Zweiten Weltkrieg in Australien ausgegraben hatte.

In den frühen Achtzigern hatte Larsen sechs Jahre lang in einer fliegenden Versorgungseinheit der Luftwaffe gedient und danach Jura studiert. Nachdem sie acht Jahre als Beraterin für mehrere staatliche Einrichtungen gearbeitet hatte, war sie im Bundesstaat Wisconsin zur Generalstaatsanwältin gewählt worden. Von dieser Position aus war sie später zur kompetenten Gouverneurin aufgestiegen. In der Politik hatte sie extrem Konservative – vor allem religiöse Fanatiker – gegen extrem Libertäre ausgespielt – größtenteils leicht abzuschießende naive Akademiker. Dazu hatte sie ihren messerscharfen Verstand gebraucht und eine bestimmte Art, auf Fragen zu antworten, kultiviert. »Sie sieht einem lächelnd in die Augen und versetzt einem gleichzeitig einen Tiefschlag in den Magen«, hatte Lou Dobbs, Chefredakteur, Kommentator und Sprecher von CNN, einmal über sie gesagt.

Rebecca hatte nicht für sie gestimmt, fragte sich jetzt jedoch nach dem Grund. Die Anwesenheit der Präsidentin belebte den Raum eindeutig. Erst nach einigen Sekunden entdeckte Rebecca Chuck Parsons, den Leiter der Nationalen Sicherheit, und Walter Graham, den Chef der Homeland Security. Beide waren noch relativ jung, Anfang vierzig.

Die Präsidentin schüttelte allen die Hände, blieb danach vor Hiram Newsome stehen und umschloss seine Finger mit ihren Händen. »Wir müssen Zeit für ein offenes Gespräch unter vier Augen finden.« Ihre scharfen grauen Augen bohrten sich in seine.

»Ich freue mich darauf, Frau Präsidentin.«

Gleich darauf wandte sie sich Rebecca zu. »Glückwunsch. Wie ich gehört habe, hat das FBI den Kerl geschnappt, der im Jahr

2001 Anthrax per Post verschickt hat. Ihr Fall, wenn ich richtig informiert bin.«

»Ich war nicht vor Ort, aber meine Kollegen sind so großzügig, die Lorbeeren mit mir zu teilen«, erwiderte Rebecca. »Und es war Direktor Newsome, der dafür gesorgt hat, dass wir am Ball geblieben sind.«

»In unserer heutigen Präsentation werden wir näher auf den Fall eingehen, Frau Präsidentin«, ergänzte Hiram. »Wir gehen davon aus, dass der Mann seine Aktivitäten bis vor kurzem fortgesetzt hat.«

Larsen setzte sich auf den großen Ledersessel, den Schein für sie freigehalten hatte. Die Übrigen nahmen in einem Kreis rund um die Präsidentin Platz.

»Man hat mich aus meinem Haus geworfen, ist das nicht gemein?«, bemerkte sie. »Lassen Sie uns mit dem WER anfangen. Danach machen wir weiter mit WAS, WANN und WO. Sie scheinen die Fäden in der Hand zu halten, Agentin Rose. Ich möchte, dass Sie bei dieser Präsentation die Leitung übernehmen. Schießen Sie los.«

»Danke, Frau Präsidentin. Wir haben die wichtigsten uns vorliegenden Informationen über den Tatverdächtigen zusammengefasst. Unser Agent Frank Chao ist Chefanalytiker des kriminalistischen Labors an der FBI-Akademie.«

Als Chao sich kurz verbeugte, sah Larsen ihn abschätzend an und wandte den Blick gänzlich unbeeindruckt wieder Rebecca zu. Da Rebecca als Zeugin schon oft mit weiblichen Staatsanwälten zu tun gehabt hatte, erkannte sie diesen Blick wieder.

»Frau Präsidentin«, begann Chao, »die Blut- und Speichelspuren, die als Beweismaterial an dem Tatort in Arizona gesichert wurden, wo ein Streifenbeamter erschossen wurde ...«

»Dort haben sich Hunderte von Tintenstrahldruckern über die Schnellstraße verteilt, stimmt's?«, unterbrach ihn die Präsidentin.

Chao nickte und faltete die Hände im Schoß. »Die DNA, die wir aus Speichelspuren an einem Handschuh gewinnen konnten, sowie zusätzliche DNA aus einem Blutstropfen deuteten auf zwei männliche Personen hin, Halbbrüder mit derselben Mutter. Allerdings ergab der elektronische Abgleich dieser DNA-Profile mit CODIS, dem DNA-Index kombinierter Systeme, dem alle kriminologischen Datenbanken der USA angeschlossen sind, und mit NDIS-3, dem FBI-eigenen nationalen DNA-Indexsystem, nicht einen einzigen Treffer. Also kämmte ich die DNA-Profile von Lkw-Fahrern durch, die eine Zulassung für die Beförderung von Gefahrenstoffen beantragt hatten, außerdem auch Dokumente des internationalen Zolls. Ebenfalls Fehlanzeige. Auch die nationalen Datenbanken von Versicherungen, Kliniken und Ärzten, die dem FBI seit 10/4 zugänglich sind, brachten uns keinen Erfolg.«

Rebecca achtete genau auf die Reaktion der Präsidentin. Deren Gesicht sah wie versteinert aus und sie trommelte mit einer Hand auf der Lehne des Ledersessels herum. Gegen solche Verletzungen der Privatsphäre, wie Chao sie soeben erwähnt hatte, war sie im Wahlkampf engagiert eingetreten.

»Da ich mit meinem Latein am Ende war«, fuhr Chao fort, »gab ich einen Schuss ins Blaue ab und erzielte erstaunlicherweise einen Treffer – bei einem auf genetischen Markern basierenden Expressionsprofil innerhalb einer statistischen Datenbank. Diese Datenbank dient dazu, Opfer terroristischer Aktionen durch DNA-Abgleich mit Verwandten schneller zu identifizieren. Selbstverständlich konnten wir diese Datenbank nicht dazu benutzen, Haftbefehle oder Vorladungen unter Strafandrohung durchzusetzen, also forderten wir Zugang zu der eigentlichen Datenbank von 9/11, zu den DNA-Unterlagen des Memorial Parks ...«

»Heiliger Herrgott«, sagte die Präsidentin. »Haben die Ihnen den Zugang etwa ohne einstweilige Verfügung gewährt?«

Chao sah aus wie vom Donner gerührt. »Wie bitte?«

»Fahren Sie fort.« Die Präsidentin lehnte sich im Ledersessel zurück.

»Man hat uns den Zugang verweigert, vielleicht aus stichhaltigem Grund. Allerdings stieß ich auf Duplikate genau dieser

Unterlagen: Ein Unternehmen, das früher DNA für die New Yorker Leichenbeschauer analysierte, hat sie aufbewahrt, ist inzwischen allerdings in Konkurs gegangen. Die ganze Konkursmasse, einschließlich dieser Unterlagen, sollte gerade heimlich veräußert werden, und zwar an eine Kirche, die *Heiligen der Letzten Tage*. Wie es sich ergab, waren diese Unterlagen zu allem Übel auch noch auf einem Server gespeichert, der alles andere als sicher war. Aufgrund einer staatlichen Beschlagnahmeverfügung erhielten wir Zugang dazu und fanden tatsächlich die DNA-Analyse der gesuchten Probe, die der Angehörige eines Terroropfers abgegeben hatte. Es war noch immer kein Volltreffer, aber das Ergebnis wies klar darauf hin, dass der Gesuchte der Blutsverwandte eines Menschen sein muss, der bei der Tragödie ums Leben gekommen ist. Indem wir einem der ausgezeichneten Hinweise von Agentin Rose nachgingen, verglichen wir sowohl die DNA vom Tatort in Arizona als auch die DNA, die vom Blutsverwandten des Terroropfers stammt, mit DNA-Profilen, die das FBI im Speicher hat. Sie stammen von der Polizei, aus medizinischen Unterlagen des Heeres und so weiter.«

Die Präsidentin hatte aufgehört, mit den Fingern herumzutrommeln.

Chao setzte eine widerspenstige Miene auf. »Es ist unser Job, gefährliche Kriminelle aufzuspüren, oder sehen Sie das anders?«

»Fahren Sie fort, Frank«, sagte Hiram.

»Beamte, die in der Strafverfolgung beschäftigt sind, geben routinemäßig Gewebeproben ab, die wir dazu benutzen, die Spuren am Tatort einzugrenzen und die der Strafverfolger davon zu trennen. Normalerweise bestehen diese Proben aus Buccalzellen – Zellen aus der Wangenschleimhaut. Nach langwieriger Durchforstung unserer internen Unterlagen hatten wir einen Treffer. Der Abgleich mit dem DNA-Profil eines FBI-Agenten namens Lawrence Winter wies trotz Abweichungen eine solche Ähnlichkeit auf, dass alles auf einen Halbbruder Winters hindeutete.«

»Also haben Sie Winter verhört«, sagte Schein.

»Der Sonderagent Winter wird seit fast fünf Jahren vermisst«, erwiderte Chao. »Er verschwand, während er verdeckt an der nordwestlichen Pazifikküste ermittelte. Die Untersuchung der Telomere, die virale Reverse Transkriptase und die epigenetische Analyse verrieten uns, dass Winters Halbbruder so alt wie er selbst sein musste. Und das gab uns Rätsel auf, denn in seinen Unterlagen wies nichts auf einen Bruder hin, und Halbbrüder können theoretisch keine Zwillinge sein. Unmöglich, dass ein und dieselbe Mutter zwei Halbbrüder gleichzeitig zur Welt bringt.«

Die Präsidentin und Schein, die versuchten, sich die Implikationen zu verdeutlichen, sahen so aus, als könnten sie nicht ganz folgen.

»Tragischerweise hat der Sonderagent Winter bei den Angriffen des 11. September einen schweren Verlust erlitten. Offenbar wurden seine Frau und seine Tochter vor dem World Trade Center von herabstürzenden Trümmern erschlagen. Ihre Überreste hat man nie gefunden. Winter hatte auch eine Schwester. Sie hieß Connie Winter Richards und arbeitete im Bundesstaat Washington im Öffentlichen Dienst. Zusammen mit zweitausendzweihundert anderen Menschen wurden sie und ihr Vater – Winters Vater – am 4. Oktober, bei der Tragödie von *10/4*, ermordet, als sie sich auf einer Fähre im Puget Sound befanden. Die Mutter hat beide Leichen identifiziert und starb im Folgejahr an einer Überdosis Schlaftabletten.«

»Mein Gott«, sagte die Präsidentin.

»Kurz nach dem Angriff von *10/4* stellte Lawrence die Berichte an seinen Chef und den verantwortlichen Sonderagenten seiner Außenstelle ein.«

»Warum können Sie ihn nicht finden?«, fragte Schein.

»Manche nehmen an, dass er während der verdeckten Ermittlung verschollen ist und entweder ermordet wurde oder sich selbst das Leben genommen hat«, warf Rebecca ein. »Bei diesem Auftrag hatte er mit Einheimischen, ökologisch orientierten Terroristen zu tun – mit militanten Tierschützern, der Befreiungsfront Erde und der Brigade Gaia. Das sind gefährliche Leute. Aber wir sollten Frank zum Ende kommen lassen.«

»Das offizielle FBI-Foto des Agenten Winter zeigt, dass er ein grünes und ein blaues Auge hat. Es erforderte viel kreatives Denken und ausgedehnte Recherchen, bis uns klar wurde, dass Winter möglicherweise eine Schimäre ist, und zwar eine solche, wie sie uns noch nicht oft untergekommen ist. Erst seit den letzten Jahren hält man die Existenz solcher Menschen überhaupt für möglich. Gemeint ist ein Kind, das die Chromosomen zweier Embryonen, die *Halbgeschwister* sind – das heißt: von zwei verschiedenen Vätern gezeugt wurden – miteinander kombiniert.«

Die Präsidentin blickte zu ihrer Stabsleiterin hinüber, die verblüfft den Kopf schüttelte.

Ehe ihn jemand daran hindern konnte, ging Chao voller Elan in die Einzelheiten. »Seine Mutter muss binnen weniger Stunden mit zwei Männern Geschlechtsverkehr gehabt haben. Zwei ihrer Eizellen wurden von diesen unterschiedlichen Vätern befruchtet. Und die Blastulas verschmolzen in diesem frühen Stadium der Embryogenese vollständig miteinander, ehe sie sich einnisteten. Aus irgendeinem Grund wurde der daraus resultierende Embryo nicht durch eine Fehlgeburt ausgetrieben. Die beiden genetisch ungleichartigen Zellgewebe arrangierten sich miteinander – und das entstehende Immunsystem des Embryos lernte, beide als zu sich gehörig zu erkennen. Aber das bedeutet auch, dass die DNA aus einem Gewebeteil dieses Mannes nicht unbedingt mit der DNA aus Gewebeteilen des anderen Typs übereinstimmen muss. Ein Teil des Zellgewebes weist das Y-Chromosom des einen Vaters, ein anderer Teil das Y-Chromosom des anderen Vaters auf. Das, was er in genetischer Hinsicht von beiden Vätern und von seiner Mutter geerbt hat – und denken Sie daran, dass uns keine Gewebeproben dieser drei Personen vorliegen –, bringt die statistischen Werte völlig durcheinander. Das verhindert auch, dass man beim Abgleich mit Datenbanken wie CODIS oder NDIS-3 fündig wird. Es handelt sich um einen sehr speziellen Fall von Zwillingsbrüdern. Deshalb kann man die an irgendeinem Tatort gefundene DNA des Sonderagenten Lawrence Winter ohne mühsame Spezialanalyse beim Abgleich mit irgendwelchen Datenbanken auch nicht aufspüren. Es ist ein nützliches Mittel, den Behörden jahrzehntelang, vielleicht auch ewig, zu entwischen. Es kann passieren, dass solche Schimären eines Zwillingspaars im späteren Leben unter Persönlichkeitsstörungen leiden, einschließlich der Schizophrenie. Hätten wir von der Sache gewusst, wäre Lawrence Winter höchstwahrscheinlich nicht zum Dienst im FBI zugelassen worden.«

Die Präsidentin wirkte entsetzt.

»Auf der Grundlage unserer jetzigen Kenntnisse sind wir zu dem Schluss gekommen, dass Sonderagent Winter die junge Ehefrau des Patriarchen im Bundesstaat Washington geschwängert hat. Und inzwischen können wir auch nachweisen, dass seine DNA mit verschiedenen DNA-Proben übereinstimmt, die wir auf dem Anwesen des vermutlichen *Amerithrax*-Täters sichern konnten. Er hat uns ganz schön an der Nase herumgeführt«, schloss Chao, »aber ich glaube, wir haben unseren Mann endlich gefunden.«

Rebecca griff den Faden auf. »Aufgrund der Informationen von BuDark wissen wir, dass Lawrence Winter Bioterror-Waffen an eine Gruppe von Muslimen in Israel geliefert hat. Er hat dazu einen Mittelsmann namens Ibrahim Al-Hitti benutzt, einen Ägypter mit Verbindungen zu Hamas, Hisbollah, Märtyrerbrigade Al Aksa und weiteren Gruppen. Unserer Meinung nach hat Winter Al-Hitti glauben gemacht, er könne solches Anthrax liefern, das nur Juden tötet. Offenbar hat Al-Hitti eine kleine Menge davon an Juden im Irak ausprobiert. All das, was Amerithrax in Kalifornien hergestellt hat, wurde in den Bundesstaat Washington befördert und in Feuerwerksraketen verpackt. Von dort aus brachte ein Privatflugzeug den Stoff nach Gaza City, danach wurde er nach Jerusalem geschleust. Die israelische Polizei hat die Feuerwerksraketen abgefangen. Die Israelis haben sie untersucht: Überraschenderweise enthalten sie kein Anthrax, sondern nur Hefe. Bis jetzt haben wir nur eine winzige Menge Anthrax gefunden, Überreste in Kalifornien, stattdessen aber jede Menge Hefe. Vor drei Monaten hat jemand zwanzig ähnliche Feuerwerksraketen über Silesia, Bundesstaat Ohio, gezündet. Auch diese Raketen enthielten offenbar nur Bierhefe.«

»Silesia – Verlust des Langzeitgedächtnisses«, warf Schein als Stichwort ein.

Rebecca nickte. »Kann sein, dass ein ähnlicher Angriff auf Rom geplant war, den wir durchkreuzen konnten, als wir die Fabrik im Bundesstaat Washington dichtgemacht haben.«

Die Präsidentin wirkte ebenso niedergeschmettert wie verblüfft.

»Uns bleiben noch zehn Minuten.« Schein klopfte auf ihre Armbanduhr.

Rebecca berührte Jane Rowlands Schulter.

Leichenblass stütze Jane die Hände auf die Knie und blickte auf ihre Notizen. »Frau Präsidentin, ich sondiere die Flirt- und Kontakt-Seiten im Netz«, begann sie, »und suche dabei nach Beschreibungen potenziell krimineller Aktivitäten. Auf dieses Hilfsmittel greifen wir deswegen zurück, weil ein so großer Teil tatsächlich krimineller Kommunikation derart verschlüsselt ist, dass wir die Codes nicht knacken können. Deshalb halten wir Ausschau nach einem Ansatzpunkt, einer Lücke in den verschlüsselten Dateien.«

»Konzentrieren Sie sich auf das Wesentliche, Agentin Rowland«, warf Hiram ein.

»Im *Lovelog*-Chatroom habe ich mehrere Einträge gefunden, die von der Ehefrau eines jüdischen Extremisten, eines Siedlers in Kiryat Shimona, stammen. Darin schildert sie ihre sexuelle Beziehung zu einem großen Amerikaner, der ein blaues und ein grünes Auge hat. Dieser Amerikaner, schreibt sie, arbeite gemeinsam mit ihrem Ehemann an einer Sache, die sich für die Zukunft der Juden noch als wichtig erweisen werde. Sie behauptet, ihr amerikanischer Liebhaber sei … äh, extrem beschnitten, die ganze Vorhaut sei entfernt. Sein Penis, schreibt sie, sieht – Zitat *wie ein gehäuteter Aal aus, genau wie bei Beduinen*. Aus den Unterlagen unseres Personalbüros geht hervor, dass Lawrence Winter selbst es war, der sich vor dem Dienst im FBI so beschnitten hat. Er wollte damit eine Enttarnung verhindern, als er in islamischen Staaten verdeckt ermittelte.«

»Herrgott noch mal«, explodierte die Präsidentin. »Woher, zum Kuckuck, soll eine jüdische Hausfrau denn wissen, wie ein Beduinenschwanz aussieht?«

Jane verschlug es die Sprache.

Draußen tröpfelte Regen aus einer Dachrinne herunter, der Abend hatte Schauer gebracht.

Präsidentin Larsen stand auf und deutete anklagend auf die ganze Runde. »Das hier ist schlimmer als ein Albtraum – es ist eine gottverdammte *Farce*! Ein FBI-Agent desertiert, treibt sich in der ganzen Welt herum, rekrutiert Terroristen, verführt deren Ehefrauen … ach, verdammt, bumst mit jeder Schlampe, die nicht rechtzeitig auf den Bäumen ist …«

»Frau Präsidentin«, warnte Schein, aber Larsen war so wütend, dass sie sich nicht bremsen ließ.

»Ganz zu schweigen von den amtlichen Verletzungen der Privatsphäre, die alles in den Schatten stellt, was ich mir je hätte ausmalen können. Hinzu kommt mindestens ein Mord. Und jetzt taucht auch noch eine heimliche Verbindung unseres geliebten FBI mit dem Mörder im Fall Amerithrax auf.« Die Präsidentin ließ sich vom Chef ihrer Geheimdienstagenten ein Glas Eiswasser reichen, trank es halb aus und rollte es über die Stirn. »Wo steckt dieser Mistkerl jetzt? Und was, um Himmels willen, hat er vor?«

Peinliche Stille.

»Bin ich als Nächster dran?«, fragte der Hefeexperte Dr. Wheatstone, der aussah, als wäre er einem Grab entstiegen. »Vielleicht kann ich Ihre zweite Frage beantworten.«

Kapitel 58

Mekka

Lawrence.
  Larry.
  Sonderagent Lawrence Winter.
  Sein Gedächtnis funktionierte eindeutig nicht mehr so gut wie früher. Auch seine Energie nahm von Tag zu Tag ab, und die Hoffnungslosigkeit erfasste ihn wie schleichendes Gift. Jeden Morgen wachte er so verzweifelt auf, dass er dieses Gefühl nur noch mit Mühe abschütteln konnte. So viele Orte, so viele Namen …
  Durch die zurückgezogenen Gardinen des Hotelzimmers blickte Winter auf die riesige dreistöckige Moschee *Al-Masjid al-Haram* und das, was dahinter lag: die Morgendämmerung, die sich in blassen Blau- und Gelbtönen über die Wüste abzeichnete.
  Auf dem Wüstenstreifen Mina, fünf Kilometer vom Hotel entfernt, wurden immer noch abschließende Vorbereitungen für den Haddsch getroffen. In letzter Minute wurden dort Zehntausende feuerfester Zelte für die Massen aufgebaut, die jetzt mit Bussen eintrafen. In der weitläufigen Zeltstadt herrschte Chaos.
  Yigal und Yitzhak kamen ins Zimmer, in den Händen wohlbekannte grün-weiße Pappbecher mit heißem Kaffee. »Aufwachen, ihr Schlafmützen«, riefen sie. Wenn sie sich in der Suite aufhielten, trugen sie *Yarmulkes*, jüdische Gebetskappen mit hebräischen Schriftzügen. Obwohl Winter es verboten hatte und schon der gesunde Menschenverstand dagegen sprach, unterhielten sie sich auch oft auf Hebräisch. Was, wenn jemand sie belauschte? Niemand in Mekka unterhielt sich auf Hebräisch. Wie wider-

436

spenstige Jungs auf einem Schulausflug hatten sie die Gebetskappen in ihr Gepäck geschmuggelt. Noch vor Monaten hätte Winter sie dafür sofort zur Rechenschaft gezogen. Inzwischen schaffte er es kaum noch, sich darüber aufzuregen.

Als Yigal Winter einen Kaffeebecher reichte, grinste er. »Haben Sie's gesehen? Die sammeln sich wie die Ölsardinen. Es müssen jetzt schon fünfhunderttausend sein. Der Krieg ist diesen armen Blödmännern völlig egal.« Er begann ein bisschen herumzutanzen. »Auf jeden Märtyrer warten zweiundsiebzig wohlgestalte Jungfrauen! Hätten Sie nicht Lust, schwarzäugige Jungfrauen zu verhökern? Wir könnten einen Haufen Schekel damit machen.«

Auch Baruch und Gershon kehrten ins Zimmer zurück, setzten ihre Gebetskappen auf und hockten sich neben ihn. »Wegen des Vier-Uhr-Gebets war ich draußen«, sagte Gershon. »Der Wind kommt mit vier bis sieben Knoten aus westlicher Richtung. Hab mich lange mit einem netten weißhaarigen Herrn aus Äthiopien unterhalten, einem wahren Schmerzensmann. Wir sprachen über Ruhm und Elend der Menschen, die bei der Pilgerfahrt sterben. Er wollte unbedingt wissen, was derzeit in Palästina passiert, und verkündete, wenn man die Welt verbessern wolle, müsse man nur alle Juden der Reihe nach bei lebendigem Leibe verbrennen.«

»Der fährt bestimmt geradewegs in den Himmel auf und bumst dort sofort all seine Jungfrauen«, sagte Yigal.

»Morgen werden eine Million Menschen hier sein«, bemerkte Gershon. Ihm fiel auf, dass Winter seinen Kaffee nicht ausgetrunken hatte. »Schmeckt Ihnen der Kaffee nicht, Mr. Brown? Ist ganz frisch gemacht, kommt von Starbucks da unten. Hier gibt's auch eine Filiale von Kentucky Fried Chicken, sogar einen McDonald's, haben Sie's gesehen?«

Yigal sprang auf. »Ich werde nach den Lastwagen sehen. David und Gershon haben zuletzt Wache geschoben, aber die verstehen nicht viel von Mechanik. Wer weiß, vielleicht ist was geklaut worden? Denen würde gar nicht auffallen, wenn ein, zwei Achsen fehlten.«

Gershon mokierte sich über ihn. Die Lastwagen waren in einem überwachten Parkhaus abgestellt, nicht weit von der Heiligen Moschee entfernt.

»Noch drei Tage«, rief Winter ihnen ins Gedächtnis, als alle ihre Gebetskappen absetzten. »Wenn die Pilger nach Mina zurückkehren und anfangen, den Teufel zu steinigen. Erst dann.«

»Klar doch«, erwiderte Menachem vergnügt. »Die sind wie die Ölsardinen. Oder wie ganze Schwärme süßer Heringe.«

Kapitel 59

Den Rollkoffer hinter sich her ziehend, verließ William das Flugzeug. Vor ihm ging eine junge Frau in der neuen Freizeitkleidung angehender FBI-Agenten: Golfhemd, Cargo-Hosen, Kappe und ein Matchbeutel, verziert mit FBI-Logos, Schussmedaillen, Abzeichen und Plaketten. Sie war Mitte zwanzig, etwa einen Meter achtundsechzig groß und hatte kurzes braunes Haar. Ihr Ohr war mehrfach durchstochen, allerdings trug sie jetzt keine Ohrringe. Der rosafarbene Lack ihrer Fingernägel blätterte an den Rändern bereits ab. Die braunen Augen wirkten lebhaft, obwohl es schon elf Uhr abends war. Während er sich wie eine nasse Socke fühlte, strotzte sie vor Energie. Auf sie wartete der nächste Kurs in Quantico – und das Versprechen einer Traumkarriere.

Quantico – das Walhalla der Polizisten.
Auf dem Flug von Ohio hierher hatte er Dr. Wheatstones Berichte wieder und wieder gelesen. Die letzten Seiten hatten ihn hart getroffen.

Die Krankheit verursachende Form des mutierten Prionproteingens (PrPSc), die in die transgene Laborhefe eingefügt wurde, lässt sich leicht auf andere Hefe übertragen. Interessanter ist allerdings, dass diese Gene innerhalb der Hefe die Fähigkeit zur Anpassung erworben und sich so verändert haben, dass sie sich auch mit natürlich vorkommenden Pilzarten austauschen können. Solche Pilze gibt es überall in unserer Umgebung.
Wenn die modifizierte Hefe erst einmal freigesetzt ist und in eine unkontrollierte Umgebung gelangt, besteht möglicherweise keine

Chance mehr, die Büchse der Pandora wieder zu schließen. Diese wandelbaren, Krankheit verbreitenden Proteine können sich in unserer Umgebung weit verbreiten. Die ganze Welt könnte einer Krankheit ausgesetzt sein, die das Gedächtnis zerstört und das Gehirn aufweicht und so heimtückisch ist wie die Bovine Spongiforme Enzephalopathie – der »Rinderwahnsinn«.

William winkte Rebecca, die beim Gepäckkarussell stand, zur Begrüßung zu. »Danke, dass du mich abholst.« Er klopfte auf den Griff des Rollkoffers. »Mehr hab ich nicht dabei.«

Rebecca deutete verstohlen in die Richtung der angehenden FBI-Agentin. »Ist sie nicht reizend?«

»Niedlich«, räumte William ein.

Die junge Frau zerrte hastig ihr Gepäck vom Laufband und zog es zu den Türen.

»War ich je so frisch, so *neu*?«, fragte Rebecca.

William knöpfte seine Jacke zu. »In meinen Augen, Agentin Rose, bist du so taufrisch wie der junge Morgen.«

Rebecca sah ihn verblüfft an. »Komm, lass uns gehen. Wir haben dasselbe Ziel wie sie, aber wir warten nicht auf den Bus.«

»Warum Quantico?«, fragte William.

»Wir haben eine Verabredung mit Pete Farrow.«

»Ist ja toll«, sagte William.

»Wie ich höre, bist du gerade noch rechtzeitig aus Ohio rausgekommen«, sagte Rebecca, während sie den Wagen auf der 95 durch heftige Regenschauer lenkte.

William nickte. »Dort bauen sie jetzt eine gemeinsame Operationszentrale auf. Die Umweltschutzbehörden nehmen sich die Kliniken vor. Der Katastrophenschutz ist gestern mit seinen Lastwagen aufgetaucht. Terroralarm und Terrorbekämpfung laufen auf Hochtouren. Selbstverständlich halten sie überall den Deckel drauf.«

»Sieh mal an, was du da losgetreten hast«, sagte Rebecca.

»Wie lief's mit der Präsidentin?«

»Furchtbar.« Rebecca zog eine Grimasse. »Niemand im Weißen Haus ist derzeit in großmütiger Stimmung. Die finden da noch immer Explosivkörper.«

»Wie bitte?«

»Wanzen im Farbanstrich, selbst im *Situation Room*. Kann man ihnen da vorwerfen, dass sie unter Verfolgungswahn leiden?«

Einige Minuten lang hatte keiner von beiden Lust zu reden.

»Wie hast du Wheatstone aufgetrieben?«, fragte Rebecca schließlich.

»Ich hab im Netz recherchiert und die Wörter *Gedächtnis*, *Hefe* und *Demenz* eingegeben. Dadurch bin ich auf Wheatstones Website an der Uni gelandet. Ich hab ihn angerufen, und da hat er mir von den transgenen Experimenten erzählt. Und später, nachdem ich ein bisschen gebohrt hatte, auch von den beiden Laborunfällen mit den Verseuchungen und einem Einbruch ins Labor vor sechs Jahren, bei dem Hefe gestohlen wurde. Wie er sagt, hat er das alles vorschriftsmäßig der Homeland Security und CDC gemeldet. Daraufhin hab ich die CDC-Unterlagen ausfindig gemacht. – Hat der gute Doktor bei der Präsidentin Eindruck geschunden?«

»Ungefähr so, als hätten wir's wie vor Jahren mit dem Rückruf des Abführmittels Ex-Lax wegen des Verdachts krebserregender Substanzen zu tun. – Die sagen mir noch immer nicht alles, was sie wissen, William, noch nicht. Was ist bloß mit diesem Land los, verdammt noch mal?«

»Wir haben Angst bekommen.«

»Solche Angst, dass wir nicht mehr klar denken können?« Rebeccas Ton war so scharf wie reine Säure.

»Soll ich fahren?«, fragte William.

»Mir geht's *gut*«, erwiderte Rebecca und presste die Handknöchel so fest ans Lenkrad, dass sie weiß wurden.

»Glückwunsch, übrigens«, sagte William nach einer weiteren Pause.

»Es war Botnik, der Amerithrax gefasst hat, und das ist auch gut so. Ich hätte das Arschloch erschossen.« Rebecca blickte mit eingesunkenen Augen auf die Schnellstraße. »Hast du in Silesia irgendwelche Betroffenen kennen gelernt?«

»Ich war in der Klinik.«

»Wie sind sie denn so?«

»Wie mein Vater. Freundlich. Vergesslich. Wissen nicht mehr viel von dem, was vor ein, zwei Jahren passiert ist. Sie haben immer noch ihre Sprache, alte Gewohnheiten, gewisse Fertigkeiten … Persönlichkeit. Können sich bloß nicht daran erinnern, wie sie zu all dem gekommen sind. Möglich, dass schon Zehntausende infiziert sind. Der Stoff ist in eine Bäckerei gedrungen.«

Rebeccas Augenlider flatterten, sie verzog die Mundwinkel. »In eine Bäckerei?«, fragte sie leise.

»Die Bäckerei wurde dichtgemacht und versiegelt.«

»Also ist es zu spät, egal was wir unternehmen?«

»Wheatstone nimmt an, dass bei einer einmaligen Freisetzung noch nicht alles aus den Fugen gerät. Aber wenn es zwei- oder dreimal irgendwo auf der Welt passiert … Das wäre schlimm.«

Rebecca hielt sechs Meter vor dem Wachhäuschen an der roten Linie an und wartete auf die erste Sicherheitskontrolle. »Sind wir infiziert?«, fragte sie.

»Ich hoffe nicht. Als wir auf dem Gehöft ankamen, hat's geregnet.«

Die Funkfrequenzkennung des Wagens fand die Billigung des ersten Wachsoldaten: Die Schranke hob sich. Langsam fuhren sie an dem Wachhäuschen aus Beton vorbei, danach stellte Rebecca den Wagen an der Seite ab. Beide stiegen aus, während die Wachsoldaten das Fahrgestell mit Spezialspiegeln – bildgebenden Hochfrequenzsonographen – untersuchten. Einer von ihnen maß Rebeccas und Williams nervliche Belastung mit Geruchssensoren. »Haben Sie heute ein wichtiges Treffen?«, fragte er mit trockenem Grinsen.

Die junge Marinesoldatin am Tor ließ die Beton- und Stahlbarrieren über der Zufahrtsstraße wieder hinunter. »Willkommen in der FBI-Akademie!«

Kapitel 60

Hogantown

William und Rebecca im Schlepptau, ging Pete Farrow die Ness Avenue entlang und trommelte auf dem zusammengeklappten Regenschirm herum. Sein Strickhemd spannte über den breiten Schultern; die Mokassins machten auf dem Pflaster kaum ein Geräusch. Die menschenleeren Straßen glänzten vor Nässe. Erst um ein Uhr morgens hatte der Regen aufgehört. Irgendwo im Osten übte der Hubschrauber eines Geiselrettungsteams die blitzschnelle Landung und den anschließenden Start – abwechselnd heulten die Turbinen auf und dröhnten –, aber der größte Teil Quanticos lag in tiefem Schlaf. Hier wurde man morgens früh geweckt.

»Wir unterhalten uns in der Schießanlage«, rief Farrow ihnen über die Schulter zu, »die ist sicher. Hab sie selbst gefilzt.« Während sie in eine niedrige Passage einbogen, wechselten Rebecca und William Blicke. Nachdem Farrow die Stahltür zur Kommandozentrale aufgeschlossen hatte, wies er zu der langen Treppe hinüber, die zur Nische mit dem Kontrollfenster führte. Rebecca ging voran.

»Leiden Sie immer noch unter Jagdangst?«, fragte Farrow William, der darauf nur mit einem Lächeln reagierte.

»Wenn ich Ihnen all meine kleinen Tricks offenbare, wird die Schießanlage nie mehr so wie früher auf Sie wirken.« Farrow schloss die Tür oben an der Treppe auf und ließ sie ins kühle, stille Dunkel eintreten.

»Ich glaube, Sie kennen Jacob Levine noch nicht«, sagte Farrow, als im Sessel vor dem Aussichtsfenster ein Schatten herumschwang. Levine trug eine violette Flauschweste und eine jüdische Gebetskappe. Sein Gesicht wirkte aufgedunsen und starr. »Er kannte Griff ziemlich gut«, bemerkte Farrow.

»Rebecca und ich sind uns schon begegnet«, sagte Levine. »Das mit Ihrem Vater tut mir leid, Agent Griffin.« Sie schüttelten sich die Hände.

Levine bot Farrow seinen Platz an, den Chefsessel, was Farrow, da er hier der Hausherr war, offenbar als selbstverständlich empfand. Die übrigen Sitzmöglichkeiten in der Kontrollzentrale waren Klappstühle. Der Fußboden bestand aus Sperrholz. An den Seitenwänden klebte Pergamentpapier mit Übungsplänen. Auf dem Grundriss der Anlage waren so viele X und Y eingetragen, als wolle jemand ein Football-Spiel strategisch vorbereiten. Der ganze Raum roch nach aufgeheizter Elektronik, vermischt mit dem kalten Gestank des Betonstaubs, der von den kugelsicheren Wänden im Erdgeschoss nach oben drang.

Farrow lehnte sich in seinem Chefsessel zurück und verschränkte die Arme hinter dem Kopf. »Winter hat den Kurs 1997 absolviert. Ich hab versucht, seine Akte auszugraben.« Er tippte auf einen schmalen Aktendeckel mit farbigen Seiten. »Das ist alles, was ich auftreiben konnte. Jemand hat sich an den Unterlagen zu schaffen gemacht – ich kann mir sehr wohl denken, warum. Jacob hat Jahre nach Winters Abschluss in Quantico mit ihm zusammengearbeitet. Winter war seinerzeit mit einer verdeckten Ermittlung beauftragt, um religiöse Fanatiker in Georgia aufzuspüren. Und später Ökoterroristen in Oregon und im Bundesstaat Washington.«

»Er war ein kluger Kopf«, sagte Levine. »Sprach vier oder fünf Sprachen. Ehe er in den Dienst des FBI trat, hatte er für zivile Schutzorganisationen im Irak und in Ägypten gearbeitet. Ein wirklich sympathischer Mensch. Man konnte ihm vertrauen. Gut aussehend, schnell, stark.«

»Zwei Wochen nach 10/4 hat Lawrence Winter mich noch einmal besucht«, fuhr Farrow fort. »Wir aßen in der Stadt gemeinsam zu Abend, bei Pirelli. Er erzählte mir einiges über seine Aktivitäten im Nordwesten. War ziemlich fertig. Der arme Kerl hatte fast seine ganze Familie verloren.«

»Das haben wir gehört«, sagte Rebecca.

»Ich empfahl ihm, sich beurlauben oder sogar frühverrenten zu lassen, wegen Berufsunfähigkeit. Aber Winter sagte, er habe andere Pläne. Teilte mir mit, er habe sich vier Jahre nach 9/11 als Freiwilliger für ein Geheimprojekt gemeldet.«

»Was für ein Geheimprojekt war das?«, fragte William.

Farrow blickte zur Seite und gab Levine einen Wink.

»Manches davon sind nur Gerüchte und Mutmaßungen«, sagte Levine. »Es begann vor acht Jahren: Das Southern Poverty Law Center verlor damals die Spur einiger wichtiger Nummern im alten Spiel religiöser Fanatiker. Niemand wusste, wohin sie abgetaucht waren, sie waren einfach verschwunden. Irgendwann traf ich mich zum Mittagessen mit drei Typen vom Geheimdienst der Inneren Sicherheit, und sie waren so selbstzufrieden wie Katzen, die gerade einen Kanarienvogel verspeist haben. Also habe ich beim Freund eines Freundes nachgehakt, der jemanden dort kannte. In Washington D.C. sickert immer mal was durch. Nach dem Motto ›Was dem einen recht ist, ist dem anderen billig‹ war der Justizminister offenbar zu der Ansicht gelangt, es sei an der Zeit, zur Warnung einen kleinen Präventivschlag gegen rassistische weiße Amerikaner durchzuführen. Er wollte keinen weiteren Anschlag wie 1995 aufs Murrow Federal Building riskieren, denn das hätte vom ausländischen Terror nur abgelenkt. Manche behaupteten, das FBI sei trotz Einrichtung des Nationalen Sicherheitsdienstes nicht willens, sich die Hände so schmutzig zu machen, dass es Amerika wirksam schützen könne. Also wurde das Bureau of Domestic Intelligence, das Büro für die Innere Sicherheit, geschaffen. Der Justizminister hat dem BDI, seinem neuen Dienst, gleich darauf eine besondere Aufgabe zugewiesen, nämlich in großem Maßstab Razzien durchzuführen und Verbrecher auszuheben.«

»Vor sechs oder sieben Jahren«, griff Farrow den Faden auf, »kam das BDI nach Quantico und begann damit, mit Agenten Personalgespräche zu führen. *Kooperieren Sie, sonst bekommen Sie einen Tritt in den Hintern,* hieß es von Seiten des Justizministeriums. Da ich lautstark Einwendungen dagegen erhob, verstieß man mich aus dem Kreis der Eingeweihten. Zwei Jahre später kamen mir nach und nach Gerüchte zu Ohren, dass Menschen verschwunden seien. Ich wusste nicht, was ich davon halten sollte.

Im Hauptbüro wurden seinerzeit ältere Führungskräfte abgelöst oder mit neuen Aufgaben beauftragt – sicher erinnern Sie sich noch daran. Ich nehme an deswegen, weil Sie sich weigerten, mit der Regierung und dem BDI zu kooperieren. Später wurde klar, dass sich eine unbekannte Anzahl unserer eigenen Agenten an präventiven Festnahmen beteiligt hatte. Haben Sie denn nie davon gehört?«

»Ich bin ja nur ein kleines Licht«, erwiderte Rebecca mit geröteten Wangen. »Also haben Sie einfach nur auf Ihrem Daumen gesessen?«

»Ja und nein.« Farrow schob die Schultern vor. »Zufällig haben einige leitende Agenten, darunter auch ich, dem Southern Poverty Law Center aus besonderem Grund einen Besuch abgestattet. Gemeinsam mit Jacob habe ich mir die Liste der verschwundenen Personen vorgenommen – im Interesse einer ausgewogenen staatlichen Machtverteilung, verstehen Sie? Diejenigen, die verschwunden sind, waren allesamt große Arschlöcher, und normalerweise wären wir ja froh gewesen, sie los zu sein. Aber hier handelte es sich um mindestens zweihundert Personen, vielleicht auch noch um viele weitere. Und es gab einfach nichts, was wir unternehmen konnten. Jedes Mal, wenn wir uns damit an die Führungsspitze wandten, hat man uns abgeschmettert. Mit stählernem Blick. Sicher hätte ich mehr Fragen stellen sollen, aber das Klima ließ es einfach nicht zu.«

»Wir alle haben die Köpfe weggedreht«, sagte Levine. »Sie haben die Judenhasser und den Ku-Klux-Klan regelrecht ausgehoben. Es war wie ein schöner Traum. Die Leute verschwanden einfach. Manchmal sorgte das BDI sogar für ein plausibles Tatort-Szenario, um deren Verschwinden zu erklären.«

»Und dann taucht plötzlich Winter hier auf, um zu reden. Und er ist offensichtlich ein gebrochener Mann«, fuhr Farrow fort. »Und ich sage mir: Vielleicht führt über ihn ein Weg hinein. Vielleicht ist er genau das, was ich brauche, um das FBI davor zu bewahren, noch tiefer in die Scheiße zu rutschen.« Farrow streckte ein digitales Aufnahmegerät hoch. »Ungefähr an diesem Punkt habe ich das Gerät eingeschaltet.«

Winters Stimme drang mit bemerkenswerter Klarheit aus dem winzigen Lautsprecher – eine leise, normale Stimme, die weder schrill noch sarkastisch wirkte.

»Egal, mit wem wir zu tun hatten: Das, was sie sagten, klang in meinen Ohren ziemlich ähnlich. Die Leute vom Ku-Klux-Klan und von den Aryan Nations sprachen von ihrem Hass auf Juden, Katholiken und Schwarze. Jüdische Extremisten erzählten, sie wollten Muslime umbringen. Die Muslime bekannten, wie sehr sie Juden und Christen verachteten. Die Religionskriege haben nie aufgehört, Pete. Wir bekämpfen uns jetzt schon Tausende von Jahren. Wir kämpfen immer noch und versuchen wie einst, alle Menschen mit hineinzuziehen. Das ist krank. Und heutzutage ist die Situation anders als früher. Sie würden nicht glauben, was ich alles gesehen habe, Pete. Irgendein schlauer kleiner Fanatiker, der irgendeinen Groll hegt, könnte etwas entfesseln, das uns alle umbringt.«

Farrow drückte auf die Stopp-Taste. *»Schlauer kleiner Fanatiker.* Da frage ich mich doch, ob Winter Tommy Juarez damals bereits aufgespürt hatte. Und wenn ja, warum er ihn nicht der Justiz ausgeliefert hat.« Farrow schaltete das Gerät wieder ein.

»Damals, in den Fünfzigerjahren, wurde deutlich, dass Länder, die Atomwaffen besitzen, das Leben vom Angesicht der Erde tilgen können. Heutzutage würden dazu schon fünf oder zehn Teenager reichen, die im Biologielabor einer High School herumexperimentieren … Oder irgendein besessenes Monster. Und wer wird sie davon abhalten? Die großen Jungs bauen ihre politischen Karrieren auf der Grundlage von Argwohn, Angst und Hass auf … Aber letztendlich zählen, wenn es hart auf hart geht, immer nur die verrückten Zwerge und die Monster – das wissen Sie, Pete. Wir kennen deren Täterprofile in- und auswendig. Die großen Jungs geifern jahrelang über die üblen Machenschaften der Regierung und geben

sich dann völlig schockiert, wenn McVeigh und Nichols ein staat-
liches Gebäude in die Luft jagen. Wir üben Druck auf den Nahen
Osten aus, und der macht Gegendruck, und die Monster sprengen
sich dabei selbst in die Luft. Aber was ist, wenn die lächerlichen
Zwerge und die Monster Dinge in die Finger bekommen, die weit
schlimmer sind als irgendwelche Bomben mit Insektiziden – weit
schlimmer sogar als Atombomben? *Wer ist dann dafür verant-*
wortlich?«

Das Aufnahmegerät piepste und schaltete sich ab. »Meine
letzte Speicherkarte war aufgebraucht«, erklärte Farrow. »Aber
ich weiß noch, wo das Gespräch hinsteuerte. Winter hatte sich
freiwillig zur Zusammenarbeit mit einer geheimen Gruppe des
BDI bereiterklärt. Er hatte ihnen gesagt, er sei für den Einsatz
vor Ort – gemeint waren wohl Liquidierungen – aufgrund der
besonderen Umstände seiner Geburt bestens geeignet, besser als
jeder andere.«

»Aufgrund der Zwillingschromosomen«, warf Rebecca ein.

William konnte überhaupt nicht mehr folgen. *Menschen, die*
entführt wurden und verschwanden. Morde. Fälle, die man nicht
weiter verfolgte.

Farrow nickte. »In genetischer Hinsicht ohne eindeutige Fingerabdrücke – das war der Ausdruck, den Winter benutzte.
Irgendwann sprachen wir auch über *10/4*. An diesem Punkt
brach er zusammen und fing tatsächlich an zu weinen. Ich habe
mich für ihn geschämt.«

»Sie sind ja auch ein knallharter Bursche, Pete«, sagte Rebecca.

»Na ja, jedenfalls sagte Winter, es reiche nicht aus, die Monster
nur auszuheben. Auch nicht, sie nur zu töten. Stets würden welche nachwachsen – ein unbegrenzter Nachschub. Er sei jetzt dabei, einen Plan auszuarbeiten. *Jiu-Jitsu* nannte er sein Vorhaben.
Man müsse das Geld, das den Hass finanziere, dazu verwenden,
den Hass ein für alle Mal auszulöschen.«

»Warum haben Sie ihn nicht gemeldet?«, fragte Rebecca.

»Das habe ich ja getan.« Farrow musterte sie eingehend. »Ich
hab ihn Hiram Newsome gemeldet und eine Kopie dieser Band-

aufnahme beigefügt. News war der Einzige, den ich für vertrauenswürdig hielt.«

Rebecca sah von Farrow zu Levine hinüber, der ihrem Blick auswich. »Wann?«

»Das muss … drei Jahre her sein. Die Welle war kurz vorm Überschwappen. Die Wahlen zum Abgeordnetenhaus liefen anders als erwartet. Und das BDI beeilte sich, in Deckung zu gehen.«

Rebecca stand so abrupt auf, dass ihr Stuhl knarrte. »Sie lügen.«

Farrow erhob sich ebenfalls und baute sich so vor ihr auf, dass ihr Kopf auf Brusthöhe mit ihm war. »News weiß es seit drei Jahren.«

»Das ist Ihre Geschichte, und natürlich halten Sie sich jetzt auch daran«, erwiderte Rebecca.

»Leck mich, kleines Fräulein.«

Rebecca zog sich einige Zentimeter zurück und legte den Kopf schräg.

William griff nach Rebeccas Arm und hielt sie fest, als sie seine Hand abschütteln wollte. »Wir gehen!«, sagte er.

»Ja, machen wir, dass wir aus dieser Kloake rauskommen«, erwiderte Rebecca.

»Vergessen Sie nur nicht, Ihr Schoßhündchen mitzunehmen«, sagte Farrow. »Und fragen Sie News nach diesen Vorgängen. Ich hab alles schwarz auf weiß, hab Kopien gemacht.« Sein Gesicht war rot angelaufen. Selbst die blond behaarten Arme hatten die Farbe von Sauerkirschen angenommen. »Nehmen Sie sich vor ihr in Acht, Griffin«, bemerkte er in eisigem, gemeinem Ton. »Denken Sie an Ihre Karriere. Rebecca Rose und Hiram Newsome könnten Ihnen nämlich das Genick brechen.«

»Warte noch eine Minute«, sagte Rebecca und schüttelte seine Hand so ab, dass William sie losließ. Sie starrte Farrow direkt ins Gesicht. »Sie scheinen ja alles zu wissen. Erzählen Sie mir von BuDark – nur um der alten Zeiten willen.«

Farrow machte einen Rückzieher. Er schämte sich, dass er die Selbstbeherrschung verloren hatte, und fuhr sich durchs Haar.

»Was soll's, ich verrate Ihnen das Wenige, das ich weiß. BuDark ist eine geheime Operation der Präsidentin, die in keinem Budget auftaucht. Larsen hat BuDark in die Welt gesetzt. Diese Leute sind darauf aus, uns abzuschießen, indem sie auf internationaler Ebene genügend Beweismaterial zusammentragen, um gegen das BDI, FBI und jeden anderen vorzugehen, der nicht auf Seiten der Liberalen steht. Die zahlen's uns jetzt heim. BuDark ist ein Gegner des FBI.«

»Pete ist ein Dreckskerl«, sagte Rebecca, als sie den langen Flur entlanggingen, dessen Wände mit Kunstdrucken – heiteren Naturszenen – gepflastert waren.

»Er ist der geradlinigste Agent, der mir je begegnet ist«, entgegnete William kühl. »Mit Ausnahme meiner derzeitigen Begleiterin.«

»Und Hiram Newsome ist der geradlinigste Agent, der *mir* je begegnet ist.«

»Welchen Grund sollte Farrow haben zu lügen? Immerhin gibt er ja zu, gefährliche Dinge zu wissen.« William beschrieb mit der geballten Faust einen Halbkreis und ließ sie aufs Geländer knallen. Verblüfft wich Rebecca einen Schritt zurück. Das Foyer, das auch als Studierzimmer diente, war menschenleer. »Wenn irgendetwas davon stimmt, was, zum Teufel, können wir beide, nur auf uns gestellt, dann unternehmen?«

»Gar nichts. Wir müssen unsere Fühler ausstrecken und Fragen stellen. Aber wir müssen dabei außerordentlich vorsichtig vorgehen. Manche Leute würden dafür töten, nicht in eine derart große Geschichte verwickelt zu werden.«

»Fahren wir jetzt zu Newsome zurück?«

»Noch nicht. Wir müssen Risse in der Mauer nutzen, um weiter vorzustoßen. Bestätigungen von außen einholen. Und ich weiß auch, an wen wir uns wenden können.«

»An den Mann, der dich so provoziert hat. Wie hieß er doch gleich ... Grange, von der Inneren Sicherheit. Du dachtest damals, er könne zu BuDark gehören.«

Als Rebecca William ansah, strahlten ihre Augen, wirkten aber gleichzeitig ein bisschen traurig. »*Simpatico*«, sagte sie.

Ungehindert passierten sie die Sicherheitskontrolle und gingen durch die gläsernen Schwingtüren zum Wagen. Diesmal setzte sich William ans Lenkrad, und Rebecca erhob keine Einwände. Während sie auf das innere Tor zufuhren, sahen sie mehrere Reihen abgestellter schwarzer Geländewagen und Ford-Limousinen. Sie bildeten ein durch orangerote Absperrkegel gesichertes Zickzackmuster und blockierten die Wachhäuschen und die dahinter liegende Straße.

»Oh-oh!«, sagte Rebecca.

William bremste ab und hielt. Als ein Typ mit kurz geschorenem Haar und dem Körperbau eines Football-Verteidigers auf den Wagen zukam, kurbelte er das Fenster herunter. Der Mann trug einen dunkelblauen Anzug und eine Sonnenbrille mit verdächtig dicken Gläsern.

»Geheimdienst«, verkündete er und beugte sich vor, um durchs offene Fenster in den Wagen zu spähen. Sein Blick huschte kurz hin und her: Er verglich ihre Gesichter mit Ausweisfotos, die in seine Brille projiziert wurden.

Angespannt blieben William und Rebecca sitzen, ohne etwas zu sagen.

»Sie sind es«, sagte der Agent, während zwei weitere Agenten in dunklen Anzügen auf der anderen Seite des Wagens auftauchten. »William Griffin, Rebecca Rose, steigen Sie aus und halten Sie die Hände so, dass wir sie sehen können.«

»Was geht hier vor?«, fragte William.

»Haben Sie Waffen dabei? Reizkampfstoffe? Sind Sie mit dem Netz verbunden?«

William und Rebecca bejahten die erste Frage und verneinten die beiden anderen. Langsam stiegen sie aus und streckten die Hände hoch. Die Agenten spreizten ihnen die Beine, drückten sie gegen die Motorhaube und den Kofferraum und pressten die Oberkörper der beiden so weit nach unten, bis deren Wangen hart auf dem lackierten Metall auflagen. Danach nahmen die

Männer ihnen die Waffen ab und entfernten die Munition. Sie wahrten nicht einmal den Anschein von Höflichkeit: Es war ein männlicher Agent, der Rebecca abtastete. Danach legte er ihr Handschellen an und führte sie zu irgendeinem Wagen, während William in ein anderes Fahrzeug einsteigen musste. Mit zusammengekniffenen Lippen warf sie William einen letzten Blick zu. In ihr Gesicht hatten sich tiefe Furchen gegraben.

In dieser Nacht, die sich ewig hinzog und irgendwann in den frühen Morgen überging, hielten sich beide genau an das, was man ihnen befahl.

»Wecken Sie Ihre Jani-Jungs. Und sorgen Sie dafür, dass sie reisefertig sind. Unverzüglich.«

Fouad fuhr aus leichtem Schlummer hoch und starrte den
kahlköpfigen Oberst an, der sich durch die offene Stahltür beugte. Gleich darauf zog er sich zurück, sodass Fouad sich fragte, ob
er nur geträumt hatte. Doch dann hörte er Sirenen durch den
Stützpunkt schrillen.

Hastig schlüpfte er in seine Flakweste und Tarnuniform und
überprüfte sein Sturmgepäck.

In der Unteroffiziersmesse sprach er kurz mit den zweiundzwanzig Janis, die er befehligte. Den Namen *Janis* mochte er
nicht, und sie gebrauchten ihn auch nicht untereinander, doch
in Incirlik nannte man sie so, und inzwischen war es fast schon
ihre offizielle Bezeichnung: *Janis* oder *Janitscharen*.

Vor den Baracken, auf den Start- und Landebahnen, dröhnten
Dutzende von Transportflugzeugen und verbreiteten dünne
Wolken von Sand und Staub, als wollten sie es den jüngsten
Sandstürmen nachtun.

Ein anderer Oberst dirigierte sie über die von Rissen durch-
zogene Asphaltbahn zu einem Lastwagen, in den sie mit allem
Gepäck einstiegen. Als ein weiterer Lkw eintraf, warfen Soldaten
ihnen noch einige Kisten hinterher. Niemand wusste, was vor
sich ging. Es war sechs Uhr früh, und die Morgendämmerung
zeichnete sich wie ein halb geöffnetes, verschlafenes Auge am
östlichen Himmel ab.

Während sie zu ihrem Transportflugzeug hinüberfuhren,
rannte ein weiterer Oberst in Flugausrüstung neben dem Last-

wagen her, zog sich schließlich am Heck hoch und stieg ein.

»Türkische Truppen sind dabei, den Stützpunkt einzukreisen. Offenbar mögen die uns im Augenblick nicht, deshalb verlegen wir alle mobilen Einheiten. Das schließt auch die Janis und BuDark ein. Wir werden die Lage an einem anderen Ort sondieren, den wir noch festlegen müssen, aber auf jeden Fall liegt er weit weg von hier. Noch Fragen?«

Sie hatten keine, jedenfalls keine, die sie an diesen Oberst richten wollten. Mittlerweile waren sie eine fest gefügte Gruppe, denn sie hatten wochenlang miteinander trainiert. Zu den Soldaten, Luftwaffenangehörigen und Offizieren ringsum waren sie durchaus freundlich, trauten ihnen aber nicht recht über den Weg. Sie waren hellwach, aber nicht übertrieben neugierig. Bis jetzt war das Leben hier so langweilig gewesen, dass sie alles Neue begrüßten, selbst auf so kurzen Abruf hin.

Die jungen Männer rund um Fouad schüttelten sich die Hände und klopften sich gegenseitig auf die Schultern. Danach ließen sie eine Thermoskanne mit heißem Kaffee herumgehen. »Was hat man mit uns vor?«, fragten sie Fouad, als könne er es wissen.

»Ich kann auch nur raten«, erwiderte er. »Ich glaube, die Kämpfe rings um Mekka laufen nicht gut. Aufständische Wahhabiten schmuggeln sich unter die echten Wallfahrer und dringen auf diese Weise nach Mekka vor. Derzeit gerät die Lage außer Kontrolle.«

»Betrifft das uns?«, fragten sie und meinten damit *uns, die Muslime*.

»Ja, uns, die Amerikaner«, entgegnete Fouad leichthin. »Aber eher noch die Leute, die wir unterstützen. Unter den Gläubigen brennt die Wut wie ein Fieber. Anscheinend gerät die Türkei derzeit in eine besonders prekäre Situation, sonst würden sie uns nicht raushaben wollen. Demnächst beginnt der Haddsch. Es ist eine kritische Phase.«

»Wann bekommen wir unsere Instruktionen? Warum kämpfen wir nicht? Für was wollen die uns aufsparen?«

454

»Das weiß nur Gott«, erwiderte Fouad. »Man braucht Geduld, wenn man so nah am Herzen der Welt lebt.«

Am frühen Morgen landete ihr Flugzeug auf einem anderen namenlosen Vorposten, einem kleinen Streifen flachen, steinigen Geländes, nicht mehr als eine kahle Piste mitten in der Wüste. Da es nur wenige Wachsoldaten gab und nur geringe Unterstützung aus der Luft, blieben sie nahe beim Flugzeug – fünf Transporte, die einen fünfzackigen Stern bildeten. Sie beschäftigten sich damit, abwechselnd zu rennen und einander die Zeit abzunehmen, bis der leichte Wind sich legte und es zu heiß dafür wurde.

Als später am Nachmittag wieder Sandstürme über sie hinwegfegten, zogen sie sich in die aufgeheizten Frachträume zurück, um zu schlafen, Karten zu spielen oder sich Videos anzuschauen.

Nach dem Abendessen, das aus gefriergetrockneten Fertigmenüs der Armee bestand – einige Packungen enthielten Schweinerippchen, die sie stillschweigend zur Seite schoben –, ging ein Geheimdienstoffizier der Luftwaffe zu Fouad hinüber. »Können wir reden?«, fragte der ältere Mann. Er war klein, hatte graue Haare, breite Schultern und einen kaum wahrnehmbaren Bauchansatz, den er durch einen eng geschnallten Gürtel zu verbergen suchte. »Wissen Sie irgendwas über OWL?«, fragte er, zog einen winzigen, besonders gesicherten Computer heraus und rief ein Display auf, dessen Dachzeile besagte: *Zugang nur nach quantenmechanischer Bestätigung. Dieser Zugang wird mittels Fernsteuerung protokolliert.*

Fouad schüttelte den Kopf. »Owl, O-W-L, nein, darüber weiß ich nichts.«

»Man hat mir befohlen, Ihnen taktische Instruktionen darüber zu erteilen, wie Sie einen OWL-Schlag auslösen können. Fragen Sie mich nicht, warum. Keines der Systeme ist bis jetzt vollständig getestet worden, und ich persönlich würde mich nicht darauf verlassen. Aber Befehl ist Befehl.«

OWL, so erfuhr Fouad, stand für *Orbital Warhead Lancet*,

einen lanzettenförmigen Sprengkopf in der Umlaufbahn. Es war eine supermoderne, mit kinetischer Energie arbeitende Vernichtungswaffe, die über automatische Zielsuche verfügte und dazu geschaffen war, tiefe bombensichere Unterstände zu durchschlagen. Während Fouad zuhörte, trat ihm aufgrund einer explosiven Mischung aus Wut, Angst und Hochgefühl das Wasser in die Augen. Vielleicht würde es doch kein Blutvergießen geben. Dem Blut würde gar keine Zeit zum Fließen bleiben.

Und es würden auch keine Leichen übrig bleiben, die man bestatten konnte.

Kapitel 62

Mekka

Mr. John Brown hatte die meisten Siedlersöhne in die Zeltstadt von Mina verlegt, das Hotelzimmer aber trotzdem behalten: Zwei der jungen Männer waren dort geblieben, um ein Auge auf das Parkhaus zu halten, in dem die Lastwagen abgestellt waren.

Die Öffnung der bislang versiegelten Mauern rund ums saudische Königshaus, die Enthüllungen über dessen Vorrechte hatten wie in alten Zeiten Chaos und Tod über den Haddsch gebracht. Doch nichts konnte die Hunderttausende von Pilgern aufhalten. Deren vereinte Macht und Leidenschaft hatte selbst die Söhne Zions, die Kinder Eretz Israels, so ernüchtert, dass sie ganz nach innen gekehrt dalagen, wenn sie sich in den langen Nächten in ihrem Zelt ausruhten.

Die Ungeheuerlichkeit des eigenen Vorhabens hatte Winters Jungs schließlich doch noch eingeholt und dämpfte ihre Stimmung.

Nach Jahrzehnten strikter saudischer Kontrolle war Mekka jetzt wieder ein gefährliches Pflaster. Am Rande der Menschenmassen wuselten Diebe, korrupte Polizisten und Soldaten wie orientierungslose Ameisen hin und her. Es hatte Schlägereien und Vergewaltigungen gegeben (sowohl von Frauen als auch von Männern, behaupteten manche), sogar Morde. Doch ringsum waren, ermuntert durch Selbstschutzgruppen und ein starkes Band zwischen örtlichen Händlern und Pilgern, Unternehmungsgeist und Glaube aufgeblüht, sodass man mittlerweile auf den Straßen fast nur noch Brüderlichkeit, Freude und gemeinsame religiöse Leidenschaft erlebte.

Die ganze Stadt war wie von Gott berauscht.

Die Siedlersöhne baten Gott um neue Kraft und beteten in kleinen Gruppen. Doch nicht einer von Winters jungen Männern betete um Vergebung. Nicht anders als strenggläubige muslimische Eltern hatten ihre Eltern sie zu religiöser Hingabe und einem an der Religion orientierten Leben erzogen. Und ihre im Heiligen Land wurzelnde Erbreligion bestätigte ihnen diese Weltanschauung stets aufs Neue. Wie Skorpione, die gegen das eigene Gift immun sind, lebten sie, innerlich abgehärtet, mit dem Stachel des Hasses.

Der große Amerikaner wusste kaum noch, welchen Namen er gebrauchen sollte: John Brown, Sam Bedford, Larry Winter – er spürte, wie die Vergangenheit von ihm abfiel und die Erinnerungen hinter ihm wegbrachen wie die Querverstrebungen einer Hängebrücke in manchen Zeichentrickfilmen. Bald würde die letzte Stütze wegfallen. Dann würde er in den tiefen Abgrund des Vergessens stürzen und im Frieden mit sich selbst leben. Ohne Kummer. Sein ganzes Denken würde sich auf die Befriedigung täglicher Bedürfnisse beschränken, auf den Hunger und das Stillen dieses Hungers … Falls er überhaupt noch das Ende dieser Woche erlebte, was keineswegs sicher war.

Ich werde ihnen ihre erste Erinnerung an einen blauen Himmel, betrachtet durch unschuldige Kinderaugen, zurückgeben. Vor Gott sind sie alle gleich, ob Mörder oder Opfer.

Das einzige Problem bestand darin, dass Winter jetzt, wo die intensive, ständige Erinnerung an seinen Verlust verblasste, von Tag zu Tag weniger von seiner Mission überzeugt war. Er hatte angenommen, nicht aus einem Hass heraus, sondern aus Überzeugung zu handeln. Anders als Tommy war er mit Vernunft begabt und hatte sich ein erreichbares Ziel gesteckt. Doch inzwischen ähnelte er einem Geschoss, das sich, einmal abgefeuert, aufgrund der Schwungkraft völlig automatisch vorwärtsbewegt. Mittlerweile behinderte die sich verdichtende Atmosphäre ringsum den Schwung. Die Energie der vielen Hunderttausend Mitmenschen, die den Kontakt mit Gott suchten, bremste ihn.

Es waren Menschen, die sich ernsthaft, verzweifelt und unterwürfig bemühten, Gottes Wort zu hören.

Menschen, die Gott *zuhörten.*

Kapitel 63

Irgendwann hatte Rebecca einmal geäußert, ein Gefängnis könne kein schöner Ort sein. Doch zumindest hatte man William nicht in ein widerliches Loch in Virginia oder in den Bau des Marinecorps auf dessen Stützpunkt in Quantico gesperrt. Allerdings hatte ihm auch niemand mitgeteilt, warum er im Knast saß, wo Rebecca abgeblieben war oder was, um alles in der Welt, da draußen vor sich ging und Gründe dafür lieferte, dass man zwei Sonderagenten so behandelte.

Nach acht Stunden führten Sicherheitsbeamte William zum Ende des gelb getünchten Ganges und über einen kleinen Hof, in dem ein einziger mickriger Baum stand. Ihr Ziel war ein fensterloses Zimmer im zweiten Stock eines fensterlosen Betonbaus, das nur mit einem Tisch und zwei Stühlen ausgestattet und kleiner als seine Zelle war. Ansonsten gab es hier nur noch einen runden Rost in der Wand – offenbar eine Art Lautsprecher – und weiter oben zwei Entlüftungsschlitze, an denen rote Bänder hingen, die flatterten, als die beiden Männer ihn zu einem Stuhl am nördlichen Ende dirigierten. William hatte darauf geachtet, die Orientierung zu bewahren. Wenigstens über diese unbedeutenden Informationen wollte er verfügen können, denn alles andere war ein Albtraum, der ihm Rätsel aufgab. Trotzdem war er froh, nicht mehr in der Zelle zu sitzen; er freute sich sogar auf das Gespräch.

»Das hier ist Gene, und ich bin Kurt, Kurt mit K«, erklärte der größere der beiden Männer. Beide wirkten gepflegt, trugen Golfhemden mit dem bekannten Alligator (beim einen rosafarben, beim anderen hellgrün) und beige Hosen. Sie waren kleiner als William, nicht einmal einen Meter fünfundsiebzig groß. Der Größere, Kurt mit K, hatte schütteres braunes Haar und einen dünnen Oberlippenbart, der andere, Gene, dichtes, lockiges schwarzes Haar und grüne Augen. Sie wirkten durchaus gelassen. Kurt zog sich den anderen Stuhl heran und nahm Platz. William musste an die Männer und Frauen denken, die er selbst während der Zeit im New Yorker Polizeidienst verhört hatte – und natürlich an Jeremiah Chambers.

Gene lehnte sich unterhalb des Lautsprechers gegen die Wand, die Ostwand. Die fensterlose Tür war in die Westwand eingelassen. Innen gab es keinen Türgriff, die Tür war nur von außen zu öffnen.

»Sie haben Ihre Ausbildung an der Akademie im April abgeschlossen«, begann Kurt. »Und gleich danach wurden Sie der Sonderagentin Rebecca Rose zugeteilt, stimmt's?«

»Das war reiner Zufall.«

»Sie haben es sich nicht ausgesucht, mit ihr zusammenzuarbeiten?«

»Sie hat beim Büro angefragt, ob ich ihr für eine gewisse Zeit zugeteilt werden könne.«

»Also mochte sie Sie.«

»Das nehme ich an.«

»Normalerweise tut sie sich schwer, mit anderen zusammenzuarbeiten. Sehen Sie das auch so?«

»Wir kommen miteinander aus.«

»Sie ist leicht reizbar. Und eine Einzelgängerin.«

»Wenn Sie's sagen.«

»Wussten Sie vor der Zusammenarbeit mit ihr irgendetwas über Amerithrax?«

»Das, was wir während der Ausbildung erfuhren und in Büchern nachlasen.«

»Sie arbeitet schon recht lange an dem Fall, nicht wahr? Hat irgendeine verrückte Theorie, in der Tintenstrahldrucker eine Rolle spielen.«

»Sie hat sich gemeinsam mit einem anderen Agenten, Carl Macek, mit der Sache befasst.«

»Macek ist tot. Der Fall lag auf Eis. Warum hat Hiram Newsome Rebecca Rose weiter daran arbeiten lassen?«

»Einen Fall wie Amerithrax legt man eigentlich nie zu den Akten, oder?«

»Wussten Sie, dass vor zehn Jahren ein Disziplinarverfahren gegen Rebecca Rose eröffnet wurde? Wegen sexueller Belästigung. Ein Kollege von ihr behauptete, sie habe ihm auf ungehörige Weise Avancen gemacht und ihm mit Degradierung und Versetzung gedroht, falls er sich nicht mit ihr einlassen würde.«

»Das klingt überhaupt nicht nach Agentin Rose.«

»Es war ein Skandal. Der Stellvertretende FBI-Direktor Hiram Newsome höchstpersönlich musste sich einschalten, um die Wogen zu glätten. Irgendwann wurden die Vorwürfe fallen gelassen. Der andere Agent kündigte. Inzwischen arbeitet er in Chicago, als Sicherheitsberater für die Industrie. Und dennoch zieht sich eben diese beutegierige Rebecca Rose Jahre später im Bundesstaat Washington mit FBI-Frischfleisch in einen Wohnwagen des Büros zurück. Sagen Sie doch selbst, wie das wirken muss.«

»Sie hat mich nicht belästigt und mir keine Avancen gemacht. Wir haben nicht miteinander geschlafen.«

Gene kam um den Tisch herum, legte ihm beide Hände auf die Schultern und gab ihm eine so heftige Ohrfeige, dass ihm das Ohr klingelte und gleich darauf heiß wurde. *Ruhig bleiben*, hörte er Griffs Stimme im anderen Ohr. *Du kennst die Prozedur doch. Wahrscheinlich stehen hier Leben auf dem Spiel. Entweder das – oder die beiden sind Dreckskerle. In jedem Fall musst du die Augen offen halten.*

»Hat sie je erwähnt, dass sie mit einem Agenten namens Larry Winter zusammengearbeitet hat?«

»Nein.«

»Hat Hiram Newsome je erwähnt, dass er mit Larry oder Lawrence Winter zusammengearbeitet hat?«

»Nein.«

»Was wissen Sie über Anthrax?«

»Nicht viel.«

»Kennt sich Rebecca Rose Ihrem Eindruck nach mit der Entwicklung und Erzeugung biologischer Kampfstoffe aus?«

William überlegte kurz. »Sie wusste so viel, wie ein Agent, der in einem solchen Fall ermittelt, wissen sollte«, erwiderte er schließlich.

»Finden Sie es nicht seltsam, dass Hiram Newsome, Rebecca Rose und vermutlich auch Carl Macek – ihn können wir dazu ja nicht mehr befragen – die einzigen Agenten innerhalb des FBI waren, die eine spezielle Theorie verfolgten?«

»Nein«, sagte William. »Das kam mir keineswegs ungewöhnlich vor.«

Gene machte eine schnelle Bewegung vorwärts, griff nach Williams Schultern und sorgte dafür, dass er aufrecht saß.

»Glotzen Sie ihn nicht so an, Arschloch«, sagte Kurt. »Sie haben keinen Grund, Angst zu haben, wenn Sie mir gegenüber ehrlich sind.«

»Sie haben mich nach meiner Meinung gefragt.« Trotz Griffs ausgezeichneter Ratschläge wurde er allmählich wütend. »Und die hab ich Ihnen gesagt.«

»Ihre Meinung könnte uns auf die Idee bringen, dass Sie vielleicht schon von Anfang an in die Sache verwickelt waren. Und Sie wollen doch sicher nicht, dass wir so etwas annehmen, oder? Warum erzählen Sie nicht einfach hübsch der Reihe nach und mit einfachen Worten, was passiert ist? Schon dem Büro zuliebe.«

»Von einem Komplott weiß ich nichts. Ich glaube nicht, dass Rebecca Rose oder Hiram Newsome in eine Verschwörung verwickelt waren.«

»Aber *wir* wissen es. Es hat tatsächlich ein Komplott gegeben, das möglicherweise bis in die höchsten Regierungskreise gereicht hat. Hiram Newsome wollte es vertuschen. Rebecca Rose war dabei seine Partnerin. Glauben Sie, dass sie miteinander ficken, William? Vielleicht ficken die ja auch mit *Ihnen*?«

William presste die Lippen zusammen.

»Vielleicht macht es Ihnen ja auch gar nichts aus«, fuhr Kurt fort. »Vielleicht finden Sie sogar Gefallen an dieser Vorstellung. Schließlich haben Sie für die New Yorker Sitte einen Schwulen gemimt. Ich persönlich könnte das niemals über mich bringen, ich müsste kotzen. Aber vielleicht sind Sie ja wirklich schwul und möchten insgeheim Hiram Newsome ficken – das wäre doch ein wirklich erregendes *Doppelagenten*-Spielchen, stimmt's?« Er stand auf und ließ Gene Platz nehmen, der das Verhör weiterführte.

»Amerika ist wirklich in Gefahr, falls wir mit dieser Scheiße nicht aufräumen, Agent Griffin. Woher wussten Sie so viel über transgene Hefe?«

»Ich hab recherchiert und meine Hausaufgaben gemacht.«

»Wieder einmal ein genialer Einfall, der Ihnen gut zupass kam. Auf die Lösung all dieser Rätsel sind Sie durch eine *Suchmaschine* gestoßen, stimmt's?«

William nickte.

»Rebecca Rose weiß alles über Tintenstrahldrucker und Sie wissen alles über Hefe. Verblüffend. Brillant. Auf Anhieb und ganz allein haben Sie Dr. Wheatstone ausfindig gemacht. Verblüffend. Brillant. Aber Wheatstone war Ihnen bereits ein Begriff, nicht wahr? Weil Sie von Hiram Newsome oder Rebecca Rose wussten, wem die beiden damals die transgene Hefe gestohlen hatten …«

William sah auf den Tisch. »Nein.«

»Geben Sie zu, dass Sie gar nicht von ganz allein auf Wheatstone gekommen sind?«

»Nein.«

»Wissen Sie, wer *wir* sind, William?«

»Vom Geheimdienst.«

»Falsch. Ich gehöre zum Grenzschutz, Kurt ist ATF. Man hat uns damit beauftragt, den Schlamassel zu bereinigen, den ihr Blindgänger von FBI-Agenten in die Welt gesetzt habt, und wir sind ziemlich resolute Burschen. Also werden wir hier noch ein Weilchen bleiben, wenn's Ihnen nichts ausmacht.«

»Wenn's der Wahrheitsfindung dient, macht's mir nichts aus.«

Kurt schlug ihn auf das andere Ohr.

»Haben Sie je von einer Operation namens *Desert Vulture*, Wüstengeier, gehört?«, fragte Gene.

»Nein.«

»Sind Sie völlig sicher, dass so etwas nie erwähnt wurde?«

»Ich bin mir sicher.«

»Was, wenn ich Ihnen jetzt sage, dass ein Agent ausgeschickt wurde, um Amerithrax aufzuspüren, ihn auch tatsächlich gefunden, aber nicht der Justiz überantwortet hat? Was, wenn ich Ihnen sage, dass dieser Agent Lawrence Winter war? Und dass Winter von ganz hoher Stelle den Befehl bekam, diesen Freak, Amerithrax, als Quelle zu nutzen? Als Quelle zur Herstellung von waffentauglichem Anthrax, das man nie würde zurückverfolgen können?!«

William spürte, wie sein Magen sich anspannte. Am liebsten hätte er gekotzt. »Ich weiß nichts darüber.«

»So ein Quatsch, Agent Griffin, Sie stecken doch mittendrin. Was hatte Winter Ihrer Meinung nach mit all dem Anthrax vor?«

»Es handelt sich doch gar nicht um Anthrax ...«, setzte William an, doch Kurt versetzte ihm eine weitere Ohrfeige, sodass er die Lippen zusammenpresste.

Fest zusammenpresste.

Drei Stunden später, nach neun Verhörrunden, aber nur leichter körperlicher Misshandlung (ein Bluterguss am Kinn, ein eingeschlagener Zahn, blaue Flecke an beiden Ohren) brachten sie William in seine Zelle zurück. Er war nicht schlauer als zuvor, sie aber auch nicht.

Allerdings rasten ihm bittere Möglichkeiten durch den Kopf.

Was weißt du wirklich, mein Sohn?, fragte Griff.

Als die Tür mit leisem Quietschen aufging, wälzte William sich auf dem Feldbett herum und starrte die beiden Männer und die Frau im Eingang an. Die Frau war nicht Rebecca, sondern Jane Rowland, die keineswegs glücklich wirkte, und daran war sicher nicht nur Williams missliche Lage Schuld. Einer der beiden

Männer war der Agent des Diplomatischen Sicherheitsdienstes, den sie auf dem Gehöft des Patriarchen getroffen hatten, David Grange. Er lächelte William zu. *Ein gutes Zeichen, oder nicht?* Den anderen Mann kannte William nicht. Er war stämmig und trug einen dunkelblauen Anzug, dazu eine schmale Krawatte. Ein Gefängnisbeamter.

»Gehen wir«, sagte Grange. »Wir holen Sie hier raus.«

Jane Rowlands Augen waren so groß wie Untertassen. Sie geleiteten ihn aus der Zelle und den Gang entlang. »Erinnern Sie sich noch an mich?«, fragte Grange.

»Ja, Sir.«

Als zwei leitende Strafvollzugsbeamte in dunkelbraunen Anzügen zu ihnen stießen, reichte Grange ihnen einige Formulare, die sie wortlos abzeichneten. Die Beamten wirkten nicht sonderlich erfreut darüber, dass William sich ihrer liebevollen Fürsorge entziehen wollte.

»In Washington ist der Teufel los«, sagte Grange. »Derzeit halten wir nach ein paar guten Beamten und Agenten Ausschau, nach solchen, die politisch nicht oder kaum belastet sind. Vielleicht haben Sie's schon gehört: Hiram Newsome und zwei weitere hohe Tiere wurden verhaftet. Man hat dem Bundesjustizminister dringend geraten, das ganze FBI dichtzumachen, und zwar sofort. Derzeit wird der Geheimdienst durchgekämmt, und dabei sind viele Läuse im Pelz zum Vorschein gekommen, die man jetzt loswerden muss. Selbstverständlich steht auch die Innere Sicherheit schwer unter Beschuss. Der Grenzschutz – ist das zu fassen? – und der Diplomatische Sicherheitsdienst sind so ungefähr die einzigen Dienste, die bis jetzt alles unbeschadet überstanden haben. Und ein paar Handverlesene aus Quantico, für die sich vor allem die Stabsleiterin der Präsidentin eingesetzt hat ... und ich. Es ist ein scheußliches Chaos.«

»Was ist mit Rebecca Rose?«

»Rose ist in einem anderen Wagen unterwegs. Ich habe heute Nachmittag ihre Entlassung durchgesetzt. In zwei Stunden treffen wir uns mit ihr.«

»War sie beteiligt?«

»Woran?«

»An der Operation *Desert Vulture*.«

»Sie wissen davon? Scheiße.«

»War sie beteiligt?«

»In keiner Weise.«

»Die wollten beim nächsten großen Terroranschlag auf die USA Mekka angreifen, stimmt's? Sie wollten Mekka mit Anthrax überziehen.«

»Ich darf mit niemandem darüber reden«, erklärte Grange.

»Sie selbst haben nach Winter gefahndet, weil er auf die falsche Seite gewechselt und ein Krimineller geworden war. Er hat bei *Desert Vulture* mitgemacht, seine Meinung später aber geändert.«

»Ich habe erst gestern von *Desert Vulture* erfahren«, sagte Grange.

»Also war es kein Hirngespinst?«

»Mehr kann ich dazu im Moment nicht sagen.«

Als sie das Ende des langen Ganges erreichten, schwangen weitere Stahltüren und Schranken weit auf. Die Vollzugsbeamten lösten sich von der kleinen Gruppe und gingen ihrer Wege. Angesichts des dunklen Himmels zuckte William zusammen: Es war schon Abend. Die Sterne funkelten, und die Luft hatte sich abgekühlt. Mit leisem Jauchzen sog er die wunderbar frische Luft ein, was ihm selbst peinlich war.

»Sind Sie eigentlich beschnitten, William?«, fragte Grange, während er am ersten Tor die Dienstmarke und die abgezeichneten Formulare vorzeigte.

»Ja, Sir. Meine Eltern wollten es aus hygienischen Gründen.«

»Zufällig bin ich auch beschnitten.«

Jane Rowland hob die Augen zum Himmel.

Am Straßenrand fuhr ein schwarzer Suburban vor und hielt mit leicht quietschenden Reifen. Im Wagen saßen zwei Agenten, die sie durch das halb heruntergelassene Fenster mit arroganten, misstrauischen Blicken musterten.

»Wohin fahren wir?«, fragte William.

»Wir verlassen Cumberland«, erwiderte Grange. »Reicht Ihnen das nicht fürs Erste?«

Eine Stunde später stiegen sie auf einer Startbahn in Dulles in ein Flugzeug der Küstenwache, das sie zum Luftwaffenstützpunkt Eglin in Florida beförderte. In Eglin duschte William im ruhigen Apartment eines Offiziers und rasierte sich anschließend. Zwanzig Minuten verbrachte er unter dem Duschstrahl, um sich die erfahrene Demütigung vom Leib zu schrubben. Grange brachte ihm einen kleinen Kulturbeutel mit diversen Utensilien und neue Kleidung zum Wechseln, die fast passte.

Von Eglin aus flogen sie mit einer Militärmaschine, einer C5A, nach Oman. Er hörte, dass auch Rebecca mit flog, hatte aber keine Lust zu reden oder von ihr die letzten Entwicklungen zu erfahren. Er war erschöpft, außerdem brannten ihm zu viele schwierige Fragen auf der Seele, deshalb tauchte er im hinteren Teil des Passagierraums ab. Das überlaute Gedröhn des Turbinenantriebs lullte ihn zwar ein, aber mit Schlaf hatte dieser Zustand nichts gemein. Eher kam es ihm so vor, als hüpfe, balanciere und stolpere er wie in einem Albtraum am Rande des Todes entlang, und das war kein angenehmes Gefühl.

Als er Stunden später hellwach hochfuhr, sah er, dass Rebecca ihm gegenüber am Gang Platz genommen hatte. Das Flugzeug war bereits auf dem Anflug zur Landung.

Er starrte sie an.

»Mein Gott, William Griffin, du hast ja Augen wie ein Zombie.«

William schluckte und wandte den Blick ab. »Ich mag es nicht, in Scheiße getunkt zu werden«, sagte er. »Egal, ob's deine ist oder die von jemand anderem.«

»Mm, hm.« Wieder einmal streckte Rebecca zwei Finger zu einer Schere vor, als brauchte sie dringend eine Zigarette.

»So bin ich noch *nie* behandelt worden«, sagte William. »Welche Überraschungen hast du sonst noch für mich auf Lager?«

»Ich hatte nichts damit zu tun, und das weißt du auch.«

»Und was ist mit dem FBI? Du hast mich da hineingezogen. Was hab ich getan, dass man kein gutes Haar an mir lässt, hä?«

»Nichts.«

»Und du? Was hast du verbrochen?«

»Nichts.«

William zog eine Grimasse. »In Cumberland ist mir viel zu Ohren gekommen.«

»Mir auch. Aber ich neige dazu, gar nicht auf die großen, starken Kerle zu hören, falls dir's noch nicht aufgefallen sein sollte.«

»Die wollten mich knacken und mir das Gehirn rausklauben, Rebecca. Die hatten wirklich *Angst*, das konnte ich auch ohne Geruchssensor riechen. Jemand hat denen so entsetzliche Dinge erzählt, dass sie sich vor Angst am liebsten in die Hosen gemacht hätten. Noch ein paar Stunden, dann hätten sie sicher damit angefangen, mir wirklich tolle neue Drogen zu injizieren, und mögliche Schäden wären denen egal gewesen. Die waren darauf aus, die Gehirne von uns beiden in Buchstabensuppe zu verwandeln und die kleinen Wörter zu entschlüsseln, Rebecca.«

Rebecca bedachte ihn mit einem scharfen Blick. Ihre Augen verrieten etwas, das William darin noch nie gesehen hatte: Sie war wirklich verletzt und enttäuscht. »Nicht ich hab dir das angetan, William.«

»Was, zum Teufel, ist *Desert Vulture*?«

»Ich weiß es nicht. Vielleicht will ich's gar nicht wissen.«

»Haben die dich danach gefragt?«

Sie nickte.

»Haben sie dich auf die Ohren geschlagen?«

Sie schüttelte den Kopf.

»Also haben sie sich dir gegenüber wie Gentlemen verhalten?«

Rebecca zog die Augenbrauen hoch und musterte ihre Hände. »Warum sind wir hier? Kannst du mir das sagen?«

Ihre Hände zitterten. Sie holte leicht Luft.

»Wie lange, glaubst du, kann ein *Sunshine Patriot* noch herumrennen, wenn man ihm den Kopf abgeschnitten hat?«

»Ist das eine rhetorische Frage?«

»Eine zeitliche Grenze wurde nie entdeckt«, fuhr Rebecca fort. »Solche Leute machen noch jahrelang weiter. Wir Übrigen erledigen die Drecksarbeit an deren Stelle, schaufeln deren Scheiße weg – oder müssen sie ausbaden –, während sie weiterleben, in den Ruhestand treten und ihre Arbeitszimmer mit Trophäen und Fahnen voll stopfen. Man zahlt ihnen Hunderttausende von Dollar, damit sie Reden vor dem *American Eagle Forum* halten. Oder auch in den rot-weiß-blau beflaggten Einrichtungen des Laissez-faire-Kapitalismus, wo man dem Staat alle soziale Verantwortung abspricht. Und dann schreiben sie ihre Memoiren und wiegen ihre Enkelkinder auf dem Schoß. Sie labern uns zu mit Geschichten über ihre patriotischen Ruhmestaten, aber in Wirklichkeit haben sie nur für eines gesorgt: dass gute Leute ihr Leben lassen mussten. Sie verschwenden Blut und staatliches Vermögen und suchen dann verzweifelt nach Wegen, alles wieder hinzubiegen. Genau das muss *Desert Vulture* sein: die brillante Weltverbesserungsidee irgendeines alten Kerls, der sich einen Dreck um mich und dich, die Infanteristen an der Front oder sonst jemanden schert.«

»Es war *Anthrax* im Spiel, Rebecca. Selbst Lawrence Winter konnte oder wollte bei dem, was sie vorhatten, nicht mitmachen.«

»Ja, ich nehme an, es ging tatsächlich um Anthrax.«

»Und wo sind diese Arschlöcher jetzt? Warum löffeln wir jetzt deren Suppe aus? Scheiße!« William trat gegen den Vordersitz.

Während das Flugzeug eine Kurve beschrieb und sich schräg legte, arbeitete sich David Grange nach hinten durch und beugte sich über die Sitze. »Störe ich?«

»Wir sind fertig«, erwiderte William.

»In einer Stunde landen wir in Oman.«

»Erzählen Sie William, was Sie mir erzählt haben«, forderte Rebecca ihn auf. »Warum man uns eingesperrt hat.«

Grange hockte sich auf den Gang. »Wir können noch immer nicht sagen, wer in was verwickelt war. Es wurde ein recht weit reichender Vollstreckungsbefehl herausgegeben: Alle, die Verbindung zu Winter oder Amerithrax hatten, sitzen jetzt in Untersuchungshaft. ATF wurde die Leitung der Operation übertragen, aber auch die Drogenfahndung und sogar die Polizei der Post sind beteiligt – es ist ein richtiger Zoo. Sie beide sind mehr oder weniger zufällig in dieses Netz hineingeraten. Ohne einen Spielplan kann man einfach nicht sagen, wer wo mitgespielt hat, und ich kenne niemanden, der über einen verfügt.«

»David sagt, es sei nicht sicher, ob News überhaupt in die Sache verwickelt ist.« Auf Rebeccas mitgenommenem Gesicht zeichnete sich ein Anflug von Hoffnung ab.

»Möglich, dass Newsome bei einigen Leuten die Fäden gezogen hat, um Winter zu fassen, ehe er irgendwas anstellen konnte. Vor vier Jahren existierte BuDark ja noch gar nicht«, sagte Grange. »Warum er Ihnen das nicht frei heraus gesagt hat, weiß ich nicht.«

»Er war mein Vorgesetzter. Er hat in gewisser Hinsicht gemauert«, erklärte Rebecca.

»Ja, und sehen Sie nur, in welche Lage er dadurch geraten ist. Sie sind draußen, und er sitzt immer noch ein. Sie müssen die Präsidentin ja schwer beeindruckt haben.«

»News war auch dabei.«

»Nun ja, ich weiß nicht, wer zum Teufel wen beeindruckt hat«, sagte Grange, während er seine Knie verlagerte. Kurz darauf stand er auf und streckte die Beine. »Die Probleme in Quantico und in D. C. sind nicht unsere größte Sorge. Jordanien und die Türkei haben uns keine Landeerlaubnis erteilt. Deshalb gehen wir in Oman runter, schnappen uns einen Hubschrauber und steigen im Roten Meer auf eine Fregatte oder so was um. Danach will man uns eventuell direkt nach Saudi-Arabien ausfliegen. Derzeit konsolidieren die Aufständischen ihre Vorteile gegenüber dem Gegner und versuchen, wie ich vermute, Geld aus dem Haddsch zu pressen, um die nächsten Operationen zu finanzieren. Wir haben Kontakt zu den Leuten, die vom saudischen Geheimdienst, *al-Istakhbarah al-A'amah,* noch übrig sind. Sie haben ein genauso großes Interesse wie wir daran, eine Katastrophe während des Haddsch zu verhindern. Bislang haben wir denen nur erzählt, dass es um Anthrax geht – das schafft genügend Aufmerksamkeit auf deren Seite. Wir würden ihnen ja die Leitung überlassen, aber, offen gesagt, vermasseln sie alles, wenn's um den Umgang mit Ausländern geht. Zu deren Hoch-Zeit waren sie am besten darin, Gastarbeiter zu drangsalieren. Trotzdem kenne ich dort einige, die nicht allzu schlimm sind. Ich war zwei Jahre lang als Sicherheitsbeauftragter in Riad.«

»Und was sollen wir bei all dem?«, fragte William. Rebecca zog eine Thermoskanne aus ihrer Reisetasche und schenkte ihm schwarzen Kaffee in einen Becher.

»Wir sind knapp an Personal, furchtbar knapp. Die meisten Karrieretypen halten ihren Hintern bedeckt. Nachdem ich Rebecca aus Cumberland herausgeholt hatte, schlug sie Ihre Mitarbeit vor.«

»Dafür sollte ich mich wohl bedanken, wie?«, sagte William.

»Wir nehmen auch Jane Rowland mit, damit sie sich um spezielle Kommunikationsaufgaben kümmert.«

»Wie wär's, wenn Sie uns vollständig über BuDark informieren?«, fragte Rebecca.

Grange nickte. »Die Gründung von BuDark war anfangs eine interne Reaktion des Diplomatischen Sicherheitsdienstes und des FBI auf Gerüchte über *Desert Vulture*.«

»Und was ist mit Pete Farrow?«

»Gehört nicht zu uns. Aber vermutlich ist er, genau wie News, ein guter Typ, zählt allerdings nicht zum inneren Kreis. Manche Agenten haben von sich aus versucht, Fakten auszugraben. Vor drei Jahren wandten wir uns an den Senat, danach gingen wir die Sache überparteilich an. Fast in jedem Zweig der Regierung stießen wir auf Verschwörer. Die letzte Regierung bemühte sich verzweifelt, unsere Organisation zu zerschlagen. Und dann verloren sie, Gott sei Dank, die Wahl. Derzeit sind wir ein zerrissener Haufen, quer über Europa und den Nahen Osten verteilt, wo wir die berühmte Stecknadel im Heuhaufen suchen. Die Hälfte der Einsatzleiter will nicht glauben, dass überhaupt jemand von unserer eigenen Gegenseite in Mekka operiert. Und die andere Hälfte … Nun ja, derzeit überwachen unbemannte Flugobjekte die Stadt, vor allem aus großer Höhe. Aber wir haben auch Drohnen in die Stadt geschickt, damit sie die Szenerie auf den Straßen ausspionieren. Gegenwärtig besteht unser Plan darin, zu den Randbezirken von Mekka zu fahren oder zu fliegen, begleitet von verdeckt arbeitenden Sicherheitsbeamten, die sich ihren Weg in die Befreiungsfront Hijaz durch Bestechung erkauft haben. Falls wir durchkommen – und das ist ein großes FALLS –, müssen wir immer noch den oder die Lastwagen aufspüren. Basierend auf den Ausrüstungen, die in Jerusalem abgefangen wurden, nehmen wir an, dass es vielleicht sogar drei Laster sind. Wenn wir sie finden, müssen wir sie anhalten und ihre Fracht vernichten – und an diesem Punkt kommt Fouad Al-Husam ins Spiel. Er wurde zum Leiter eines Teams von Männern befördert, die man *Janitscharen* nennt. Alle sind Muslime mit amerikanischer Staatsbürgerschaft, die der Erste Golfkrieg zu Waisenkindern gemacht hatte. Scheint eine Geschichte zu sein, die es in sich hat. Fouad wird außerhalb von Mekka zu uns stoßen. Sein Team ist trainiert und gut ausgerüstet, gehört aber weder zur Armee noch zur CIA und ist nicht einmal schwer bewaffnet. Keiner von uns wird einen Ausweis dabeihaben. Falls man uns erwischt, sind wir einfach verrückte Opfer eines Haddsch, der aus dem Ruder gelaufen ist – oder Opfer der Revolution.«

»Klingt so, als schicke man uns aus, um das Einzige zu tun, für das uns Quantico nicht ausgebildet hat«, sagte Rebecca.

»Und das wäre?«, fragte Grange.

»Nach der Elefantenparade die Straße zu reinigen.«

William prustete so los, dass ihm Kaffee aus der Nase tropfte.

Kapitel 64

Mekka

In der Stadt war jetzt der achte Tag des *Dhu al-Hijja* angebrochen, des letzten Monats im islamischen Kalender. Das vom Klerus festgelegte islamische Jahr von zwölf Monaten, wobei jeder Monat im Schnitt neunundzwanzig Tage hatte, richtete sich nach dem Mondzyklus und war kürzer als das Jahr westlicher Zeitrechnung. Deshalb fiel der Haddsch jetzt in den Oktober und damit in eine recht angenehme Jahreszeit. Die Tagestemperaturen in Mekka stiegen nur selten über zweiunddreißig Grad Celsius. Viele Menschen hatten sich inzwischen in die vom *Ihram* vorgeschriebenen weißen Baumwolltücher gehüllt, aus denen die rechten Schultern herausragten – manche gut gepolstert, glänzend und nussbraun, andere knochig, alt und verwelkt. Die Pilger befanden sich auf dem Weg nach Mina und schleppten Taschen und Koffer mit ihrem weltlichen Besitz mit sich herum oder warteten am Randstein auf Busse und Pendelfahrzeuge. In Mekka gab es weder Züge noch U-Bahnen. Da die Fahrt nach Mina bei lebhaftem Verkehr Stunden dauern konnte, gingen viele Menschen lieber zu Fuß.

Winter fühlte sich unsichtbar, denn er wirkte nicht wohlhabend, sondern arm und krank. Und es ging ihm wirklich nicht gut. Also blieb er an einer Ecke nahe bei der Heiligen Moschee in der kühlen Luft stehen und sah zu, wie unerfahrene Polizisten und Wachsoldaten aus Oman und dem Jemen die Geduld der Pilger – auch diese Geduld schrieb der *Ihram*, der Weihezustand, vor – auf eine harte Probe stellten. Während er verzweifelt mit seinen Erinnerungen rang, kam er zu dem Schluss, dass er hierher gekommen war, um etwas zu suchen – von der Logik her musste es wohl Gott sein. Er war gekommen, um zuzuhören. Er hatte das Gefühl, dass lange Jahre des Kummers und der Schmerzen hinter ihm lagen, eine unablässige Qual, verursacht von Pflicht und harter Arbeit, Verrat und üblen Machenschaften, aber irgendwie waren ihm die Einzelheiten entfallen. Allerdings war ihm klar, dass er irgendeine Sache noch nicht zu Ende gebracht hatte.

Reisende und Einheimische strömten die belebten Straßen entlang, vorbei an den modernen Passagen, Unter- und Überführungen, den Hotels, Geschäften und Apartmenthäusern mit ihren Klimaanlagen, welche die weitläufigen Plätze rund um die Heilige Moschee säumten. Am Ende einer Gasse mit Bistros und Geschäften, über denen Wohnungen lagen und Neontafeln in arabischer, hier und dort auch englischer Sprache blinkten, entdeckte er Pakistanis und Palästinenser. Auf einer breiteren Straße suchten indonesische Pilger nach misstrauischem Blick auf chinesische Muslime Läden auf, die prächtige Stoffe anboten. Hier war alles versammelt: Alt und Jung, gut aussehende, aber auch ungewöhnlich hässliche Männer. Mit den Narben auf den schweißglänzenden Stirnen und Wangen – andere hatten Augen, Hände, Arme oder Beine eingebüßt – wirkten manche sogar so barbarisch, als wären sie längst vergangenen Jahrhunderten entsprungen.

Nervöse Massen, Zehntausende, Hunderttausende von Menschen. Manche von Sorgen geplagt, andere strahlend vor Glück. Menschen, die schwitzten und sich in die Gosse erbrachen oder hoch erhobenen Hauptes einhergingen und das *talbiyah-Gebet* intonierten: *Hier bin ich, oh, unser Allah, hier bin ich. Hier bin ich; es gibt keinen Teilhaber, der Dir gleichwertig ist; hier bin ich. Aller Dank gebührt Dir, und die Gaben kommen nur von Dir, und Dein ist das Königreich, und keiner ist Dir gleichwertig.* Pilger, denen dieses Chaos Angst machte. Pilger, denen das, was sie in ihrem Innern entdecken mochten, zu schaffen machte oder aber ein Hochgefühl verlieh. Sie kauften ein, aßen auf zersprungenen braun-roten Steinfliesen oder grell rosafarbenem Linoleum an

Ständen und hohen runden Tischen von Papptellern und aus Plastikschüsseln, um sich für den langen, anstrengenden Tag zu stärken.

Während er diesen Menschen innerlich ruhig zusah, konnte er sich nicht daran erinnern, sie je gehasst zu haben. Irgendwann spürte er die Ausbuchtung in seiner Hosentasche, griff mitten auf der Straße hinein, zog das Kunststoffmäppchen heraus und musterte die sonderbaren Dokumente und die blanke Dienstmarke. Als ihm die englischen Wörter auffielen, schloss er das Mäppchen und verstaute es wieder in der Tasche, wo es gegen seinen Oberschenkel drückte.

Wenn sie diese Ausweispapiere entdeckten, würden sie über ihn herfallen und ihn so lange steinigen, bis er nur noch blutiger Matsch war. Aber es hatte ihn niemand beobachtet.

Was habe ich getan? Was habe ich hierher mitgebracht?
Das Vergessen.
Doch ich weiß nicht mehr, warum.

Er zog seine Schlüssel heraus und öffnete die kleine Tür neben dem zerbeulten stählernen Rolltor des Parkhauses. Gershon schob Wache am zweiten Volvo-Lastwagen, der am Rande einer Kunststoffplattform abgestellt war. Angesichts dieses unerwarteten Besuchs machte er große Augen. An der zersprungenen, nur notdürftig zusammengeflickten Betondecke flackerten Neonröhren. Aus den darüberliegenden Wohnungen sickerte Wasser.

Gershon sah ihn besorgt an. »Mr. Brown, es ist doch noch nicht so weit, oder?«

Der Amerikaner klimperte mit dem Schlüsselbund und lächelte. »Wir müssen unser Pulver trocken halten.« Er machte die Heckklappe auf, stieg zu den Lattenkisten hinauf, schritt über die ganze Ladefläche, strich über die Plastik- und Segeltuchplanen, zog an den Seilen, während Gershon, die Hände in die Taschen vergraben, ihm von unten aus zusah.

Ein Seil hatte sich gelockert. Der Amerikaner beugte sich vor, um es ganz zu lösen, und warf es auf die Seite. »Warum tun Sie das?«, fragte Gershon. »Wir sollen uns doch noch nicht daran zu schaffen machen, oder?«

Der Amerikaner legte einen Finger an die Lippen und lächelte. Yigal trat von hinten ein und stellte sich neben Gershon. Beide fragten erneut, was er da mache, es klang wie ein Echo. Er griff nach einem Brecheisen und stemmte eine Seite der mittleren Lattenkiste auf, sodass ihr Inneres zu sehen war: eine Abschussanlage, deren Stahlröhren noch in Schaumstoff gehüllt waren. »Die haben die Reise gut überstanden«, sagte er, »sehen gut aus.«

»Wir sollen die Kisten doch nicht öffnen«, mahnte Yigal.

»Das hab ich ihm schon gesagt«, bemerkte Gershon. »Er bricht die eigenen Regeln.«

»Na ja, er sollte es ja eigentlich wissen.« Gleich darauf, schärfer: »Was tun Sie da, Mr. Brown?«

Die Lattenkisten mit den Raketen waren neben den großen Kisten aufgestapelt. Er kniete sich hin und stemmte das Holz an einer unteren Kistenecke mit dem Brecheisen auf, sodass die Plastikhüllen und Schaumverpackungen zum Vorschein kamen. Danach rammte er das Brecheisen in die Kiste und schlug mit voller Kraft auf die freigelegten unteren Teile der Raketen ein. Glasperlen und weißgraues Pulver fielen hinunter.

»Mein Gott, er ist verrückt geworden«, sagte Gershon und zog sich auf die Ladefläche hinauf. »Sofort aufhören!«

Als der junge Mann näher kam, wich Mr. Brown – so nannten sie ihn, an seine anderen Namen konnte er sich nicht mehr erinnern – von der Kiste zurück.

»Sagen Sie uns, was los ist, Mr. Brown.« Gershon musterte ihn kühl.

Er schüttelte den Kopf. »Gar nichts. Nichts, über das man sich den Kopf zerbrechen müsste. Ich bin draußen spazieren gegangen und hab mir die Sehenswürdigkeiten angeschaut. Habt ihr das schon getan?«

»Hol Menachem«, rief Gershon nach hinten. »Nein, bleib hier und hilf mir. Wir müssen ihn davon abhalten, noch mehr Schaden anzurichten. Hol irgendein Seil.«

»Er ist unser Boss!«, gab Yigal zu bedenken.

»Mr. Brown, Sie müssen mit mir heruntersteigen. Lassen Sie uns zurück zum Zelt oder ins Hotelzimmer gehen. Wir sollten darüber reden.«

Mr. Brown hob das Brecheisen, aber er empfand keinen Hass auf Gershon und konnte ihm keinen Schlag versetzen. Als er die Schultern sinken ließ, sprang Gershon vor, zerrte ihn zu Boden und schleuderte ihn gegen eine Kiste. Yigal brachte ein Seil. Inzwischen waren drei weitere junge Männer im Parkhaus angekommen. Sie sammelten sich am Heck und starrten den großen Amerikaner an, der sie einst rekrutiert und befehligt hatte.

»Er ist völlig durchgeknallt«, sagte Menachem. Sie packten ihn an Armen und Beinen und ließen ihn auf den Boden hinunter, wo er zusammensackte.

»Was sollen wir machen?«

Das Mäppchen fiel aus seiner Hosentasche und blieb auf dem Boden liegen. Yigal hob es auf, öffnete es, musterte voller Entsetzen die Ausweise und reichte sie herum.

»Wer ist dieser Lawrence Winter?«, fuhr Menachem den Amerikaner an. »Der Mann auf dem Foto sind *Sie*!«

»Wirf ihn auf die Straße«, sagte Yigal wütend.

»Nicht nach hinten gehen!«, brüllte Gershon einen der jungen Männer an, der auf die Ladefläche gestiegen war. »Da ist überall Pulver verstreut!«

Gershon und Menachem drückten den Amerikaner gegen die Mauer. »Wer, zum Teufel, sind Sie?«, fragte Gershon. Menachem schlug ihm mehrmals mit dem Handrücken ins Gesicht, sodass seine Lippe aufplatzte.

Er konnte die Frage nicht beantworten.

Er wusste es nicht.

»Wir müssen uns über einiges klar werden«, sagte Menachem. »Kann es sein, dass wir einem Schwindel aufgesessen sind?«

Kapitel 65

Amerikanisches Kriegsschiff *Robert A. Heinlein,*
SF-TMS 41

Von Oman brauchte der Hubschrauber zwei Stunden. William
blickte durch die Luke neben seinem Sitz: Nur ein dünnes Band
aus silbrigem Mondlicht durchbrach die Dunkelheit der frühen
Morgenstunden, die das Rote Meer da unten einhüllte. Der
Himmel war klar, was gutes Wetter verhieß. Bald würde der
Neumond über der Arabischen Halbinsel aufziehen.

Kurz darauf konnte William den Umriss eines langen, stump-
fen Messers ausmachen. Als es durch das silberne Band schnitt,
glitzerten die schräg abfallenden Seiten. Das Kielwasser war
kaum aufgewühlt und nach nicht einmal einer Schiffslänge Abstand gar nicht mehr zu sehen. William nahm an, dass dies die
gut getarnte Fregatte *Heinlein* war.

Der Hubschrauber ging herunter und beschrieb einen perfekten Kreis um das Marineschiff, bis sich achtern, hinter zwei ge-
rundeten Deckaufbauten, Falltüren hoben und drei Rampen
ausfuhren, die zusammen eine dreieckige Plattform bildeten.
Der Hubschrauber erhielt die Erlaubnis, nahe darüber im
Schwebezustand zu verharren, durfte aber nicht landen. Wegen
der statischen Elektrizität, die sich dabei entwickelte, wurde ein
Erdungskabel auf die Deckplanken heruntergelassen. Nach und
nach verblasste der unheimliche Lichtschein rund um die Drehflügel, die die trockene Nachtluft aufwirbelten.

Grange führte seine BuDark-Leute zur Luke. Als sie auf die
Plattform sprangen, war der Luftzug so stark, dass sie sich zu-
sammenduckten. Noch während ein verantwortlicher Offizier
sie in Empfang nahm und eine Treppe hinunterführte, startete
der Hubschrauber zum Rückflug.

»Willkommen auf der *Heinlein*«, begrüßte er sie, nachdem sich der ohrenbetäubende Lärm gelegt hatte. »Ich bin Korvettenkapitän Stengler. Unser verantwortlicher Kapitän ist Fregattenkapitän Peter Periglas.« Sie folgten Stengler durch einen hohen Hangar und passierten dabei Dutzende *UAV*, unbemannte Flugobjekte mit automatischer Zielsuche, die in Reihen von den Schotts herunterhingen. Mit den eingeklappten Flügeln wirkten sie wie riesige schlafende Albatrosse. Allerdings wiesen die Reihen zahlreiche Lücken auf: Viele Vögel der *Heinlein* schwebten bereits in großer Höhe über der Wüste und den Städten des Hijaz.

Während die Plattform wieder in ihre Einzelteile zerfiel, die drei Rampen eingezogen und die Falltüren geschlossen wurden, führte Stengler sie durch schmale Gänge und mehrere Treppen zum Bereitschaftsraum des Kapitäns, der unmittelbar gegenüber der Zentrale für Taktische Überwachung lag (früher hätte man sie wohl schlicht als *Einsatzzentrale* bezeichnet). »Die Brücken und zwei Doppelkabinen liegen den Gang entlang rechts. Biegen Sie nicht nach links ab, sonst werden einige unserer großartigen Marinesoldaten Sie in Empfang nehmen, und mit denen ist nicht zu spaßen. Unser Schiff ist klein, und wir achten hier sehr auf Ordnung, aber unsere Küche ist ausgezeichnet. Um 04.00 Uhr GMT – Greenwich Mean Time – servieren wir ein zeitiges Frühstück, zu dem Sie alle eingeladen sind. Inzwischen haben wir die speziell gesicherte Aufzeichnung eines Briefings aus Washington erhalten, das nur für Ihre Augen bestimmt ist, so lauten meine Anweisungen. Sobald Sie mit unseren Einrichtungen vertraut sind, machen Sie es sich bitte bequem. Wir werden dieses Briefing so schnell wie möglich in den Bereitschaftsraum übertragen.«

Grange bedankte sich bei Stengler, und sie legten ihr Marschgepäck an einer Seite des Bereitschaftsraums ab. Fünfzehn Minuten später stellte sich Grange neben die Tür, die abgesperrt wurde. Alle nahmen in bequemen Sesseln mit hohen Rückenlehnen vor einem Wand-Display Platz. Im Augenblick zeigte es eine sonnige Meeresaufnahme mit dem Schiff im Vordergrund.

Als der Bildschirm dunkel wurde, teilte ihnen eine nervöse junge Männerstimme aus dem Off mit, der leitende Sonderagent Quentin T. Dillinger vom Diplomatischen Sicherheitsdienst werde ihnen gleich wichtige und besonders gesicherte Informationen zukommen lassen. Dillinger stand hinter einem Rednerpult im Weißen Haus. Im Halbschatten des Hintergrunds war eine Karte der Arabischen Halbinsel zu erkennen. Er war alles andere als entspannt und stützte sich häufig auf Notizen, die auf dem Rednerpult lagen, oder warf einen Blick über die Schulter, wenn bestimmte Gebiete auf der Landkarte aufleuchteten.

»Ich grüße Sie, David. Alle anderen habe ich noch nicht persönlich kennen gelernt. – Vor drei Jahren wurde BuDark auf Beschluss der Senatsausschüsse, die für geheimdienstliche und juristische Fragen zuständig sind, als ein internes Ermittlungsteam geschaffen, das Angehörige verschiedener staatlicher Dienste umfasst. Ich selbst wurde zum Leiter der Operation ernannt und damit beauftragt, Informationen über einen amerikanischen Geheimplan zusammenzutragen. Bei diesem Plan geht es um die Frage, wie die Vereinigten Staaten auf einen erneuten terroristischen Anschlag von Islamisten in der Größenordnung von 9/11 reagieren sollten. Wir haben entdeckt, dass ein solcher Plan tatsächlich existierte. Er zielte auf Mekka ab, und sein Codename lautete *Desert Vulture*, Wüstengeier. Es ist sehr gut möglich, dass eine bestimmte Version dieses Plans derzeit umgesetzt wird. Ein Sonderagent des FBI namens Lawrence Winter beschloss offenbar, seine ursprünglichen Befehle zu ignorieren, *Desert Vulture* in einen eigenen Plan umzumodeln und dafür seine Kontakte zu nutzen. Während seiner extensiven Reisetätigkeit in Mexiko, Mittelamerika und im Nahen Osten bereitete er den Geldtransfer dafür vor, den mehrere internationale Partner vornehmen sollten. Aus bislang noch nicht geklärten Gründen erweiterte er die ursprüngliche Liste von *Desert Vulture* um zusätzliche Angriffsziele. Außer Mekka sollten auch in Ohio, Rom und Jerusalem Anschläge erfolgen.

Stützpunkte der von ihm geplanten Operationen konnten wir

im Bundesstaat Washington, in Rom und in Israel lokalisieren und ausheben. Allerdings konnten wir den Anschlag in Ohio, der eine Generalprobe gewesen sein mag, nicht vereiteln. Leider ist Mekka immer noch bedroht, da Winter hier eine letzte Operation plant. Es ist diese Operation, mit der wir uns unmittelbar befassen müssen.

Die Zeit des Haddsch ist angebrochen. Etwa eine Million Pilger sind nach Mekka gereist – trotz der instabilen politischen Lage, die durch die Kapitulation und das Exil der saudischen Regierung eingetreten ist. In diesem Moment befindet sich Lawrence Winter mit einer Gruppe israelischer Aktivisten, es sind sorgsam ausgewählte Söhne jüdischer Extremisten, in Mekka oder dessen Umgebung. Sie verfügen über mehr als zweihundert maßgefertigte Feuerwerksraketen, dazu geschaffen, in einer Höhe von rund sechshundert Metern zu explodieren und ihre biologische Fracht zu verstreuen. Es handelt sich dabei nicht um Anthrax. Winter verwendet stattdessen einen transgenen Strang von Hefe. In der Praxis hat sich gezeigt, dass der Kontakt mit dieser Hefe sehr schnell zu Gedächtnisstörungen führt; in den uns bekannten Fällen waren sowohl Zivilisten als auch Strafvollzugsbeamte davon betroffen. Eine winzige Menge reicht schon, um die Krankheit auszulösen.

Einer unserer Gerichtspsychologen vertritt die Hypothese, dass Winter uns dafür bestrafen will, dass wir seine Familie getötet haben, und dazu nicht eine biblische Plage, sondern etwas Neues benutzt: eine schleichende Seuche, die anhaltenden Gedächtnisverlust bewirkt. Wenn man der Welt das Gedächtnis nimmt, nimmt man ihr auch den Hass – dieser Theorie scheint er anzuhängen.

Da Jerusalem und Rom nicht mehr bedroht sind, wird die islamische Welt jeden Anschlag auf Mekka vermutlich als Aufruf zum totalen Heiligen Krieg interpretieren. Ich glaube, Sie verstehen jetzt, dass jede Verwicklung der Vereinigten Staaten in die Operation *Desert Vulture* oder die Aktionen Lawrence Winters weder erklärbar noch entschuldbar ist. Uns bleibt nur die Möglichkeit, diese biologischen Kampfstoffe mit mehreren punktgenauen Schlägen unbrauchbar zu machen. Dazu benötigen wir eine Waffe, die alles im Umkreis von fünfzig bis hundert Metern ausradiert. Wir können dazu keine hochexplosiven Sprengkörper und schon gar nicht taktische Atomwaffen hernehmen. Dagegen sprechen nicht nur mögliche Kollateralschäden oder die außerordentlich schwerwiegenden politischen Konsequenzen, sondern auch die potenzielle Verbreitung überlebender toxischer Teilchen. Stattdessen haben wir uns dazu entschlossen, bestimmte Vernichtungsprojektile einzusetzen, die mit kinetischer Energie arbeiten und als *Lanzetten* bezeichnet werden. Im Prinzip sind es ferngelenkte ›Telegrafenmasten‹ aus Stahl, an deren Spitze ein chemischer Sprengkopf sitzt. Ihr Zweck besteht darin, aus niedriger Umlaufbahn auf die Erde zu fallen und ein Loch in den Boden zu reißen. Sie durchdringen hunderte Meter von Erde, Stahlbeton und selbst Stahl. Danach setzen sie alles innerhalb des relativ kleinen, aber sehr tiefen Einschlagkraters in Brand, bei Temperaturen von mehr als dreitausend Grad Celsius. Wir haben bereits sechzig dieser Beton durchschlagenden Lanzetten in gewissen Abständen in der niedrigen Erdumlaufbahn stationiert, sie bilden dort dichte Cluster von jeweils vier Projektilen. Man kann sie innerhalb von zwanzig Minuten zum Start abrufen. Sie sind mit automatischer Zielsuche ausgestattet, die bis auf ein, zwei Meter genau ist, und radieren die vorher einprogrammierten oder lasermarkierten Angriffsobjekte vollständig aus.

Wir gehen davon aus, dass drei Lastwagen an Winters Operation beteiligt sind und er die Feuerwerksraketen am zweiten Tag des Haddsch zünden will, wenn die Pilger sich in Mina ausgebreitet haben. Das ist morgen. Eine Million Pilger werden sich innerhalb des Dorfes auf engem Raum zusammendrängen. Winter könnte die Raketen in Windrichtung auf Mina abschießen und explodieren lassen, damit sich dort mehr als zweihundert Pfund einzigartiger tödlicher Teilchen verbreiten.

Uns bleibt nur noch sehr wenig Zeit.

In jeder Situation würde es als schwerwiegende Provokation betrachtet werden, wenn wir Nicht-Muslime nach Mekka aussenden. Doch angesichts der überaus ernsten Lage halten wir diese Bedenken für irrelevant. Allerdings ist auf höchster Ebene beschlossen worden, für diese Operation kein Personal im aktiven Militärdienst einzusetzen. Wir haben eine Gruppe von Regierungsbeamten und Agenten dazu ausgewählt, die unser Vertrauen genießen und nachweislich in keiner Weise über *Desert Vulture* Bescheid wussten oder daran beteiligt waren. Falls nötig, werden wir unser Leben lassen, um nicht nur die Pilger in Mekka zu schützen, sondern auch die Bürger der Vereinigten Staaten und aller Länder der Erde – die ganze Menschheit.«

»Wer ist hier *wir*, Bleichgesicht?«, murmelte Rebecca.

»Die nächsten Informationen erhalten Sie auf festem Boden, in Saudi-Arabien. Gott befohlen!«

Dillingers ausgezehrte Züge verblassten.

Dass ihnen alles auf einmal vorgesetzt und einfach so an den Kopf geknallt wurde, hatte auf William eine fast lähmende Wirkung. Das Deck vibrierte unter seinen Füßen: Gerade war ein weiteres RATO-gesteuertes Flugobjekt in den frühen Morgen gestartet. Rebecca nahm seine Hand und drückte sie.

»Sollen Sie doch alle zur Hölle fahren«, sagte sie.

William erwiderte ihren Händedruck.

Kapitän Periglas empfing sie in der Überwachungszentrale und schickte die begleitenden Marinesoldaten weg. »Meine Damen und Herren, wir zeigen Ihnen jetzt, was wir bislang für Sie an Informationen haben.« Sein Arm beschrieb einen Bogen durch den abgedunkelten Raum. Es war nur ein Display zu sehen. Die meisten Offiziere und Besatzungsmitglieder, die in der schwach erleuchteten Zentrale arbeiteten, trugen Datenbrillen oder Helme. »Gegenwärtig überwachen fünfzehn unbemannte Flugobjekte den Himmel über und rund um Mekka, die meisten davon aus einer Höhe von mehr als zehntausend Metern. Sie verfügen über ein ausgezeichnetes SAR-System – Radar mit künstlich zusammengesetzten Linsen und Feinauflösung – sowie über hervorragende optische Geräte und andere Sensoren. Viele unserer Flugobjekte sind darüber hinaus mit kleineren Gerätschaften ausgestattet, die in großen Mengen ausschwärmen können. Wir bezeichnen sie als *Mücken*. Unsere Mücken haben viele Fähigkeiten. Für das ungeübte Auge sehen sie wie Spatzen aus. Ihr Flugverhalten ähnelt sogar dem der Spatzen – bis sie sich nach spätestens zwanzig Stunden selbst zerstören. Diejenigen, die wir derzeit zur Überwachung der Menschenmassen in Mekka einsetzen, nennt man *Osmic Mobile Observers* oder OSMOs – mobile Geruchssensoren. Sie können Einzelpersonen oder Gruppen auf der Grundlage langfristiger Ernährungsgewohnheiten aufspüren.

Jeder Vegetarier wird Ihnen sagen, dass Fleischfresser stinken; ich stinke und der größte Teil meiner Besatzung stinkt auch. Reiche Muslime stinken, aber mit bedeutsamen Unterschieden. Arme Muslime stinken fast gar nicht. Drei Mahlzeiten am Tag, die aus Eiern, Fleisch und/oder Fisch bestehen, und wir können ein OSMO direkt zu Ihnen schicken; es wird mit solcher Leidenschaft und Einfühlsamkeit auf Sie zusteuern wie eine Motte auf dem Weg zu einem heißen Rendezvous. Darüber hinaus können wir auch strenggläubige Muslime von solchen unterscheiden, die Alkohol trinken, was hilfreich sein kann oder auch nicht; gerade ist uns aufgefallen, dass eine beunruhigende Anzahl von Sicherheitsleuten, Polizisten und Armeeangehörigen in den letzten zwei Wochen Schnaps, Wein oder Bier konsumiert hat.«

Grange dirigierte Jane Rowland nach vorne, wo Periglas auf den Stuhl neben dem Oberstabsbootsmann deutete. Der Bootsmann setzte die Datenbrille ab und schaltete einen Monitor ein, damit alle sehen konnten, was er sah: eine komplizierte Karte von Mekka, die mit rosafarbenen, purpurroten und grünen Kreisen und Ellipsen überzogen war. Die größeren Überblendungen pulsierten und waren mit wechselnden Zahlenreihen versehen.

»Könnten Sie uns erklären, was wir da vor uns haben, Chef?«

»Die Sonderagentin Rowland hat eine Person unserer Zielgruppe ausmachen können, Sir. Diese Person benutzt ein möglicherweise mit GPS ausgestattetes Satellitentelefon dazu, verschiedene Frauen in Israel anzurufen. Sobald der Mann das Telefon einschaltet, können wir seine Position genau orten.« Er reichte Jane eine Datenbrille und griff herüber, um ihr Display zu aktivieren und es auf eine höhere Auflösung einzustellen. Als sie ihm zulächelte, erwiderte er das Lächeln. Es drückte nicht nur das kollegiale Verhältnis zweier Techniker aus, sondern auch kaum verhüllte männliche Bewunderung.

»Die Sonderagentin Rowland wird auf der *Heinlein* bleiben und versuchen, unseren Handy-Süchtigen zu lokalisieren und ihm auf den Fersen zu bleiben«, erklärte Grange.

Jane protestierte, aber Rebecca hatte sich hinter sie geschoben und legte ihr die Hand auf die Schulter.

»Damit unsere Spürhunde uns aus der Ferne anleiten können, erhalten wir Übrigen drahtlose Hörgeräte, die tief in den Hörkanal eingeführt werden und unsichtbar sind, außerdem Spezialbrillen.«

Rebecca drückte fest auf Janes Schulter, ließ gleich darauf los und streichelte sie. Zumindest für den Augenblick schluckte Jane die Enttäuschung hinunter und wandte den Blick zum Display.

In der Offiziersmesse nahm Grange gegenüber von William und Rebecca Platz. »Ein zweistündiges Nickerchen in den Kabinen. Danach holt uns ein *Whisper Bird*, ein lautlos fliegender Vogel, ab und bringt uns zum Treffpunkt.«

Kapitän Periglas kam herein und zog sich einen Stuhl heran. »Bitte um Erlaubnis, eine Meinung äußern zu dürfen.«

»Selbstverständlich«, sagte Grange.

»Ich nehme an, keiner von Ihnen gehört zum Geiselrettungsteam des FBI oder zu einer ähnlichen Gruppe, richtig?«

Sie nickten.

»Marinesoldaten dieses Schiffes werden sich freiwillig zum Einsatz melden. Innerhalb einer Stunde könnten Navy Seals zu uns stoßen und Sie begleiten.«

»Wir wissen Ihr Angebot wirklich zu schätzen«, erwiderte Grange, »aber wir haben ausdrücklich andere Anweisungen.«

»Selbst für die Gläubigen ist Mekka inzwischen eine wahre Hölle«, bemerkte Periglas. »Für Nicht-Muslime bedeutet eine Enttarnung … Nun ja, es wäre noch gnädig, wenn man Ihnen nur die Kehle durchschneidet. Tausende von Pilgern sind bereits krank und werden überhaupt nicht medizinisch versorgt. Zumindest muss man den Saudis zugute halten, dass sie den Haddsch wie ein Uhrwerk am Laufen hielten, über viele Generationen hinweg. Jetzt ist das Uhrwerk abgelaufen. Möglich, dass noch vor Ablauf der Woche zehn- oder zwanzigtausend Menschen sterben.«

Grange starrte mit leerem Blick aufs Deck. »Ich danke Ihnen, Kapitän. Bringen Sie uns hin, sagen Sie uns, wohin wir uns wenden müssen, und sorgen Sie dafür, dass wir heil wieder rauskommen. Um mehr bitten wir Sie gar nicht.«

Periglas streckte die Armbanduhr hoch. »Gleich nach dem Frühstück bringen wir Sie auf den Weg.«

William griff zum oberen Stockwerksbett hinauf und stupste Grange an der Schulter. Fast hätte Grange sich den Kopf an einem Deckenbalken gestoßen.

»Showtime«, sagte William.

Draußen auf dem Gang stritt Jane Rowland mit Rebecca herum. »Ich hab dem Oberstabsbootsmann alles beigebracht, was er wissen muss«, sagte Jane mit brechender Stimme. »Es ist nicht richtig, dass ich nicht mit hineindarf – das sollten Sie doch am besten wissen.«

»Sie leitet diesen Einsatz nicht«, fuhr Grange dazwischen, der immer noch verschlafen blinzelte. »Wir haben nur für eine einzige Frau Passierscheine und Ausweise dabei.«

Jane wirkte wie vor den Kopf geschlagen. »Mir war nicht klar, was das bedeutet, es kommt mir erst gerade eben. Ich wollte nicht … Es tut mir leid, ich weiß nicht, was ich noch sagen soll, um Sie umzustimmen.«

»Sie sind unser Schutzengel«, sagte Rebecca. »Wenn Sie zulassen, dass einer von uns getötet wird, komme ich zurück und verfolge Sie als Gespenst, darauf können Sie sich verlassen. Also halten Sie den Mund! Konzentrieren Sie sich auf das Wesentliche.«

Stengler brachte Jane in die Überwachungszentrale.

»Zähe Frau«, sagte William, während sie im Bereitschaftsraum Platz nahmen, aber Rebecca schenkte ihm keine Beachtung.

In der ersten Reihe saßen zwei Piloten in grellgrünen Fliegeranzügen, die sich jetzt umdrehten, um ihre drei Passagiere zu mustern. »Für ein richtiges Baseballspiel schon zu alt, meinen Sie nicht auch?«, bemerkte der Kahlköpfige trocken. »Jedenfalls nicht in der ersten Liga.« Der jüngere Pilot grinste.

»Lassen Sie den Quatsch, Birnbaum«, sagte Kapitän Periglas, der gerade hereinkam.

»Ich selbst bin ja noch älter, Sir, zumindest älter als *einer* von denen.«

»Wie schon gesagt …«

»Schon gut, Sir.« Er streckte den Passagieren die Hand hin. »Ich bin Birnbaum, und das hier ist Higashi. Willkommen bei Plan B, Leute. Niemand fordert uns *je* für Plan A an.«

Kapitel 66

Mekka · Neunter Tag des Dhu-Al-Hijjah

Als Gershon auf den Schalter drückte, rasselte die Garagentür nach oben. Da es in der kurzen Straße keine Geschäfte gab, waren hier nur wenige Menschen unterwegs. Yigal fuhr mit dem Lastwagen vor. Inzwischen waren die Segeltuchplanen wieder heruntergelassen und festgezurrt. Menachem und Baruch hockten hinten, die automatischen Kalaschnikows chinesischen Fabrikats, die sie am Vortag einem pakistanischen Waffenhändler abgekauft hatten, fest im Griff.

Larry Winter, der gefesselt, geknebelt und eingepfercht zwischen zwei Lattenkisten saß, gab keinen Ton von sich und hatte die Augen halb geschlossen. Sie hatten seine Fesseln so stramm gezogen, dass seine Arme und Füße schon taub waren.

Sei gnädig. Mach dem ein Ende – so oder so.

Der Lastwagen geriet ins Schlingern, die Bremsen quietschten. Sie brachen jetzt zu den Randbezirken von Mina auf. Auf der König-Abdul-Aziz-Straße herrschte lebhafter Verkehr, aber sie hatten einen ganzen Tag Zeit. Noch zwölf bis fünfzehn Stunden, vielleicht auch weniger – das hing ganz von der Richtung ab, die der Wüstenwind einschlug –, dann würden sie die Persenning wegziehen und die Kistendeckel aufklappen.

Der Lastwagen rumpelte über Kopfstein, danach über Asphalt und zuletzt über Sand. Sie suchten nach dem perfekten Standort.

So sah sein gottverdammtes Ende aus: Er war von jungen Monstern umgeben, hatte Schmerzen, sein Gedächtnis flackerte wie eine Kerze in heftigem Wind auf, um gleich darauf wieder auszusetzen, und das Fieber machte ihm zu schaffen. Und trotzdem kämpfte er mit den Knoten. Sie hatten eine Schnur verwendet und darüber noch Klebeband befestigt. Obwohl an seinen Fingern vom vielen Zupfen schon das rohe Fleisch zu sehen war, hatte sich nichts gelockert.

Die Erinnerungen waren verblasst, nicht aber die Gefühle. Er wusste nicht, warum er so viel Wut, so viel Kummer empfand, und auch nicht, warum man ihn gefesselt hatte. Er versuchte zu schreien, aber das Klebeband über dem Mund gab nicht nach. Er versuchte zu weinen, doch das Klebeband saß fest in und über seinen Augen.

Er warf sich gegen die Kiste, sackte aber gleich darauf zusammen. Alle Energie war verbraucht.

Irgendwann wurde es unerwartet hell.

»Du stinkst«, sagte Yigal. »Du hast dich selbst besudelt. Sieh mich an! Sag etwas!« Gleich darauf wandte er sich an Menachem, der zwischen der Persenning und der Kiste hockte. »Schneide ihn los. Soll er doch verschwinden und irgendwo krepieren. Er ist widerlich.«

Kapitel 67

Luftraum SAPTAO (Saudi Arabian Peninsula Tactical Area of Operation, Taktisches Operationsgebiet saudi-arabische Halbinsel), Mekka

In den dunklen, frühen Morgenstunden hatte der *leise Vogel* seinem Namen alle Ehre gemacht und war lautlos und tief von der Küste aus über das fast unbewegte Wasser zur *Heinlein* geflogen. Im hinteren Teil des vor Radar getarnten, geräuscharmen Flugzeugs war Platz für zwanzig Soldaten, aber jetzt saßen dort nur drei Menschen: William, Rebecca und David Grange.

»Die Janis haben uns die Koordinaten übermittelt«, sagte Higashi vom Cockpit aus zu Grange. »Östlich von Mina wird uns eine kleine Gruppe empfangen. Wir gehen runter, setzen Sie nur kurz ab und bleiben noch einige Sekunden über Ihnen in der Luft. Also müssen Sie sich beeilen.«

»Alles klar«, sagte Grange.

Rebecca drehte den Kopf von einer Seite zur anderen. Im Moment sahen William und sie den Landeplatz aus der Perspektive einer »Mücke«. Die OSMOs hatten die Janis aufgrund von deren amerikanischer Ernährungsweise eingekreist und aufgespürt. Hunderte von OSMOs schwirrten durch die Bergpässe in der Umgebung von Mina und in Mekka selbst herum. Bald würden deren »Mutterschiffe«, die größeren unbemannten Flugobjekte, Tausende weiterer OSMOs am Fuße des Berges Arafat freisetzen. Wie Vögel oder Fledermäuse bildeten sie Netzwerke, stürzten sich herab und verteilten sich am dunklen Himmel, wirbelten wie Schwärme von grauen Staren als kleine Tornados durch die Luft, um sich gleich danach von der Schar zu lösen und wieder zu zerstreuen, um verdächtige Geruchsspuren zu verfolgen.

Jane Rowland meldete sich von der *Heinlein*; ihre Stimme drang leise und ohne Schwankungen in Williams und Rebeccas

Hörgeräte. »Wir haben heiße Spuren in den besseren Abschnitten der Zeltstadt gefunden. Oberbootsmann Dalrymple hat mir mitgeteilt, dass es sich um Leute handelt, die sich von Huhn, Lamm, Rindfleisch, viel Olivenöl und vegetarischem Protein ernähren. Ist nicht weiter überraschend. Wenn unsere Tatverdächtigen sich dort verstecken, würde es normalerweise ewig dauern, sie zu finden.«

»Und der Liebeskranke hat keine Telefongespräche geführt?«, fragte Rebecca, die endlich mit ihrem Display zurechtkam.

»Bis jetzt nicht.«

»Irgendjemand ballert auf unsere OSMOs«, sagte Periglas. Er übermittelte ihnen Videoclips von Männern, die vor der hell erleuchteten Heiligen Moschee standen und mit Gewehren und automatischen Waffen in die Luft schossen. Ihre Geruchsprofile verrieten, dass sie betrunken waren.

»Diese Stadt geht vor die Hunde«, bemerkte Grange.

»Es wird immer schlimmer«, bestätigte Periglas. »Die Ambulanzen versuchen, zu den Kranken und Verletzten durchzukommen. Aber die Soldaten zwingen sie, Bestechungsgelder zu zahlen, oder schnappen sich deren Fahrzeuge für Vergnügungsfahrten. Nicht, dass sie irgendwohin könnten. Die Straßen sind völlig verstopft.«

Jane stellte die Datenbrillen der drei auf eine Mücke ein, die einen alten Touristenbus verfolgte. An den Seiten hingen zahlreiche Trittbrettfahrer, einige klammerten sich auch am Dach fest und versuchten dabei zu verhindern, dass ihre Pakete in den Kurven hinunterfielen. Zwei der Trittbrettfahrer stürzten auf die Straße, ohne dass der Bus bremste.

»Ich glaube, das ist die Abdul-Aziz-Straße«, erklärte William. »Da drüben ist die Al-Malim-Moschee.« Während des Fluges hatte er sich mit den Plänen der Stadt und der Umgebung befasst.

»Richtig«, sagte Dalrymple. »Die Mücke fliegt jetzt von der Zeltstadt aus nach Osten.«

»Die Pilger sind auf dem Weg zum Berg Arafat«, meldete sich Periglas.

»Wie viele sind's bis jetzt?«, fragte Grange.

»Wir schätzen eins Komma zwei.«

»Millionen?«, fragte Rebecca.

»Genau.«

»Ist dort Agent Grange?«, fragte eine neue Stimme. Es war Fouad Al-Husam, und er klang nicht glücklich. »Wir haben mit Soldaten gerechnet, die Muslime mit amerikanischer Staatsbürgerschaft sind.«

»Hier ist Grange. Wir setzen kein Militär ein, sondern schicken zur Leitung und Unterstützung der Operation Agenten.«

»Und wie soll diese Unterstützung aussehen?«, fragte Fouad. »Wenn es keine Muslime sind, kommen wir ebenso gut allein zurecht. Es ist nicht nötig, dass ...«

»Es ist bereits entschieden«, fuhr Grange dazwischen. »Verstehen wir uns, Agent Al-Husam?«

»Sind Ihre und deren Papiere in Ordnung?«, fragte Al-Husam ein paar Sekunden später.

»Sind alle in Ordnung.«

»Wir sind hier zu dritt mit einem Minibus und einem saudischen Fahrer. Zehn unserer Agenten sind schon in Mina. Sie berichten, dass die größte Masse der Pilger vermutlich in fünf Stunden am Berg Arafat eintreffen und morgen sehr früh über die Jamarat-Brücke nach Mina zurückkehren wird. Das könnte die beste Zeit sein, um die biologischen Kampfstoffe freizusetzen.«

»Das sehe ich auch so«, sagte Grange. »Wir müssen *vor* achtzehn Uhr GMT eingreifen.«

Rebecca sah William über den schmalen Gang hinweg an. Im Hubschrauber war es unheimlich still. »Wie lange ist er jetzt schon mit den Janis zusammen? Und wir sollen uns da sofort einfügen, ohne irgendeine Einführung?«

»Er kennt William und respektiert Sie beide«, entgegnete Grange. »Falls ein Problem auftritt, wird er's schon mit den anderen klären und die Dinge glätten.«

»Und welche Unterstützung genau wird von uns erwartet?«, fragte William.

»Alle, die wir leisten können«, erwiderte Grange. »Ich schätze, jemand in Washington traut unseren Muslimen nicht zu, den Job allein zu erledigen.«

»Das ist die alte Kacke mit den Besserwissern«, rief Birnbaum fröhlich nach hinten. »Plan B – und zu allem Überfluss noch mit doppeltem Netz und doppeltem Boden.«

Das leise Gebrumm der *Whisper Bird* veränderte sich, als die Maschine an Höhe verlor.

»In fünf Minuten gehen wir runter«, verkündete Higashi.

Kapitel 68

Wüste östlich von Mina

»Es ist keine *Fard*, keine religiöse Pflicht, in einer derart gefährlichen Situation auf Pilgerreise zu gehen«, sagte Amir.

»Soweit ich gelesen habe, macht es nicht viel aus, wenn ein paar Pilger sterben, Banditen sie schnappen oder sonst was passiert. Historisch gesehen, war ein gewisses Risiko nie zu vermeiden, also ist es doch eine *religiöse Pflicht*.« Mahmud stellte sich neben Fouad und betrachtete die Lichter im Westen. Sie hatten den Kleinbus auf einer Nebenstraße geparkt, die zu unbesiedeltem, steinigem Ödland mit niedrigen Hügeln hinaufführte. Von Mekka waren sie so weit entfernt, dass sie es nicht hören konnten, aber in der Dämmerung konnten sie die grünen und orangeroten Lichter der Stadt erkennen. Die Lampen der Heiligen Moschee fingen den Staub auf, der von all den Lastwagen, Taxis und Personenwagen aufstieg und in der trockenen Luft eine niedrig hängende Dunstglocke bildete. In den Niederungen der Wüste hatte sich der Wind gelegt, aber es war heiß, um die dreißig Grad.

»Nur Gott konnte auf die Idee kommen, jemandem zu befehlen, da unten eine Stadt zu bauen«, sagte Hasim.

In Wirklichkeit waren sie eigentlich gar nicht solche Gotteslästerer, diese jungen früheren Iraker, die man Fouad anvertraut hatte. Aber sie hatten einfach zu viel Energie und allzu ausgeprägte amerikanische Lebenseinstellungen, deshalb verbargen sie ihre Frömmigkeit hinter Spötteleien. Fouad hatte Verständnis dafür. Vor sechs Jahren war er noch wie sie gewesen, hatte das Glück, in Amerika statt in Ägypten zu leben, nicht fassen können. Und dennoch …

494

Sein Körper und seine Seele hatten sich nach diesem Teil der Welt gesehnt. Die Rückkehr in den Irak und später in die Region Hijaz hatte bei ihm eine tiefe Nostalgie ausgelöst und Erinnerungen an seine Kindheit in der trockenen Luft Ägyptens heraufbeschworen. Amerika hatte sich für ihn dadurch ausgezeichnet, dass dort nicht so viel Angst herrschte und das Land eine größere Vielfalt, mehr Reichtum und Zerstreuungen bot, doch gleichzeitig hatte er sich auch nicht so *lebendig* gefühlt wie in Ägypten.

Sie befanden sich immer noch im Exil und dürsteten nach dem anderen.

Selbstverständlich verbot es sich für sie, am Haddsch teilzunehmen. Sie waren in der falschen Geisteshaltung, mit völlig falschen Absichten in die Region Hijaz gekommen – unmöglich, Mekka als Pilger aufzusuchen. Doch für jeden Muslim, selbst für jene, die zu amerikanischer Weltlichkeit und religiösen Spötteleien neigten, reichte es schon, diese Lichter zu sehen, zu wissen, wie nahe man dem Haus Gottes war, dem schwarzen Stein, dem schönen, neu gewebten Tuch, dem schwarz-goldenen *Kiswah*, der die *Kaabah* verhüllte, um …

Was sie vorhatten – Ungläubigen den Zutritt zur Heiligen Stadt zu verschaffen –, war notwendig, um diesen sakrosankten Ort zu schützen. Nur so würden sie eines Tages hierher zurückkehren können. Dann, wenn es angemessen, wenn ihre Zeit gekommen war, vor Gott zu treten, sich von den irdischen Irrungen und Wirrungen zu lösen und größten spirituellen Segen daraus zu ziehen.

Über dem fernen Hügel tauchte ein schwarzes Flugzeug auf, das nicht lauter dröhnte als eine wütende Wespe. Schweigend und aufmerksam beobachteten alle fünf, wie es näher kam – amerikanische Jungs, die sich über ein solches Wunderwerk an Technik freuen.

Fouad stieg von der Stoßstange des Kleinbusses herunter. Durch die Windschutzscheibe sah er die Silhouette Daoud Ab'dul Jabar Al-Husseinis, eines ungepflegten, resigniert wirkenden Mannes in den Sechzigern, der jetzt aus einem frühmorgendlichen Schläfchen aufschreckte. Al-Husseini hatte früher einen hohen Rang in der saudischen Geheimpolizei innegehabt. Vermutlich war er damals ein starker Mann, ein frommer Mann, ein harter Mann gewesen, der sich nicht zu schade gewesen war, im Dienste der Wahhabiten andere Männer und ihre Ehefrauen zu foltern. Jetzt wirkte sein Blick gehetzt, denn er hatte zusehen müssen, wie sich die Vorrechte und die Stabilität in Staub auflösten und ein schöner, brutaler Traum sein Ende fand.

Nachdem Al-Husseini die Vordertür des Busses aufgemacht hatte, sprang er schwerfällig auf den festen Sandboden der Straße hinunter. Er rieb sich die Nase, schnaubte in die Finger und wischte sie an der Hose ab. Inzwischen war er ein Mann, der sich gehen ließ und die körperliche Hygiene missachtete.

»Sie sind also da«, sagte er. »Es wird bald vorüber sein – so oder so.«

Der leise Vogel kreiste elegant um ihren Standort, kaum lauter als ein Auto, wirbelte rund um den Kleinbus und über der Straße jedoch eine dünne Staubwolke auf, sodass die Lichter von Mekka nur noch schwach zu sehen waren.

Gleich darauf ließ er seine durch runde Stoßdämpfer geschützten Storchenbeine herunter und setzte zwanzig Meter von der Straße wie eine Mondlandefähre im Sand auf.

Drei Menschen stiegen aus.

»Scheiße«, sagte Al-Husseini auf Englisch. »Die haben eine Frau mitgebracht? Hoffe nur, dass sie ausgezeichnete Papiere besitzen. Die da sind genauso wenig Muslime wie ich ein Jude.«

Kapitel 69

Rotes Meer, Amerikanisches Kriegsschiff *Heinlein*

Der Oberstabsbootsmann namens Hugh Dalrymple, der neben Jane Rowland saß, arbeitete schnell und professionell daran, die verschiedenen OSMOs zu steuern, die interessante Ergebnisse gemeldet hatten. Das Video, das eines der winzigen Flugobjekte übermittelt hatte, war verblüffend deutlich; die Farben wirkten fast schon zu lebensecht. Sie waren so bearbeitet, dass sie den Kontrast verstärkten und Details hervorhoben. Lebende Zielobjekte schienen im Dämmerlicht kurz vor Sonnenaufgang wie von innen heraus zu leuchten. Die schlafenden Pilger, die in Reihen oder ungeordneten Haufen auf den Straßen von Mina lagen – manche auf dünnen Unterlagen, Decken oder Gebetsteppichen, andere nur in die zwei Baumwolltücher ihres Pilgergewandes gehüllt auf dem nackten Boden –, hoben sich wie Glut von dem grauen Sand, festgestampften Lehm und schwarzen Asphalt ab. In den letzten Stunden hatten sich die Soldaten und Sicherheitsleute der Polizei verdünnisiert.

Etliche Pilger sahen nur so aus, als schliefen sie. Bei ihnen fehlte das innere Leuchten: Sie waren während der Nacht gestorben.

Jane hatte die letzten zwei Stunden damit verbracht, mit Hilfe der schweren, vom Schiff gestellten Datenbrille gemeinsam mit Dalrymple die belebten, lauten Straßen zu sondieren, und das forderte jetzt seinen Tribut; sie befand sich in fast schlafwandlerischem Zustand, und auch der auf dem Schiff gebraute starke Kaffee half ihr kaum dabei, sich längere Zeit zu konzentrieren ... Und *Whisper Bird* hatte noch immer nicht gemeldet, dass seine Passagiere von Bord gegangen waren!

»Eine Person, die uns interessieren könnte«, verkündete Dalrymple und stupste sie sanft mit dem Ellbogen an.

»Die Mücke hält ihn für einen Mann aus dem Westen«, teilte Kapitän Periglas ihnen von der Brücke der *Heinlein* aus mit. Die Mücke war in einer Höhe von rund fünfzehn Metern über einer dicht befahrenen Straßenüberführung gekreist, auf der sich ein steter Strom von Personenwagen, Lastern und Bussen vorwärtsbewegte, wie schon die ganze Nacht hindurch. Dabei kamen die Wagen auch an provisorischen Unterkünften vorbei, die jenseits der offiziellen Grenzen der Zeltstadt aus dem Boden geschossen waren – falls man derzeit überhaupt noch etwas in Mekka als *offiziell* und kontrolliert betrachten konnte.

»Ich gehe jetzt nah ran, Sir«, erklärte Dalrymple.

Die Mücke konzentrierte sich auf einen großen Einzelgänger mit aschblondem Haar, der mit schwankenden Schritten von einer Seite zur anderen torkelte. Er trug nicht die vom *Ihram* vorgeschriebene Baumwollkleidung, sondern schlotternde Kniestrümpfe, Stiefel, Shorts und ein zerrissenes Khaki-Hemd. Die Autos fuhren nahe an ihm vorbei; eines streifte ihn schließlich mit dem Seitenspiegel, sodass er herumwirbelte und auf die Knie fiel. Als er wieder aufgestanden war und im Zickzackkurs über die Fahrspuren taumelte, lagen nur Zentimeter zwischen ihm und den Bussen. Es sah so aus, als könnte er jeden Moment auf den Boden geschleudert werden, aber irgendein Zauber schien ihn zu schützen. Mit gerunzelter Stirn und fragendem Blick betrachtete er den Himmel, als wäre ihm bewusst, dass er beobachtet wurde. Er schien auf etwas oder jemanden zu lauschen.

Dalrymple ließ die Mücke bis auf rund einen Meter Abstand heruntergehen. Gleich darauf erhielten sie eine Nahaufnahme, die Frontalansicht des fleckigen Gesichts, das vor Schmutz, Schweiß und getrocknetem Blut starrte. In diesem dunklen, fleckigen Gesicht waren das Auffälligste die Augen, die mit kindlich klarem Blick in den Himmel starrten.

Eines war grün, das andere blau.

Jane blendete Lawrence Winters FBI-Passbild in ihre Datenbrillen ein. Bis auf die Augen war kaum eine Ähnlichkeit mit dem ausgemergelten Gesicht dieses Mannes festzustellen. Aber Jane war sich sicher. »Das ist er«, sagte sie. »Wir haben Winter gefunden. Was, zum Teufel, tut er da?«

»Er sieht ziemlich durchgeknallt aus«, bemerkte Dalrymple.

Birnbaum, der Pilot des *Whisper Bird*, unterbrach sie und meldete, er habe alle Passagiere abgesetzt. »Der Wind macht ein bis zwei Knoten. Wir halten uns im Abstand von fünf Kilometern in Bereitschaft und schicken Biosensoren aus.«

In der oberen rechten Ecke von Janes Sichtfeld flackerte ein rotes Lämpchen auf, darunter wurden Frequenzen und Satellitenpositionen angezeigt. Gleich darauf waren Piep- und Pfeiftöne einer digitalen Dekodierung zu hören: Irgendwo im elektronischen Gehirn des Schiffes wurden komplizierte Entschlüsselungen vorgenommen. Während sie den Atem anhielt, hörte sie nach wenigen Sekunden ...

... ein Telefon läuten.

Nach Angaben des Displays befand sich das Telefon in Kiryat Moshe, einem Stadtteil von Jerusalem.

Die Nummern passten.

»Yigal Silverstein ruft seine Freundin an«, verkündete Jane. Jetzt war sie so hellwach wie ein Jagdhund auf der Pirsch.

»Wunderbar«, sagte Dalrymple.

Die Mücke stieg empor, bis sie zehn Meter über dem Mann kreiste, der auf der Überführung herumstolperte.

»Oh, mein Gott«, rief Periglas. Auch Jane hatte es kommen sehen. Sie wollte sich abwenden, aber das in die Datenbrille projizierte Bild wanderte mit.

Ein Bus hatte eine Lücke in der benachbarten Spur ausgemacht, beschleunigte und schoss aus seiner Position hinter einem Lastwagen voller Pilger vorwärts. Die Pilger auf der Ladefläche lehnten sich nach innen und hielten sich an den Verstrebungen fest, um nicht herausgeschleudert zu werden. Während der Busfahrer Gas gab, hupte er wie ein Wahnsinniger ...

Und der Mann, der ein blaues und ein grünes Auge, verdrecktes Haar und ein von Blut verkrustetes Gesicht hatte, verschwand unter Haube und Reifen des Busses, der sein Tempo nicht einmal drosselte. Drei weitere Wagen überrollten den sich überschlagenden Haufen aus Fleisch und Lumpen und schlingerten auf ihren Stoßdämpfern so vorwärts, dass sie an Autoskooter auf einem Jahrmarkt erinnerten.

»Der Tatverdächtige ist erledigt«, sagte Dalrymple.

»Er ist tot«, sagte Periglas.

Jane schloss die Augen. Aus irgendeinem Grund – jetzt war keine Zeit zu spekulieren – hatte die israelische Gruppe den früheren Sonderagenten Winter irgendwo ausgesetzt, damit er herumirrte und starb.

Kapitel 70

Mina

Durch das offene Fenster des Kleinbusses spürte William, wie sich der Wind drehte. Möglich, dass er in wenigen Minuten aus der Richtung wehen würde, die die beste Voraussetzung zum Abschuss der Feuerwerkskörper bot.

Forschend suchte er den grauen Himmel ab, während Al-Husseini den Kleinbus, der wie ein Esel bockte und protestierte, über den Pfad aus fest gestampftem Lehm lenkte. Eigentlich war das hier gar keine richtige Straße. Alle hörten Dalrymple zu, der erläuterte, was sie gerade auf der Überführung gesehen hatten.

»War es Winter?«, fragte Rebecca.

»Wir gehen davon aus«, erwiderte Jane. »Wir werden das Video nochmals …«

»Dafür ist jetzt keine Zeit«, unterbrach Fouad sie. »Was haben Sie sonst noch für uns?«

»Die Agentin Rowland hat einen unserer Siedler aufgespürt«, bemerkte Dalrymple.

»Er telefoniert gerade mit seiner Verlobten in Jerusalem«, meldete Jane. »Unsere Dolmetscherin sagt, dass er hinten auf einem Lastwagen sitzt und für einen Terroristen nicht gerade munter wirkt. Offenbar hat er Durchfall.«

»Lassen Sie mich seine Stimme hören, falls er noch spricht«, bat Fouad. »Ich muss den Mann hören, der so viele Muslime töten will.«

Aus Washington D.C. fuhr Dillinger dazwischen. »Mr. Al-Husseini, soweit wir hier erkennen können, fahren Sie auf eine gesperrte Zufahrtsstraße zur Zeltstadt zu.«

»Ja, wie ich Ihnen bereits gesagt habe. Die Straße wird offen sein, ich kenne die Wachposten. Das ist der Eintrittspunkt für Ihre Leute. Ich nehme an, man wird die Papiere prüfen ...«

»Fouad, vertrauen Sie Mr. Al-Husseini? Schließlich kennen Sie ihn ja erst kurz«, entgegnete Dillinger.

Die beiden Männer vorne im Kleinbus wechselten düstere Blicke. Schließlich sah Fouad weg und grinste. »Er ist eine Persönlichkeit mit vielen feinen Zügen«, erwiderte er. »Was könnte ich sonst noch sagen?«

Al-Husseini lächelte blöde. »Wir alle sind hervorragende Persönlichkeiten.«

Der bewachte Zugang war einfach konstruiert, aber effektiv: ein Einschnitt im hohen Maschendrahtzaun, der sich über viele Kilometer erstreckte. An dieser Stelle war er aufgerollt und wurde mit Pfählen am Boden gehalten. Fünf bewaffnete Männer mit schwarzen Käppis und olivgrünen Uniformen, die fit und professionell wirkten, standen im Licht des frühen Morgens um einen offenen sandfarbenen Armeelastwagen herum. Als sie die automatischen Waffen schwenkten, fuhr Al-Husseini links ran und hielt.

Fouad beugte sich hinüber, um mitzuhören. Al-Husseini redete leise und schnell auf einen mageren Mann mit schwarzem Vollbart ein. Gleich darauf wechselte ein Bündel von Geldscheinen den Besitzer.

Nachdem der Magere es durchgeblättert hatte, deutete er mit dem Gewehrlauf nach vorn.

»Er hält es nicht für nötig, unsere Papiere zu prüfen«, teilte Al-Husseini ihnen mit. »Früher, als Offizier, war ich sein Vorgesetzter. Jetzt arbeitet er für die derzeitigen Machthaber – für Iraker und Jemeniten, soweit ich weiß. Ein armes Schwein unter anderen Schweinen, genau wie ich.«

»Wir haben das Satellitensignal des Siedlers verloren«, gab Jane durch. »Allerdings nehmen wir an, dass die Gruppe immer noch in Mekka ist. Jedenfalls ist sie noch nicht nach Mina umgezogen.«

»Ist ja auch noch Zeit«, sagte Fouad. »Die Pilger ziehen jetzt ins Tal Arafat. Erst nach Sonnenuntergang werden sie sich auf den langen Rückweg nach Mina machen.«

»Wir sollten irgendwo halten und Mineralwasser trinken«, schlug Al-Husseini vor. »Geduld ist alles.«

Kapitel 71

Arafat, Mina

Nach den Gebeten am Berg der Vergebung – hier hatten Adam und Eva einander nach der Vertreibung aus dem Paradies wieder gefunden, hier hatte Mohammed (Friede sei mit Ihm) seine letzte Predigt gehalten – strömten die Pilger zurück nach Mina. Drei Stelen, die sämtliche Versuchungen des Teufels symbolisierten, standen dort in gerader Linie inmitten eines riesigen, auf zwei Ebenen angelegten Steinkreises, der Tausenden von Menschen gleichzeitigen Zugang gewährte. Und dennoch war dies der gefährlichste Augenblick der Pilgerreise.

Die Wache und die Gebete am Berg der Vergebung hatten die Pilger ausgelaugt, ihnen aber auch ein Hochgefühl gegeben, denn sie hatten ihre Herzen eingehend erforscht, sich ihren dunkelsten Seiten gestellt und Gottes Gnade und Vergebung erfahren. Bei Sonnenuntergang waren sie nach al-Muzdalifa aufgebrochen, um ihre neunundvierzig Kieselsteine zu sammeln. Vor Erschöpfung taumelnd und stolpernd, hatten sie sich danach auf den Rückweg nach Mina gemacht, um dort ihre letzte religiöse Pflicht zu erfüllen. Sie waren in solchen Massen unterwegs, dass im Gedränge Dutzende, wenn nicht Hunderte gestorben waren. So etwas passierte selbst in guten Zeiten – in Zeiten der Ordnung und Kontrolle. Doch jetzt war die Situation weitgehend, wenn nicht gänzlich außer Kontrolle geraten. Die Soldaten und selbsternannten Polizisten hielten sich zurück, standen in Gruppen beisammen oder saßen auf ihren Wagen und Lastern. Sie hatten sich Gewehre umgehängt, die locker herunterbaumelten oder auch in den düsteren Himmel gerichtet waren, während die dunklen Augen ihrer Besitzer das Schauspiel mit hilfloser

Verwirrung beobachteten. Sie waren mitten in einem Meer von Menschen gestrandet, die lose Baumwolltücher oder lange, schlichte Gewänder trugen, alle in dieselbe Richtung drängten und nur ein Ziel kannten: sich von den letzten Resten des Bösen zu befreien und ihre Pilgerreise zu vollenden.

Foaud hatte Al-Husseini die Anweisung gegeben, unmittelbar nördlich der König-Khalid-Brücke am Straßenrand zu halten. Es herrschte leichter Südostwind. Tausende von Personenwagen, Lastern und Bussen schwärmten vom Berg Arafat aus, verstopften alle überhaupt zugänglichen Straßen und verbreiteten jede Menge Abgasgestank. Gleichzeitig stiegen von vielen Kochstellen in Mina Schwaden öligen Rauchs auf, die sich über der Zeltstadt zu einer nur hier und da durchlässigen Wolkendecke zusammenballten. Auch wenn davon nichts zu sehen war, hatte das Schlachten vieler Hunderttausend Opferlämmer bereits begonnen und reicherte die Luft zusätzlich mit penetrantem Blutgestank an. Was die Geruchssensoren der OSMOs schlicht überforderte.

Fouad lauschte auf das gereizte Geschwätz im Polizeifunk. Überall herrschte Chaos, selbst in den elektronischen Nischen des amerikanischen Marineschiffs vor der Küste, aber wenigstens hatte er noch Verbindung zu den meisten Leuten seines Teams.

Sie hätten genauso gut blind sein können. Spätestens in einer Stunde würden die israelischen Siedler ihre Feuerwerksraketen zünden, da war Foaud sich sicher. Vom Kleinbus aus würden sie die explodierenden Sterne am Himmel sehen und wissen, dass sie versagt hatten. Und sie würden das Schicksal all der Gläubigen teilen, die unter ihnen vorbeizogen.

Obwohl Gott doch barmherzig war.

William, der am Mittelfenster saß, musterte die Menschenmassen und den Verkehr. Ihm gegenüber hielt Rebecca Verbindung mit Jane Rowland auf der *Heinlein*. Dort hatten sie das Telefonsignal des Siedlers nicht wieder aufspüren können. Irgendjemand in Mekka hatte zahlreiche Frequenzen durch einen Störsender lahm gelegt. Irgendwann würden sie wohl trotz der Störungen zu bestimmten Frequenzen durchdringen können, aber das brauchte Zeit.

»Die haben irgendwas vor«, sagte Amir zu Fouad, während sie den Polizeifunk abhörten. »Irgendwer ganz oben rechnet mit Problemen.«

»Falls dort tatsächlich jemand die Leitung hat«, fügte Mahmud hinzu. »Wirkt ja nicht gerade organisiert.«

Fouad starrte auf Al-Husseinis Hals und Kopf über der Rückenlehne des Fahrersitzes. »Zeit, sich den Pilgern anzuschließen und zu Fuß zu gehen.« Fouad und seine Leute trugen undefinierbare Khaki-Uniformen. Aus einem Matchbeutel zog Amir jetzt schwarze Käppis heraus, außerdem die rot-grünen Winkel, silbernen Nadeln und glasierten Medaillons des für den Haddsch zuständigen Sicherheitspersonals, und reichte alles weiter. Die Insignien wirkten so echt, dass sie zumindest einer flüchtigen Kontrolle standhalten würden.

Hastig statteten sie sich damit aus, denn manche der Pilger, die mittlerweile auch schon die Brücke in Beschlag genommen hatten, spähten bereits mit müden, aber neugierigen Augen in die Wagenfenster. Wütend erwiderte Al-Husseini die Blicke. »Das ist nicht der richtige Ort, sich zu Fuß auf die Suche zu machen«, verkündete er. Ohne Vorwarnung ließ er den Bus an und tauchte, wild hupend und ohne besondere Rücksicht auf die Menschenmassen zu nehmen, wieder in den Strom der Fahrzeuge auf den Mittelspuren ein.

Sie kamen quälend langsam voran. Die ganze Welt schien nur noch aus einem einzigen zähen Verkehrsstau zu bestehen. Die Temperatur da draußen war bereits auf vierunddreißig Grad geklettert und die Sonne sengend heiß. So heiß, dass der Windhauch, der durch die geöffneten Wagenfenster drang, ihre schweißnassen Haare gleich wieder trocknete.

Kapitän Periglas sah Jane über die Schulter. »Wir müssen an die fünfzehntausend Mücken da draußen haben«, sagte er. »Nah-

und Personenaufnahmen funktionieren aber nicht. Ein UAV fliegt in großer Höhe und nimmt mit synthetischen Linsen Radar-Scans vor, SARs. Also müssen wir uns was Schlaues einfallen lassen: Wir machen zehn oder zwanzig Radaraufnahmen von der ganzen Stadt, Fotos mit hoher Auflösung, und dann nutzen wir unsere visuelle Suchmaschine dazu, jeden Lastwagen ab einer bestimmten Größe im Zielgebiet zu lokalisieren. Dadurch können wir die Suche ein bisschen eingrenzen.«

»Könnte klappen«, bemerkte Dalrymple, als der Kapitän in einen anderen Teil der Überwachungszentrale gegangen war. »Wir sind recht gut darin, Stecknadeln in Heuhaufen aufzuspüren.«

Jane suchte immer noch nach dem Telefonsignal, als Dalrymple ihre Brillendisplays auf einen neuen SAR-Scan von Mina einstellte. In Verbindung mit früheren Scans aus verschiedenen Perspektiven war die Auflösung bis auf zwanzig Zentimeter Abstand recht scharf. Sofort überzogen die Schiffscomputer das hoch aufgelöste, detaillierte Falschfarbenbild mit mehr als tausend roten Kreisen. Jane konzentrierte sich zuerst auf das Raster rund um die König-Abdul-Aziz-Brücke, danach auf die gleichnamige Straße – sie war nur wenige hundert Meter von Mina entfernt – und die König-Khalid-Überführung.

Unmittelbar östlich von der Moschee in Mina war ein Feuer ausgebrochen. Als Jane zwischen einem Infrarot-Bild und der zusammengesetzten SAR-Projektion hin und her wechselte, waren der Brandherd und die Rauchwolke deutlich auszumachen. Das nächste Infrarot-Bild traf fünf Minuten später ein und zeigte, dass sich der Brandradius fast verdoppelt hatte und an verschiedenen Stellen im Zeltlager weitere Feuer loderten. Einige schienen sich bis zur Al-Malim-Moschee nahe der König-Khalid-Brücke vorfressen zu wollen.

Dabei waren die Zelte doch angeblich feuerfest.

Irgendetwas lief da unten völlig aus dem Ruder.

»Am besten, wir markieren jedes Fahrzeug, das länger als zehn Meter ist«, sagte der Kapitän. Das reduzierte die Anzahl der Kreise auf wenige Hundert. »Jetzt vergleichen Sie die bitte mit dem letzten Scan und sehen nach, wie viele davon sich bewegen. Und wie schnell.«

Fünfundzwanzig solcher Großfahrzeuge waren unterwegs. Die meisten krochen im zähen Fluss von Menschen und Wagen dahin.

»Besorgen Sie mir ein Satellitenfoto – eine Mikrowellenkarte desselben Gebiets. Wollen mal sehen, wer den Verkehrsstau zu durchbrechen versucht.«

»Schauen Sie mal«, sagte Dalrymple zu Jane.

Unvermittelt wechselten die Farben auf dem Display zu Rot und Grün. Abgesehen von dem normalen Hintergrund, der warme Objekte hervorhob, breiteten sich unverzüglich purpurrote Flecken aus, die die ausgestrahlte Mikrowellenenergie anzeigten. Sie verbanden sich miteinander, schienen fast das ganze Bild einzunehmen und erstarrten schließlich zu einem riesigen bunten Strauß, der fast die ganze Fläche von Mina überdeckte. Die Computer konzentrierten sich auf die intensivsten Flecken, reduzierten sie auf einzelne Punkte, verglichen sie mit den Positionen der Lastwagen und markierten schließlich fünf Fahrzeuge, die länger als zehn Meter waren und sich vorwärts bewegten.

»Am besten, wir setzen ein paar scharfäugige Mücken auf diese Laster an«, empfahl der Kapitän.

»Die OSMOs können wir vergessen«, bemerkte Jane.

»Es liegt an diesem verdammten Schlachthaus«, sagte Dalrymple. »Damit haben wir nicht gerechnet. Es ist zu viel Blut in der Luft. Und anderes, wie jede Menge Rauch. Mein Gott, sehen Sie sich mal die Feuer an!«

»Was löst sie aus?«, fragte Jane.

»Keine Ahnung.«

Periglas beugte sich wieder über Janes Schulter und deutete zum nördlichen Ausläufer der Zeltstadt, wo Zehntausende von Zelten standen. Jane holte sich den jüngsten optischen Scan heran. Plötzlich und unvermutet hatte sie kantige Umrisse von Männern mit Gewehren vor den Augen – Soldaten? Sicherheitspersonal? –, die, gefolgt von leichten Panzerfahrzeugen, in Zeh-ner- oder Zwanzigergruppen durch die engen Zeltreihen mar-schierten.

»Die suchen jemanden oder etwas Bestimmtes. Offenbar ist es denen egal, was sie dabei in Brand setzen oder wen sie umbrin-gen«, sagte Periglas.

Jane übermittelte die Bilder unverzüglich an Rebecca.

»Wir können sie sehen«, sagte Rebecca. »Das sind keine regu-lären Truppen. Die tragen alles Mögliche: Khaki-Uniformen, lange Gewänder und Straßenanzüge. Und sie haben die unter-schiedlichsten Waffen dabei. Wir können nicht feststellen, wel-chen Arschlöchern sie unterstellt sind.«

Sie wandte sich erst William, dann Fouad zu. Beide saßen auf der rechten Seite des Kleinbusses, das Gesicht nach vorne ge-richtet, und hielten ein Auge auf eine Gruppe Bewaffneter, die sich in dieselbe Richtung wie der Bus bewegte. Der Abstand war nicht groß. Amir und Mahmud nahmen die hinteren Plätze ein, sahen aus den Heckscheiben und hielten dabei die Gewehre un-ten, um kein Aufsehen zu erregen. Al-Husseini konnte nicht viel schneller fahren, als der bewaffnete Trupp marschierte.

»Durchhalten«, sagte William.

»Da vorne wird gekämpft«, rief Al-Husseini über die Schulter. »Da ist eine Straßensperre.«

Vom Mauerwerk eines Gebäudes zu ihrer Linken prallten Ku-geln ab, was die bewaffneten Männer zu ihrer Rechten veranlass-te, das Feuer in alle Richtungen zu erwidern. Der Kleinbus blieb abrupt stehen, und Al-Husseini schaltete den Motor aus. Als die Fenster auf der rechten Busseite zersplitterten, duckte sich Grange und verzog sich mit gesenktem Kopf hinter einen Sitz. Rebecca hatte sich bereits flach auf die geriffelte Gummimatte geworfen, mit der der ganze Gang ausgelegt war. William kroch gerade noch so rechtzeitig nach vorn, dass er sich Al-Husseini schnap-pen konnte. Gemeinsam mit Fouad versuchte er den Mann da-von abzuhalten, die Tür aufzustoßen und zu flüchten. Während weitere Schüsse die Windschutzscheibe und die restlichen Fenster links zertrümmerten, rangen die Männer miteinander. Von überallher kamen Kugeln geflogen. Die Männer und Frauen auf der Straße kreischten.

»Wir müssen los!«, flehte Al-Husseini sie an. »Das sind Banditen. Sie sind hier, um den Haddsch zu sprengen. Wir haben Waffen – wir müssen sie bekämpfen!«

Fouad stieß den Saudi zwischen zwei Sitze, wo William und er ihn mit den Körpern in die Zange nahmen. William drehte sich um und sah nach Rebecca hinten auf dem Gang. Weiteres Feuer bestrich das Wagendach, riss die Verkleidung auf und zerfetzte Entlüftungsstutzen. Plastikteilchen regneten herunter.

Rebecca schob Glasscherben zur Seite. »Fouad, was können Sie erkennen?«, rief sie nach vorn.

Jane konnte den Albtraum jenseits des Kleinbusses deutlich hören. Dalrymple nahm sich eiskalt ein Display nach dem anderen vor, während Periglas mit Grange über den Verbleib der übrigen Männer sprach, die Fouads Team angehörten. Offenbar gab es für Jane im Augenblick nichts zu tun. Mit halb starren Fingern setzte sie die frühere Arbeit fort. Diesmal zog sie die exakten Positionsbestimmungen für die fünf Lastwagen heran, die sie aufgrund der Infrarot- und SAR-Bilder erhalten hatte. Sie verlangte und erhielt Zugang zu einem in großer Höhe fliegenden unbemannten Flugobjekt, richtete die UAV- und Satellitensensoren auf die Lastwagen und schaffte es, die Störungen gerade so lange zu durchbrechen, dass sie einen hebräischen Wortschwall auffing – jedenfalls klang es wie Hebräisch. Sicher würde sie es erst wissen, wenn sich die Dolmetscherin in den USA meldete.

»Sie haben Yigal wieder gefunden«, teilte die Dolmetscherin ihr mit. »Er streitet sich mit jemandem herum. Sie können keine Verbindung zu den anderen Lastwagen herstellen.«

Rebecca unterbrach sie. »Vor uns ist ein Lastwagen, aber es kann keiner von den gesuchten sein. Es ist ein Tieflader, hat keine Fracht dabei, wird jetzt aber von einem bewaffneten Mob gestürmt. Die Miliz konzentriert das Feuer auf den Lastwagen und dessen Fahrer.«

Grange meldete sich atemlos aus dem Kleinbus. »Ich glaube, jemand hat uns verraten. Kann sein, dass die nach denselben Lastwagen suchen wie wir …«

Die Störungen häuften sich so, dass alle digitalen Signale des Teams in Mekka ausfielen.

»Das war's dann wohl«, sagte Dalrymple. »Zu viele Störungen. Die derzeitigen Machthaber verbreiten sie im ganzen Tal.«

»Jemand traut uns nicht zu, den Job zu erledigen«, bemerkte Periglas trocken.

Jane starrte hilflos auf die von den Flugobjekten aufgenommenen Videobilder von Mina, den Bergen und Mekka.

David Grange drückte Al-Husseini mit dem eigenen Körper zu Boden und stellte die Frage, die jedem auf der Seele brannte. »Sie haben denen verraten, dass wir kommen und warum wir hier sind, stimmt's?«

Al-Husseini, der stark schwitzte, starrte zu Grange empor und schüttelte den Kopf. »Wir sollten hier raus. Die schießen sogar auf Pilger.«

»Ja, aber deren Wahnsinn hat Methode. Die suchen nach Lastwagen, genau wie wir. Sie wissen nicht, welche Lastwagen es sind, deshalb werden sie jeden Laster, den sie finden, anhalten und beschießen. Irgendwelche Laster auf gut Glück zu beschießen, wird nichts lösen, sondern könnte die Sache sogar noch schlimmer machen. Sie hätten es niemandem verraten dürfen.«

Der Druck auf Al-Husseinis Brustkorb war so stark, dass sein Gesicht sich verzerrte. Der Lärm rings um den Kleinbus konzentrierte sich inzwischen auf eine Stelle vor der herausgeschleuderten Windschutzscheibe, weiter vorne, jenseits der provisorischen Straßensperren aus umgekippten Personenwagen und zerbeulten Stahltrommeln. Ungehobelt wirkende Soldaten waren mittlerweile aus den Nebenstraßen dazugestoßen, um sich an den Zerstörungen zu weiden. Fouad richtete sich auf, um nach vorne zu blicken. Soweit er erkennen konnte, war der Körper des Lkw-Fahrers in der Mitte durchtrennt und dessen Kopf fehlte. Die Reifen des Tiefladers waren zerfetzt und schwelten.

»Da ist nichts, er ist ohne Fracht gefahren«, bemerkte Fouad. Für den Fall, dass Soldaten in den Kleinbus einzudringen versuchten, hatten sich Amir und Mahmud mit gezückten Gewehren an den Türen postiert. Bislang hatten die Soldaten den Kleinbus nicht weiter beachtet, er hatte nur einen Kollateralschaden davongetragen.

Grange legte die Hände fachmännisch um Al-Husseinis Hals. Die Augen des ungepflegten Saudis begannen hervorzuquellen, aber er ließ es nicht auf einen Kampf ankommen – noch nicht –, obwohl er sich kaum rühren konnte.

»Lassen Sie uns von Mann zu Mann miteinander reden«, sagte Grange. »Wir sind hier, um den Haddsch zu schützen. Das ist das Wesentliche, und es ist die Wahrheit. Das haben wir Ihnen auch gesagt. Haben Sie oder jemand, mit dem Sie zusammenarbeiten …«

»Wer sollte Ihnen schon glauben?«, erwiderte Al-Husseini. »Es ist doch bekannt, dass alle Amerikaner die Muslime hassen. Ihr nährt die Soldaten, die in Mekka und Mina für Tumult sorgen und Pilger umbringen. Das sind eure Soldaten. Ihr Amerikaner wollt euch ganz Saudi-Arabien unter den Nagel reißen. Töten Sie mich ruhig, das ändert auch nichts.«

Grange ließ Al-Husseinis Gurgel los. »Verdammt noch mal, wir sind aufgeflogen«, sagte er.

Fouad beugte sich über Al-Husseini. »Stimmt das?«

Al-Husseini starrte mit blutunterlaufenen Augen zu ihm empor. »Es ist ein Segen, in Mekka sterben zu dürfen«, sagte er.

»Wäre es nicht ein größerer Segen … Mekka retten zu dürfen?«

Al-Husseini war bemerkenswert gelassen. »Es sind jüdische Agenten in unserer Stadt. Und ihr habt Ungläubige mitgebracht. Es spielt keine Rolle mehr, wer irgendwann in Mekka herrscht. Jedenfalls verdient ihr kein Vertrauen.«

Fouad zog sich zurück und atmete angewidert aus. »So ist es«, murmelte er. »Wer könnte das bestreiten? Aber wenn wir diese Juden nicht finden, wird Mekka sterben. Auch das ist die Wahrheit. Und das wollen wir genauso wenig wie Sie.«

Al-Husseini wandte den Blick ab.

»Los, fahren wir«, sagte Grange und verdrehte die Augen. »Vielleicht wird Allah uns jetzt führen.«

Rebecca fasste sich an den Kopf: Jane Rowlands Stimme drang ihr wieder ins Ohr. Auch William und Fouad konnten Jane hören. Nur Grange vernahm nichts, da mit seinem Hörgerät und der Datenbrille irgendetwas nicht stimmte.

»… nehmen das jetzt aus geringer Höhe auf. Seid ihr noch da, Leute?«

»Ich höre und gehorche, o Allmächtige«, sagte Rebecca und fügte, an Al-Husseini und Grange gewandt, hinzu: »Offenbar ist Allah heute eine Frau. Tut mir leid, dass ich euch enttäuschen muss, Jungs.«

»Wir haben ein Fahrzeug gefunden, das infrage kommt«, teilte Jane ihnen mit. »Fünf junge Männer in einem Lastwagen des Fabrikats Volvo. Sie brechen jetzt vom Schauplatz heftiger Kämpfe auf, können aber keine Verbindung zu ihren anderen Lastwagen herstellen. Wir übermitteln euch jetzt eine Verbindung. Könnt ihr den Wegweisern folgen?«

Fouad kannte den Stadtplan von Mekka inzwischen in- und auswendig. »Wo immer sie auch sein mögen, wir werden sie finden«, sagte er. Und an Grange gewandt: »Auch alle Übrigen sollten aus dem Bus aussteigen, sobald die Luft rein ist.« Amir und Mahmud wirkten besorgt, aber Fouad tat es mit einer Handbewegung ab. »Es ist ein Segen, in Mekka sterben zu dürfen. Wir werden schon früh genug alle wieder zusammen sein.«

Als Al-Husseini sich wehrte, halfen Amir und Mahmud Fouad dabei, ihn zu bändigen und zu knebeln.

Kapitel 72

Nachdem Fouad Al-Husam ein paar Minuten abgewartet hatte, bis die anderen die Straße überquert und sich in den Eingängen benachbarter Wohnhäuser versteckt hatten, legte er den Finger an die Lippen und streckte seinen Daumen zwischen die Wangen des Mannes und den Stoffknebel. »Ich verstehe, warum Sie das getan haben«, sagte er leise. »Unabhängig davon, dass es sich inzwischen als falsch erwiesen hat. Vielleicht hätte ich an Ihrer Stelle auch so gehandelt.«

Al-Husseinis Augen blickten wild. Beruhigend strich ihm Fouad mit einer Hand über das verfilzte, schüttere Haar. »Ich glaube nicht, dass jemand nachvollziehen kann, wie wir uns dabei fühlen. In vieler Hinsicht sind Sie wie mein Vater. Wenn ich Ihnen den Knebel abnehme …, werden Sie sich dann ruhig verhalten?«

Al-Husseini nickte.

»Wenn Sie ein Geräusch von sich geben, erschieße ich Sie, kapiert?«

Al-Husseini warf den Kopf herum, als wollte er sagen: *Spielt das noch eine Rolle?*

»*Würde* spielt eine Rolle, genauso wie der richtige Zeitpunkt. Ich weiß, dass Sie alles tun würden, um uns aufzuhalten. Und wir sind wirklich hier, um eine Gräueltat zu verhindern. Also … Ich kann Sie *jetzt* erschießen, in Ihrem würdelosen Zustand, gefesselt wie ein Schaf, oder …«

Al-Husseini nickte bedächtig. Fouad vermutete, dass er auch früher schon schlimme Situationen erlebt hatte und dem Tod nahe gewesen war. Allerdings nicht so nah wie jetzt.

Fouad lockerte den Knebel.

»Das ist schon seltsam«, sagte Al-Husseini leise. »Ich habe alles verloren: Meine Familie ist in den Niederlanden, die Wächter der Heiligen Moscheen sind geflüchtet, und ich bin vieler Verbrechen schuldig. Wenn Sie also zu meinem Henker bestimmt sind ...«

»Der Berg der Vergebung ist nicht besonders weit entfernt. Haben Sie die Pilgerreise gemacht?«

Al-Husseini nickte. »Meine Familie hat viele Jahrzehnte in Dschidda gewohnt. Meine erste Pilgerreise habe ich mit vierzehn Jahren angetreten, als Stellvertreter für einen alten Mann. Meine eigene Pilgerreise habe ich als junger Mann, kurz nach der Hochzeit, gemacht. Meine Frau hat mich begleitet.«

»Ich habe den Haddsch noch nicht mitgemacht.« Fouad nahm neben Al-Husseini Platz und zog die Beine an. »Das hier zählt nicht, selbst wenn ich hier sterben sollte.«

Al-Husseini musterte seinen Henker voller Staunen, aber auch mit wachsender Angst. »Ich habe die anderen stets gebeten, in Würde zu sterben«, sagte er. »Und jetzt ... bin ich selbst schwach. Können Sie mich nicht zu meiner Familie zurückkehren lassen? Ich werde nichts ausplaudern.«

»Mein Vater hätte Ihnen das nicht gestattet. Und ich *kann* es nicht zulassen«, erwiderte Fouad. Inzwischen sprachen sie Arabisch miteinander.

»Vergessen Sie unsere Väter und unsere Geschichte«, sagte Al-Husseini und wollte aufstehen, aber Foaud stieß ihn sanft zurück. »Das hier ist kein Spaß, kein ›so tun, als ob‹.«

»Die Welt ist krank«, sagte Fouad. »Die einzige Antwort darauf ist Würde. Hier, im Herzen der Welt ... Gott ist wahrhaft groß und voller Gnade. Gott versteht und vergibt alles ...«

Al-Husseinis Lippen bewegten sich wie im Gebet, doch seine Augen suchten nach einer Fluchtmöglichkeit. Aber es führte nichts an seinem Ende vorbei, und dieses Ende duldete keinen Aufschub. Fouad hob die Pistole und drehte Al-Husseinis Kopf zu sich herum.

Schließlich erschlaffte der ältere Mann, ließ Wasser und schloss die Augen. Danach entschuldigte er sich und begann ernsthaft zu beten. Fouad gewährte ihm noch ein paar Sekunden.

»Mein Gott!« Als aus dem fensterlosen Kleinbus ein einziger Schuss herüberdrang, schreckte William zusammen. Amir sah ihn mit zusammengekniffenen Augen scharf an, aber inzwischen war die Straße fast menschenleer, und anscheinend hatte keiner der wenigen Passanten Williams Ausruf mitbekommen.

»Wir sind noch drei lange Straßenzüge vom ersten Lastwagen entfernt«, bemerkte Rebecca. »Jane sagt, in der Nähe gebe es eine Fußgängerunterführung. Die Pilger versuchen derzeit, so schnell wie möglich aus Mina herauszukommen.«

Die Masse der Pilger hatte sich bereits auf die Hauptverkehrsstraßen verlagert, die durch das Zentrum von Mina führten. Tausende hatten bei der Flucht ihren Vorrat an Kieseln fallen gelassen, sodass die Straße mit kleinen Steinhaufen und einzelnen Kieseln übersät war. Busse und Personenwagen hatten die Menschen einfach sich selbst überlassen; einige blockierten den Zugang zu den kleineren gepanzerten Streifenwagen.

In der Ferne hörten sie das Rumpeln eines Panzers, der sich ins Straßenpflaster fraß. Über den neuen Plattenbauten aus grauem Beton kräuselte sich eine hässliche dünne Wolke aus Dieselabgasen. Der Wind hatte sich gelegt. Rebecca sah zu, wie die dreckigen Abgasschwaden, die aus dem Panzer drangen, sich träge durch die unbewegte Luft schlängelten. Es war ganz sicher kein optimaler Zeitpunkt, um die Raketen zu zünden – vorausgesetzt, die Lastwagen hatten alles überstanden und waren immer noch unterwegs. Doch falls Jane Recht hatte und Winter tatsächlich gestorben war, sprach einiges dafür, dass die jetzt führungslosen israelischen Extremisten verwirrt und verzweifelt waren.

Jane dirigierte ihre Schäfchen in ein enges Straßengewirr, wo William über einen runden Pflasterstein stolperte und auf Kieseln ausrutschte, sodass er beinahe gestürzt wäre. Doch er fing sich noch rechtzeitig und knallte nur gegen eine Betonmauer. Sein Atem ging so heftig, dass er von den grauen Gebäuden widerhallte. Über ihm warf eine alte Frau ein Fenster auf und starrte auf die Gruppe hinunter, zog sich aber schnell wieder zurück. Die Wände waren mit den Narben frischer Kugeleinschläge übersät.

»Die sind alle verrückt geworden«, flüsterte Amir, während sie an einem älteren schwarzhäutigen Mann vorbeikamen. Sein Büßergewand war mit Blutflecken übersät, ein Bein, das noch die Reifenspuren aufwies, völlig zerquetscht.

»Die Fußgängerwege sind fast menschenleer. Hier liegen nur Leichen herum. Wir sehen keinen Lastwagen«, sagte Fouad zu ihren Schutzengeln an Bord des Schiffes.

»Wir machen gerade ein Update«, erwiderte Dalrymple. »Es kommt jetzt ein neues UAV-Bild herein. Eigentlich müsstet ihr unsere Mücken sogar sehen können. Wir sehen *euch*.«

Alle blickten nach oben. Vier vogelähnliche Objekte schwirrten auf Dachhöhe über sie hinweg, beschrieben gleich danach eine Kurve und verschwanden aus dem Blickfeld. In der Ferne hörten sie das Getöse weiterer Panzerfahrzeuge und einer Menschenmenge, die vorwärtsdrängte. Die Rauchfahne des großen Panzers hatte sich verlagert: Der Wind drehte.

Rebecca und William hielten sich nahe an eine mit Stuck verzierte Steinmauer, die oben mit verrosteten Eisenspitzen gesichert war. Als eine Mücke über die Mauer flog und die Straße entlangschwirrte, flackerten die Bilder in ihren Datenbrillen. Rebecca konnte nur Bruchstücke dessen verstehen, was Jane gerade sagte. »… sehen euch. In der nächsten Straße sind schwere …«

Grange rannte über die Straße und riss sich verärgert die Datenbrille herunter. »Meine ist nutzlos. Bekommen Sie irgendwas herein?«

Rebecca runzelte die Stirn und schüttelte den Kopf. »Warten Sie.«

»… ist ein Lastwagen, auf den … schreibung zutrifft … Straße östlich …«

»Vielleicht haben sie in östlicher Richtung was gefunden«, sagte William. »An der nächsten Kreuzung.«

Fouad war um die Ecke gebogen, kam aber kurz zurück und schwenkte die Arme. Die Querstraße, die vor Sekunden noch menschenleer gewesen war, füllte sich mit der Vorhut der Menge, die sie schon von weitem vernommen hatten – vorwärtsgetrieben von einem laut dröhnenden Panzer, der sein Rohr hin und her schwenkte. In dessen offener Luke war jetzt ein Soldat mit grünem Armeehelm zu erkennen, der sich zurückbeugte und mit einer automatischen Waffe in die Luft ballerte.

Rebecca hielt sich dicht an William, Grange folgte rechts hinter ihnen. Vorsichtig näherten sie sich der Querstraße. Im selben Moment lösten sich Männer in Büßertracht und eine alte, grau gekleidete Frau von dem Menschenstrom und rannten dorthin zurück, wo sich Granges Trupp eben noch aufgehalten hatte, am Leichnam des alten schwarzen Mannes. Verwirrt drehten sie wieder um, rannten weiter und retteten sich mit Sprüngen auf den Bürgersteig, als ein alter Mercedes dröhnend und mit quietschenden Reifen die schmale Passage entlangraste.

Jetzt drang Janes Stimme wieder ganz deutlich zu ihren Ohren durch: »Die Janis haben einen verdächtigen Lastwagen umzingelt«, sagte sie. »Entspricht der Beschreibung. Ein Straßenzug weiter östlich.«

Periglas unterbrach sie. »Wir können ein OWL anpeilen. Gleich taucht bei Ihnen an vorrangiger Stelle die Projektion einer OWL-Gruppe auf.«

»Wenn das der Lastwagen ist«, ergänzte Dillinger, »sollten wir ihn sofort vernichten.«

Sie drängten sich durch die Reihen der letzten Pilger, die nach Nordwesten flohen. An einem Kreisel, der im Halbrund von neuen Wohnhäusern aus Ziegelstein und Beton umgeben war, sich nach Norden hin öffnete und Ausblick auf die überschatteten Berge und die Zeltstadt bot, sahen sie einen großen weißen Lastwagen, einen Volvo, der mit einer Segeltuchplane überdacht war. Die Windschutzscheibe war von Kugeln zerfetzt, und aus der offenen Fahrertür hing ein Leichnam heraus. Fouad, Amir und Mahmud lieferten sich mit zwei jungen Männern, die sich im hinteren Teil des Lastwagens verschanzt hatten, einen Schusswechsel.

»Etwa einen Kilometer östlich von Ihnen sehen wir ein zweites Fahrzeug«, meldete Dalrymple. »Es hat auf einer Nebenstraße angehalten. Einige Ihrer Männer halten sich in dessen Nähe auf und haben einen OWL-Schlag eingeleitet. Den werden Sie in drei Minuten hören.«

William versuchte, die Auspuffgase des Panzers auszumachen, aber es gelang ihm nicht, da der Wind aufgefrischt hatte und jetzt aus südöstlicher Richtung blies. »Wo sind die Pilger?«, fragte er.

»Die meisten scheinen an der Al-Malim-Moschee vorbeizuziehen«, erwiderte Jane. »Zehn- oder zwanzigtausend könnten noch auf der Jamarat-Brücke sein.«

Rebecca und William postierten sich an einer niedrigen Schmuckmauer, rund fünfzig Meter vom Volvo entfernt. Zwei der jungen Männer – sie hatten olivbraune Haut, schwarze Haare, sahen wie Araber aus und waren auch so gekleidet – hatten die Segeltuchplane von der gegenüberliegenden Seite aus aufgerollt und versuchten sich aus der Schusslinie zu halten. Sie hatten drei große Lattenkisten freigelegt, die Holzdeckel zur Seite geschoben und zwischen sich verstaut.

Jetzt ging es um Sekunden. Einer der beiden schwenkte bereits ein kleines weißes Kästchen.

Gleichzeitig glitten drei grellrote Punkte über den vorderen Teil des Lastwagens – Laserpunkte, die Fouads Männer zur Markierung ausgeschickt hatten. Auf der anderen Seite des Kreisels tauchte hinter einer Mauer eine zweite Gruppe von Janis auf und eröffnete das Feuer.

Fouad rannte los und gab mit der Hand hektisch Zeichen, dass sich alle zurückziehen sollten.

»Wegsehen und in Deckung gehen!«, brüllte Grange. »Gleich folgt ein OWL-Schlag!«

Es war nichts zu hören, man spürte die drohende Gefahr nur: Etwas kam lautlos näher und schob wie ein gigantischer Finger die Luft zur Seite. William merkte, wie ihm der Atem stockte. Und dann tat sich die Erde auf. Ein unvorstellbar lautes Geräusch traf ihn mitten in der Luft und zerrte so am Fleisch seiner Arme und Beine, als werde es sich gleich von den Knochen lösen. Aus dem Augenwinkel, durch die Finger seiner rechten Hand und die fest geschlossenen Lider hindurch, sah er den grellen Lichtblitz der Explosion, die den Lastwagen durch das Pflaster und den Beton hindurch in den Boden rammte, tief in die Erde hinein. Die sengende Hitze des auflodernden, weiß glühenden Feuers warf Blasen auf seinem Gesicht und den Händen auf. Er wurde mehrere Meter durch die Luft geschleudert, ehe er auf dem Boden aufschlug. Als sein Hemd Feuer fing, wälzte er sich auf der Erde herum. Gleichzeitig merkte er, wie Rebecca und Grange auf die Flammen einschlugen, um sie zu ersticken.

»Zurückziehen!«, brüllten beide. William rappelte sich hoch und rannte los, konnte aber nicht anders, als einen Blick zurückzuwerfen. Zwar war das Licht nicht mehr ganz so grell, aber es machte ihn trotzdem halb blind. Ein weiß glühender Vulkan hatte das Pflaster und die Gebäude gesprengt und überflutete den Kreisel mit siedend heißen Wellen aus Wärme und Licht. Aus dem Krater ergossen sich Schauer weiß glühenden, schmorenden Metalls, das zischend an den Gebäuden haften blieb und den Beton, das Mauerwerk und den Verputz aufriss.

Gleich darauf erschütterte eine weitere Explosion die Umgebung. Als William durch eine Lücke in der Gebäudefront nach Osten blickte, konnte er vage – durch wabernde, nachglühende Bilder im leeren Raum hindurch – eine zweite strahlend helle Säule über der Zeltstadt aufsteigen sehen.

Zwei Lastwagen sind vernichtet, sagte er sich. Jedenfalls hoffte er es. Aber er hatte Rebecca und die anderen aus den Augen verloren, wie er jetzt merkte. Er konnte sie nirgendwo sehen, konnte überhaupt kaum noch sehen. Seine Ohren klingelten, und eine Seite seines Körpers war mit Brandwunden überzogen.

Neben ihm tauchte Fouad auf. »He, Klassenkamerad«, sagte er, »du bist ja verletzt.«

»Nur ein Sonnenbrand«, erwiderte William.

Fouads eine Gesichtshälfte wies ähnliche Verbrennungen auf. »In der Wüste sollte man stets Sonnenschutz auftragen«, witzelte er. »Ich sehe nichts von den anderen.«

»Ich auch nicht.«

»Dann sind wir beide wohl auf uns allein gestellt, Bruder.« Fouad verhielt sich so, als hätte er einen leichten Schock davongetragen; er hatte erweiterte Pupillen, und sein Gesicht war, abgesehen von den Verbrennungen, sehr blass. »Ein Lastwagen fehlt noch. Hast du gehört, wo er sein könnte?«

William schüttelte den Kopf. Die Hörgeräte schwiegen. Er blickte auf das kleine, mit Flügeln versehene Objekt hinunter, das vor ihnen auf dem Asphalt lag: eine Mücke. Die Explosion hatte sie vom Himmel auf die Erde geschleudert. Er wollte sie gerade mit dem Zeh anstupsen, als Fouad seinen Arm packte. Bei der Berührung zuckte er zusammen: Sein ganzer Körper brannte. Während sie sich zurückzogen, ging die Mücke in einer weißen Flamme auf und explodierte mit lautem Knall. »Die Zündschnur zur Selbstsprengung war noch dran«, bemerkte Fouad.

William hörte Jane Rowland etwas sagen, allerdings waren wieder nur Bruchstücke zu verstehen. »Wir können Sie sehen. Können die anderen nicht finden. Es ist ein …«

William hob den Kopf zum Himmel, als könnte das helfen, und schirmte ein Ohr mit der Hand ab. »Bitte wiederholen, Jane.«

»Jetzt kann ich Sie beide sehen.«

Zwischen den Gebäuden schwirrten Mücken umher. Fouad hielt ein Auge auf die Reihen weiß gekleideter Männer, die zielstrebig die breite Hauptverkehrsstraße entlangliefen. Manche hatten Verbrennungen erlitten und stöhnten. Einzelne Fahrer kehrten jetzt zu ihren Wagen oder Bussen zurück, während in der Nähe lautes Gebrüll und die Sirenen von Krankenwagen und eines Löschfahrzeugs zu hören waren, die durch den Verkehr durchzukommen versuchten.

»Der dritte Lastwagen, Jane«, sagte William. »Einen müssen wir noch vernichten. Irgendeine Spur?«

»Da ist was … einer Gasse. Zwischen Ihrem Standort und der Gasse sind … Soldaten. Lege Ihnen einen Straßenplan auf die Datenbrillen.«

»Ich kann nichts erkennen …« Doch gleich darauf empfing William die Projektion eines Stadtplans, genau wie Fouad, der sich mit einem Ausdruck jugendlicher Begeisterung an die Brille griff. »Sie macht das wirklich toll«, murmelte er. »Wir müssen ihr Blumen schenken.«

Ein gepanzertes Fahrzeug drängte sich durch die Reihen von Personenwagen und schwenkte in ihre Straße ein, ohne die schreienden Pilger und aufgebrachten Fahrer zu beachten. Dem mehrachsigen Gefährt folgten mehrere Uniformierte zu Fuß – William zählte zwölf Männer. Die Soldaten trugen schwarze Käppis und Khaki-Kleidung, ähnlich wie sie selbst. Nachdem sie William und Fouad entdeckt hatten, legte der Späher im Panzerwagen sofort die Hand an einen schwarzen Kopfhörer, um Anweisungen entgegenzunehmen, während die anderen Soldaten automatische Waffen zückten.

Wegen der brüllenden Menschen und des am Kreisel tosenden Feuers hatten beide Mühe, irgendetwas von dem Wortwechsel beim Panzer zu verstehen, sodass Fouad auch nichts übersetzen konnte. »Wink ihnen einfach fröhlich zu, und dann nichts wie weg«, sagte er. Winkend und lächelnd stießen sie bis zu einem Eingang vor, der in eine Betonmauer eingelassen war. Die Tür war nicht abgeschlossen. Warum hätte irgendjemand in der heiligsten aller Städte auch die Tür verriegeln sollen? *Genau wie in der Akademie,* dachte William.

Fouad folgte ihm ins Innere des Gebäudes. »Die trauen uns trotzdem nicht so recht über den Weg, beeil dich.«

Der düstere Gang führte an Wohnungstüren vorbei, die zum Teil offen standen und den Blick auf leere Zimmer freigaben.

Nirgendwo brannte Licht. In diesem Viertel war offenbar der Strom ausgefallen. Sie befanden sich gerade in einem Durchgang, als sie merkten, wie die Eingangstür aufging und Sonnenstrahlen ins Gebäude fielen.

Ihre Verfolger brüllten wütend etwas auf Arabisch, danach auf Englisch. »Ergebt euch, dann lassen wir euch am Leben!«, rief einer.

»Weitergehen«, sagte Fouad und stieß William vorwärts.

»... enge Gasse«, meldete Jane.

Während die Außentür des Durchgangs hinter ihnen zuschlug, explodierte sie in tausend Splittern. In das Mauerwerk eines älteren Gebäudes gegenüber schlugen Kugeln ein. Bruchstücke von Ziegelsteinen und Mörtel zischten ihnen um die Ohren, eines streifte Williams Wange. Als Fouad und er um die Kurve der schmalen Gasse rannten, auf der sie gekommen waren, hörten sie, wie vor ihnen ein Lastwagen startete, während von hinten immer noch Schreie und laute Kugeleinschläge zu ihnen drangen.

Fouad zog William in eine Ecke voll alter Mülltonnen. »Hör mal, die sprechen Hebräisch miteinander.« Er deutete die Gasse hinunter. William konnte junge Männer etwas rufen hören, aber es klang noch weit entfernt. Seine Ohren hatten sich noch nicht wieder erholt. Er hätte nicht sagen können, aus welcher Richtung die Stimmen kamen, doch Fouad schien es genau zu wissen.

»Uns bleibt keine Zeit«, sagte Fouad. »Und in der Region Hijaz spricht niemand Hebräisch ... wirklich *niemand*.«

»Wir haben den Lastwagen gefunden«, teilte William Jane mit.

»Hinter euch haben wir Mücken postiert«, erklärte Jane. »Vorbereiten ... Verlassen jetzt die Umlaufbahn ... Noch zwei Minuten ...«

Als William und Fouad um die Ecke bogen, sahen sie das Heck eines mit einer Segeltuchplane versehenen Lastwagens. Jetzt war die Plane aufgerollt und an drei Seiten am Rahmen befestigt. Drei junge Männer in *Tholes* standen hinter dem Lastwagen, setzten sich die Gebetskappen auf, unterhielten sich nervös miteinander und tauschten Instruktionen aus. Einer hantierte mit einem kleinen weißen Kästchen herum, schwenkte es durch die Luft und rief irgendwelche Befehle. Die Gasse war so gut wie menschenleer. Die Lattenkisten waren zur Seite geschoben, sodass hinten die stählerne Raketenabschussanlage zu sehen war.

Die Soldaten konnte William nicht mehr hören. Waren sie nach rechts statt nach links abgebogen?

Fouad richtete sich auf und zog den Laser, der nicht größer als ein Kugelschreiber war, aus der Hosentasche. »Sag's ihnen.«

»Jane, rufen Sie *OWL* ab.«

»... auf dem Weg ...«, sagte Jane.

»OWL verlässt jetzt die Umlaufbahn«, sagte Dalrymple.

Danach hörte William Periglas sagen: »Diese Lanzette wird einige Gebäude zerstören. Kontrollierte Explosion. Machen Sie, dass Sie da wegkommen. Steinmauern ...«

»Ich werde dableiben und mich vergewissern, dass es geklappt hat«, sagte Fouad zu William.

»Periglas sagt aber, dass wir von diesen Gebäuden weg müssen. Auf dem Schiff haben sie die Explosion exakt berechnet.«

»Haben sie die Lanzette auch punktgenau aufs Ziel ausgerichtet? Können wir da sicher sein? Ich glaube nicht, dass wir ein solches Risiko eingehen können.«

Die Soldaten bogen argwöhnisch, mit vorgeschobenen Gewehrläufen, um die Kurve. Damit waren die Würfel gefallen: Der Fluchtweg war jetzt abgeschnitten. Plan B bis zum bitteren Ende. Ohne zu zögern, entsicherte William die Pistole und feuerte so, wie man es ihm beigebracht hatte – wie Pete Farrow es ihm beigebracht hatte: ohne nachzudenken. Zwei Männer fielen wie zerbrochene Puppen auf den Rücken; es folgten weiteres Gebrüll und weitere Kugeleinschläge, die die Ziegel und Mauern zerfetzten und langsam nach unten schwebende Staubwolken auslösten.

Die Israelis auf dem Volvo kauerten sich nieder und erwiderten das Feuer mit ihren Maschinenpistolen. William und Fouad saßen in der Falle: Sie konnten weder in die eine noch in die andere Richtung ausweichen. Während Fouad seine Schüsse auf den Lastwagen konzentrierte – einer der Israelis brüllte auf –, postierte William sich so, dass er das Feuer der Soldaten erwidern konnte. »Ich werde dafür sorgen, dass diese Kerle beschäftigt sind.«

Fouad lächelte, strich William übers Gesicht und richtete den Laserstrahl auf die Rückseite der Abschussanlage, wo er sich zu grellem, funkelndem Rot auffächerte.

Zum Nachdenken war keine Zeit. Jetzt hatten die Waffen das Sagen. Und tot waren sie alle sowieso schon.

Ein junger Israeli, der hinten auf dem Lastwagen lag, streckte das weiße Schaltkästchen hoch.

Fouad versuchte ihn zu erschießen, aber er verfehlte ihn.

Vom Boden der Raketenabschussanlage strömte grauer Rauch aus. Sie vernahmen ein rhythmisches Zischen, das von den Gebäuden widerhallte.

Ein einziger Lastwagen reicht schon. Millionen Pilger, deren Kleidung von todbringender Hefe verseucht ist, werden sich in der ganzen Welt verteilen. Adieu, Erinnerungen. Adieu, Geschichte.

Während William nach oben blickte, knallte es in seinen Ohren. Der zwischen den Wohnhäusern sichtbare, wolkenlose blaue Himmel schimmerte. War das da tatsächlich eine weiße Linie? Sie sah wie ein Kondensstreifen aus. Es kam ihm so vor, als schreibe ein unsichtbarer Finger etwas an den Himmel, was sich zu einer leuchtenden Wolke verdichtete und jetzt herabsank.

»*Allahu Ak...*«, schrie Fouad.

Und die Erde wand sich in wildem Zorn.

Den Rest hörte William nicht mehr.

Kapitel 73

Rebecca half Grange in einen kleinen, von den Janis beschlagnahmten Van. Sie hatten in einem verlassenen Laden gewartet und sich hinter den Tresen gekauert, bis Salil, Fouads Stellvertreter und Leiter jener Gruppe, die als Erste nach Mina gegangen war, zurückgekehrt war und ihnen ein Zeichen gegeben hatte herauszukommen. Es war immer noch heiß, kein Lüftchen regte sich. Überall roch es verbrannt, denn drei Säulen dichten, wirbelnden schwarz-weißen Rauchs waren inzwischen hoch über Mekka und der Zeltstadt aufgestiegen. Doch nichts, weder die bewaffneten Auseinandersetzungen noch die außergewöhnlichen, punktgenauen Explosionen und die vulkanähnlichen Feuer, hatte den obligatorischen Abschluss der Pilgerreise verhindern können. Von der Hauptverkehrsstraße aus, die in westlicher Richtung nach Mekka führte, konnten sie Zehntausende weißgekleideter Haddschis sehen, die auf die zwei für Fußgänger zugänglichen Plattformen vor den drei Steinsäulen namens *Jamarat-al-Aqaba*, *Jamarat-al-Wusta* und *Jamarat-al-Ula* strömten.

Rebecca hockte hinten im Van, eingequetscht zwischen Grange und zehn Janis. Es gab nicht viel zu reden. Niemand wusste, was aus ihren übrigen Gefährten, einschließlich William und Fouad, geworden war. Auch Jane und Dalrymple hatten nichts Neues zu berichten, bis auf die Tatsache, dass infolge des dritten und letzten OWL-Einschlags zahlreiche anliegende Wohnungen und Geschäfte in der Gasse eingestürzt waren. Sie waren immer noch dabei, den verursachten Schaden einzuschätzen, doch nach Urteil der Experten auf der *Heinlein* und in Washington waren alle drei Volvos wie geplant vernichtet worden. Die Lanzetten hatten die Lastwagen mehr als fünfzehn Meter in den Erdboden getrieben und danach restlos eingeäschert, mitsamt ihrer Fracht. Die Mücken sammelten jetzt Staub aus der Luft und den Rauchwolken über Mina, um Proben für die Analyse zu liefern. Später würden UAVs, die in großer Höhe flogen, die Mücken bergen.

Salil, er chauffierte den Van, fand die Nebenstraße wieder, die durch die ausgetrockneten, steinigen Hügel ins Ödland der Wüste führte. Es wurde eine heiße, staubige, holperige Fahrt, aber das machte Rebecca nichts aus. Sie war tief in Gedanken versunken und fragte sich, was sie sonst noch hätte unternehmen können.

Sie hatte ihre Studenten verloren, sie geopfert. Und sie wusste nicht, für was. Sie hatten ihre Mission erfüllt, aber sie war nicht stolz darauf, dass sie einen Job gut erledigt hatten. Das Einzige, was sie empfand, war diese tiefe Wut, die sie schon allzu viele Jahre am Laufen hielt; die blinde, naive Empörung darüber, dass derart viele Menschen so hemmungslos agierten, ohne Sinn für Gleichgewicht, ohne Ehrgefühl, geschweige denn Achtung vor dem Gesetz, und dass so viel von den hoffnungslos Wenigen verlangt wurde, denen es auferlegt war, die anderen im Zaum zu halten.

William.

Fouad.

»Rebecca«, meldete sich Jane, »ich schwöre, dass ich hier ausharre, bis die letzte Mücke vom Himmel gefallen ist.«

»Können Sie die beiden sehen?«

»Nein. Nichts.«

»Bleiben Sie da und halten Sie Wache. Ja, tun Sie das«, sagte Rebecca. Diejenigen, bei denen die Hörgeräte funktionierten, taten bewusst so, als hörten sie nicht zu, aber ihre Gesichter waren wie versteinert und bleich vor Erschöpfung. In ihren Mienen drückte sich das Gefühl innerer Leere aus, das auf eine bewaffnete tödliche Auseinandersetzung fast zwangsläufig folgt: eine Reaktion, die sowohl Resignation und nicht greifbaren Kummer als auch die Neubewertung der eigenen Situation umfasst.

Rebecca war sich keineswegs sicher, dass die Welt ihre Kinder verdiente.

Kapitel 74

Arafat

Arafat ist der Haddsch. So hat es Mohammed verkündet.

Der wuchtige Einschlag der letzten OWL hatte den Boden unter ihren Füßen gespalten, sodass sie sechs Meter nach unten gestürzt und auf dem dumpfigen, aber trockenen Grund einer Betonröhre aufgeschlagen waren. Steinstaub und Betonbrocken hatten die Erdspalte über ihnen und einen Großteil der Röhre auf beiden Seiten verstopft und nur nach Südosten hin ein mannsgroßes Loch gelassen, durch das sie sich hindurchquetschen konnten. Jetzt gingen sie an der Böschung des unterirdischen Grabens entlang, in dem die Röhre verlegt war. Sie war Teil des Entwässerungssystems, das diese ausgetrockneten Täler während der seltenen Regenfälle vor plötzlichen Überschwemmungen bewahrte, und verlief in gerader, langer Linie quer durch Mina. Nirgendwo war ein Ausstieg zu sehen, bis auf Abflüsse, die zu schmal waren, um sich hindurchzuwinden, und Gullis, die die Saudis vor der Invasion zugeschweißt hatten, um eben solche Exkursionen, wie Fouad und William sie gerade unternahmen, zu unterbinden.

William hielt den Arm eng an die Brust gedrückt. Er war gebrochen, so viel war ihm klar. Am ganzen Körper hatte er schmerzhafte Verbrennungen erlitten, und auf einem Auge konnte er aufgrund des entzündeten Fleisches kaum noch sehen. Alles tat ihm weh, aber er sah immer noch besser aus als Fouad, dessen Gesicht dick mit Blut verkrustet war.

In gebückter Haltung gingen sie viele Kilometer an der Röhre entlang, bis sie schließlich an einem betonierten Abzugskanal herauskamen, der sich in einem kleinen Wadi zu mehreren Rinnsalen auffächerte und ins Aramah-Tal ergoss. Von dort aus stiegen sie zu einem fast menschenleeren Fußgängerweg hinauf, zogen ihre Uniformen aus und legten weiße Bußgewänder an, die jemand weggeworfen haben musste. Fouad sagte nichts, während sie unbewaffnet, bis auf die Tücher des *Ihram* nackt und nur mit ihren gefälschten Papieren ausgestattet auf den *Rahmat*, den Berg der Vergebung, zugingen. William war zu benommen und erschöpft, um sich zu fragen, was sie eigentlich vorhatten.

Mehrere Stunden blieben sie am Berg Arafat stehen, allerdings nicht von Sonnenaufgang bis Sonnenuntergang, wie es der Haddsch streng genommen verlangte. Danach machte sich Fouad wieder auf den Weg, und William folgte ihm. Sie trafen auf Soldaten, die in einem Lastwagen den Fußgängerweg entlangratterten und nach versprengten Pilgern Ausschau hielten. Wohl um sie auszurauben oder, falls diese genügend Geld dabeihatten, Bestechungsgelder dafür zu erpressen, dass sie die Leute durch das allgemeine Chaos hindurch nach Mina, vielleicht auch Mekka zurückbrachten.

Fouad konnte die Soldaten davon überzeugen, dass sie Straßenräubern zum Opfer gefallen seien. Beeindruckt von Williams und Fouads Wunden und deren würdevollem Auftreten und angesichts des ausufernden Chaos und der Schändung des heiligen Ortes, zeigten die Soldaten schließlich so etwas wie ein schlechtes Gewissen, ließen von ihnen ab und fuhren davon.

Für die Rückkehr nach Mina brauchten sie den ganzen Rest des Tages. Bei Einbruch der Nacht stellten sie sich auf die oberste Plattform der Jamarat-Brücke, mitten zwischen die Tausende von Pilgern, die den Haddsch immer noch so vollenden wollten, wie es das Ritual erforderte. Entlang der Straße, die von Muzdalifah nach Mina führte, hatten beide auf den vereinzelten kleinen Hügeln neunundvierzig Kieselsteine gesammelt.

Wie ein Automat folgte William einfach Fouads Beispiel – tat das, was nötig sein mochte, um durchzukommen und zu überleben. Die meiste Zeit verhielt sich Fouad so, als wäre William gar nicht da.

Mit schmerzvoll verzogenem Gesicht drängte sich Fouad durch die Menschenmenge, die sich vor ihm teilte. Angesichts solcher Wunden, solcher Märtyrer wichen viele Menschen ehrfürchtig oder auch entsetzt auseinander. Beide warfen ihre neunundvierzig Kieselsteine auf die Stelen, einen Stein nach dem anderen, bewegten sich auf steifen Beinen vorwärts und starrten aus leeren Augen vor sich hin, wie Gespenster.

Die Menschen hatten viele Dinge gegen die Säulen geschleudert, die sich an deren Sockeln inzwischen zu gewaltigen Bergen türmten. Keineswegs nur Kieselsteine, sondern auch Schuhe, Münzen, Kleidungsstücke und Waffen – verblüffend kostspielige Waffen. Vielleicht hatten einige Soldaten oder Straßenräuber ihre Sünden bereut, als sie Pilger hatten sterben sehen.

Danach zogen sie weiter nach Mekka, auch das ein langer Fußmarsch. William hielt es kaum für möglich, dass sie es bis dorthin schaffen würden, aber entlang des Wegs stießen sie nicht nur auf weitere Tote, sondern fanden auch weggeworfene Flaschen, die noch Wasser enthielten, und Fouad drängte erbarmungslos voran.

Erst als sie die Minarette der Masjid-al-Haram-Moschee vor Augen hatten, brach Fouad sein Schweigen. »Ich bin damit fertig«, sagte er und ging William steifbeinig voraus, aber so, dass er ihm das Gesicht zuwandte. »Es ist vorbei. Ich bin nicht mehr meines Vaters Sohn. Das hier war keine Pilgerreise, sondern eine solche Schande, dass ich niemals hierher zurückkehren kann. Wer bin ich jetzt? Kann mir das jemand sagen? Was haben sie getan? *Was haben sie getan?*«

Die letzten Worte knurrte er mit rauer Stimme, während sein geschwollenes Gesicht sich so gequält verzerrte, als hätte er eine Monstermaske aufgesetzt. Auf den zerschnittenen Wangen vermischte sich das Blut mit Tränen.

William konnte ihm darauf keine Antwort geben.

Als die beiden wieder auf der Straße waren, hielt eine Ambulanz des Roten Halbmonds neben ihnen. Gleich darauf nahmen besorgte Ärzte und zwei von Kopf bis Fuß in graue *Dschalabibs* gehüllte Krankenschwestern sie in ihre Mitte. Im hinteren Teil des Krankenwagens traten sie die Rückfahrt nach Mekka an und kamen auf der Strecke an Lastwagen voller Soldaten vorbei. Und an weiteren Toten, die irgendjemand an den Straßenrand geschoben hatte.

Leichen, so viele Leichen.

Doch die Lampen der Heiligen Moschee strahlten hell, und sie hörten, dass selbst jetzt noch Haddschis die *Kaabah*, das Haus Gottes, umrundeten und über das Glück, das ihnen damit zuteil wurde, frohlockten. Denn sie hatten Mekka besucht, und Gott hatte zu ihnen gesprochen. Nicht lange, dann würden sie nach Hause zurückkehren.

Anmerkung

Die in diesem Roman beschriebenen biologischen Waffen und Prozesse sind denkbar, allerdings nicht in der von mir dargestellten Funktionsweise. Ich habe mich bemüht, die Gefahren überzeugend aufzuzeigen, ohne gewisse Einzelheiten zu enthüllen.

Diese Gefahren sind keine Hirngespinste, sie bedrohen uns hier und jetzt. Und wir können ihnen nur mit nüchternem Urteil, selbstlosen, parteiunabhängigen Maßnahmen und klarem Kopf begegnen.

Für diejenigen, die sich der Gefahr stellen, existiert letztendlich keine Interessenpolitik. Nur Leid. Verlust. Tod. Und Hoffnung.

Greg Bear

Glossar der deutschen Übersetzung

Da viele Akronyme und interne Bezeichnungen der amerikanischen Geheimdienste, Anspielungen des Autors auf amerikanische Kultur, Geschichte und Regionen, wissenschaftliche Fachtermini sowie Namen und Ausdrücke aus dem arabischen/islamischen Kulturkreis den deutschsprachigen Leserinnen und Lesern nicht unbedingt vertraut sein dürften, folgen hier kurze Erläuterungen der Übersetzerin.

Abbasiden Die abbasidischen Kalifen kamen durch eine Bewegung an die Macht, die sich gegen die damals von vielen Muslimen als zu weltlich angesehenen Umayyaden richtete. Diese repräsentierten eher die alte mekkanische Aristokratie. Deshalb wird der Übergang von den Umayyaden zu den Abbasiden von vielen Wissenschaftlern als »konservative Revolution« beziehungsweise »abbasidische Revolution« angesehen. Abu Muslin, ein zum Islam übergetretener Perser, eröffnete 747 in Merw/Chorassan den Aufstand und ließ Abu 'l-Abbâs (as-Saffah), einen Nachkommen von Abbas, dem Onkel des Propheten Mohammed, zum neuen Kalifen ausrufen. Zulauf erhielten die Aufständischen vor allem aus der zum Islam übergetretenen persischen/iranischen Bevölkerung, die mit der Herrschaft des arabischen Adels unzufrieden war. Im Vergleich zu den Arabern wurden die persischen Muslime als Bürger zweiter Klasse behandelt, verfügten aber über großen Einfluss in Wirtschaft und Verwaltung und unterhielten zudem Kontakte zu den Schiiten, der Partei Alis.

Adventisten des Siebten Tages Christliche Glaubensrichtung, die sich in den USA Mitte des 19. Jahrhunderts entwickelte. Ist u. a. für rigide Kleidungs- und Ernährungsvorschriften bekannt, hält den Samstag (den »siebten Tag«) als Sabbath heilig und glaubt an die bevorstehende Wiederkehr Christi. Dieser Wiederkehr geht nach Auffassung der Adventisten eine Zeit voraus, in der die Rechtschaffenen verfolgt werden und ein Antichrist große Macht über die Erde erlangt.

Air Mobility Command (AMC) ist eines von neun Hauptkommandos der United States Air Force (USAF). Organisiert den Lufttransport von Material und Truppen zur Unterstützung aller US-Streitkräfte.

Alfvén, Hannes Olof Gösta schwedischer Physiker, geb. am 30. Mai 1908 in Norrköping, gest. am 2. April 1995 in Djursholm. Er erhielt 1970 den Physik-Nobelpreis »für seine grundlegenden Leistungen und Entdeckungen in der Magnetohydrodynamik mit fruchtbaren Anwendungen in verschiedenen Teilen der Plasmaphysik«.

Al-Masjid al-Ḥarām Die »Heilige Moschee« in Mekka, in deren Mitte die Kaabah liegt, der Ort, dem sich alle Muslime bei ihren Gebeten zuwenden.

Al Takfir wa l-Hijra (TwH) Eine in der gesamten islamischen Welt verbreitete militant-islamistische Strömung, deren Anhänger die bestehenden Staatsordnungen ihrer Herkunftsländer als unislamisch bekämpfen. Die TwH entstand zu Beginn der 1970er Jahre in Ägypten, wo sie sich vor allem an den Universitäten etablierte. 1977 löste die ägyptische Regierung die Organisation offiziell auf. Vorausgegangen waren zahlreiche Gewaltaktionen ihrer Anhänger seit 1974. Sympathisanten der TwH knüpften in den Folgejahren Kontakte nach Pakistan, in die Golfstaaten, in die Türkei, nach Syrien, Jordanien, Libyen, Sudan, Libanon und in die Maghrebstaaten. Die Ideologie der TwH prägte eine Reihe militant-islamistischer Organisationen, wie die algerische GIA (›Groupes Islamiques Armés‹ – ›Bewaffnete Islamische Gruppen‹), die ägyptische ›al Jamaat al Islamiyya‹ und den ebenfalls ägyptischen ›Jihad Islami‹. Das Gedankengut der TwH verbreitete sich im Sudan insbesondere unter dem Einfluss Osama Bin Ladens und seiner arabischen Afghanen, die in den 90er Jahren die sudanesischen Volksverteidigungskräfte (PFD) ideologisch unterwiesen und militärisch ausbildeten. Ihre Anhänger spalteten sich damals von den wahhabitisch ausgerichteten Ansar al Sunna ab.

American Eagle Forum Ultrarechte amerikanische Organisation und parlamentarische Lobby, 1972 von der Anwältin Phyllis Schlafly gegründet. Ca. 30 Niederlassungen in amerikanischen Bundesstaaten, schätzungsweise 80 000 Mitglieder. Hauptsitz in Washington D.C. AEF betreibt Lobbyismus gegen Abtreibung, sexuelle Aufklärung in öffentlichen Schulen, Lehren der Evolutionstheorie, Rechte für Homosexuelle etc. und fördert Kampagnen für die »Rückbesinnung auf die traditionellen amerikanischen Werte« mit den Grundpfeilern Religion und Familie.

Ames-Strang Einer von 89 Strängen des *Bacillus anthracis*.

Anthrax (Milzbrand) Milzbrand wird durch Anthrax-Bazillen verursacht. Milzbrandbazillen bilden als Überlebensformen Sporen. Einmal im Körper, bilden sich die Sporen zu vermehrungsfähigen Bazillen aus und verursachen Infektionen.

Armstrong, Jack Protagonist einer amerikanischen Rundfunk-Serie und des gleichnamigen Spielfilms von 1947. Auf eigene Faust bekämpft Armstrong den bösen Wissenschaftler Dr. Grood, der die Erde von seinem Raumschiff aus mit tödlichen Strahlen bedroht. Außerdem ist Jack Armstrong der Name eines legendären amerikanischen Baseballspielers sowie der Name eines berühmten amerikanischen Motorradfahrers, der für Indian Motorcycles Testrennen fuhr.

Aryan Nations Anti-semitische und anti-demokratische Gruppierung weißer Nationalisten in den USA, in den 1970er Jahren von Richard Girnt Butler als ein Zweig der *Christian Identity*-Gruppe *Church of Jesus Christ – Christian* gegründet. Die Gruppierung verfügt(e) über ein eigenes Netz in amerikanischen Gefängnissen (»*Aryan Brotherhood*« – *Arische Bruderschaft*), das zum Teil immer noch aktiv ist.

ATF/ ATFE Agents of the Federal Bureau of Alcohol, Tobacco, Firearms und Explosives, dem amerikanischen Bundesjustizministerium unterstellt.

BDI Basic Diversion Investigation, eine Ermittlungsstelle, die dem amerikanischen Bundesjustizministerium unterstellt ist.

Bots Kleine Service-Roboter oder auch quasi-selbständige Programme im Bereich der Künstlichen Intelligenz, die u. a. auch zur Spionage eingesetzt werden können.

BT *Bacillus thuringiensis*, ein im Boden lebendes Bakterium, das aber auch in den Raupen einiger Schmetterlinge und auf Pflanzen vorkommt. Es wurde 1901 in Japan entdeckt. Offenbar unterscheiden sich BT, *Bacillus cereus* und *Bacillus anthracis* nur in den Plasmiden. Alle drei sind aerob und bilden Endosporen. BT produziert ein Gift (BT-Toxin), das tödlich für die Larven von Insekten der Ordnungen Coleoptera, Lepidoptera und Diptera ist, aber harmlos für andere Lebewesen. Deshalb werden die Sporen von BT auch als Pflanzenschutzmittel eingesetzt.

CDC Centers for Disease Control and Prevention, staatliche Behörde der USA. Ihre Aufgabe ist der Schutz der Bevölkerung vor Krankheiten und Seuchen. Das Hauptquartier der CDC befindet sich in

Atlanta, Georgia, und ist dem amerikanischen Gesundheitsministerium HHS (United States Department of Healt and Human Services) unterstellt.

Cheechako Ausdruck in der Sprache der Inuit, Alaska, für einen fremdartig wirkenden Menschen oder Neuankömmling.

Cholo In den USA und Mexiko gebräuchliche beleidigende Bezeichnung für einen Latino-Gangster, dem folgende typische Attribute zugeschrieben werden: weite Khaki-Hosen, ärmelloses T-Shirt, rasierter Kopf oder nach hinten gekämmtes, gegeltes Haar.

Christian Identity Bezeichnet den losen Zusammenschluss von Gruppen und Kirchen, die einer rassistischen und anti-semitischen Ideologie anhängen (euro-zentrierte Version des Christentums). Derzeit schätzt man die Zahl der Anhänger auf rund 350 000. Verbreitung vor allem in den USA, Kanada und in den Commonwealth-Staaten.

COAST-Projekt Geheimprojekt der weißen südafrikanischen Minderheitsregierung (unter Premierminister Botha während der Zeit der Apartheid) zur Erzeugung chemischer und biologischer Waffen, die zur Niederschlagung von Aufständen eingesetzt werden sollten.

Consumer Product Safety Commission Unabhängige Einrichtung der amerikanischen Bundesregierung, 1972 aufgrund eines Bundesgesetzes zum Verbraucherschutz geschaffen, reguliert die Produktion und den Verkauf von mehr als 15000 Produkten – von Kinderwagen bis zu Küchengeräten (Ausnahmen: Waffen, Medikamente und Automobile, für die andere Bundesbehörden zuständig sind).

Dillinger, John geb. am 22. Juni 1903 in Oak Hill bei Indianapolis, gest. am 22. Juli 1934 in Chicago. Er war der erste Mensch, den das FBI als Staatsfeind Nr. 1 bezeichnete. Er und seine Bande waren auf Bankraub spezialisiert. Am 22. Juli 1934 wurde er von der Zimmergenossin seiner Freundin verraten. Er wurde beim Verlassen eines Kinos von einem FBI-Beamten erschossen.

Donnie Brasco Eigentlich der FBI-Agent Joseph D. Pistone. Unter dem Aliasnamen *Donnie Brasco* ermittelte er sechs Jahre lang als Undercover-Agent in den Kreisen der Mafia-Familie Bonanno in New York City. In den 1970er Jahren konnten dadurch 120 Mitglieder der Mafia-Familie verhaftet und verurteilt werden. Nachdem Pistone enttarnt war, wurde er in das US-Zeugenschutz-Programm aufgenommen und erhielt eine neue Identität. Pistone arbeitet als Autor und als Berater verschiedener Strafverfolgungsbehörden weltweit.

Donovans Gehirn Mit dem utopischen Roman »Donovan's Brain« (Donovans Gehirn) erwarb Curt Siodmark Weltruhm. Das Buch wurde in mehr als zehn Sprachen übersetzt und mehrere Male verfilmt, erstmals 1943/44 unter dem Titel »The Lady and the Monster« mit Erich von Stroheim. Orson Welles adaptierte den Roman für eine Hörfunkversion.

Eglin Eglin, Florida, östlich von Pentacola, ist die größte Basis der US Air Force.

EOD Explosive Ordnance Disposal Training Department auf dem Redstone-Gelände in Huntsville, Alabama. Bietet angehenden Sprengstoffexperten der Armee oder anderer Dienste eine zehnwöchige Ausbildung in grundlegender Elektronik an und instruiert sie über in- und ausländische Munitionstypen, Zerstörunsgmaterialien, den Transport gefährlicher Stoffe etc. Danach können die Auszubildenden die zweite Phase des Trainings in Eglin, Florida, fortsetzen.

Epigenetik Beschäftigt sich mit sämtlichen vererbbaren Varianten der Genexpression, die nicht mit einer eigentlichen Veränderung der DNA-Sequenz einhergehen.

Felsendom Der »Felsendom« auf dem Tempelberg neben der Al-aqsa-Moschee, für Christen, Juden und Muslims eine heilige Stätte, wurde 687 bis 691 vom neunten Kalifen Abd al-Malik errichtet. Nach muslimischem Glauben war der Fels in der Mitte der Ort, von dem aus Mohammed, begleitet vom Engel Gabriel, zu Gott aufstieg und die Gebete empfing, die jetzt ein Kernstück des Islam bilden.

Firdos-Platz Öffentlicher Platz in Bagdad, Irak. Benannt nach dem arabischen Wort Firdows, wörtlich »Paradies«. Weltweit bekannt dadurch, dass hier amerikanische Soldaten die Statue Sadam Husseins stürzten. Am 9. April 2005 Schauplatz großer Demonstrationen gegen die amerikanische Besetzung Iraks, anlässlich des zweiten Jahrestags der amerikanischen Invasion in Bagdad.

Fort Detrick Medizinisches Forschungsinstitut der amerikanischen Armee, spezialisiert auf die Erforschung von Seuchen, angesiedelt in Maryland.

Gamma-Lysin Wichtiger Faktor für die Blutgerinnung, wandelt Fibrinogen in Fibrin um.

G-Man Amerikanischer Slangausdruck für einen FBI-Agenten; das G steht für Government.

Ghutrah Kopfbedeckung arabischer Männer, ein viereckiges Tuch aus Baumwolle, einfarbig oder kariert.

Haddsch (der, auch die) Die Pilgerreise nach Mekka, die jeder gläubige Muslim/jede gläubige Muslimin mindestens einmal im Leben machen soll. Die Regierung Saudi-Arabiens stellt Ausländern dafür besondere Visa aus. Nicht-Muslimen ist der Besuch der Heiligen Stadt verboten.

Der Haddsch beginnt am achten Dhu al-Hijja, dem letzten Mondmonat, in Mekka mit dem Anlegen des weißen Pilgergewandes und dem Gang nach Mina, der Zeltstadt rund fünf Kilometer außerhalb von Mekka. Dort bleiben die Pilger bis zum nächsten Morgen und brechen dann früh in Richtung des Berges Arafat 25 km östlich von Mekka auf. Zu den Höhepunkten der Wallfahrt gehört die Versammlung am Berg, der auch der »Berg der Vergebung« genannt wird, am neunten Tag des Dhu al-Hijja. Dort bitten die Pilger Gott um Vergebung und halten sich bis zum Sonnenuntergang im Tal Arafat auf. Danach treten sie den Rückweg nach Mina an, rasten aber auf halber Strecke in al-Muzdali (das nach ritueller Vorschrift in sechs Stunden erreicht sein soll) und sammeln dort Steine für den kommenden Tag. Bis zum Sonnenaufgang sollen sie zurück in Mina sein. Am zehnten Dhu al-Hijja wird in Mina der Ritus der symbolischen Steinigung des Teufels vollzogen, indem sieben (oder ein Vielfaches davon, wie 49) Steine auf drei Stelen geworfen werden, die den Teufel symbolisieren. Danach werden Opfertiere geschlachtet, wobei die Pilger nur einen kleinen Teil für sich behalten und den Rest den Armen spenden. Dieser Tag, das Opferfest(*Id ul-Adha*), ist der höchste islamische Feiertag.

Haddschi (arabisch, eingedeutscht Hadschi) ist der Ehrentitel einer Person (Mann oder Frau), die den Haddsch – die islamische Pilgerfahrt nach Mekka – auf sich genommen hat.

Hatch Friskmaster Ultradünner schnitthemmender Lederhandschuh mit der Schnittschutz-Einlage »Powershield X3« (Mischung aus Polyester, Fiberglas und Spectra).

Hatfill (Dr. Steven Jay) geb. am 24. Oktober 1953, Virologe und Experte für biologische Waffen, einer der Verdächtigten im amerikanischen Anthrax-Fall von 2001, der aber nie überführt und verurteilt wurde. Er hatte sein Medizinstudium an der Godfrey Huggins Medical School in Rhodesien absolviert.

HDS Hazardous Devices School, eine Einrichtung des FBI und der U. S. Army in Huntsville, Alabama. Dort werden jedes Jahr mehr als tausend Bombenexperten für die Armee, die Feuerwehren, das FBI und andere Dienste ausgebildet.

Hijaz   Region im Nordwesten Saudi-Arabiens mit der Hauptstadt Dchidda (Jeddah) und der heiligen Stadt Mekka.

Homeland Security   Amerikanische Bundesbehörde, deren primäre Aufgabe offiziell darin besteht, terroristische Angriffe zu verhindern, Schutzmaßnahmen zu ergreifen und Gegenmaßnahmen einzuleiten – kurz: den »Heimatschutz« oder die »innere Sicherheit« zu gewährleisten.

Incirlik   Luftbasis der NATO in der Türkei, zwölf Kilometer östlich von Adana.

Janitscharen   Die Janitscharen (türkisch *Yeniçeri*, »neue Truppe«) waren im Osmanischen Reich die Elitetruppe der Infanterie, die aus zwangsislamisierten Christensklaven bestand. Sie stellten auch die Leibwache des Sultans und erreichten oft höchste Positionen im osmanischen Staatswesen. Die Truppen haben ihren Ursprung im 14. Jahrhundert und wurden 1826 aufgelöst.

Jed Clampett   Fiktive Figur in einem amerikanischen Countrysong. Die *Ballade von Jed Clampett*, geschrieben von Paul Henning, war Titelsong der amerikanischen Fernsehshow und des Films *The Beverly Hillbillies* und rangierte 1962 auf Platz 44 der amerikanischen Charts.

Jeepney   Alte Jeeps, die die Amerikaner nach dem Ende des Zweiten Weltkriegs bei ihrem Abzug von den Philippinen zurückließen und die dort zu Kleinbussen umgebaut wurden. Bunt bemalte Jeepneys gelten als typisches philippinisches Verkehrsmittel.

Jeeves   Reginald Jeeves ist eine fiktive Figur in den Erzählungen und Romanen von P. G. Wodehouse, ein Gentleman, der einem anderen Gentleman persönlich dient, ohne sich dabei zu erniedrigen – eine Mischung aus emanzipiertem Butler und Kammerdiener.

John Brown   geb. 1800, gestorben 1859. US-amerikanischer Gegner der Sklaverei, der aus einer alten neuenglischen Familie stammte. 1855 schloss er sich sechs seiner Söhne und seinem Schwiegersohn an und avancierte bald zu einem der Anführer der Anti-Sklaverei-Guerilla. Berühmtheit erlangte er, als er am 16. Oktober 1859 mit 21 Männern die Stadt Harpers Ferry überfiel. Durch Eroberung eines Waffenarsenals wollte er einen Aufstand von Sklaven entfachen und sie bewaffnen, um mit einer Revolutionsarmee den gesamten Süden zu befreien.

Kaczynski, Ted   geb. am 22. Mai 1942. Betätigte sich in den USA 18 Jahre lang als Bombenleger, sitzt heute noch ein.

Kenny G. (Bühnenname) Kenneth Gorelick, geb. 1956, amerikanischer Saxophonist, erreichte mit dem Album *Duotones* 1986 den Durchbruch.

Krupa, Gene Schlagzeuger in Benny Goodmans Band.

Leise Vögel (im Original *whisper birds*) Anspielung auf fliegende Geschöpfe in »Star Wars«, Bewohner des Planeten Yavin 4, bekannt für ihren lautlosen Flug.

Mahdi In der islamischen Eschatologie ist der Mahdi der angekündigte Erlöser, der die Welt vor dem Yaum al-Qiyamah, dem Jüngsten Tag, verwandeln und eine ideale islamische Gesellschaft errichten wird. Die Vorstellungen über den Mahdi sind bei Sunniten und Schiiten unterschiedlich.

Monroe Gefängnis im Bundesstaat Washington.

Mud People Angehörige nicht-weißer Rassen, die per se keine Seelen besitzen – verbreitete Auffassung der rechtsradikalen, rassistischen Strömung *Christian Identity*. Danach sind die weißen Anglo-Amerikaner Gottes auserwähltes Volk und Nachkommen der verlorenen zwölf Stämme Israels. Mischehen mit Nicht-Weißen werden von dieser Strömung als Sünde betrachtet. Bei der Wiederkunft Christi werden die gottesfürchtigen Weißen belohnt, alle anderen zur ewigen Verdammnis verurteilt.

Murrow Federal Building Regierungsgebäude in Oklahoma City, das am 19. April 1995 durch eine Autobombe zerstört wurde (168 Tote, 600 Verletzte), siehe auch → *Nichols und McVeigh.*

National Counter-Proliferation Center (NCPC) ist Teil des amerikanischen Geheimdienstes und wurde offiziell am 21. Dezember 2005 aufgrund eines neuen Bundesgesetzes zur Abwehr terroristischer Angriffe eingeführt. Zu seinen Aufgaben gehören die strategische Planung und Koordination von Abwehrmaßnahmen gegen Massenvernichtungswaffen und deren Verbreitung.

Navy SEAL Spezialeinheit der US Navy. SEAL steht für **Se**a, **A**ir, **L**and, denn die SEALs sind als Marine-, Luftlande- und Bodenstreitkräfte einsetzbar. Ihr Aufgabenspektrum umfasst u. a. Aufklärung, Informationsbeschaffung, Abwehr feindlicher Aufklärung, direkte Kampfeinsätze, Kampf gegen Terrorismus und Drogenhandel, Befreiungs- und Rettungsoperationen.

NCIC National Crime Information Center, die zentrale Datenbank der USA für alle Informationen, die mit Verbrechen zu tun haben. Wird vom Federal Bureau of Investigation (FBI) geführt und ist mit ähnlichen Systemen der einzelnen Bundesstaaten verbunden.

NCIS Naval Criminal Investigation Service, ermittelt in Verbrechen, die innerhalb des Zuständigkeitsbereichs der amerikanischen Marine auftreten.

Nichols und McVeigh Terry Nichols und Timothy James McVeigh waren für das Bombenattentat verantwortlich, mit dem das Regierungsgebäude (»Murrow Federal Building«) von Oklahoma City am 19. April 1995 in die Luft gesprengt wurde. Als Detonationsbasis diente ein Lastwagen.

OSS Office of Strategic Services, Teil der amerikanischen Armee.

Perchlorate Oxidationsmittel, die bei Erhitzung Sauerstoff abgeben. Sie sind brandfördernd und werden in der Pyrotechnik und in Sprengstoffen verwendet.

Plasmide Durch Plasmide werden genetische Informationen einschließlich der Resistenzfaktoren von einem Bakterium zum anderen weitergegeben. Die auf diese Weise entstehenden multiresistenten Bakterien haben mehrere Resistenzgene und stellen eine besondere Gefahr dar. Bakterien können zu resistenten »Supererregern« werden. Die üblichen, gegen solche multiresistenten Bakterien eingesetzten Antibiotika bleiben wirkungslos.

Polybutadien Synthetisches Gummi.

Porton Down Großes wissenschaftlich-technisches Labor in Großbritannien, spezialisiert auf biochemische militärische Forschung – eine staatliche Einrichtung und dem Verteidigungsministerium unterstellt. Angesiedelt in der Nähe von Salisbury in Wiltshire, England.

Prionen Prionen (von engl. **pro**teinaceous **in**fectious particle) basieren auf Proteinen, die im menschlichen und tierischen Organismus natürlicherweise vorkommen, jedoch genetisch mutieren können. Einige pathogene Formen sind schädlich (»Prionkrankheiten«) und nach derzeitigen Hypothesen etwa für die Creutzfeldt-Jakob-Krankheit beim Menschen, BSE beim Rind oder Scrapie bei Schafen verantwortlich.

Redstone, Redstone Arsenal Großes militärisches Ausbildungs- und Forschungszentrum in Huntsville, Alabama.

SIOC Strategic Information and Operations Center des FBI.

Southern Poverty Law Center (SPLC) Ein gemeinnütziges, anti-rassistisches Zentrum in Montgomery, Alabama, das seine Aufgabe vor allem in der Verteidigung von Bürgerrechten sieht, sich mit rechtlichen und erzieherischen Fragen befasst, Informationen sammelt und Dokumentationen erstellt. Es wurde 1971 von Morris Dees und

Joe Levin ursprünglich als eine Anwaltskanzlei gegründet, die auf die Durchsetzung und Verteidigung von Bürgerrechten spezialisiert war. Das Zentrum veröffentlicht vierteljährlich Berichte, in denen Gruppen aufgeführt sind, die als rassistisch und extremistisch aufgefallen sind.

Sunshine Patriot Von Thomas Paine (1737–1809, amerikanischer Philosoph und Essayist) geprägter Ausdruck; er bezeichnet amerikanische Patrioten, die in »guten Zeiten« Fähnchen fürs Vaterland schwingen und Dienste für das Land verweigern, wenn es hart auf hart kommt. Derzeit wird dieser Terminus in den USA von allen politischen Fraktionen in kontroversen Debatten benutzt, u. a. auch im Zusammenhang mit der amerikanischen Militärpräsenz im Irak. Populär wurde der Ausdruck auch durch den amerikanischen Fernsehfilm »The Sunshine Patriot« von 1968.

SWAT-Team SWAT steht für *Special Weapons and Tactics*; ursprünglich hieß es *Special Weapons Assault Team*. In den USA ist es eine spezialisierte, schwer bewaffnete paramilitärische Polizeieinheit, die für besonders gefährliche Operationen ausgebildet ist, etwa die Befreiung von Geiseln und die Verhinderung von terroristischen Anschlägen.

Swerdlowsk (Jekaterinburg) Aus einer Fabrik für biologische Waffen in Swerdlowsk entwich am 2. April 1979 eine kleine Menge von Milzbrandsporen. Das Aerosol wurde in südöstliche Richtung getragen und führte in der Folge zum Tod von 66 Menschen.

Tango Victor Charlie Funkersprache. In der US-amerikanischen Armee steht *Victor Charlie* seit dem Vietnamkrieg für den Vietcong oder Aufständische allgemein. *Tango* steht für Terroristen.

Telomere Die natürlichen einzelsträngigen Chromosomenenden linearer Chromosomen, wesentliche Strukturelemente der DANN.

Turner Diaries Autor dieses »Romans« ist der Führer der amerikanischen neonazistischen Organisation »National Alliance« William Pierce, der die »Diaries« unter dem Pseudonym Andrew Macdonald veröffentlichte. Im Grunde ist der Roman ein terroristisches Handbuch. Propagiert werden darin der Sturz der Regierung und die Errichtung eines arischen Staatswesens in den USA.

UAV Unmanned Aerial Vehicle, unbemanntes Flugobjekt oder Flugzeug, das für Angriffs- oder Aufklärungsflüge eingesetzt wird.

Waco (Texas) 1993 führte das amerikanische Bureau of Alcohol, Tobacco, Firearms and Explosives auf der festungsähnlichen Ranch der sogenannten Davidianer-Sekte in Mount Carmel bei Waco eine

Razzia durch – wegen des Verdachts auf illegalen Waffenbesitz. Dabei starben vier Polizisten und fünf Ranchbewohner. Als das Gebäude später gestürmt wurde, brach ein Feuer aus, das 82 Sektenmitglieder tötete.

Wahhabiten Als Wahhabiten werden die Anhänger der *Wahhabiya*, einer sehr *konservativen* Richtung des Islam bezeichnet. Die Bewegung geht auf *Muhammad Ibn Abd al-Wahhab* zurück. Die Anhänger Ibn Abd al-Wahhabs nehmen für sich in Anspruch, die islamische Lehre authentisch zu vertreten.

Die Begriffe *Wahhabiya* bzw. *Wahhabiten* sind keine Selbstbezeichnung, sondern Kampfbegriffe ihrer Gegner. Sie selbst bezeichnen sich einfach als Muslime – in dem Verständnis, den Islam schlechthin zu repräsentieren.

Die Anhänger der Theologie Ibn Abd al-Wahhabs sehen sich innerhalb der muslimischen Gemeinschaft von vielen Seiten dem Vorwurf ausgesetzt, gegenüber anderen Auffassungen der islamischen Lehre äußerst intolerant zu sein und ihr eigenes Verständnis des Islam mit Gewalt gegen andere Muslime durchzusetzen. Anhänger der Bewegung sehen darin dagegen den legitimen Kampf gegen Ungläubige, die nur dem Namen nach Muslime seien, und gegen Abtrünnige vom Islam.

Der Wahhabismus lehnt den Sufismus und die islamische Philosophie, die ihnen vom alten Griechenland beeinflusst scheint und damit als verunreinigt gilt, in jeder Form ab.

Die meisten Wahhabiten gibt es in Saudi-Arabien. Sie stellen dort mit 73% der Bevölkerung die größte religiöse Gruppe dar.

Walla Walla Berüchtigtes Staatsgefängnis im amerikanischen Bundesstaat Washington.

Richard
Morgan

Privatdetektiv Takeshi Kovacs kann sich über
seinen neuen Auftrag nur freuen – hatte ihn der
letzte ja eigentlich das Leben gekostet. Aber
der Tod scheint inzwischen kein Problem mehr
zu sein. Oder etwa doch?

*»Richard Morgan definiert die Science Fiction des
neuen Jahrtausends!«* **The Guardian**

3-453-87951-1

3-453-52051-3